第Ⅳ冊
從聯合赤

1968
日本現代史的轉捩點，
席捲日本的革命浪潮

19_68

1968〈下〉
叛乱の終焉とその遺産

小熊英二 著／羅皓名、馮啓斌 譯

1972年2月28日，一千多名警察包圍聯合赤軍佔領的淺間山莊，展開人質救援行動，警方用吊車上的大鐵球砸向山莊三樓的牆壁，鑿開巨大的洞，並噴射強烈水柱。（每日新聞社提供）

1972 年 2 月 28 日，警方開始攻堅淺間山莊，兩名聯合赤軍成員持槍從窗戶窺視外部情況。（每日新聞社提供）

目次

第IV冊　從聯合赤軍到肯定消費社會

第十六章　聯合赤軍

報導／反應過度的年輕人們／聯合赤軍事件的實像與虛像

第十七章　女性解放運動與「私我」　203

女性運動者的境遇與不滿／「性解放」與「性剝削」／女性解放運動誕生的前夜／女性解放運動團體的主張／「找不到話語」的苦惱／田中美津的經歷／田中的女性解放運動的開始／朝向武裝鬥爭論發展／田中的轉變／脫離「革命大義」／作為「自我分身」的聯合赤軍詮釋／從聯合赤軍詮釋到對消費社會的肯定

結論　327

「那個時代」的反叛是什麼？／民主教育的基礎與認同危機／為什麼是「政治」／作為「政治運動」的評價／「自我世代」的自我確認運動／「他們」應該被批判的點／國際比較／經濟高度成長期的運動／適合經濟高度成長的運動形態／朝向大眾消費社會的「兩階段轉向」／「一九七〇年典範轉移」的極限／各自的「一九六八年」／從他們的「失敗」中學習的東西

第十六章　聯合赤軍

一九七二年的聯合赤軍事件，是指聯合赤軍在山岳基地動用私刑導致十二人死亡，乃至淺間山莊的槍戰等一系列事件，特別是以「總結」為名，導致十二名「同志」死亡所帶來的巨大衝擊，被認為是導致六〇年代年輕人們反叛終結的事件。

本章將描寫這個事件以及事件發生的脈絡。藉由檢證這個事件的脈絡，意圖釐清事件的性質與真相，和在「那個時代」的反叛後半成為主流的武裝鬥爭路線小團體的實情，以及這個事件給年輕人帶來的衝擊與其後的影響。

赤軍派的誕生

聯合赤軍是由「共產同赤軍派」與「日本共產黨革命左派」這兩個新左翼黨派共同組成的新黨派。首先，我們來看赤軍派誕生的過程。

赤軍派的成立集會是在一九六九年九月，但其源起可以追溯到相當久以前。第一個起源是，在一九六八年三月共產主義者同盟第七次大會召開之際，日後當上赤軍派議長的鹽見孝也，以其「過渡期世界論」在共產同內取得勢力。當初「過渡期世界論」是在中大社學同的機關報《解放》和關西共產同的機關報《烽火》上發表，其後為整個共產同所知。[1]

鹽見生於一九四一年的大阪，父親是醫生，中學時代是「柔道部的硬派成員」，也擔任應援團團長，進到高中才「轉為文學青年」。重考兩年以後，考進京都大學文學部，並成為京都大學合作社的成員，當時的京大合作社是社學同的據點，鹽見也被社學同招募，參加阻止憲法修惡鬥爭與阻止大管法鬥爭，因此收到半年的停學處分。在反對大管法鬥爭中，認識了大阪市立大學的學生、爾後成為赤軍派幹部的田宮高麿。[2]

鹽見在二〇〇三年時如此回想當時的狀況：「加入京都府學聯（京都的大學自治會的聯合組織）的隊伍時，被說『你拿旗吧』，所以也擔任掌旗手，不管怎麼說，當時很開心。」然後「既然被那樣要求了，就覺得必須賭上性命來做這件事，畢竟是鄉下純樸的青年，完全沒想到要隨便混混就好。如果決定做這件事，就覺得『戀愛啊、女性啊都不能碰』。」田宮也是「超級認真」、「是把穿木屐和吟詩當作商標的粗人。」[3]這種禁慾式的「硬派」道德觀，在赤軍派裡成為貫徹到聯合赤軍事件為止的要素。

去了巴勒斯坦的重信房子，以身為赤軍派的成員而為人所知，她的父親在戰前涉入名為「血盟團事件」的右翼青年將校的軍事叛變未遂事件。以這樣的成員特徵為背景，鹽見在二〇〇三年這麼說：[4]

我認為〔在重信的行動力背後〕是她身為右翼革命家父親的血統以及浪漫主義。大抵上赤軍派的核心是浪漫主義。……像右翼青年將校那樣，或像幕末的志士那樣，現在想想，也有包括像

> 特攻隊青年那樣的東西，在日本人的根底有類似浪漫主義和犧牲的精神那樣的東西。那種精神流淌在日本人之中。如果是戰前，就在右翼身上，戰後則在新左翼裡流淌。赤軍派就是那種體質，共產同在本質上也是那樣的體質。

雖然鹽見日後被稱為赤軍派的理論指導者，但他本人自稱比起理論，更是基於「浪漫主義」的實踐類型。如同在第四章所述，在六〇年代中期的共產主義者同盟中，以岩田弘「世界資本主義論」為主軸的馬克思主義戰線派，被視為在理論上居於優勢，包括鹽見在內的關西共產同則位於劣勢。鹽見表示，他是為了對抗「馬克思主義戰線派的經濟主義傾向」才創造出「過渡期世界論」。[5]

鹽見「過渡期世界論」的大概旨趣如下。首先將一九一七年俄國十月革命至今這段時期，視為世界從資本主義往社會主義轉移的「過渡期世界」。這個過渡期世界的階級鬥爭，是「世界無產階級」與世界資產階級的鬥爭，隨著一九四九年中國革命，工人國家紛紛建立，古巴革命、中國文化大革命、美國的黑人起義、越戰等，世界規模的無產階級與資產階級的鬥爭更為激烈，並不斷出現對「世界無產階級」有利的狀況。而現代是單一世界革命——世界革命戰爭以防禦↓對峙↓進攻的方式發展的時期，階級鬥爭也應該朝「攻擊型階級鬥爭」前進。從這個理論出發，日後赤軍派替人民打頭陣發動起義，鼓吹「前階段武裝起義」、展開武裝鬥爭。

另一方面，馬克思主義戰線派以「世界資本主義論」為本，主張革命應該從日本革命乃至亞洲革命，接著往世界革命發展。在提出「過渡期世界論」的一九六八年三月、第七次共產主義者同盟大會的第一天，馬克思主義戰線派進行激烈辯論，然而在大會第二天，馬克思主義戰線派迴避衝突、缺席大會而分裂。[6]就這樣，鹽見的「過渡期世界論」在共產主義者同盟中取得優勢。

受到文化大革命、越戰、黑人暴動與巴黎五月革命等新聞刺激，「過渡期世界論」是滿足想參與世界高昂情勢的年輕人願望的理論。如果日本的階級鬥爭也是「過渡期世界」的一部分，而且世界的狀況正進入「攻擊型階級鬥爭」的時期的話，共產同也應該發起積極的、更具攻擊性的街頭鬥爭。

然而，這個「過渡期世界論」的適切性也有所疑問。之後成為聯合赤軍幹部的革命左派坂口弘，在一九九三年的回憶錄中，嚴厲批評鹽見的「過渡期世界論」是「無視各國複雜的狀況……自己在腦中創造了『世界無產階級』」，「沒有事實根據，在腦中硬擠出來的理論」，「根本不能說是什麼高度的理論。」只是「因為剛好符合部分成員激進的心情，在他們之間產生巨大的影響」，「提出『前階段武裝起義』的冒險式鬥爭。」[7]

鹽見自己也在二〇〇三年說：「談論民族在當時的新左翼是禁忌，所以論爭無論如何都會變成以世界的形式進行……那樣真的行得通嗎？全都單純化成世界赤軍、世界黨派鬥爭等（笑）。」不過，當「過渡期世界論」在共產同內取得勢力的時候，武裝鬥爭論還沒抬頭，直到一九六八年八月邀請美國的武裝組織「地下氣象員」（Weather Underground Organization）和德國的ＳＤＳ（德國社會主義學生同盟）參加的國際反帝集會，才開始宣揚「世界革命戰爭」。[8]

根據鹽見的回想，武裝的好壞對錯在共產同內引發論爭，是在一九六八年十月二十一日的國際反戰日。[9]如同第十三章所述，這天社學同攻擊了防衛廳。當時，鹽見等人投擲火焰瓶，主張要澈底戰鬥到底。但是，雖然火焰瓶在安田講堂攻防戰之後逐漸普遍化，但當時仍被視為過激手段，共產同政治局的仏德二等人，認為使用火焰瓶可能會觸犯《破壞活動防止法》，因而提出反對。兩者妥協的結果，共產同用木樁衝撞防衛廳的正門，但是並未像引起新宿事件的中核派那樣受到關注。鹽見在二〇〇三年還是主張，如果當時使用火焰瓶，「共產同在那之後應該能更好地抗爭下去。」

在那之後的一九六八年十二月共產同第八次大會中，曾為政治局成員的鹽見與日後當上赤軍派幹部的學生對策部長的高木廣之（假名）被排除在黨中樞之外，仏德二等人掌握了共產同的主導權。鹽見以根據地的關西共產同成員為中心，推動形成支派。[10]

另一方面，一九六九年四月二十八日的沖繩日鬥爭以新左翼黨派慘敗收場，共產同組成「共產主義突擊隊」（RG）企圖佔領霞關，但最後也以失敗收場。此外，之後成為赤軍派幹部的八川健介（假名）提到：「四·二八的沖繩鬥爭時，共產同的政治局已經處於解體狀態，單一指揮部的型態已經消失。」[11]沖繩日的敗北，使得只能更強化武裝才能對抗機動隊的意識滲透到各個新左翼黨派，加上共產同內部的混亂，與鹽見等人擁有同樣想法的人逐漸變多。

鹽見等人分出的派別，當初自稱為「我等分派」、「我等黨」，但由於內部通知稱之為「赤軍」，共產同的其他派別也通稱他們為「赤軍派」。[12]接著在一九六九年六月，他們也開始發出自稱「赤軍派」的內部通知。[13]

安田講堂攻防戰之後，全國發起全共鬥運動，部分的運動者帶有「革命近了」的意識，此狀況是赤軍派誕生的背景。慶應大學學生鈴木正文，受到山崎博昭之死的衝擊而加入共產同，他是如此回想受赤軍派招募時的心境：[14]

我參加了東大的安田講堂佔領，那個時候完全沒有意識到我們被孤立，當時覺得我們與民眾的心情是共通的。實際上在街頭演說也吸引許多關注，募款也相當順利，陷入困境的無疑是政府。東大的入學考試中止。這是政府的危機。因此當時喊出「把政府危機轉為政治危機」的口號，我認同這個口號，也相信「革命」帶有現實性，少數人的革命是可能的。

共產同的對立在六九年變得更強烈，赤軍派在七月時出現，而我想這也是因為我所感受到的「革命可能真的會發生」的心情，在許多運動者之間都有所共鳴的關係，除此之外別無可能。

可以說，這種樂觀的認識，與一九六九年四月二十八日的慘敗，乃至意識到武鬥棒與火焰瓶的極限，再與鹽見所說的「浪漫主義」合體，促成了赤軍派誕生。

由於赤軍派以關西的運動者為主體，共產同主流派在新聞報導中被俗稱為「關東派」。然而，雙方的會談進行得並不順利。

共產同的一位成員在當時接受訪問時說：「鹽見的發想的根底是，最重要的是殲滅權力象徵的機動隊，之後就會開出一條道路。他對客觀情勢的認識太過天真。」「和他不同，我們沒有捨棄讓大眾反權力能量爆發，並將之與革命連結的想法。……每次會談都沒有具體成果。」[15]中野正夫從社學同轉而加入赤軍派，據他的說法：「關西共產同與以戰旗派為中心的關東中大共產同之間的鴻溝，與其說是理論上的差異，不如說是情感上的問題。『與關西個性不合』的說法可說是恰如其分。」「關西共產同的成員，說關西腔聽起來似乎很柔軟，但很多人若無其事地說出令人吃驚、虛張聲勢的話，很多鬥爭戰術也只是隨便想到就說。」[16]在這個狀況下，關西赤軍派運動者藤本敏夫與森恒夫在六月底被共產同的主流派綁架，帶到主流派的據點中央大學。藤本是同志社大學出身，在三派全學聯於一九六八年七月分裂之後，擔任反帝全學聯委員長的老手運動家。森是大阪市立大學出身，受田宮高麿感召加入共產同，參與三里塚鬥爭後，擔任共產同千葉縣委員長。[17]森在日後成為聯合赤軍的最高領導者。

中大的學生課長，在日後受訪時這麼說：[18]

從（昭和）四十三年十二月十四日到四十四年八月二十七日（一九六八年至六九年），大學被共產同的成員封鎖，沒辦法得知校內的樣子。我是事後才知道森等人被綁架。聯合赤軍的大量殺人曝光後，某位學生才說出當時的狀況……據說兩人被帶到一號館一樓的經濟研究室，被反對派強迫進行嚴格的自我批判。藤本堅決不接受，因此受到瀕死的制裁。但是，森從一開始就很乾脆地自我批判，而且還是邊哭邊拜託不要對他動用私刑、向反對派求饒。

聯合赤軍事件曝光後，新聞報導森原本就是個小心眼的人。據這些報導，在一九六五年反對日韓會談遊行中，負責指揮的森遭到逮捕的時候，一位警官說：「他用快哭出來的聲音說：『大叔，抱歉、抱歉』，身為指揮者卻是相當軟弱的男人。」三里塚的農民也有評價：「他不是那種奮力把組織往前拉的類型，感覺不是在前頭指揮的類型啊。」[19]另一方面，在關西與森一起活動的運動者中，也有人認為森具有「品格高尚」的聲望。在森的中學時代的行動中，也有如此記載：「看起來是模範生，但有點不上不下。」「缺乏領導性格，沒有統籌群眾的才能，無法做出客觀的判斷。」[20]

在第十一章中介紹了《東京大學新聞》的記者們在東大全共鬥中被迫自我批判的事件，當時這類事件很常發生。而被恐懼折服而自我批判的人在心底會留下很深的傷痕。一九四七年生的作家北方謙三，他也參加了中大全共鬥，並於一九八四年時如此描述自己的經驗：[21]

……被其他的新左翼黨派抓到，我馬上就自我批判了。……但是當時一起在場的人，是在暴力鬥爭中，即使身體磕磕地發抖卻依舊往前衝出去的傢伙。至今記憶仍舊鮮明，他的表情就像戴了面具似的，始終拒絕自我批判。……這經驗是非常強烈的屈辱，覺得當時我為什麼要自我批判。我覺得如果只是意識形態的問題，是沒辦法那樣堅持的。現在想起來，在保護自己的意識形態的心情深處，應該更有一種「我是男人」的強烈堅持吧。因此，對我而言的全共鬥，就是像那個男人戴上面具般的表情。

在那之後，北方寫了描繪不屈服於壓力與恐懼、持續戰鬥的男人們的冷硬派小說，博得不少人氣。對他來說，寫下那些小說的原動力，就是在自我批判中受辱的傷。在拒絕自我批判而遭受私刑的藤本旁邊，不難想像森也有受辱的傷痕，也有人認為這影響了聯合赤軍事件。

武裝內鬥的第一位死者與赤軍派成立

在藤本的私刑與鹽見被政治局驅逐之後，一九六九年七月六日深夜，包括從關西來到東京的人在內，赤軍派運動者聚集在東京醫科齒科大學，約一百人以木棍等「武裝」，襲擊共產同議長仏德二等主流派所在的明治大學和泉校舍。但是森恒夫從這場亂鬥中逃走，赤軍派的內部於是對他有「森轉向了」、「懦夫」的風評。在那之後幾個月，森斷絕了與赤軍派的聯絡。[22]

另一方面，亂鬥以赤軍派的勝利告終。被突襲的主流派四散，這次換仏德二被鹽見等人動用私刑，被迫寫下自我批判書。天亮之際，有情報表示機動隊已包圍和泉校舍，鹽見等人背著仏德二逃出校舍，但被機動隊追上，便把受傷的仏德二留在中途的墓地，仏德二因此遭到逮捕。[23]

主流派當然極度憤怒。鹽見、田宮與赤軍派本隊分開，早一步回到東京醫科齒科大學，但是被聚集在那的中大與明大主流派襲擊，包括鹽見在內，赤軍派二十九人成為俘虜。田宮逃進附近的派出所，因此沒被抓到。[24]

淪為俘虜的赤軍派，被帶到用街壘封鎖中的中大，針對讓仏德二受傷並交給警察一事，被要求進行「自我批判」。據鹽見的回想：「在地下室被脫光、瘋狂毆打。只能拚命保護自己的睪丸（笑）。被木棍毆打、潑水，被威脅『灌進水泥丟進東京灣』等。」[25]一位赤軍派運動者，在幾年後這麼回想：[26]

> 我在中大某校舍的廁所裡被動用私刑。對我動手的三人是領導階層，是在四個月前的阻止京大入學考試鬥爭中，從東京來的支援部隊，他們是當時擔任武裝部隊隊長的人。他們一邊說「你們摧毀了共產同」、「是你們殺了仏德二」，一邊用硬木棒毆打我們全身各處（當時我還沒掌握事情的狀況）。當時打我的那人的可怕神情，同時帶著哽咽的聲音，至今都還深刻地留在我的記憶當中。

我在身體的疼痛與不能忍受事態的心情中，希望自己可以昏過去，但只要失去意識就會被潑水喚醒，不斷反覆。私刑之後，在泡水的廁所裡，我被濕毛巾裹起來以後丟到外面，聽見有人問：「要不要乾脆把他丟進海裡？」另外有人回：「你是為了做這種事而拚命奮鬥過來的嗎？」「才不是。」不知道該如何是好的心情，沒有縈繞在腦裡，而是襲上胃和胸，那種感觸到今天都沒辦法遺忘。

在二十九名俘虜裡，有四名幹部，其他很快自我批判後就被釋放了。研究聯合赤軍的美國社會學家派翠西亞．斯坦霍夫（Patricia Steirhoff）如此寫道：[27]「對於事件參加者而言，這個狀況似乎非常嚴重，即使如此，以意識形態上的脅迫為目的的組織內部綁架，難以澈底擺脫惡作劇的形象。鹽見的妻子一子說，她覺得這件事就像青少年之間的遊戲似的。然而，當時一位淪為俘虜的赤軍派成員對我說，他當時真的覺得自己會被殺掉。遊戲與殘酷的現實之間只有一線之隔。」

鹽見等留下的四名幹部，對於沒帶走仏德二而導致他被警察逮捕一事，寫了自我批判書，但由於他們主張自己的前階段武裝起義路線是正確的，而被毆打。在過了約二十天的監禁後，七月二十四日夜晚，鹽見等人從關他們的經濟學部長室的三樓窗戶放下消防管和綁起來的窗簾，意圖逃到一樓，然而望月上史（京都府學聯書記長、同志社大學生）途中摔下來，頭部強烈撞擊水泥地板。鹽見等人叫了計程車，把望月抬進醫院，但他沒有恢復意識，於二十九日死去。[28]

當時暴力內鬥蔓延在新左翼黨派之間或派系內部，全國六十六所大學共發生了一百八十次武裝內鬥，一千數百餘人受傷。然而，望月是武裝內鬥的第一位死者。而且那還不是像樺美智子或山崎博昭那樣，被認為是英雄式的死。當時隸屬於社青同解放派的小嵐九八郎，聽到一位共產同的幹部輕輕帶過這件事：「那傢伙的死沒有意義，只是白白送死。」受到很大的衝擊。[29]

隔月的一九六九年八月，共產同召開第四次中央委員會。日後在聯合赤軍事件中遭私刑而死的山田孝，代表赤軍派參加，山田只是提出武裝內鬥的自我批判書，並主張武裝起義路線的正確性後便離去。[30]這是赤軍派與共產同主流派的分裂宣言。據鹽見的回想，雖然當時也有人主張設立新黨，但基於「將來會回歸（共產同）」的打算，最後決定只設立支派「赤軍派」。[31]

在赤軍派分裂出去的前後，共產同分裂為「戰旗派」、「叛旗派」、「怒濤派」、「情況派」等，處於四分五裂的狀態。當時的中央大學、明治大學等社學同的據點學校裡，無黨派的學生之間流傳著如下改編童謠《鬱金香之歌》的曲子：[32]

分裂了　分裂了
共產同分裂了
排排站　排排站
戰旗　叛旗　情況
赤軍是最美麗的啊

前東大全共鬥的小阪修平說：「許多學生都認為赤軍派的登場有颯爽的形象。」「赤軍派的武裝路線，被視為是一種打破在過去鬥爭中揮之不去的自制默契，被認為可以突破以往的鬥爭中感受到的煩躁、無力感、憤懣與怨恨。」[33]一九六九年四月二十八日的慘敗以來，感覺到武鬥棒與頭盔極限的年輕人們，對赤軍派有所期待。

一九六九年九月四日，赤軍派成立集會在東京的區立葛飾公會堂舉辦。據斯坦霍夫所述，京都大學、同志社大學、大阪市立大學等關西的大學，都不乏有原本的共產同分部整個加入赤軍派的案例。[34]

然而，運動者也沒有一口氣湧入赤軍派。儘管認識到武鬥棒與遊行的極限，但認為可以馬上發動武裝起義革命的人並不多。加上赤軍派沒有槍或炸彈，在這個狀況下，赤軍派要從原有人脈的關西共產同之外招募運動者加入頗為困難。

例如前述的慶應大學共產同運動者鈴木正文如此回想：[35]

> 赤軍也有來招募我加入，我聽了「前階段武裝起義」的構想，說是以機槍隊三千人與拔刀隊兩千人起義，佔領首相官邸與NHK，宣布成立臨時革命政府。也有「內閣名單」，不記得是給我看還是口頭說明，但確實存在。我當時想，「我不想入閣，我想當東京都知事啊」（笑）……。
>
> 最後我沒有參加赤軍。確實當時感覺到革命的現實性，但身為曾在學生運動現場的人，我不認為「武裝起義」有可能發生。共產同也曾經組織過兩、三千人的民眾抗議遊行，事實上這並不表示有五千人的運動者，畢竟從慶應大學招募去佔領安田講堂就已經夠辛苦了。以那種現場的感覺來說，赤軍派的主張實在太缺乏現實可行性。就連我都曾經覺得「前階段武裝起義」應該是正

確的吧，但實在沒辦法追隨。所以，我想曾經在東京學生運動現場的運動者，實際加入赤軍的人應該不多。赤軍的核心應該是由關西來的人與反戰青年委員會的成員，再加上高中生組成的吧。

被鹽見招募進社學同的荒岱介，在安田講堂攻防戰後遭逮捕入獄，他也強烈反對赤軍派「不合理的跳躍方針」。荒認為：「先不論拔刀隊三千人，炸彈與槍械的使用、對街頭遊行的大規模鎮壓、一般大眾的支持、在基礎產業進行大罷工，以及在軍隊內部的策反等，在革命的準備尚未齊全的階段，沒辦法採納那種方針。」[36]

即使能佔領首相官邸，只要政府出動機動隊或自衛隊，很明顯地馬上就會被鎮壓。儘管如此，關於提出佔領首相官邸這個戰術的背景，藤本敏夫在一九九八年如此回憶：[37]

那是因為學生受校園紛爭經驗的影響。只要佔領大學本部，（大學的事務性機能停止）就不能畢業。至今在校園紛爭、反對學費漲價鬥爭中，藉由街壘包圍戰術將局面導入有利的方向，已經成功好幾次。把國家和校園想成同一件事，是對國家權力的真實樣貌無知的愚蠢想法。大學的中樞，可以是校長室或行政中心，國家的中樞則是首相官邸，所以認為只要佔領那裡就好，太過直線條的想法了。……

像幕末的勤皇志士那樣，勤皇志士聽起來也很帥，總之不用多想、把公武合體派斬了就好，就是那種人對吧。他們覺得只要在櫻田門外偷襲井伊大老，以為殺了他事情就有所改變，因此一舉往東京進攻之類的。也不是在說是好是壞，但模式是一樣的。

如第三章所述，當時的新左翼學生運動者，對校內政治和派系政治能用得上智慧與詐術，但是並不精通國家層級的政治，因此衍生出佔領首相官邸這種「直線條」的戰術論。然而，認為那種革命構想能實現的人並不多。

因此，赤軍派除了原有人脈的關西運動者之外，沒有什麼老手運動者加入，大多是各地的大學生，高中生、國中或高中畢業的勞動者。因此也有報導指出，新左翼黨派批評赤軍派「欺騙缺乏意識的高中生、中學畢業生、高中畢業牛的勞動者加入。」鹽見也在二〇〇三年的回憶錄中描述，一九六九年春天的階段，赤軍派除了關西的學生以外，「都是高中生與共產主義青年同盟（共產同的青年組織）與反戰青年委員會的勞動者，幾乎沒有學生。」九月的赤軍派成立集會也是以來自「茨城大學、群馬大學、福島縣立醫大、新潟大學、弘前大學等」各地方大學的參加者居多。[38]

之後在聯合赤軍事件中遭逮捕的植垣康博，他加入赤軍派的經過如下：[39]他在一九六九年春天，身為無黨派的運動者參加了弘前大學鬥爭，按照慣例，只要進到暑假，來學校的學生和封鎖的大學本部內的人數都會減少，鬥爭因此達到極限。

此時，福島醫大的學生也是赤軍派成員的梅內恒夫來招募他。據植垣所說，梅內「沒有提到任何赤軍派的理論，突然就主張武裝鬥爭的必要性，說明用槍和炸彈在東京都內發動城鎮戰的計畫（也就是東京戰爭），我吃了一驚。梅內說得好像槍與炸彈都已經準備好，只要找到士兵，隨時都能發動城鎮戰似的，並號召我們加入。」

據植垣所說，弘前大學鬥爭「已經失去前景，我想如果要突破機動隊的攻擊，除了使用槍與炸彈的武裝鬥爭之外，沒有別的方法。」因此他和未來將參加聯合赤軍的青砥幹夫一起加入了赤軍派。「然而，我對於赤軍派的理論或路線一無所知，只知道武裝鬥爭是必要的，沒有比集結在赤軍派更魯莽的事，但那是當時我們的意識水準。」而實際去了東京，才知道赤軍派幾乎沒有準備武器，「梅內完全就是吹牛。」

讓不知道中央狀況的各地大學生與高中生，聽信「吹牛」而加入赤軍派，並不只是梅內一人所為。順帶一提，梅內是製造鐵管炸彈的專家，但如後所述，他後來脫離了赤軍派。

此外，從愛媛縣宇和島的水產高中畢業後、到東京成為港灣勞動者的若宮正則，他加入赤軍派的經過如下：若宮感覺到社會的矛盾，因此加入由共產同指導的神奈川縣反戰青年委員會，之後加入共產同神奈川縣委員會，在共產同分裂那陣子，神奈川縣委員會的許多成員都加入赤軍派，若宮也就加入了赤軍派。若宮在一九八八年的信件中這麼寫著：40

> 我是在二十四歲（六八年夏天）進入運動的世界，在那之前，既沒有運動經驗，也沒有讀過任何一本馬克思的書。那樣的我之所以會想參加運動，第一個理由是高昂的反越戰運動，內在的理由則有與生俱來的強烈正義感。……
>
> 對思想完全無知的我，加入赤軍派只是偶然、順其自然的結果，並不是對他們的思想有什麼共鳴。我對於自己是什麼思想、赤軍派又是什麼思想，完全沒有自覺就那樣參加運動，因此既沒有共鳴也沒有反對。當時的我，只要是反越戰的組織，不管是什麼組織都沒關係。

這種純真的青年勞動者，在思想上是一片白紙的狀態下加入赤軍派的案例，應該不在少數。

當時的週刊雜誌刊登了一位加入赤軍派的女學生的訪談。[41]根據這篇訪談，她「從高中畢業後當了一陣子的ＢＧ，都做一些倒茶或打雜的工作。所以想找一個身為人類，可以說自己想說的話的地方。」因此在某大學夜間部以司法考試為目標。然而山崎博昭的死所帶來的衝擊，讓她覺得「明明就有賭上自己性命的人」、「對於沒有參與其中的自己有非常強烈的自我厭惡感。」隨後就加入了社學同，至於赤軍派，則是被招募後才加入。

這位女性，就如同當時許多其他女性運動者，專門進行聯絡活動，與同一個派系內的男性有戀愛關係。然而當記者質疑武裝起義的現實性時，她反駁道：「武裝起義，說是像漫畫是嗎？」「全共鬥運動如此繼續發展下去，很明顯地只是陷入僵局。必須尋找運動的性質轉換。」「接下來的鬥爭，不抱著死的心理準備是不行的呢。」不過她也說：「內鬥中使用武鬥棒、動用私刑，這些行為太荒謬了。」

然而對於赤軍派而言，從出發點就與武裝內鬥和私刑密不可分。儘管事實真假有可疑之處，但當時的週刊雜誌介紹了赤軍派關西共產同的運動者，對其他派系的運動者動用私刑、強制他們加入赤軍派的事例。其他的週刊雜誌報導中也有「『不加入赤軍就殺了你』、『不只是你而已，我們會用炸彈炸你全部的家人』等脅迫，強制人們『入黨』」的記事。[42]雖然這些記事是假新聞的可能性很高，但當時有許多這些報導，也顯示了社會與媒體對於人們加入赤軍派的理由無法理解吧。

即使如此，人們加入赤軍派的理由，是因為一九六九年四月二十八日的慘敗、全共鬥運動陷入僵局，因此武裝鬥爭論才能吸引眾人。例如在第十七章後述的田中美津，與一名曾經在安田講堂戰鬥過的男性同居過一陣子。那名男性說：「再兩三年就會掀起世界革命」、「經常說一些聽起來很困難、怎麼聽都覺得只不過是虛張聲勢的事。」田中雖然覺得「怎麼樣都好」，但也帶有「戰鬥進入後退時期，在這狀況下聽到什麼令人振奮的事，就算知道那根本連一根稻草的功能也沒有，也想試著抓住它的心情。」然而，據田中所說：「連他自己，也不相信自己所說的宏大理論。」[43]

宏偉的計畫及其失敗

在這種氛圍下，除了赤軍派，在第十四章提過的武裝鬥爭論者、在京大擔任助教的瀧田修，由他主導的「京大游擊隊」也實施武裝訓練，可以在土本典昭導演的紀錄片電影《游擊隊前史》一窺當時的樣貌。

然而，實際上京大游擊隊也沒有實行的力量。一九六九年時，京大游擊隊發動名為「百萬遍拉丁區」的武裝起義，京大全共鬥運動者、日後加入赤軍派並參加淺間山莊槍戰的坂東國男如此回想：[44]「由京大游擊隊發起，定位為游擊戰的百萬遍拉丁區鬥爭，儘管準備了很棒的觸發性火焰瓶，但一個都沒有丟出去，機動隊一出現就迅速逃走了。此時發生了在街壘最前列的學生，被後排丟出來的火焰瓶砸到而全身著火的悲慘事件。儘管說是游擊戰，也只是懦弱的、傷害同伴的事件。」

經歷過這件事之後，坂東認為「用全共鬥那種鬆散的組織沒辦法取勝，必須靠嚴格地中央集權化的組織才可能贏。」因此加入赤軍派。但是他「幾乎沒有讀懂赤軍派那些困難的文章」，「那些文章中寫的世界革命戰爭等宏偉發想很令人驚訝，『從人類前史進到人類本史的世界性過渡期時代』，他只是覺得：『原來如此啊。』」[45]

一九七〇年前半，坂東和三位朋友與赤軍派幹部會面，聽對方說：「六九年秋天沒能貫徹到最後的前階段武裝起義，今年打算一定會澈底實行。已經準備好槍，到秋天時，希望你能做好赴死的覺悟。」覺得「赤軍派是認真的」因而加入。只是，入黨後坂東也發現「實際上什麼準備都沒有。」[46]

被招募而來的赤軍派運動者，據公安警察的調查，在一九六九年九月的時候，有大學生一百三十七人、高中生二十九人、反戰青年委員會的勞動者六人、所屬不明者一百六十四人，合計三百三十六人。[47]可知只有高中生與中學畢業生、高中畢業生的勞動者的說法是誇張了，但許多人「所屬不明」與大學生比較少也是事實。

公安警察之所以能詳細地掌握赤軍派的狀況，部分是因為赤軍派已經被警察盯上，但也是因為以秘密武裝組織來說，赤軍派的行動很鬆散。

例如赤軍派成立集會隔天，一九六九年九月五日，全國全共鬥成立大會在日比谷野外音樂堂舉行時，赤軍派對共產同發動武裝內鬥。儘管赤軍派人數處於劣勢，約十五分鐘內就贏得內鬥的勝利。田中美津說，這個時候「總覺得希望『赤軍』可以贏。」[48]如前所述：「許多學生都認為赤軍派的登場有颯爽的形象。」田中也是其中一人。

鹽見回想，藉由這場內鬥，清楚向共產同各派系與其他新左翼黨派表示：「赤軍派依舊健在。」[49]然而，警視廳拍下這場內鬥，與各府縣警察的情報比對，查出赤軍派成員的身分[50]。需要秘密行動的武裝鬥爭組織，在公眾面前大舉發動武裝內鬥，甚至被拍下來，此一事實顯示，他們被評為「比起秘密準備，更重視誇耀自己派系的存在」也是理所當然。

此外，根據聯合赤軍事件暴露後的報導，警視廳在九月中旬之前就已經察覺赤軍派的行動計畫：

在九月十五日到二十五日間，在大阪襲擊警察署，奪取手槍，使用搶來的手槍在十月到十一月間攻擊首相官邸或霞關，赤軍派稱之為「大阪戰爭」與「東京戰爭」。[51]

然而這些計畫都失敗了。據當時的報導，九月十日到三十日之間，雖然他們意圖襲擊大阪與東京的警察派出所，但人手不足，儘管試圖從各地的全共鬥等團體募集人手，但接連發生有人聽完計畫就脫離不參與等缺失，最後只是在大阪與東京對派出所扔火焰瓶，許多人遭到逮捕之後行動就結束了。

這類失敗連續發生，也讓赤軍派風評不佳。當時還沒加入赤軍派的坂東國男回想：「全共鬥中，期待赤軍真的有所作為，但他們卻沒有做到所說的，只是聚集了全共鬥的部隊，動員去參加所謂的『戰爭』，因此評價並不是太好。」[52]

赤軍派也意圖在一九六九年十月二十一日的國際反戰日使用鐵管炸彈，最後卻以失敗收場。在那之後不久，赤軍派召開幹部會議，為了佔領首相官邸而決定對赤軍派「中央軍」施以軍事訓練。訓練場所選在山梨縣的大菩薩嶺。為了搶在其他新左翼黨派於十一月十六日阻止佐藤首相訪美起義之前，選在十一月七日闖入首相官邸，預計召集兩千人參加，並準備約兩千個鐵管炸彈。[53]

然而，以「中央軍」發動的「前階段武裝起義」，原本就沒有明確的計畫。

據鹽見的回想，從以前就鼓吹「前階段武裝起義」，但具體的內容「一直都不明確」，只有為了革命「與花一起散落」的心情跑在前面。接著在十月二十一日準備鬥爭時，才首次針對「什麼是『前階段武裝起義』」進行具體議論。鹽見原本想在十月二十一日佔領首相官邸，「最後變成整體流程還是要再做一次像新宿騷亂那樣的鬥爭。」在十月二十一日的鬥爭失敗後，開始出現「前階段武裝起義」路線是不是錯誤路線的聲音，鹽見則將之歸因於軍事訓練不足等技術性問題，而朝著訓練中央軍以佔領首相官邸的方向前進。[54]

荒岱介在二〇〇八年說，在一九六九年前半時，「前階段起義論之類的，還只是一種為了集結大眾、類似宣傳口號那樣的東西。」[55]雖然不知道這是不是事實，但考慮到在十月二十一日之前都沒有想過具體的內容，被形容為「宣傳口號」也不意外。

此外，雖然在十月底的會議決定要闖入首相官邸，但闖入之後要怎麼做也不明確。據率領闖入部隊的八川健介的回想：「把佐藤首相抓起來，要求釋放政治犯。」「召集『全國全共鬥』佔領霞關。」「終止（為了延長安保的佐藤首相）訪美。」幹部間雖然提出各種意見，但基本上「沒有掌握權力的發想。」「雖然不知道要做什麼，但總之就是要做到最後。所以在那之後什麼的完全沒有考慮。」另一方面，鹽見在二〇〇三年的訪問中表示，佔領首相官邸之後，宣布成立「臨時革命政府」，或把首相抓起來後，阻止訪美、使安保不能延長等，是闖入官邸的目的，但是這很難說是幹部們的共識。[56]

和植垣一起從弘前大學參加赤軍派的青砥幹夫，在二〇〇八年這麼說：[57]

> 說是前階段武裝起義、連續起義等等，但並沒有具體的想法。……我那時想：武裝侵入首相官邸後是什麼樣子呢？接著有人說：「不，沒關係。武裝佔領首相官邸之後，機動隊會包圍首相官邸吧，如果他們包圍首相官邸，那他們就會被人民大眾包圍吧，如果那周圍被自衛隊包圍，那就瀕臨內戰了。」……很正面的想法。「所以武裝入侵的現役赤軍派，全員都陣亡也沒關係，只要議長的鹽見活著就好。」是這樣的想法。我想：「沒這回事吧」……。一點現實可行性都沒有。……因為是在這種想法上集結，不是什麼像樣的一回事對吧。我想那不是在對前階段武裝起義有

具體的想法後才集結，而是以「做下去總是會做出什麼吧」的態度集結。

青砥接著對於闖入首相官邸這麼說：「這是笑話對吧。但這可是在赤軍派內部實際談論的事喔。不是我個人的想法。」「但其中只有一點很明確，那就是我們並不認為可以透過武裝鬥爭奪取權力，我們只是想要建設黨，想要創立革命黨而已。為了創立革命黨，現下需要的是武裝起義，是基於這種想法行動。」訪問的人問，那你們打算創立什麼樣的革命黨呢？青砥答：「當時的討論並未進展到那一步。」[58]

斯坦霍夫在記下鹽見的妻子覺得七月六日的武裝內鬥像「青少年的遊戲」之後，這麼寫道：[59]「赤軍派的修辭中，無論再如何大聲表明這升級的遊戲，也找不到認真對待『死』這個問題的徵兆。」讀青砥的談話給人留下的印象是：與其說是為了實踐革命的具體構想而創立革命黨，不如說想自己親手創立革命黨的心情更為優先，而做出那些被認為是「革命式的」行為。可以說，赤軍派或許也有那種當時年輕人「尋找自我」的面向。

赤軍派的幹部花園紀男反對這種侵入首相官邸的計畫。在一九八五年的公審紀錄中，花園這麼說：[60]「從我實踐性的感覺來說，沒有武器、連一支槍也沒有，只靠武鬥棒和鐵管炸彈闖進去，首相官邸周圍又沒有退路，說是玉碎也太低劣，這種鬥爭我是絕對做不到的，所以我也不能讓底下的人去做，因此我當時是反對的。」然而，計畫依舊通過了。

但這個計畫也以失敗作結。如前所述，雖然預期約兩百人參加，赤軍派在選為訓練場的大菩薩嶺聚集的人只有五十三人。準備的武器也很貧弱，據事後在東京地檢署舉行的陳述，當時只有鐵管炸彈十七個、香菸罐炸彈三個、登山刀三十四支、手斧三支以及幾支小刀。[61]以這個人數與武器想要入侵首相官邸，怎麼說都太勉強。

而且為了避免幹部被逮捕，只有不到十人的幹部參與，參與者大半都是各地大學的大學生、高中生、重考生、工人、店員等新加入的運動者，還有二十五名未成年人，女性兩人，在日韓國人也有一人。來自大城市的人不過十三人，大部分都是來自各地方的青少年。而且這些運動新人們，不太清楚目的就被命令在十一月三日到大菩薩嶺集合，並被告知在四天後要闖入首相官邸。[62]

然而就進行非法武裝鬥爭來說，赤軍派的行動一如往常地鬆散。赤軍派以「漂鳥部」名義住宿的「小福莊」，不僅從十一月四日開始就有公安刑警在內偵查，就連想搶獨家的《讀賣新聞》記者也在此留宿。赤軍派的行動不只警察知道，就連報社也看得一清二楚。[63]

當時的赤軍派還不習慣非法活動。關於情報流出的原因，鹽見這麼說：「可惜的是，當時還是和做〇〇鬥爭時一樣，打電話給要參加的人：『喂——要搞〇〇，來參加啊！某某支部幾人、場所在某某地！』之類的。電話早被竊聽，行政權力早已經滲透進各個大學，每一位刑警都掌握得到這些訊息。高中生也很多，所以啊，在那個意義上早就被看光了。」

十一月五日早上六點，約一百名公安警察與兩百八十八人的機動隊突襲「小福莊」，赤軍派五十三人全員遭到逮捕。據搜查員所說：「遭到逮捕、排排站在『小福莊』前的少年們，反倒是（因為從魯莽的計畫中被解放出來而）一臉鬆了一口氣的樣子。」當時的報導寫著：「排在旁邊的八川健介、上田勝行（假名）等中央政治局成員，他們十分失望的表情，顯然與其他人有很大的距離。」

儘管如此，幹部們也意識到這個計畫的非現實性。前赤軍派幹部運動者，在一九九四年時如此回想：[64]「自己指導的『大阪戰爭』的實際狀況，從大菩薩嶺的訓練狀況來看，就算使用炸彈，也沒辦法相信就能帶來『革命』（不覺得有那種狀態）。」

此外，斯坦霍夫這麼說：[65]「在大菩薩嶺被逮捕的人們，以另一個面向反映著社會。被警察沒收的筆記本中，有襲擊計畫的組織圖。最上端有赤軍派領導者的名字，都是京都大學、同志社大學等一流大學出身的人。底下有副領導者，都是二流大學的出身者。最底端則是青年勞動者與無名學校的學生。儘管赤軍派以打倒國家權力為目標，卻沒有將組織基盤的學歷優先主義當成問題。」

赤軍派幹部中也有很難說是「一流學校」的大學出身者，因此赤軍派也許很難接受斯坦霍夫的說法。然而，京大出身的鹽見、東大出身的小西隆裕、早大出身的花園紀男等人高居幹部地位，在大菩薩嶺被逮捕的新人運動者許多都是無名大學的學生、高中生、國中或高中畢業的青年勞動者，也是不可否認的事實。原本在六〇年代安保鬥爭的共產同，基本上都是東大出身的人擔任幹部，與機動隊衝突的都是法政大學或中央大學的部隊，這在第三章已經提過。經過十年以後組成的赤軍派，很難說已經擺脫與當時同樣的體質。

與赤軍派處於對立關係的中央大學共產同的運動者神津陽說：「在這麼小的世界裡，沒有群眾運動基礎卻想成為官僚階級的關西派那群人，是無可救藥的幼兒心態，也是人們鄙視的對象。」[66]恐怕在關東共產同各派系的眼裡，大菩薩嶺事件也不過是赤軍派「無可救藥的幼兒心態」的產物。

劫機成功與解體的赤軍派

在大菩薩嶺遭到打擊的赤軍派，在一九七〇年一月的集會上，宣示要構築世界同時革命的「國際根據地」。他們暫時放棄在鎮壓增強的國內發動武裝起義，一九七〇年整年藉由和平遊行的方式重整勢力，同時連結世界各地的武裝鬥爭組織和古巴等地，以建立根據地。[67]

之後，赤軍派中央部分為國內委員會與國際委員會，據鹽見的回想：「國際委員會是以移動到海外為前提的組織。」是從「殘存的中央軍與在東大鬥爭中被逮捕後出獄的保釋組」中選拔出來「約三十人」的組織。最終目的是在古巴等地接受軍事訓練，成立革命軍後為了日本革命凱旋歸國，據某赤軍派幹部的回憶：「開著戰艦回來等，講了各種這類的事。」[68]

建立國際根據地的方法，他們選擇的是劫持客機。一九七〇年三月發生的「淀號」事件，成為日本第一起劫機事件。

不過，當時並沒有直飛古巴的航班，因此劫持的客機改飛往北韓。據鹽見的回想：「要去古巴的話，得先飛到夏威夷、再飛到墨西哥，必須轉機兩、三次才能抵達。因為『這不可能』，『那只能經由北韓了』。」[69]

然而，他們並不支持北韓的體制。許多新左翼黨派原本就喊出反帝國主義、反史達林主義，並主張以蘇聯為首的既有社會主義國家已經墮落，加上從赤軍派「世界同時革命」的立場來說，對北韓和中國的民族主義的評價很低。古巴則是他們例外支持的社會主義國家，部分原因是基於格瓦拉戲劇性地死亡。此外，即使劫機飛到北韓，也無法預期北韓就會把他們送往古巴。

但赤軍派的幹部們極度樂觀，據鹽見的回想，他們的態度是，雖然不支持北韓的體制，但「他們也是搞過革命的人，說是『如果看到我們的氣概，一定會把我們送到古巴的吧』（笑），非常樂觀的想法。雖然也有人說：『如果不把我們送過去怎麼辦？』但大家一副『總會有辦法的……』的態度，非常有朝氣（笑）。」[70]

不過，他們對於古巴或北韓並沒有充足的知識和人脈。赤軍派國際部長於一九七〇年二月到古巴，儘管「做了各種企劃，想與（古巴政府的）中央委員會面」，但「完全不被當一回事。被當成小孩子般趕走。即使如此，我方仍覺得只要一直要求就可以，只要去一趟總會有辦法的。」關於北韓，據鹽見的回想：「去了朝鮮總聯，拿了各種小冊子。『總之不學朝鮮語不行，以後有許多要拜託對方的事，必須先讀一下金日成傳』等，幾乎是臨時抱佛腳。」[71]

如同在第四章所述，原本與中核派或革馬派相較之下，共產同的特點說好聽點是開朗自由，說難聽點是鬆散無度，這是有魅力的地方，也是缺點。可以說就是那種開朗的氣氛，才產生佔領首相官邸或劫機這種天外飛來一筆的構想，但鬆散這一點，並不適合實踐非法武裝鬥爭。

重信房子在一九八三年的著作中，陳述了關於共產同的體質：[72]「起初，我對幾乎是無政府式的共產同的同伴意識，與散漫同居的道德觀感到吃驚，接著我受到他們那種怠惰的吸引，得以在自我肯定之上坦露欲求，與人們產生聯繫。然後，跟隨著那種不用想得太嚴重就能渡過去的輕鬆，僅僅是在一種相對熱情的使命感中走了過來。」

即使是劫機，他們也極度樂觀。據鹽見的回想，一九六九年末以來，他們數次與古巴大使館的年輕職員接觸，明白表示：「作為國際根據地，我們要過去（古巴）。」「對方問：『你們要來的話，要怎麼來啊？』我們答：『劫機飛到古巴如何？』接著對方開玩笑似地說：『有一隻剃刀的話，就可以威脅機師飛過去了』等。我想：『這樣啊——』，而田宮似乎覺得：『就是這樣！』。」不過鹽見在幾年後說：「對方是開玩笑的，可能沒有想到我們是真的會去做這件事。」[73]

在那之後，赤軍派拿到武士刀，加上鐵管炸彈和玩具槍，也算是準備好劫機用的武器。但是，鹽見在三月十五日被埋伏的刑事警察逮捕。鹽見被刑警和鄰居的小孩追，心底想著：「我明明是為了人民做這些事，為什麼要被小孩追著跑啊！」便被逮捕[74]。

最高領導者遭逮捕，赤軍派也有所動搖。這個時期，赤軍派在大菩薩嶺失去四名幹部與許多運動者，在那之後花園紀男也被逮捕，再加上失去鹽見，組織變得七零八落。

雖然有部分人認為應該中止劫機並重建組織，但在田宮高麿將於秋天接受軍事訓練後歸國的前提下，決定照計畫進行。[75]然而，三月二十七日的第一次劫機，因執行小組約一半的成員沒搭上飛機而中止。在當時搭機旅行還沒普及，因為不清楚預訂機票方式和必須在二十分鐘前報到等，最後沒能搭上飛機。

但在三月三十一日，田宮等九人成功劫持飛往福岡的「淀號」。「淀號」降落在韓國的金浦機場，企圖欺騙田宮等人但失敗了。田宮一行人接受日本政府的提案，以運輸政務次官山村新次郎交換讓乘客與空服員下機，接著在北韓的美林機場降落。

隨著這次成功劫機，田宮在機關雜誌《赤軍》上發表以〈出發宣言〉為題的煽動文章。當時很有名的這篇煽動文章，最後幾行如下：[76]

我們，將貫徹賦予我們的這項歷史任務到最後。
日本的諸位同志！　無產階級的各位人民！
奪回所有的政治犯吧！　貫徹前階段武裝起義吧！
前階段武裝起義＝世界革命戰爭萬歲！
共產主義者同盟赤軍派萬歲！
然後，做最後的確認吧！
我們是「小拳王」。

「小拳王」是當時流行的人氣漫畫。姑且不論當時的大人，這篇聲明受到許多同世代學生的喝采。模仿人氣漫畫名稱的做法，某電視台導播形容：「赤軍派就是現代的影丸啊。」[77]

據鹽見的回想，赤軍派內部「確實讀了很多漫畫。《週刊少年Magazine》、《漫畫Sunday》、《小拳王》等很受歡迎，白戶三平的《忍者武藝帳》也很受歡迎。路線不太一樣，但也有很多人讀柘植義春和水木茂的作品。」鹽見和田宮等人，曾經被更認真的幹部說：「漫畫看太多了。」而給赤軍派負評的運動者，也將赤軍派評為「漫畫式的空想論者」、「太脫離現實」等。[78]

但是，田宮等人在那之後很悲慘。他們原本打算駁倒金日成，接著看要從北韓去古巴，或是接受軍事訓練後為了日本革命回國，但北韓將他們吸收到體制之內。據高澤皓司的調查，他們與日後受到關注的「綁架日本人問題」也有關聯。[79]

新左翼各派或認同者對劫機事件的反應各有不同。《朝日Journal》評論道：「本次事件給新左翼戰線整體的衝擊甚大。那是與過往的新左翼戰術截然不同、異質性的事件。」將之視為提示了與武鬥棒和火焰瓶的街頭鬥爭、街壘封鎖不同的新戰術。[80]

鹽見回想：「劫機成功，赤軍派的人氣也隨之高漲，『赤軍粉絲』之類的人也突然增加許多。」斯坦霍夫寫道：「對示威鬥爭的幻滅，是赤軍派存在的理由。」在過往的鬥爭型態陷入困境的時候，有一定數量的人在赤軍派找到新希望，似乎也是事實。[81]

另一方面，曾經是日大全共鬥運動者的橋本克彥，感覺到使用槍與炸彈的武裝鬥爭是全共鬥運動的結束，他回想：「自從看到赤軍派這個名字開始，就覺得最好還是住手，便很明確地（從運動）退休。」與重信房子熟識的電影評論家松田政男回想：「淀號劫機事件的時候，只覺得他們去北韓到底是在想什麼，而感到一陣無言。」[82]

姑且不論贊成與否，這個事件讓赤軍派成為全日本皆知的存在。然而，赤軍的活動也因為成功劫機而變得更難進行。日本政府比以前更加嚴格警戒赤軍派。據鹽見所說，劫機成功以後，是「就連室內集會，全部都無法取得許可。以『赤軍派』名義稍微參加遊行，就會被毆打、被隔離、被帶到奇怪的地方痛毆一頓。事實上已經沒有辦法從事合法活動」的狀態，從此之後，赤軍派只能在地下活動。[83]

因此，赤軍派在劫機後幾乎沒有辦法活動。雜誌《現代之眼》一九七〇年六月號刊載了「赤軍派中央人民組織局」成員的訪談，其中也只是提到「所謂正規戰，是超越國家、結合起來的作戰。」「現實的階級鬥爭必須超越國家。」等，並沒有發表什麼具體的方針。[84]

然而，赤軍派宏偉的構想在內部不斷壯大。據重信房子回想，在一九七〇年四月到六月之間，提出名為「日美同時起義」、「闖進五角大廈、佔領霞關」的方針，但卻沒有提出任何具體採取行動的展望，對此感到失望、「放棄領導的人們也不少。」[85]

這個時期，赤軍派鼓吹「PBM作戰」。「P（Pegasus）作戰」是指誘拐重要人士，並以釋放為交換條件，讓獄中的鹽見重獲自由。「B（Bronco）作戰」是指在一九七〇年秋天同時入侵五角大廈和霞關。「M（Mafia）作戰」是指透過攻擊路人和銀行獲取資金。據坂東的回想，當初的計畫是，讓鹽見重獲自由後，為求設立國際根據地，透過劫機的方式讓他到中國「招募毛澤東」。[86]

然而根據坂東的回想：沒有「該怎麼做才能入侵五角大廈」的具體方案，被命令執行計畫的負責幹部也不知道該怎麼做。很快地，擔任「B作戰」的指揮幹部逃出赤軍派，接著是被發派到「B作戰」的運動者全員都退出赤軍派。但據坂東所說，當時的氣氛不但「在思考是否真的做得到這件事，總覺得帶有機會主義的成分」，「而越是採用過激手段，看起來就越有革命的氛圍，而且由於採取行動的人也會獲得讚賞，行動就變得更加激烈」。[87]

而且在獄中的赤軍派幹部，即使被逮捕也依舊意氣軒昂。由於被拘留者在判決前擁有通信的權利，他們便製作了定期會報《獄中通信》，也交給監獄外面的組織，據斯坦霍夫所述：「在《獄中通信》上持續刊登討論組織方針的文章。」[88]

這種獄中幹部的聲音，似乎也促使赤軍派朝向激進化。當時學生運動者遭到逮捕的時候，如果有所屬派系，就由派系的救援對策組織出面，如果沒有所屬派系，就由一九六九年成立的救援對策團出面，進行支援、接應律師、會面和送慰勞品等救援活動。當時是週刊雜誌記者的大泉康雄，有朋友參與聯合赤軍，他在二〇〇三年的著作中這麼寫：[89]

「根據（一直替學生運動者辯護的）律師們所說，學生運動者如果被關進牢裡，有兩種截然不同的類型：『檢驗自己至今做過的事的內省型』與『太閒，所以一直寫過激誇大妄想的文章寄給救援對策組織的類型』。在牢裡的赤軍派，後者特別……多。」

在這種情況下，武裝內鬥持續著。一九七〇年二月時，分裂的共產同其中一個支派與赤軍派展開內鬥，赤軍派攻擊了該派位於東京神田三崎町的據點「戰旗社」的大樓。[90]

即便方針宏大，調不到武器，不能執行武裝起義，那麼能做的就只有內鬥。而且被警察盯上的赤軍派，從一九七〇年初到將近七月，有兩百四十九人遭逮捕，幾乎喪失所有幹部。赤軍派內部的動搖逐漸擴大，不斷有成員退出和逃亡。赤軍派正陷入組織性的危機當中。[91]

重信房子出國與森恒夫就任赤軍派首領

一九七一年二月，赤軍派留下來的一名中央委員重信房子，也出國到巴勒斯坦。如同在第一章所述，重信在連營養午餐費也付不起的貧窮家庭中長大，高中畢業後，一邊工作存學費，一邊在明治大學夜間部苦讀。高中時代因熱心參與「微小的親切運動」而上了新聞，是正義感很強烈的女性，也是辯論家，曾經在「紀念尼赫魯全國大學辯論大會」中進到決賽。[92]

在明大合作社打工的她，參與一九六七年的反對明大調漲學費鬥爭，並加入社學同。據當時的報導，她是「長髮、白皙的美女」、「適合牛仔褲的女性，蹺腳抽菸的樣子很帥氣」，也被稱為是「共產主義者同盟的瑪塔・哈里（Mata Hari）」，某商店老闆評論道：「人格的豐富程度，人類的、女性的魅力，我想她是真正意義上的『自由的女人』喔。財界的人、電影演員、流行歌手等，包含女性在內，她的粉絲很多。據說加藤登紀子的《獨自睡覺的搖籃曲》也是她作詞。紅色的大衣配白色迷你裙，非常聰明的女性，和她講話不覺得她是赤軍的戰士。」其他新左翼黨派的運動者也說：「她像詩人的那一面，大部分的運動者都知道。而且她也畫畫，也玩音樂。」[93]

重信非常有人氣。藤本敏夫說：「比男性還有能力，腦筋很好，也有行動力，如果需要錢，就一個人去找文化人交涉，瞬間就能募集到需要的金額。」當時的新聞記者說：「很擅長煽動，也是個美人，很擅長招募吧。赤軍派的年輕人被逮捕，問他們加入赤軍派的動機，說是因為上頭的人『受到重信的吸引』。」[94]

由於能力受到好評，重信是赤軍派唯一的女性中央委員。赤軍派歧視女性的氛圍很強，被稱為「不讓女人搭乘的赤軍派」。重信自己也回想：「在有強烈封建思想的赤軍中，常常聽到『明明只是個女人』的說法。」[95]

如前所述，她有一位在戰前參與過血盟團事件的父親，據重信所說，她的父親雖然肯定革命，但對參加第一次羽田鬥爭的她說：「房子，如果妳是認真要搞革命，不能用那種方式戰鬥。首先第一要重視的是民心。」對於赤軍派也評論道：「同樣都是日本人都還搞內鬥的話，是絕對不可能和民族相異的世界各國同時搞『世界革命』的。」[96]

赤軍派內其實是有人反對重信出國的，因為這不僅會失去所剩不多的幹部，喪失招募的名人、有力資金來源的重信，更會造成重創。據當時的報導，她從財界人士與文化界人士募款，也在銀座知名的酒店陪酒，在大學應屆畢業生薪水是三萬日圓的當時，她每個月交給赤軍派約兩百萬日圓。[97]

某位赤軍派的運動者，當時接受報社採訪的時候這麼說：「她（重信）如果離開了，赤軍的資金就不知從何而來。然而，她一說她已經和巴勒斯坦談好，要出發了，沒有任何人站出來反對，畢竟設立國際根據地是赤軍的使命。」在她出國前後，赤軍派提出名為「M作戰」、為了籌措活動資金而襲擊銀行的計畫，這位運動者說：「赤軍之所以開始搶銀行，也是因為她離開的關係喔。」[98]

赤軍內部的反對，以微妙的形式浮現。在遠赴海外還很少見的當時，在機場送機是一般的慣例，但據報導，當天去送重信的只有與重信有密切往來的電影評論家松田政男、重信的姊姊，加上就讀明大夜間部、重信的友人、日後在聯合赤軍事件中遭私刑而死的遠山美枝子三人，赤軍沒有人來送機。[99]

重信原本就是擁有獨特魅力的運動分子，不是理論家。當時的公安警察相關人士在接受雜誌採訪的時候說：「重信能消化理論嗎？她有足以說服國外那些人的能力嗎？沒有吧。」重信自身也在日後回想，在日本活動的時候，「戰術或現實中的應對，花了很大的工夫思考，但艱澀的議論實在搞不懂，那些都是高尚的理論家創造出來的東西，像我這種只是想讓世界變得更好的人，我們的想法是朝著可能滿足那些高尚人們的真理的方向，並使之實現。」[100]

而重信並不精通巴勒斯坦的狀況。不論是她赤軍派時代回憶的著作《我的愛，我的革命》（一九七四年）或《從第十年的視線》（一九八三）中，都沒有明確記載她選擇出國到巴勒斯坦的理由。

若松孝二導演後來拍攝了巴勒斯坦武裝組織的電影《赤軍：PFLP世界戰爭宣言》。曾經參與電影製作的松田政男回想，赤軍派在國內的活動遇上瓶頸，當時重信的方針只有：「想出國」、「想去中東附近」，松田自己雖然參與《世界革命運動情報》雜誌的編輯，也自負於「新左翼的國際部代理」，但直到受「拚命學習」的重信啟發為止，他對「巴勒斯坦問題一概不知」。[101]

整個赤軍派也是如此。後來在淺間山莊槍戰中被逮捕的坂東國男，在一九七五年佔領馬來西亞美國大使館的重信等日本赤軍的要求下獲釋，前往巴勒斯坦，他在回憶錄中這麼說：「說是國際主義、說赤軍派具有普遍性，但對於巴勒斯坦革命什麼都不知道。」[102]

據坂東的回想，一九七一年十月時，曾經邀請巴勒斯坦武裝組織的成員到赤軍派的會議上，日後他在巴勒斯坦與該成員再次相遇，他是如此記載當時的模樣：[103]

……來到阿拉伯，也與那位巴勒斯坦同志碰面，他說在日本見到的人當中，最搞不懂的就是赤軍派說的話，那也算左翼嗎？他說。也難怪他會訝異，就別說阿拉伯了，赤軍是連最鄰近的北韓也不了解的「國際主義者」，是觀念上的左翼，這對於什麼事都從實踐出發，與活生生的政治、人民一起為生活奮鬥的巴勒斯坦友人們而言，一切都很匪夷所思吧。……

口口聲聲說著國際主義，卻對世界的事、其他各國的事、人們生活的事什麼都不知道，只是以自己先入為主的想法、自己的理由去貼上各種標籤，這個實際情況必須否定。……然而，當時我們只覺得自己是世界最好的，畢竟我們連要招募毛澤東這種話都說得出口啊。

當時的國際新聞還不發達，即便考慮這種時代限制，他們的知識不足和概念先行依舊很嚴重，恐怕重信在國內運動遇上瓶頸之際選擇出國，並不是因為事前對巴勒斯坦有所關心。

重信也與坂東有類似的經驗。重信在一九八三年回想抵達巴勒斯坦後的狀況：[104]

……（巴勒斯坦的）同伴Asian、Asian地叫，就像我有義務要回答亞洲的事似的，馬上就展開猶如洪水般的提問。……「日本的面積在亞洲佔幾分之幾？」「日本的軍隊有多少人？」日本革命的歷史脈絡、越南革命的歷史與黨的路線、朝鮮革命與金日成理論、中國革命與人民公社的發展過程，等等。啊啊，在我被以亞洲人、日本人看待的同時，我反而被迫認識到自己對於日本和亞洲完全不了解。……

不了解亞洲，但我卻自認稍微知道埃爾德里奇．克里佛（Eldridge Cleaver）、羅莎．帕克斯（Rosa Parks）、卡洛斯．馬里蓋拉（Carlos Marighella）的事，但關於這些，那個國家的人幾乎不太問。在文學上也只知道西歐，發現自己無自覺地崇拜歐美——那從明治維新以來——的價值體系，自己都感到驚訝。

只知道部分，而且就連那些也不屬於亞洲，這該不會就是國際主義的實際狀況吧？我因此感到失望。我邊思考，邊想起邀請黑豹黨、地下氣象員和德國SDS來提倡國際主義的六八年國際反戰集會。……說毛澤東是地方主義，金日成是史達林主義，對革命的教訓一無所知，這些在日本生活的「革命家」們。就算能批判，根本也不知道批評對象的本質。……

日本的友人常常會寄送日本的黨派的報紙或小冊子給我，那又是另一個令人煩惱的根源。因為是日文，即使我看不懂，因為上面印著反白的大字，會一直被追問：「上面寫什麼？上面寫什麼？」我帶著不好的預感，相對忠實地翻成英文，那都是些「佔領霞關！」、「內亂」、「組織世界革命戰爭！」、「佔領首相官邸！」之類的話。眾人感到驚訝，馬上就皺起眉頭，接著問我：「It's correct translation?」然後眾人吞了口口水，接著又問，這簡直就像是明天就會發生革命似的口號，大家真的那麼想的嗎？我自己都覺得那些說得太過火，找了個退路說：「這只是口號喔。」但卻被逆襲：「如果只是口號就更糟了不是嗎？」所有的黨派機關報都有責任。……結果還是只能告訴他們現狀：目前陷入透過措辭的升級來達到自我滿足。各個帝國主義本國（西方各國）的友人們會繼續追殺：「That's childish leftist.」，而巴勒斯坦的友人們則經常表示他們無法理解。

在真正的戰場巴勒斯坦才知道，自己在日本鼓吹的「武裝鬥爭」完全是概念性的東西，松田政男也寫過同樣的經驗。如前所述，松田參與過拍攝巴勒斯坦武裝組織的電影《赤軍：PFLP世界戰爭宣言》，他在二〇〇〇年回憶這部電影於一九七一年秋天在貝魯特難民營上映的事：[105]

……在貝魯特郊外的巴勒斯坦人營地上映的時候，會場一片騷動，人們都在哭泣。《赤P》中出現的PFLP前線游擊戰士兵，都在九月和以色列的戰鬥中喪生，他們的遺族們，父母們，兄弟姐妹們，年紀還小的兒子和女兒們，看著《赤P》裡一個月前已經死去的血親在動，因而嚎啕大哭。至今我一直以一種概念或運動的課題在談論巴勒斯坦革命，在那個當下感到非常羞愧，因此終於自覺，這輩子都必須要和這些活生生的巴勒斯坦人們來往。……包括重信房子在內，（到巴勒斯坦的人）大家都在某個時間點，經歷過決定性的、改變心意的過程吧。

聯合赤軍事件之後，重信等人送了一段話回日本：「不知戰爭為何物的革命家，比忘了怎麼唱歌的金絲雀還要棘手，因為他們太過吵鬧。」[106]但是日本的赤軍派成員，沒辦法脫離「不知戰爭為何物的革命家」的範疇。

赤軍派成立時的大部分幹部，要不被逮捕，要不去了國外，當時成為赤軍派領袖的是森恒夫。如前所述，森在一九六九年七月赤軍派與共產同內鬥的時候逃亡，與赤軍派斷絕了聯絡。

這段時間，森在大阪市淀川區的小工廠當板金工人。在大菩薩嶺的大量逮捕之後，陷入人才不足的赤軍派於一九六九年十一月找出森，並讓他回歸赤軍派，從「一介士兵」從頭做起。森在回歸之後，默默專注於新手運動者的工作——切割謄寫版和發傳單，也參加對戰旗社的暴力鬥爭，踏實地參與活動後被認可，於一九七〇年二月加入指揮部。[107]

然而，一九七〇年三月鹽見被逮捕、田宮劫機出國後，赤軍派幾乎失去所有的幹部，創立時期的七名中央政治局成員，在一九七〇年四月時，留下的只剩京大出身的高木廣之。高木是重信的友人，也是在聯合赤軍事件中遭私刑而死的遠山美枝子的戀人。遭逮捕後保釋出獄的堂原行夫（假名）復歸後，後來在聯合赤軍事件遭私刑而死的山田孝等人升格為政治局成員、重整態勢，但在一九七〇年六月，高木遭到逮捕，接著山田等三人也遭逮捕。[108]

一九七一年二月，重信出國，與森之間的爭執也有關係。根據坂東國男遭逮捕後的口供：「重信同志自始至終都反對讓沒有信念的森同志回到赤軍派。」加上森被重信「動不動就否定指導，森同志不喜歡重信同志參加會議。」[109]重信也在一九八三年回想：「森雖然是親切的人，但他的做法——一味迎合，缺乏信念，不知道的事卻裝得好像知道等——我很不喜歡，因此我們經常對立。」最後她感到「很遺憾，我沒辦法相信森。」因此出國。[110]

舊幹部幾乎都不在的狀況下，森的地位逐漸上升。可能是武裝內鬥所帶來的罪惡感，他打出激進的鬥爭方針。然而，接連而來的逮捕，收集不到武器，預定秋天回來的田宮聯絡不上等，指揮部也產生焦慮，接二連三地有成員退出或逃亡。

據當時的報導，留下來的政治局成員堂原行夫，主張無論如何應該先專注於組織重建。然而森主張即便是少數人，也應該成立能發動革命的中央軍，鼓吹將全國各地的全共鬥運動殘黨納入赤軍派，並召喚他們進中央軍。[111]

然而森的方針，遭到各地區下級組織的反抗。根據當時的報導，赤軍派眾所皆知的組織，革命戰線的關西地方委員會批判中央，福島醫大的團體拒絕中央軍要求提供的人數，茨城縣委員會也在機關誌上批判執行部。據弘前大學出身的赤軍派成員植垣康博所述，弘前大的赤軍派不滿地表示：「以醫學部、理學部為中心逐漸壯大的團體，都被中央吸收的關係，一直以來都只有四到五人參加。」[112]

據當時的報導，這類批判都被森壓了下來。用「吹牛」的方式招募福島醫大出身、鐵管炸彈製造者植垣等人的梅內恒夫，被森趕走後就與赤軍派斷了聯絡。留下來的政治局成員堂原也因為對此不滿，留下宣告與森斷絕關係的文書後就離開赤軍派。[113]

由於幾乎所有的幹部都離開了，人們覺得膽小的森，成了赤軍派的最高領袖。弘前大學出身、植垣的友人、在赤軍派被稱為「森恒夫的心腹」的青砥幹夫，在幾年後這麼說：[114]「我想森自己並不想成為最高領導者，他比較像是被推出來接那個位置。他應該是想，等哪天領導者出獄後就要交棒給他，自己只是扮演過渡期的角色。……那是嘴巴上不得不逞強的位置，我想身為領導者，更加深了他的孤獨。」

坂東於一九七〇年三月被任命為中央委員時也是同樣的狀況。一九七〇年一月，坂東剛從京大全共鬥轉而參加赤軍派，他在「全共鬥時代一張傳單都沒貼」，就連加入赤軍派後也是「指揮部會提出方針，方針提出後，儘管會想這個方針的戰術和各種具體的準備，但我自己是不知道路線和理論」的狀態。但「劫機鬥爭的人走了，本來應該是區區一個小卒的我必須接續戰鬥。」[115]就連坂東這樣的人都當上中央委員，反映赤軍派的人才見底程度十分嚴重。

坂東受到森的絕對信賴，但坂東也察覺森的「膽小程度」。一九八四年從黎巴嫩發出來的書面口供中，坂東如此評論森：[116]

森同志是親切的人，相信自己的善意且不加以懷疑。他在日常生活是很普通的人，會說「我和老婆摔角」之類的話，看當時流行的湯姆．瓊斯（Tom Jones）電視節目時，也會扭腰擺臀唱歌。但是他的做法——被人說得強硬些就會迎合對方、缺乏信念、逃避困難等——明明知道這製造出許多矛盾與摩擦，全軍仍伴隨著「軟弱」與「真心話」，沒辦法好好改造，反而造成森同志一個人背負黨的困難。

很顯然，「P作戰」和「B作戰」都已不再可行了，於是，由森領導的赤軍派，漸漸變成專門搶銀行、執行「M作戰」的集團。

曾為人道主義者的坂口弘與永田洋子

那麼，接著來看看與赤軍派組成聯合赤軍的「革命左派」吧。[117]

革命左派的起源，來自一九六六年四月成立、名為「警鐘」的團體。[118]這個「警鐘」是由前社學同委員長、後來分裂成為ML派的河北三男，邀請馬克思主義戰線派的川島豪共同創立，是個熱烈支持中國文化大革命的小組織。這個組織於一九六六年九月開始發行機關誌《警鐘》，後來組織與機關誌取為同名。

河北在鹿兒島縣種子島的貧窮家庭裡長大，很小就失去雙親，一九六一年進入東京學藝大學，苦學中還參與了學生運動。一九六三年十月第四回社學同大會中，被選為委員長，之後分家，成為ML派的幹部。ML派後來以支持毛澤東思想的派系而為人所知，河北也是熱烈的中國支持者，一九六四年十月，中國核試爆成功時，狂喜地喊著：「萬歲！萬歲！」當時的主流是反對任何國家擁有核武，有傳聞說：「河北是不是精神不太正常啊？」

因為河北成長於貧窮家庭，看到學生運動的極限，打算轉往勞工運動。身體貧弱的他，在轉為工廠勞動者失敗之後，於一九六五年進入業界的報社，為了組成工會而活動。根據後來參加淺間山莊槍戰的坂口弘所說，一九六六年他訪問河北的家時，河北強力主張：「學生運動不行，必須立足於勞工運動，以發起新革命為目標。」原本就對學生運動中的理念先行感到違和的坂口說：「與我至今接觸的學生運動者不同，他完全沒有學生色彩，看起來是認真以革命為志向。」

坂口自身也是生於千葉縣的貧窮商家。他生於一九四六年，一九六五年進到東京水產大學就讀，以魚的養殖技術研究與普及、振興沿岸漁業為目標。他參加學生運動的契機，是在水產實習到和歌山縣的漁村工作的時候。那個漁村的漁會，用低薪聘用因能源轉型失業的炭坑礦工，用沙丁魚當飼料來養鰤魚。坂口因此這麼想：[119]

即使是增殖，這裡養的魚種都是提供給料亭的高級魚，飼料也使用沙丁魚，只不過是用魚在養魚，這麼一來不是遠離了養魚、增殖原本的樣子嗎？……最大的問題是，漁會的經營只看重盈利，以低薪與惡劣的勞動條件讓失業的炭坑離職家族做牛做馬，如此一來，無論再怎麼開發新的增殖技術，只會以盈利目的來利用不是嗎？……這麼一想，增殖的夢想就迅速冷卻下來，在大學努力學習，感覺只是一場空。

因此我想考慮看看勞工運動。我加入水產勞動者大叔們，開始推動讓生活改善的工會運動，那麼一來也許就能過著像人的生活。那也許是很不起眼、不怎麼體面，但那比起踐踏其他人好上一百倍，絕對是更像人類的事。

接著坂口認為「不可能突然就能推動勞工運動，所以決定先參與日韓鬥爭，累積作為運動者的經驗。」雖然他參加了反對日韓條約鬥爭中新左翼黨派的遊行，但「不懂新左翼的主張，說穿了對理論性的東西沒有什麼關心。」讀了列寧的《國家與革命》，在所謂「國家是階級對立的產物」的這個想法中，感覺到「眼前的迷霧很快就散去了」。但他對於理論先行的新左翼黨派感到違和。坂口很快地成為東京水產大學自治會的委員長，但是「因為他詳盡地看過勞工工會運動現場，覺得學生的生活看起來很散漫、缺乏緊張感，漸漸地覺得就算搞學生運動也找不出任何積極性的意義。」[120]

將這樣的坂口介紹給河北的，是東京水產大學學生運動的領導人、與河北一起創立「警鐘」的川島豪。坂口認同河北主張勞工運動的重要性。將坂口介紹給河北的時候，川島從大學畢業、當上業界報紙的記者，因為企圖設立工會而遭到解聘，當時正在進行撤回解僱鬥爭。

「警鐘」反映了重視勞工的姿態，因而有獨特的規約：參加這個組織必須先退學成為勞工。此外，「批判新左翼的誇大其辭或革命式的空洞文句」也是這個組織的特徵。坂口「舉雙手贊成這項規則」，並退學成為勞工，努力創立工會。據坂口的回想：「當時退學成為勞工，需要很大的決心。而且沒有什麼組織像這裡有如此嚴格的規定，因此大部分的成員都有很強的自負，認為自己與新左翼或日共等組織不同，是認真為革命而奮鬥的。」[121]

在「激盪的七個月」裡，坂口心情上是支持三派全學聯，但並沒有試圖採取與他們相同的行動。坂口事後回想：「雖然街頭鬥爭很熱烈，但我並沒有因此覺得自己也必須要參加街頭鬥爭。」「參與勞工運動以來，覺得已經從新左翼運動畢業了。」[122]

後來以主導聯合赤軍的私刑而惡名昭彰的永田洋子也曾經是「警鐘」的成員。她生於一九四五年二月，一九六三年時進入私立共立藥科大學就讀。

永田是從貧窮的家庭努力考進藥科大學的苦學生。據她高中的班導師說，永田在「考上共立藥科大學隔天來找我，對於被大學拿走為數龐大的捐款，她哭著說：『為什麼得付那麼多錢呢。這樣給家裡的負擔很大……』。」[123]

共立藥科大學是女子大學，但當時的女子大學體制陳舊，沒有自治會也很少社會科學方面的社團。在這種狀況下，永田加入名為「社會科學班」的馬克思主義類社團，並參與反對日韓條約鬥爭遊行，隨後加入社學同ＭＬ派。永田回想，之所以加入ＭＬ派，和當時不少女學生運動者一樣，是因為受到團體領導者的吸引。[124]

永田高中畢業時的留言寫著：「進到巨大的社會裡，也不想變成名為人類的機器。」大學畢業時的留言寫著：「想要提起勇氣不忘微笑地活下去」，看起來是非常普通的人道主義學生。在聯合赤軍事件之前的雜誌報導上，永田大學時代的同學對她的評價，很多都是：「非常好的人。」「明明就沒有人在聽，卻還是一個人站在講台上很投入地進行社會班的招募活動，是很有勇氣的人。」某一位同學說，曾經被永田找去聊對東工大ＭＬ派幹部學生的好感：「因為我是小個子（永田的身高不滿一五〇公分）太不利了。會被男孩子當成小孩。」[125]

而據說從她在ＭＬ派那時候開始，她就不是理念先行的類型，ＭＬ派「對毛澤東思想與無產階級文化大革命大聲讚揚，對於這點感覺不太認同。」[126]而共立藥科大學的同學，後來如此回憶永田：[127]「在反對日韓條約的遊行時，曾經和永田一起行動，她絕對不是有什麼衝動想法的人。機動隊出來的時候，前方的學生鼓動喊著：『在那輛車點火！』然後她說：『這太荒謬了』……。總而言之，我認識的永田，她的根底是人道主義的喔。」

共立藥科大學畢業後，永田作為藥劑師到慶應醫院研修，一九六七年十一月到神奈川縣的醫院就業。永田小學時的朋友與她碰面的時候，後來這麼說：[128]

她是那種會一直鑽牛角尖想事情的人，而那個時候她特別煩惱。當上藥劑師之後，才知道藥物與其說是為了病患，不如說是受到醫院或藥商支配。哪種疾病必須使用哪種藥物，哪種藥物是浪費掉了，這些都想要進一步學習。但看到核子潛艇停泊問題時，她覺得應該針對更廣泛的社會問題採取真正的行動，但不知道該以哪一個當作活著的目標——這個煩惱想到最後，她開始對自己說：『就算是為了要改變醫療，首先不改變社會是不行的，只能朝那個方向前進了吧。』」

永田以醫院勞動者的身分，參加了「警鐘」，她在醫院致力於使工會活動活躍起來，並追究醫院以不同帳簿管理醫藥進貨價格與從患者收取的費用，藉此獲取不當利益。聯合赤軍事件後，進行永田救援活動的高橋檀說：「永田的同事懷想，如果到這個時候，永田仍舊踏實地從事藥價的相關鬥爭的話，永田早就成為一流的勞工運動者了吧。」[129]實際上，當永田後來從這間醫院辭職的時候，據說有受到邀請，問她辭職後要不要專職於工會。

無論是坂口或永田，最初都是從勞工所面臨的社會問題應該得到解決的正義感踏實地出發，而他們參與的「警鐘」，與後來的聯合赤軍，大概已經是不同團體了。

後來成為革命左派幹部的天野勇司（假名），作為搶奪獵槍事件實行犯於一九七一年八月遭到逮捕，在他一九七九年從獄中發出的信件中，寫到自己參與「警鐘」的學生組織「反帝和平青年戰線」的理由[130]。順帶一提，天野當時是橫濱國立大學的學生，橫濱國立大學是中核派的據點學校，也有許多其他黨派的運動者。

我是在六七年十月左右，發現稍微中意的組織。……之所以被這個組織吸引，與其說是政治上的主張，不如說是因為運動者的品格和風格。比起其他的新左翼黨派，他們有以下幾點突出的地方。

第一，極度謙虛且並不獨善其身，不會像中核派的學生那樣盛氣凌人四處招搖、威脅學生，不會一有什麼事就想訴諸武力。對於自己的見解當然很有自信，但不會仇視其他黨派、採取派系式的行動。

第二，使用簡單易懂的文句，幾乎不會使用學生運動特有的說法或語句。所謂的文章，無意之間會反映出作者的思想，學生運動中常見獨特且難懂的文章，反映他們的思想是屬於不具普遍性的狹窄社會階層的東西，也顯示他們並不希望被廣大人民理解，如果真的希望別人理解，希望被接受的話，應該就會留意盡量使用他人也能理解的文句，應該會致力於絕對不要使用只有圈內人才懂的隱語才對。若非如此，實際上那只是顯示他們自恃為特別優秀的菁英，擁有缺乏意識的人們無法輕易理解的理論，儘管實際上只是文章很難懂，卻沒什麼內容。

第三，群眾運動的進行方式是非常原則性的。即使是自治會的營運，也不會無視民主的過程，他們採取的風格是，謙虛地聆聽學生的主張，收集學生的主張後決定行動的方針。

第四，運動者也是非常大眾化的，似乎受到無黨派與其他黨派的人的信賴。在其他黨派也有這種受人尊敬的人物，但那樣的人物在黨派內部要麼缺乏領導力，要麼是個案，具有大眾性格與人性，似乎不是那些黨派的普遍特徵。

一九六七年的「警鐘」就是像這樣的組織。只不過，天野也回想：「五年後的革命左派，變成了與這一點都不像、怪物般的樣貌。」[131]

革命左派的成立

組織性格轉變的其中一個原因是河北與川島的野心。川島放棄撤回解僱鬥爭後，原本打算在印刷工廠進行勞工運動，但後來也辭掉印刷工廠的工作，開始出入東京水產大學。

坂口聽川島說：「作為一位運動者，在工廠結束生涯太荒謬了。必須成為領導勞工運動的領導者。」坂口回憶道：「我原本就打算作為一位運動者度過自己的一生，這些話對我來說是很有野心的發言。」[132]這種野心，讓原本踏實的勞工運動團體「警鐘」逐漸變質。

「警鐘」轉變的契機，是在一九六八年三月與「日本共產黨左派」合流。當時日本共產黨與曾經友好的中國共產黨對立，大量開除了支持文化大革命以及中國共產黨的黨員。遭除名的部分黨員，以「日本共產黨左派」為名，在共產黨之外獨自進行活動。

河北等人對中國共產黨有親近感，因此與這個共產黨左派合併。據坂口所說，河北對這次合併感到欣喜，說是：「這樣就是獨當一面的團體了。」[133]原本只是關東附近勞工組成的弱小團體「警鐘」，能與許多在共產黨累積經驗的黨員、且擁有全國黨員網絡的共產黨左派合併，河北等人很高興。「警鐘」被吸收合併，日後成為日本共產黨左派神奈川委員會，或稱「神奈川左派」。

日本共產黨左派的領導者們都是踏實的勞工運動者。據坂口所說，領導層級的河田明與小林赤彥，從一九四〇年開始在共產黨活動，經常說勞動現場的狀況、設立工會的建議、共產黨內部的鬥爭是如何地無益給他們聽。坂口說：「經歷過青春時代被戰爭奪走、戰後黨內外激烈鬥爭，如小林和河田等人的戰中派，與六〇年代安保鬥爭之後，從學生運動出發的河北與川島等人的戰後派，兩者之間自然是不同的類型。前者踏實，對往上爬沒有興趣，誠實且謙虛。」[134]

但是一九六八年二月左右開始，社學同ML派固執地朝神奈川左派發動武裝內鬥。[135]二月五日，曾經是神奈川左派的學生組織成員、橫濱國立大學的學生柴野春彥（一九七〇年十二月死於襲擊派出所事件）被拖進自治會室，經過四小時的暴行後被恐嚇：「如果不加入ML派，就不要與任何政治活動有瓜葛。」在那之後，ML派的攻擊也沒有停止，遭到集體私刑的人數約在十人上下。

ML派沒有表明理由，據坂口的推測，應該是前ML派幹部的河北帶走ML派的成員成立了新組織而遭到怨恨。坂口還舉了佐證：「被ML派襲擊的成員，都是曾經待在ML派的人。」永田也在回憶錄中提出幾乎相同的理由。ML派還在河北外出的時候襲擊他家，奪走現金三十萬日圓和印傳單用的複印機，並威脅：「一週內交出河北，否則就發動暴力鬥爭。」

對於這場內鬥，日本共產黨左派的老手領導者與年輕的河北、川島等人的應對方式形成了對比。日本共產黨左派的領導者深刻理解黨內鬥爭的無益，在機關誌上批判武裝內鬥：「人類的思想沒辦法用暴力改變。」據坂口的回想，某神奈川左派的成員被ML派綁架，帶到明大學生會館動用私刑時，日本共產黨左派的小林赤彥闖進現場，說服ML派。小林遭到毆打，後來與坂口碰面的時候，「臉腫了一倍，幾乎認不出來原本的樣子，對他淒慘的程度感到強烈震撼。」但在小林盡力地非暴力說服下，遭私刑的成員才得以釋放。

另一方面，河北與川島等人對ML派的暴力感到憤恨，動身以武裝內鬥的方式回擊。他們首先抓到一名ＭＬ派幹部，以暴力施加制裁。川島特別強硬，據坂口所說：「他主張『有仇必報』，隨著ＭＬ派的襲擊增加，他指示我們帶著刀子，一邊揮舞刀子一邊逃走。」

隨著東大鬥爭的升級，ＭＬ派不得不把力氣集中在東大，也就結束了襲擊。而策劃內鬥的橫濱國大ＭＬ派首領，就是在第七章提過的橫濱國大自主講座運動的領導者：三戶部貴士，他在一九六九年一月於東大鬥爭中被逮捕，出獄後反省武裝內鬥，因而成為僧侶。

然而，與ＭＬ派的武裝內鬥，使得共產黨左派的老手運動家們與川島、河北等人的差異浮現，兩者分裂只是時間的問題。

一九六九年四月，自神奈川左派成立以後，第一次召開了大會，會上盡是河北、川島等人對日共左派指揮部的批判。川島等人首先批判日共左派指揮部對於與ＭＬ派的內鬥，並未採取斷然處置的態度，接著指責：「左派指揮部沒有正確評價新左翼的街頭武力鬥爭，完全沒有打算發動武力鬥爭，完全沒有跟上情勢的發展，這樣沒辦法在七〇年安保中抗爭。」[136]

據坂口的回想，日共左派指揮部的小林、河田等人，「盤腿插手坐著，用似乎快忍不住怒氣的態度」聽完批判之後，反駁道：「情勢發展，是依據勞工階級的本隊動向而定，現在還不能說情勢基本還在發展，對現在的情勢用『權力正在動搖』的說法形容，顯現了小資產階級思想的焦慮。」[137]

但是神奈川左派的大部分年輕成員，都支持川島等人的強硬路線，因此兩者分裂了。其實河北從一九六八年夏天開始就與其他組織聯繫，策劃設立支派，他喊出中國共產黨的「反美愛國」口號，發下豪語：「揭示反美愛國的大旗，大膽地實踐下去，今年中很快就能成為與中核派差不多大小的團體了。」[138]

不過，神奈川左派的年輕成員是否理解爭論並支持川島等人則是個疑問。至少坂口並不想搞街頭抗爭，他回想，大家「真的都明確地理解與黨建設路線的差異嗎？這點很令人存疑。至少我並沒有對左派指揮部的黨建設路線採取批判態度。」[139]實際情況則是許多人受到街頭抗爭的高昂氣氛影響，因此採取與河北、川島等相同的立場。

在這個情況下，只有橫濱國大出身、前ＭＬ派書記長及其妻子宣布加入日共左派。坂口回想：「對於在一連串的聯合赤軍事件中，無法採取自主性行動的我來說，那個時候這對夫妻的行動，至今仍深深烙印在我的心裡。」[140]後來，川島、河北等人的組織，以更為革命性的意義，命名為「革命左派」。

比起坂口，永田離自主判斷更遠。一九六八年末時，永田感覺到醫院工會活動的極限，辭掉醫院職務後，變成一名連大會也不能參加的基層組織成員。

據永田的回憶，在大會上發生分裂之後，川島的妻子、河北的妻子，與橫濱國大的柴野春彥都被河北叫出來，告知他們可以成為革命左派的黨員。換句話說，只是為了湊人數的革命左派黨員。永田回想：「因為我幾乎不懂左派的基本政治組織方針，從一開始就在河北身邊的關係，所以對此也沒有什麼懷疑就接受邀請成為黨員。」[141]

革命左派的構成如下。首先黨有革命左派，而作為下級組織，有大眾共鬥組織「京濱安保共鬥」。這個京濱安保共鬥是由數個團體「共鬥」而得名，這些團體包括：女性團體「反戰和平婦人之會」、學生組織「學生戰鬥團」以及「京濱勞動者反戰團」。雖然後來媒體常將之稱呼為京濱安保共鬥，但實際的黨名是「日本共產黨革命左派」。京濱安保共鬥於一九六九年四月召開成立大會，是個

聯合赤軍關係圖

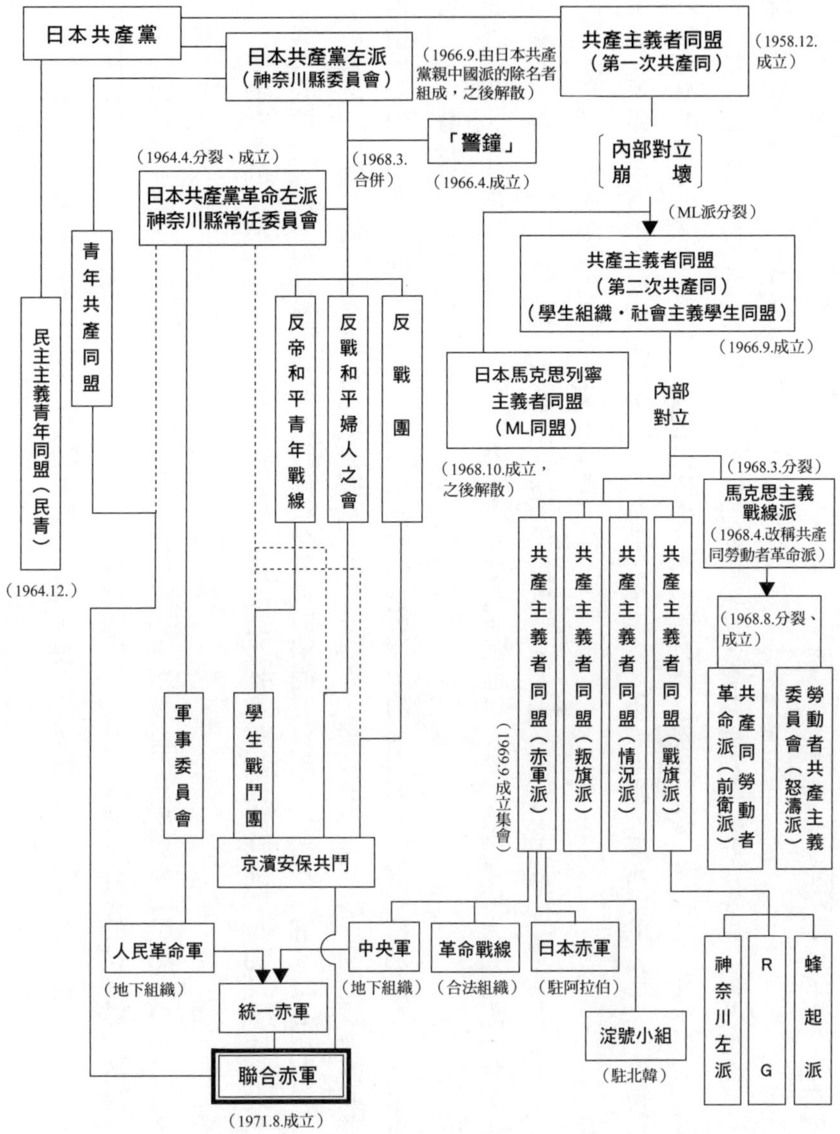

以高橋檀《不為人知的聯合赤軍》（彩流社）中刊載的圖示為本增補製作。有部分細節並不明確。

約一百三十人的小團體。[142]

初期的革命左派還留有謙虛的勞工運動組織的色彩。後來參與聯合赤軍的前澤辰義（假名）是這麼描述當初坂口邀他加入革命左派的經過：[143]「受坂口吸引，是基於像是他褲子的拉鍊壞掉的話，就拿體育新聞報紙塞進衣服裡，這種質樸的部分。他可能不太擅長自己想出戰術或戰略，但不畏於率先發動鬥爭、成為棄子，是個願意犧牲的男人。」

然而革命左派的出發，從一開始就充滿波瀾。成立之後便發生川島與河北的權力鬥爭。河北有暗自推動談判的傾向，比方說帶著從ＭＬ派時代以來就很親密的成員創立「警鐘」等，ＭＬ派對神奈川左派發動武裝內鬥的時候，他也是自己跑去與ＭＬ派幹部會面，意圖解決這件事，然而那次談判並沒有取得指揮部或其他成員同意，導致河北在內部受到批判。[144]川島對河北的批判特別激烈，在這個事件之後，主導權從河北轉移到川島手上。

此外，河北身體不好，常常住院。一九六九年七月，河北以「為了將組織擴大到全國」為由，動身前往關西。坂口回想，這件事「反映出在黨內，川島、河北兩位領導者在地位關係上的變化。」[145]之後的革命左派，實質由川島成為獨裁領導者。

革命左派雖然馬上就參與街頭鬥爭，但因為是弱小組織，不太顯眼。據當時的報導：「在遊行中總是被放在ＭＬ派後面，公安當局也因為組織小，幾乎沒有將之視為問題。」一九六九年夏天，成員戴著正面是白色星星、後面寫著「反美愛國」的紅色頭盔，意圖增強組織的存在感，但其他派系「也只是說『那是什麼啊』，沒有獲得太多關注。」[146]

「反美愛國」的口號，原本是中國共產黨所提倡，在五〇年代到六〇年代初期，日本共產黨也喊出這個口號，這是因為當時日本共產黨採取的戰略是：由於日本處於美國的半殖民狀態，包含非馬克思主義者在內，藉由廣泛的「民族統一戰線」，集結在「反美愛國」的戰鬥旗幟底下。

因此年長的其他派系運動者，會覺得「反美愛國」的口號看起來只是時代錯置而已。後來參加聯合赤軍的赤軍派坂東國男，拿到革命左派機關報《解放之旗》時心想：「五〇年代日共的品味以及反美愛國路線，也不會成為一條路線，沒有必要認真考慮。」[147]

而ＭＬ派的襲擊，在革命左派成立之後也沒有停止。一九六九年六月，參加反對入管法集會的革命左派約三十人，遭到ＭＬ派約一百五十人施以暴行。據坂口的回想：「以三、四人對一人的比例，遭到踢打的集體暴行。」「對ＭＬ派毫無理由的殘暴行為，氣到全身都在顫抖。」在那之後，川島組成武鬥集團「反美愛國行動隊」[148]，這在後來成為革命左派的「人民革命軍」。

「反美愛國行動隊」約二十人，一九六九年七月在多摩川河床進行第一次訓練。據坂口的回想，川島「強調了一九五〇年代初期，韓戰下日本共產黨武裝鬥爭的意義。」這場訓練結束幾天後，一本名為《登山指南》的小冊子在黨內流傳，這是日本共產黨在武裝鬥爭時期發行、關於軍事游擊戰戰術的秘密小冊子《球根栽培法》的復刻版。坂口推測，在這以後，川島以五〇年代前半的日本共產黨「中核自衛隊」為樣本，組織「反美愛國行動隊」，之後川島指導的武裝鬥爭路線也是受《球根栽培法》的啟發。[149]

然而，參與踏實的勞工運動組織「警鐘」與神奈川左派的成員，突然收到軍事游擊戰的小冊子，只是將這件事視為川島對於五〇年代的共產黨武裝鬥爭路線有高度評價。永田回想：「川島所說的話太突然了。我和大家都愣住了。當然，我對於川島從這個時候開始所想的武裝鬥爭完全無法理解。」[150]

此外，川島也有個人方面的問題。[151]據永田的回憶，一九六九年八月底，她到川島夫妻的家拜訪川島的妻子，由於川島妻子不在，永田正打算離開的時候，川島說：「再等一下。」而把她留下來，接著就被命令：「留下來過夜。」那天晚上，她被川島強暴，成了永田第一次的性經驗。

如同第一章所述，當時的性意識不開放。永田失去「處女的純潔」後情緒不穩，變得自暴自棄，又與其他兩名男性發生性關係。永田說：「曾經否定無秩序性關係的我，對於自己變成那樣非常驚訝。我覺得自己很可悲，比以前更加否定無秩序的關係與自由戀愛。」

然而，永田並沒有在組織內公開自己被川島強暴，也沒有離開革命左派。在她的回憶錄裡寫到兩個理由，第一：「對我來說，政黨政治比自己的人格還要重要。那是因為，如果沒有政黨活動，就不能確認自我，也不能表現自我了。」第二，當時她「在身為女性之前是身為人類」、「像男人一樣」地活動，並藉此認為女性可以自立，所以她覺得「離開革命左派的行動等同於宣布在女性的自立中敗北。」「更加覺得要透過運動，作為自立的女性努力下去。」另一方面，川島完全沒有反省的意思，在會議中與妻子和永田同時出席也若無其事。

組織中領導階層的男性，與派系內的女性有性關係並不少見。然而，做到這麼暴力式的關係，並不尋常。

永田「沒有結婚的意思，完全無法想像自由地思考與異性發生性關係的事」，是擁有「傳統」性規範觀念的人。[152]她畢業的高中也是以賢妻良母教育為宗旨，永田不但未曾違反校規，甚至是會舉報犯規學生、「認真」的類型。她的理想，是與有相同革命志向的同志結婚，並一起從事運動。這樣的永田，在有了性關係之後，理所當然地要求川島離婚並與自己結婚。

然而川島只是繼續採取曖昧的態度，與永田拖拖拉拉地持續著肉體關係。而永田在這個事件後，對自由性關係與戀愛的否定性情感，也成為她在後來的聯合赤軍事件中，以成員間有戀愛關係為由，加速動用私刑的背景因素。

革命左派的群像與武裝鬥爭

川島想要一口氣提高革命左派的知名度，便誇下海口要在一九六九年八月中旬、九月初，讓「決死隊」闖進機場，阻止愛知揆一外長訪問蘇聯。他對坂口「拍了拍肩膀，笑了笑」，將坂口任命為決死隊成員。[153]

然而，也有人反對這個魯莽的作戰。帶頭反對的，是日後在一九七〇年十二月襲擊派出所事件遭逮捕的渡部義則（假名）。他也是後來在聯合赤軍事件中遭私刑而死的橫濱國大學生大槻節子的戀人。據坂口所言：「他們反對的理由是，剛創立沒多久的小組織，搞這麼大的鬥爭，如果讓多數中堅運動者都被關進監獄，組織會變得亂七八糟。如此一來，就不知道至今究竟為了什麼那麼努力創立組織。」[154]

此外，「警鐘」時代以來的成員也認為應該推行大眾的工會活動，對於魯莽的武鬥路線持不同意見。據永田說，當時她擔任負責人的婦人共鬥裡的老手運動者說：「如果要以這個方針戰鬥的話，我沒辦法繼續待在婦共鬥。我退會。」在會議途中就離席而去。而「那之後，在反戰平婦（反戰和平婦人會）裡的成員，除了革命左派相關者以外，也都在這場鬥爭前後退會。」[155]

然而，川島在集會發表如下演說，將反對聲浪壓下：[156]「不管哪一個派系，都在準備秋天阻止佐藤首相訪美鬥爭，儲備組織的力量，沒有人打算認真面對現在這場鬥爭。」「即使組織潰滅，路線仍會留存。就算只剩一人，只要照路線戰鬥下去就好！」

從這場演說可以感覺得到，六〇年安保鬥爭的共產主義者同盟以來，那種常常被新左翼黨派盯著、「想透過引人注目的鬥爭表現自己與其他派別不同」的意識。反對聲音被壓制著，所有成員肩搭著肩，唱起《國際歌》提高氣勢，並進行決死隊的選拔。坂口找了當時是橫濱國大學生，後來在聯合赤軍事件遭私刑而死的寺岡恒一，以及橫濱國大肄業成為勞工的吉野雅邦等人。

此時吉野似乎不太想參加。[157]如同在第八章所述，他還在橫濱國大就讀的時候，作為中核派的認同者，參加了第一次羽田鬥爭，被機動隊毆打，造成頭縫了十三針的重傷。那之後，他也參加了佐世保鬥爭，並加入中核派，參加了王子鬥爭，並在三里塚鬥爭時被逮捕。由橫濱國大全共鬥發動，於一九六九年一月開始的大學封鎖行動中，他成為經濟學部鬥爭委員會的核心成員，是能果斷參與鬥爭的人物。

吉野能果斷參與鬥爭，與他對父親的抵抗有關。吉野與坂口、永田不同，他不是出身社會底層，父親是三菱重工的要角，高中就讀當時的名校日比谷高中，在學期間是優秀的模範生。然而，他進大學以後，社會批判精神覺醒，三菱重工是日本武器產業的代表企業，身為該企業要角的兒子，還是模範生，他似乎覺得這樣的自己是「出身難以原諒的人」。

吉野在橫濱國大的全共鬥運動後崩壞後，於一九六九年七月參加革命左派底下的組織青年共產同盟，大學輟學成為勞工，那也是「清貧、革命的紀律、捨棄一切、無我的獻身」、為了「否定至今的自我」。吉野最終參加了決死隊，但那也是因為他認為「如果因此變成有前科的人，成為上班族、資產階級式地活下去的道路也就被斷絕了，如此就不會成為國家權力的共犯了。」

吉野當初對於參加決死隊之所以採取消極態度，是因為他的戀人金子美千代（音譯，金子みちよ）強烈反對[158]，金子美千代後來在聯合赤軍事件中遭私刑而死。金子是公認的好勝與美人，和吉野是橫濱國大的同學，也是合唱團的夥伴。

金子向來都很擔心吉野的安全，吉野在第一次羽田鬥爭中受傷後，第二次羽田鬥爭時，金子邀他去參加穩健的越平聯集會，佐世保鬥爭的時候金子趕到現場，強烈反對吉野加入中核派。金子偶爾與吉野約會，並樂在其中，她對友人說：「參加集會和遊行的吉野，感覺總有勉強自己的部分，滑雪的時候看起來真的很開心，很有活力啊。」

金子同時也是很有勇氣的女性。第二次羽田鬥爭的時候，金子說服吉野參加越平聯的集會，但吉野似乎有所不滿。然而，即使是這場穩健的集會也被機動隊襲擊，參加者因而四散。第一次羽田鬥爭時，被機動隊打破頭的吉野，因恐懼拚命逃跑，金子甩開吉野的手，為了救助一位腳陷在路旁水溝的女性，金子衝進機動隊裡。因恐懼腿軟而無法移動的吉野，在後來的筆記寫：「當時真的是很丟臉。」

一九六九年四月時，金子懷了吉野的孩子，經過一番思考，與吉野在封鎖中的橫濱國立大學的一個房間中自殺未遂。結果金子墮胎，吉野為深重的罪惡感所苦。加入革命左派的吉野，在組織的方針下，於一九六九年六月從橫濱國大退學，成為工廠工人，離家開始與金子一起在木造公寓生活。在他們的朋友的回憶錄中寫著，金子「嘴上強調是『工人的妻子』，但穿著清爽的襯衫與新買的牛仔褲的她，怎麼看都像是出身好家庭的千金。」

她對於吉野加入革命左派，更是強烈反對，當吉野說要加入決死隊時，她逼問吉野：「我和鬥爭哪一個比較重要？」吉野很苦惱，但最後說：「如果將來，當我為了革命而必須犧牲妳的時候，我會選擇革命。」並加入決死隊。

另一方面，底層出身的坂口弘，對於都會少爺的吉野帶有違和感。一九六九年七月第一次與吉野碰面時，坂口這麼寫著他的印象：[159]「皮膚偏白、臉長、戴著眼鏡，西裝很合身，以一種不疾不徐的節奏抽著菸。與我到目前為止遇見的學生相當不同，散發著一種出身很好的學生氣息。」但是坂口是看上吉野參與鬥爭的經歷才邀他進決死隊的。

也有人拒絕參加決死隊，離開革命左派。反美愛國行動隊的隊長，在決死隊裡也應該是擔任隊長的內田哲二（假名）說：「我辦不到。」[160]

當時內田與遊覽車導遊結婚，剛成為父親。內田在東京水產大學的後輩坂口，在日後的回憶錄中對內田表示理解：「當然阿哲是考慮到留下來的妻子的事。……考慮的結果是放棄鬥爭，選擇家庭。」

然而當時的坂口沒有那麼多餘裕，坂口到內田家抓著他的衣襟大吼，最後留下一句：「這樣啊，我懂了，你背叛我們，要脫離組織對吧。那就再也不要出現在組織裡！」據說後來坂口等人因聯合赤軍事件受到社會的指責時，內田替他們募集支援金。

川島對於這種決死隊成員的糾葛毫不關心。川島對於內田退出，只是說了一句：「鬥爭越來越激烈，總是會有脫隊的人。」且坂口問：「在飛機跑道上丟火焰瓶，萬一造成飛機事故該怎麼辦？」川島則「像是在嗆人似地說：『那就是名譽的戰死！』」[161]

最後決死隊由坂口、寺岡、吉野與其他兩名成年人，加上四名十八至十九歲的少年組成。然而，事前的調查結果發現，要從從陸路闖進機場很困難，只能從堤岸游過去。同時在川島的指示下，突然決定在闖入機場的同時，以火焰瓶攻擊美國與蘇聯大使館，因此不會游泳的寺岡等四人轉調大使館攻擊組。而坂口後來才知道，其中一名未成年的決死隊員，明明會游泳卻撒謊說不會游泳，以此為藉口退出決死隊。[162]

九月三日夜晚，決死隊五人游到機場附近，用汽油和空瓶製作火焰瓶直到天亮。外長搭乘的飛機於八點二十分出發，十分鐘前，他們歡喜地呼喊，闖進飛機跑道，但是他們並沒有先調查外長的飛機將使用哪一條跑道起飛，只是將手裡的火焰瓶丟出去，舉著寫有「反美愛國」大字的旗子四處亂跑，火焰瓶丟完以後，就肩搭著肩，唱起《國際歌》。[163]

他們隨後遭警察逮捕，外長搭乘的航班只延遲了二十六分鐘就起飛了。另一方面，從電視新聞得知他們闖進機場的川島，彈指大笑：「幹得好！Baby！」[164]對他來說，向社會與其他黨派宣傳革命左派是幹得出過激行動的團體，比阻止外長訪問蘇聯來得重要。

某種意義上確實達成這個目的，革命左派在一夜之間就以過激組織而為人所知。喊著「反美愛國」，讚賞一九五〇年代前期日本共產黨的革命左派，原本在當時的新左翼黨派中就被視為完全異質的存在。當時的週刊雜誌中，某中核派的運動者，是如此描述革命左派：[165]「他們一直都與新左翼一起行動，但躲不掉被認為只是日共私生子的印象，不管搞再多脫離代代木系的激進行動，也不能說是正統的反代代木系。」

在永田後來的回憶錄中寫道，革命左派的基本思想與日共左派沒有差別，只是比日共左派激烈，「革命左派的獨特性，並不在於路線上的差異，而僅僅在鬥爭的激進化上施展身手。」川島雖然發下豪語說：「即使組織潰滅，路線仍會留存。」但「在革命左派中，沒有什麼應該留下的路線。留下的不是『路線』，而是革命左派發動衝擊性鬥爭的事實。但是，沒想到，裡面含有川島強推九・四鬥爭（闖入機場）的目的，那就是，即使和其他黨派搞相同的鬥爭，川島的聲望也不會提高，因此他意圖藉由衝擊性的鬥爭，誇耀自己的黨派政治。」[166]

另一方面，大使館攻擊組在九月三日投擲火焰瓶到大使館。反對這場鬥爭的渡部義則等人，在川島的命令下，發動支援闖進機場行動的聲東擊西作戰，在機場附近的高速公路丟火焰瓶。坂口被逮捕後得知這個作戰，說：「這完全是沒有必要的作戰。」[167]

然而，他們被待命中的保全發現而逃跑。但在逃跑途中，後來在聯合赤軍事件中遭私刑而死的大槻節子，因跌倒而被逮捕。大槻與細瘦的金子是不同類型，一般對她的評價是：「腦筋很好，能構成論述。」「身材矮小個性明亮，很有活力的人」、「圓臉，雙眼皮的骨碌碌的圓眼，容貌可愛的人。」後來在聯合赤軍山岳基地第一次看見大槻的植垣康博說：「我的印象是，這是哪來的可愛的孩子啊，是不是走錯地方了。」[168]

大槻和雪野、吉野、金子、寺岡等人同樣都是橫濱國立大學的學生，在革命左派成立派別之前，就參加過反帝青年戰線。據她死後出版的日記，革命左派成立的時候，她對是否要繼續參加性質轉變的新組織感到煩惱，她在一九六九年四月寫著：「決定不加入了，現在正是和組織告別的好機會。」

但是在五月，她被組織的同伴駁倒，寫著：「逃不掉。是不是只能試看看。做看看⋯⋯」後來參加了革命左派。[169]

大槪在曾為勞工運動者的父親自殺後，生病的母親邊工作邊將她養大，她就讀橫濱國大時，也是打好幾份工的苦學生。據天野的回想，她說：「世界上最重要的就是母親。」大槪沒有加入學生色彩濃厚的新左翼黨派，而是選擇踏實的反帝青年戰線，或許也是因為她身為苦讀學生的經驗。後來她也在革命左派的方針下，從大學退學，在一九六九年八月成為工廠工人。據永田的回憶，曾經是大槪戀人的渡部，後悔當時丟下大槪自己逃跑，他說：「應該回去救她的。」[170]

如果有人遭到逮捕，通常會由黨派的救對（救援對策）部門準備律師、會面和慰問品。但是弱小的革命左派沒有救對部門。據永田的回想，川島在作戰前就先說過：「可能沒有會面，也沒辦法找律師。即使如此也要相信『反美愛國』是正確的，努力實行計畫。」[171]

看不下去這種狀況而接下救對的是金子美千代。金子在橫濱國大全共鬥時有救對活動的經驗，當時主張革命左派應該負起責任進行被逮捕者的救援對策。[172]然而川島並不關心救援對策，金子知道革命左派的組織靠不住，她雖與革命左派沒有直接關係，在別無選擇的情況下，最後還是擔起救援對策的角色。金子後來成為黨員，但最初是加入革命左派的下級組織青年共產同盟。

在那之後，她為了革命左派所有的逮捕者四處奔走，包括侵入機場組、大使館攻擊組、平和島組等。據她的友人說：「她忙於協助會面、送慰勞品、聯絡家人、發行救援機關報等，過著一天只睡四、五小時的生活。」後來金子對吉野哭著喊叫：「羽田事件之後，我本來只打算做你的救援對策，但那些一起被逮捕的人，組織完全沒有救援體制，受組織所託我開始救援大家。完全無法仰賴組織的力量，全都我一個人扛著一路做過來。我每天都想與你會面，但覺得那樣對其他人不好，結果一星期只能去找你一次。」[173]

革命左派也不是完全沒有努力做救援對策。據永田的回想，她曾經拜託一位人士介紹律師，這位人士是前日本共產黨中央委員，曾經寫過對日共左派成立帶有善意的文章。然而，幾乎沒有律師願意為革命左派所發動的極左武裝鬥爭辯護，就算有，也因為「擔任去年十・二一與今年四・二八的律師」，忙不過來而拒絕接手。那位前中央委員批評永田在鬥爭後疏於找律師，之後說：「我曾經對神奈川的各位有所期待，因為你們曾經試圖進到工廠奮鬥，但是在九・三、四鬥爭之後，我覺得自己被背叛了。」[174]

在永田與金子的努力下，承接案子的律師伊藤真由後來這麼說：[175]

> 我對革命左派的人的想法沒有共鳴。只是當時我還是新人，是「食客律師」（指在擁有獨立的法律事務所律師底下當食客的見習律師）的關係，被事務所的老闆指派擔任他們的律師。最初接見的是……大槻節子，如你所知，她是有禮、可愛的孩子，因此我對她、對她所屬的組織因此也有好感。這個組織的運動者都很認真，與赤軍派的人不同，沒有那種很油條的人。
>
> 在律師同事之間有個一般的說法：在新左翼各派系中，包含赤軍派在內的共產同系、社青同系，有種只要被逮捕就會說一堆、很快自白的體質，與之不同的是，革命左派、革馬等組織，官僚習氣的黨派人士則有不太願意自白的傾向。

先不論革命左派是否已經穩固到可以說是「官僚式」的組織，「警鐘」以來的踏實性質，與「吹牛」體質的赤軍派相比，性格認真的成員似乎很多。然而經驗尚淺、單親家庭長大的大槻，不敢負責審問的刑警所表現出來的人情味，很快就自白了，而大槻的自白則讓渡部遭到舉發。

據大槻的日記，那位刑警表現出來的同情，看起來不是演技而已，在大槻保釋之後，他因擔心大槻的狀況而聯絡她好幾次。對於沒有父親的大槻而言，這位刑警的存在似乎顯得很重要，大槻在日記中寫著：「因為你是安穩、寬大的人，所以我很喜歡，我相信你。」「你是寬大的監護人，而我完全是被監護人。簡直就是大人與小孩。」「對於需要被照顧的女孩子付出關心，真是辛苦你了。」[176]

然而，在她知道自己的自白導致渡部被逮捕，自己的供詞成為證據的時候，體認到那位刑警也是警察組織的一部分時，據說大槻不斷大罵：「該死！該死！」在那之後，大槻遭批評：「將夥伴出賣給國家權力。」遭到組織制裁，讓她在渡部保釋出獄後也不得與渡部見面。[177]

此一制裁處置，是幹部獨斷的決定。一連串的事件導致數名成員的自家遭到警察搜索之後，在川島等三名常任委員的獨斷下，以「遭到警察搜索自家的時候沒有反抗」為由，對三名成員處以黨內停權處分。所謂停權是指，既不允許參加會議和發表意見，也只能從事被指派的任務。

據永田的回憶，做出這個決定的若本幸子（假名）說：「在九．三、四鬥爭之後，如此嚴格的處分是必要的。」但是永田回想：「根本沒有人提過反抗警察搜索自宅的具體方法，所以這種停權處分太亂來了。而且，當時的革命左派並沒有任何書面規約，是直到這時才知道有所謂停權的處分。」[178]然而像這種領導階層獨斷、肆意進行制裁的傾向，永田自己很快地也染上這種惡習。

永田就任最高領導人

在那之後，革命左派變質的狀況非常激烈。十月時川島等人取得炸藥，命令在各地的美軍基地設置定時炸彈。然而，據永田的回想，川島故意教大家不會爆炸的定時裝置配線方式，所以沒有任何炸彈爆炸。永田推測這是對革命左派成員的「膽量測試」。[179]

接著他命令「軍」的委員長石田優（假名），在十一月六日阻止佐藤訪美鬥爭時，搶奪報社的直升機，飛到羽田機場對首相搭乘的飛機投擲炸彈。但報社沒有直升機，石田改而在十七日時將定時炸彈放在橫濱的美國大使館，但在爆炸前就被發現，以未遂作結。[180]

像這類的川島武裝鬥爭命令，都是一些隨便想到、魯莽且沒有計畫的點子。事前既沒有調查報社有沒有直升機，石田等人的成員裡也沒有會開直升機的人。石田在川島的命令下不斷地消耗精力，川島又在十二月時下令，要石田用游擊戰鬥爭的方式阻止美軍運送彈藥的列車。石田在計畫實行當天，故意穿上顯眼的白色雨衣而遭到逮捕，被逮捕一年後，石田表明反對炸藥鬥爭，退出革命左派[181]。

在革命左派漸漸朝著魯莽的武裝鬥爭組織變質的過程中，原本有聯繫的勞工接二連三地與革命左派斷絕關係。據永田的回想，一九六九年秋天，坂口原本工作的工廠的勞工便不再來參加集會，石田以前的工作地點的工廠勞工也斷了音訊，「接連與工廠勞工失去聯繫。」[182]

革命左派也開始被公安警察特別盯上。比起革命左派這個稱呼，當時的媒體偏好使用京濱安保共鬥這個名稱，一九七一年的週刊雜誌上如此報導：[183]「警察建立了隨時取締的體制，只要京濱安保共鬥一開始抗議遊行，便衣（刑警）集團就馬上緊跟在後，就算只是遊行結束後十五、六人的總結集會，也有五、六十名便衣在附近繞、圍著他們，簡直就像『便衣集會』似的。」

但是據永田所說，剩下的成員「沒有思考事態的嚴重性」。「他們認為國家權力的鎮壓很強烈，這表示這場鬥爭是革命鬥爭、是先鋒的鬥爭。」[184]

然而，組織的變質與崩壞不斷進行。一九六九年十二月，創立者河北三男因為反對武裝鬥爭，與革命左派斷絕關係。據坂口的回憶，河北撐著病體，在一九七〇年春天送了書簡給革命左派，批判極左路線的同時，表示這是「作為被正式除名者的行動」，衷心希望「各位同志」能重新思考路線。坂口回想：「我想他當時已經明確地預測到我們的破滅。」[185]十二月八日，川島豪遭到逮捕，轉眼間就失去了所有組織創立者。

坂口原本就對武鬥路線感到不安。一九六九年秋天，坂口在獄中讀到送進來的報紙和機關報，心想：「這種危險的鬥爭，組織打算持續下去嗎？」而「感到背脊發涼」。他在一九六九年十二月二十四日保釋，聽到川島已被逮捕，許多成員從工廠勞工轉而參與非法鬥爭，新聞沒有報導的從直升機丟炸彈計畫的始末等，對於自己入獄四個月期間，組織的性質竟有這麼激烈的轉變感到十分驚訝。[186]

而且獄中的川島，是前述入獄運動者的第二種類型的典型：「太閒，所以一直寫過激誇大妄想的文章寄給救援對策組織的類型。」川島把順從自己的永田當作聯絡人叫來會面，下指令要求維持武鬥路線，受赤軍派劫機的刺激，要求用武裝鬥爭的方式把自己從監獄中弄出去等，卻又為了保護自身而假裝轉向，讓組織成員感到混亂。據坂口所說，負責聯絡的永田，對於一直被川島牽著鼻子走，「對我說了好幾次『真是受夠了，受夠了！』」[187]

但革命左派的路線沒有改變，朝著「奪回川島」的武裝鬥爭方向前進。川島被逮捕，應該是革命左派修正路線的好機會，但據永田所說：「我們沒有做到。因為我們一直以來只在黨派政治底下從事運動，沒辦法脫離。」[188]

而且永田對於河北在組織發生危機時退出感到憤怒，她回想：「當時出於對河北行為的反彈，更加緊抓著極左路線的黨派政治。」坂口也說：「我有誠實守信的一面，對組織的忠誠心比別人強上一倍」的關係，「出獄後過了幾天」，「當初對於炸彈作戰的強烈違和感」也變淡，並贊同武鬥路線。[189]

在川島被逮捕後，永田與坂口成為實質上的領導人，他們很快地也將過去感到違和的制裁，施加在成員身上。

一九七〇年五月，在永田與坂口的決定下，金子與吉野受到停權處分。坂口舉了幾個理由：金子在「十二月末吉野保釋出獄後，失去緊張感，在參與活動時顯得散漫」，讓組織的錢二十萬日圓被扒走，兩人越來越少出席會議等。永田除了以同樣理由施以處分之外，推測兩人可能是「知道川島偽裝轉向，因此失去參與活動的動力。」[190]

金子對永田和坂口感到非常憤怒，向吉野哭訴：「羽田入侵鬥爭之後，完全沒有任何救援對策的方針，現在有什麼資格批評作為救援對策一環的我們的行動？」「我的行動不止二十萬日圓才對，如果那麼堅持那二十萬日圓，我去酒店或酒吧工作，把二十萬日圓丟在他們臉上退出組織。退出組織後，我們兩人在哪開個咖啡店吧。」然而吉野說服金子：「他們對我們的批評是對的，我們應該照指揮部說的去做。」[191]

當時的金子對於武鬥路線採批判態度、支持「警鐘」以來的群眾鬥爭路線。吉野在不二窗框、金子在固力果和三菱自動車工作，但在秋天可能是被發現參與組織活動，遭三菱自動車解僱後，發動撤回解偏鬥爭。但是這場鬥爭也發展成朝三菱自動車丟火焰瓶的武鬥路線，金子對此非常生氣。[192]

而且吉野在這段時間讓金子墮了第二次胎。十一月底，吉野在組織的指令下，與金子分手，和永田等人與指揮部轉移到栃木縣的藏身處。他們兩人的同居生活維持了約八個月之後結束，一直到兩人在金子因私刑而死的山岳基地碰面為止，沒有再一起生活。[193]

此外在一九七〇年秋天，為了尋找誘拐美國大使館重要人士的可能性，吉野被命令前往神戶「出差」，並與在那偶然遇見的女性發生關係。後來在山岳基地知道這件事的金子說：「如果是認真的那可以原諒，如果是出軌就不能原諒。」[194]

大槻節子也受到殘酷的要求。[195]大槻在一九六九年九月底獲釋後回到老家，她聲明：「我決定停止活動。這是和母親的約定。母親對我來說是非常重要的人，我不能破壞這個約定。」永田和坂口等人，為了把她拉回組織，讓此前因制裁而禁止會面的戀人渡部義則去說服她。大槻被渡部說服，於一九七〇年二月回歸革命左派。

回歸後，一封一九七〇年五月（未寄出）的信中，大槻寫著：「『九月』的事（自白），讓我自己變得非常絕望。我一直深切地責怪自己做了無可挽回的事，即使現在也是如此。我已經不能繼續做（活動）下去，沒有資格繼續做，只能悄悄地閉嘴……當時是那樣的心情。」這被認為她可能是基於把渡部「出賣給國家權力」的罪惡感，才同意回到革命左派。

然而當時的大槻，對於武鬥路線存疑。回歸後不久，一九七〇年三月一日的日記中，記錄著這樣的語句：「恐怕自己與組織之間確實有矛盾……」「對路線缺乏信心，對武裝，以及以武裝進行的行動感到不確定 or 恐懼。」「我感覺到無法解決的矛盾，感覺到憤怒。為什麼不認同我的做法？要不選擇這個做法，要不就退出，只有這種選項。」

接著永田等人命令大槻與柴野春彥以夫婦名義共同生活，柴野春彥因偷竊炸藥而遭到通緝。大槻在工廠工作支撐柴野的生活，但永田後來寫著：「和不是戀人的柴野同居，對大槻來說，在精神上造成很大的負擔。」大槻也在日記寫下「想拒絕」，而在與柴野生活的期間，也寫下：「希望可以儘早解除任務」的句子。

一九七〇年九月，革命左派召開五名常任委員會議，會中將決議選出在救回川島之前的革命左派最高領導人（常任委員會代表）。選舉的結果，永田獲得三票，坂口獲得兩票，永田成為最高領導者。當時的永田與坂口以「夫婦」名義同居，坂口成為永田的後盾。[196]永田成為最高領導人一事，對於包括永田在內的常任委員們而言，似乎是意料之外的結果。後來坂口在回憶錄中這麼寫道：[197]

一九七二年三月，聯合赤軍事件曝光後，人在獄中的川島，對於永田在兩年前就已經成為革命左派最高領導人一事感到非常驚訝。且當我們的公審在東京地方法院進行時，年輕一代的律師經常滿臉困惑地來問我：「為什麼永田變成最高領導人啊？」無論什麼理由，只要是稍微知道她的人，都沒辦法輕易把她和最高領導人的形象連在一起吧。

如前所述，永田是在革命左派成立的時候，由河北急就章提拔為黨員的人，當時的評價絕對不算高，就算與同性的若本相比，論人格、理論能力、政治感覺等，若本都優秀許多，這是眾所周知的事。再看看公開審判時的態度，她常常在被告位置上哭，說太多話，一點都沒有毅然決然的態度，對她那種小孩子般的態度感到啞然的人不在少數，人們當然會有「這種人是怎麼成為最高領導人的？」的疑問。

坂口接著在回憶錄中寫到永田健康狀況的問題：[198]「她常喊著頭痛，但是去看醫生也找不出原因。會議結束後，她一直說頭非常痛，沒辦法走下地鐵的樓梯，接著就當場倒下，這種事發生了兩、三次，每次都罵她或哄她要讓她繼續走下去，但每次都說意識不清，身體就軟下來完全不肯走。拿她沒辦法，只好背著她搭電車，卻又沒辦法坐在椅子上，一直滑落到地板。……回到家後終於稍微回復意識，在家裡就能一個人走，從櫃子的抽屜裡拿出針筒和藥（藥名不明），準備好就朝自己手臂打。」

永田有甲狀腺異常的葛瑞夫茲氏病[i]，脖子上有手術痕跡。在聯合赤軍事件後發現腦瘤，所以也有一說是在事件之前就有腦瘤。要求這樣的人承擔最高領導人繁忙的工作是太勉強。

此外，關於永田氣質的問題，坂口這麼寫：[199]「自我相當強大的人，對於無法接受的事，會一直堅持下去，也經常表達自己的看法。認識永田的人，對她有缺乏協調性或愛管閒事的評價，這只要是革命左派的人，應該沒有人會否定吧。」「永田說的話，很多都有加上她自己的色彩，很難看作是反

i 譯註：葛瑞夫茲氏病（Graves' disease）為瀰漫性毒性甲狀腺腫（Toxic diffuse goiter），是甲狀腺亢進最常見的原因，好發於二十到四十歲的年輕女性，患者會出現甲狀腺腫大、眼球凸出的症狀。而甲狀腺亢進會導致代謝加快、心悸、胸悶、怕熱、腹瀉、脾氣暴躁易怒、情緒不穩定、緊張、失眠等症狀。

映了客觀的事實。她經常把別人對她或組織的好意，說得好像對方是毫無保留地稱讚似的，但實際上那些話語或話語背後帶有批判性的意見，她也常常把一部分的好評說得很誇張。」

永田也有情緒化地讓那些與自己信念不同的人閉嘴的傾向，組織內因此給了她「鬼婆婆」的綽號。這個氣質也不適合擔任最高領導人。

然而永田並沒有特別強烈的權力慾。在決定最高領導人的投票時，據說永田投給坂口，而坂口則投給永田。[200]永田也回想，自己「在想都沒想到的時候當上了委員長。」[201]

坂口列舉了三項永田成為最高領導人的原因。[202]第一，假釋中等待審判的自己，沒有率領武鬥路線的自信，因為「自己不想做」。第二，常任委員五人當中，有兩人經驗尚淺，剩下的坂口、永田、若本三人，在投票之前，永田經常因為一些小事就澈底批鬥若本，因此比起若本，永田一時之間處於優勢。接著第三，「永田是五人當中最努力的人。」

永田只要決定了，就不會提出任何疑問，不斷的突進，坂口回想，因此對武裝鬥爭抱持懷疑態度的成員看起來，她是「對『政治游擊鬥爭』是必要的這點擁有最強烈認同的人。」她在機關報《解放之旗》擔任主筆長達半年以上，據坂口所說：「這不是因為她在理論性上比若本或柴野等人優秀，而是因為她比誰都強烈主張組織的重點鬥爭：『政治游擊鬥爭』。」

另一方面，永田如此回想：「在受到川島的暴力性行為以後，帶著一種不能輸給這件事的『女人的決心』，拚命地從事各種活動，而這個行為被人們評為很努力，我想這是我被選為委員長最主要的理由。」但是據坂口所說：「坦白說她的缺點太多。」而據永田所說，被選為最高領導人這件事，她「對於路線沒有正確的自覺，因而為了武裝鬥爭被要求得更加拚命。」[203]

此外，據永田的回憶錄所述，她被選為最高領導人的兩個月前，一九七〇年七月，永田拿掉坂口的小孩。[204]永田在墮胎後對這件事經常感到痛苦，同居的坂口在毆打「哭哭啼啼」的永田後，道歉說道：「啊啊，我動手打了女人。理解女性解放的話，男人是不會毆打女人的！今後，絕對不會動手！」坂口在自己的回憶錄中沒有提到墮胎的事，但在選最高領導人時把票投給永田，說不定是基於對她的愧疚感。

永田在聯合赤軍事件後，得到以田中美津為首的女性解放運動者的支援，在經歷過那些之後的回憶錄中，對於那次墮胎，她是這麼說的：「警鐘以來，有黨員不生小孩的潛規則。」她對這個規則沒說什麼，只是遵守，「不得不感覺到那樣的自己的守舊與軟弱。生不生小孩，是女性的權利，而當時甚至對此沒有自覺。我缺乏主體性的部分，在這種地方顯露無遺。正因為如此，我把一切都賭在極左鬥爭上，為此奮鬥。」

無論如何，在永田的領導下，革命左派朝著不可質疑的武裝鬥爭邁進。而幾乎在同一個時期，赤軍派在森恒夫的指導下，準備武裝鬥爭。在能力和氣質上都被認為有問題的兩位領導人率領下，這兩個組織朝著更為激烈的鬥爭前進。

搶劫的赤軍派

另一方面，赤軍派在森的指導下朝「M作戰」前進。一九七一年二月，重信去了巴勒斯坦以後，光是有被新聞報導出來的搶劫案，就有：二月二十二日千葉縣市原市的特定郵局七十萬日圓，二月二十七日千葉縣茂原市的郵局十萬日圓，三月四日千葉縣船橋市的特定郵局一萬五千日圓，三月九日神奈川縣相模原市的橫濱銀行辦事處一百五十萬日圓，三月二十二日宮城縣泉町的相互銀行一百一十五萬日圓等，連續犯下搶劫案。[205]其他還犯下許多強盜或搶奪案件。

一九七一年夏天，評論家中島誠採訪赤軍派幹部時，問到「M作戰」讓「一般市民的排斥感相當強烈」，問對方有什麼看法的時候[206]，這位幹部做了如下的回應：

「我們認為，無論是銀行的錢還是郵局的錢，基本上都是人民的錢。之所以必須強取這些錢，問題在現下與政治權力的關係，也就是說，銀行的錢本來是人民的錢，為了革命，我們用武力暫時將這些錢收集起來，為了全體人民直接使用。然後，在將來我們打算將這些錢歸還給全體人民。」「我們正在策劃，如果可以的話，打算發行保證將來會歸還這些錢、類似徵用證明書之類的東西。」

對此回應，中島問：「對於一般日本人來說，革命還在遙遠的彼端。從一般大眾的角度來說，就算拿到那種革命徵用證明書也只是無法兌現的紙張吧？」這位幹部僅回答：「那就只能請大眾相信我們，直到我們實際取得權力為止。」回應其他週刊雜誌訪問的赤軍派成員則說：「我個人不贊成路上強盜，所以就算現在也不斷提出反對意見，但是發動游擊戰、起義的過程中，某種程度的犧牲是在所難免的。」[207]

對於為了革命而強盜這件事感到疑問的，在赤軍派成員中不在少數。某位赤軍派中央委員，日後接受報社訪談時如此回答：[208]「到了必須以徵用活動的形式進行竊盜的時候，實在太過愚蠢，令人覺得『革命遊戲』的樣子在這裡露出馬腳，深深感受到無處發洩的空虛和可悲。」

透過這種方式取得的金錢，基本都上繳組織中央的政治局，運動者的生活費由政治局派發。接受當時雜誌訪談的赤軍派運動者說，生活費「一天大約八百日圓」，而且「藏身處每半年就得更換一次的關係，那也需要押金」，生活相當困苦。[209]

據當時的《讀賣新聞》報導，警視廳與埼玉縣警察的調查中，在一九七一年中的時候，關東圈的赤軍派「中央軍」有九隊約三十人，「兵營」、「出擊據點」和「逃亡據點」的藏身處有二十七處。「中央軍」第一隊隊長在日後接受報紙訪問的時候說：「我們並不知道其他還有多少隊。幾乎沒有橫向的聯絡，我只是從每天收到一次的亂數表中算出電話號碼，聯絡組織中央、接收指令。」[210]

這位隊長帶領三名部下在一間六帖榻榻米大小的藏身處生活，「士兵」們輪流當一日工，賺取不足的生活費。這位隊長如此描述當時的生活：[211]

> 士兵賺來的工資都用在藏身處的房租、餐費和機關報的費用上。在這種情況下，還必須準備接到轉戰命令時隨時都能移動的行動費用，加上還得幫忙出中央幹部的生活費的關係，兵營的財政狀況非常困苦。靠著泡麵勉強度日，四人一天一起抽一盒煙，甚至連衣服和內衣褲都採共用制度。當然不能喝酒。柏青哥等娛樂也澈底禁止，與家人和友人也都斷絕聯絡。現在想想，那種生活真是一種監獄。

據當時的報導，森看上弘前大學時植垣的友人青砥幹夫，「〔昭和〕四十六年（一九七一年）四月以後，我〔青砥〕四處〔從各隊〕收集款項，交給森保管，接著在必要的時候，我帶著錢分配給各隊。」[212]即使如此，如前所述，這很難說是多大一筆金額。

然而，依不同部隊，生活狀況似乎也不同。植垣康博所屬的隊伍，是由坂東國男帶隊的「坂東隊」，除了植垣靠著柏青哥收入不錯以外，一天偷十本以上的高價專門書籍拿到二手書店賣，一天可以賺一萬日圓以上，又在百貨公司偷衣服和食物，「吃的東西大幅改善，變得很豪華。」[213]

赤軍派的財政窘迫，進行「M作戰」有幾個理由。雖然重信出國也是重大損失，但握有籌錢網絡的許多幹部退出，也是主要原因。[214]此外，這個時期進行的組織重整也成了一個重要因素。

一九七一年一月底，赤軍派採用連續起義路線，這個路線，將七〇年代初期的世界情勢定位為日本帝國主義的戰略性反抗期，認為一九七二年的沖繩「偽」返還是為此做的準備，而為了對抗，中央軍發動連續起義並發展為一九七二年的武裝起義。[215]但實際上，在大菩薩嶺的大量逮捕使得大規模的武裝起義變得不可能，因此他們採取了不斷小規模起義的路線。

隨著採用這個連續起義路線，開始以「構築臨戰體制」為名進行組織重整。赤軍派除了在國外設立「國際根據地」的部門以外，由以地下活動發動武裝鬥爭的「中央軍」，以及情報宣傳、抗議遊行、募款集資等進行合法活動的公開組織「革命戰線」所構成。這個組織重整，為了重新強化因逮捕和退出造成弱化的中央軍，加強從各地革命戰線徵召人手。植垣康博如此回想：[216]

> ……像這樣的組織重整結果，伴隨著加強從地方徵召的關係，導致北海道、仙台、福島、福岡的革命戰線全部解散，赤軍派更加被大眾孤立。
>
> 主張游擊戰並反對連續起義的單位，特別是支持梅內的單位，也在這場組織重整中遭到肅清。

這次肅清中，有許多女性運動者被排除，這不只是因為赤軍派完全沒有女性解放的觀點，更是因為組織本身存在性別歧視，造成對這點感到不滿的女性運動者們，很容易與批判指揮部的單位聯手。

實際上，赤軍派裡完全沒有由女性獨自組成的團體。女性運動者們只能以個別支援自己的丈夫或戀人的形式，與赤軍派產生關聯，即便說是參與組織活動，也只是打電話聯繫、切割謄寫版、募款和維護藏身處等。……男性運動者也不承認她們是女性，某位幹部說：「搞運動的女人都是醜八怪啊，要找老婆的話只能找組織外部的人。」毫無忌憚地侮辱女性運動者，從各地來到東京的男性運動者就算犯下強姦案，組織也不認為有什麼問題。

透過這樣的組織重整，解散合法團體、驅逐許多女性運動者的結果，是一口氣喪失了以募款活動支撐赤軍派財政的單位。換句話說，赤軍派就是沒有後援部隊、只有「軍」的組織，這在某種意義上必然會導致必須執行「M作戰」。

另一方面，人在獄中的赤軍派幹部們，批評M作戰是「無恥」的行為，要求對國家發動更有成果的革命戰爭，這些不滿的聲音，透過救援組織與律師傳達給森。[217]森因此被施加更多壓力，被迫朝M作戰以上的武裝鬥爭推進。然而，在赤軍派難以獨自發動的情況下，森逐漸朝著與革命左派聯手的方向前進。

革命左派襲擊派出所

革命左派讓赤軍派留下印象的契機，是革命左派在一九七〇年十二月十八日強硬執行攻擊板橋區上赤塚派出所事件，以及一九七一年二月十七日真岡市搶奪獵槍事件。

一九七〇年十月二十一日國際反戰日，因為戒備森嚴，革命左派只在一個地方投擲火焰瓶。[218]在那之後，他們收到來自獄中的川島要求發動武裝鬥爭將他救出監獄的指令，被迫搶奪槍械。他們先在一九七〇年十二月十八日，攻擊警備看起來很薄弱的上赤塚派出所，意圖搶走警察的手槍。

雖然強硬執行這個計畫是基於川島的指令，但如同第十四章所述，當時的背景包括三島由紀夫在一九七〇年十一月自殺，十二月沖繩胡差發生「暴動」等，各種誘發武裝鬥爭的事件不斷發生。革命左派的天野勇司如此回想：[219]

> 三島以一種與我們的運動一百八十度相反的方向，象徵著那個時代。……他的感受性實在太過銳利，像十幾、二十幾歲的青年那樣，敏銳地反映時代的動態，不僅如此，還將感受猶如青年般地以行動力表現出來。
>
> 聽到事件的時候，我只想著：「被擺了一道！」
>
> 三島所期待的「自衛隊起義」，是我們最擔憂的。……當時美日共同聲明發表：「朝鮮半島的安全就是日本的安全」，並推動制定三次防（第三次防衛力整備計畫），我們對於日本軍國主義復活與開始侵略戰爭，有很強烈的危機感。我們當時的想法是，正因為是這種「非常狀況」，

武裝鬥爭這種「非常手段」有其必要性、才有其正當性。

三島事件過了一個月左右，沖繩的胡差居民對美軍的霸道發起暴動。看到這個新聞過了幾天，我和永田等人會合，永田等人以這個事件為例，主張：「人民大規模起義的情勢正在成形。」……永田是那種一旦如此主張，就會讓人覺得那好像是事實的人物，所以她才成為領導我們運動的核心，「帶著確信」牽引著這場魯莽的運動直到破局為止。

一九七〇年十二月十八日的襲擊派出所計畫是，由剛結束與大槻同居的柴野春彥帶領襲擊小組，加上曾為大槻戀人的渡部義則與一名高中生，帶著灌鉛的水管和短刀攻擊警察。

但是這場襲擊失敗了。根據警察的發言以及依該發言寫成的新聞報導，柴野等人對員警說：「讓我們休息一下」，進到派出所後，用水管打倒一名員警，另一名待在裡面的警官衝出來，因為男子持刀的關係，警官發出警告：「把刀丟下否則就開槍了」，隨後便開槍，並對其他男子們同樣警告：「放下武器」，接著開槍。[220]柴野在事件中死亡，另外兩人受了重傷後被逮捕，警方主張開槍是正當防衛。因有前科的渡部在場，警察因此得知這是革命左派的犯行。

針對此一警察說法，救援聯絡中心的律師與革命左派主張警察並未事先警告就開槍，不是正當防衛，是「虐殺」。警方進行死者的司法解剖時，並未允許家屬陪同，更是加深了這種質疑。[221]

儘管事實不明朗，但即使是對新左翼相對持有善意的人物，也無法給予這場派出所襲擊正面評價。評論家大野明男評論道：「不知道派出所必定有另一名輪值警員待在裡面睡覺的制度，這計畫也太過草率。」同樣是評論家的豬野健治也說：「這是城市游擊戰中最幼稚的方式啊。除了說這是非常低等的暴走以外，不知道還能說什麼。如果是為了獲取武器那更是荒謬啊。手槍什麼的破壞力本來就很有限，而且就算攻擊派出所，裡面的手槍最多不過兩、三支，要搶的話不如搶槍械店，不是更有效率嗎？」[222]

然而，這在新左翼運動狹窄的世界裡引發的反響卻不同。據坂口的回想：「上赤塚派出所襲擊事件的反響，遠遠超過我們想像。」十一月十八日當天舉辦的反對入管法集會上，對被殺的柴野進行一分鐘的默哀，十九日對上赤塚派出所發動遊行，羽仁五郎等文化界人士發表抗議聲明。曾有內鬥關係的ＭＬ派也以委員會書記局的名義表明：「對柴野春彥兄壯烈之死表達由衷敬意」。在十二月二十六日，新左翼黨派八派共同在日比谷音樂堂舉行「人民葬」。[223]

儘管赤軍派因為被其他共產同嫌惡，而無法參加「人民葬」，但也發表了正面評價，特別是對Ｍ作戰採批判態度、主張應該與國家權力對抗的獄中幹部，這個傾向更為明顯。赤軍派獄中幹部的花園紀男傳達了訊息：「為日本這塊土地出生的第一位游擊戰士柴野春彥兄之殉教落淚，我提筆寫下這段訊息。」「那是何等大膽、何等勇氣，身在獄中的赤軍亦為之一顫，感激不盡。」[224]這種獄中赤軍幹部的聲音，催促著監獄外面的赤軍派、革命左派朝著不輸柴野等人的武裝鬥爭前進。

「同志」之死，鼓舞了革命左派的下級組織成員。柴野在革命左派內的綽號是「豆丁太」，是受大家喜愛的人物。據高中時期的友人回想：「他平常喜歡看電視的短劇和落語，是充滿幽默感喜歡說笑話的愉快年輕人。」「是一位也喜歡都會式機智的青年。」[225]

受到事件衝擊的人之一是大槻節子。她曾經與柴野共同生活，戀人渡部也受到重傷、遭到逮捕，大槻在一九七一年二月九日的日記這麼寫著：[226]

豆丁太死了。被國家權力的凶彈所殺。死了。Kitaro（渡部的暱稱）與S因權力的凶彈，血液鮮活地流著、流著。……

以何等嚴峻的姿態顯現在我的面前，顯現在我們面前啊！

破壞鐵柵欄吧！

印度支那全面戰爭，推向侵略戰爭的海嘯，截斷！

自己成為，戰士！

在暗黑時代下的、虛妄時代的面紗上記下銳利的軌跡！拿起武器，武裝好，往戰場前進！往荒廢的戰場前進！滴著自己的血、滴著他們的血，讓白色的花盛開！築起冷徹城池的他，因此我激烈地深愛著！

事件之後，大槻支持武鬥路線，在十二月十九日的上赤塚派出所遊行中，她站在眾人前面演說，到柴野的老家安慰他的父親等，開始積極地參與活動。剛做完第二次墮胎手術的金子美千代也跑出醫院參加遊行。天野勇司如此回想：「同志之死，讓組織更加團結，製造出新的緊張感。我們的心情和戰術，必然更加地往左推進。風起令人寒，儘管組織陷於很困難的狀況，但我們的動力絕對沒有衰退。」[227]

只不過許多連帶的表態或「人民葬」的喧騰，據坂口所說：「那是抗議警察大幅超出『正當防衛』範疇的虐殺行為，絕對不代表對我們的鬥爭的支持，但是當時我們並沒有正確認識到這一點。」[228]革命左派將這次襲擊派出所事件，解釋為自己獲得支持，並因此變得更為激進。

此外，革命左派的高層與下級組織成員之間也有矛盾。柴野「人民葬」當天，由當時還在合法活動部門的前澤辰義代表革命左派致詞。對於革命左派這個弱小黨派來說，這是破格的「榮譽舞台」，然而，此時高層突然下了命令，前澤辰義有如下回想：229

在這個公開的集會上，革命左派首次得以登台致詞。因此我們合法部門很努力地準備，但永田突然下令：「在集會上丟火焰瓶」，那指令是暴動抗爭的指令：「燒了日比谷公園的派出所，阻斷附近的交通，發動戰爭。」柴野在橫濱國立大學頗有名氣，因此很多他的朋友等一般參加者都會來參加，煽動暴動會把這些人也牽連進來，我們合法部門就拒絕這個指令。然後永田到前一天繼續傳來指令：「無論如何都給我做」，很堅持這個指令。

實在沒辦法，總之事前準備了約四十個火焰瓶，埋藏在日比谷公園裡。但是，當天有數千人規模的機動隊員動員而來包圍公園，投擲火焰瓶的話，僅僅二十人左右的革命左派合法部門，全員被逮捕而潰滅再顯而易見不過。即使知道結果，永田仍舊下達「戰爭命令」。

無法忍受的金子美千代說：「好，那明天就大家一起丟火焰瓶吧，然後大家一起被逮捕，在牢裡悠哉渡過兩、三年，剩下的全都交給永田去搞吧。」聽見這番話，傳達永田指令的M也焦慮了起來，慌張地阻止：「住手！住手！」很顯然地，永田是與其他人格格不入的存在。

然而，根據永田的回想，她說這個命令是後來在聯合赤軍事件中遭私刑而死的寺岡恒一的提案。遭逮捕以後，永田的供詞說，對同志動用私刑，是森恒夫等人的提案，自己只是照著做而已，因此被檢察官斥責：「把自己的罪責推給自己殺害的人或自殺的人，始終都用這種卑劣的方式辯解，完全看不到任何真正在反省的態度。」但是坂口也回想，這個命令是寺岡所提，他說：「我沒有深思就贊成了。其他人（政治局成員）也一樣。」[230]

但不管是誰提的案，人們認定來自政治局的指令，就是最高領導人「永田的指令」。永田因此在組織內部的評價逐漸惡化。

追悼集會有數千人參加，儘管途中闖入而遭到驅逐的赤軍派與其他共產同各派發生武裝內鬥，但大抵上是成功的集會。這場「人民葬」之後，在戶外音樂堂的外面，革命左派的大眾組織京濱安保共鬥與赤軍派的合法部門革命戰線舉行共同集會。據永田說：「這是革命左派與赤軍派共鬥的起點。」[231]

坂口回想，原本他對柴野的死「並沒有因憤怒而全身顫抖。反倒是心情上有點冷淡，抗議遊行和各種人的連帶宣傳，總覺得難為情。」他說那是「因為知道襲擊派出所的目的。」[232]

其實從派出所搶手槍的目的並非武裝起義，而是因為接到川島的命令，要求把他從監獄救出去。這件事，組織外部的人當然不知道，就連組織下層的成員也不知道。而且永田和坂口等組織高層成員，對於川島那種想到什麼就要求別人去做這些困難任務的態度，多少帶有反抗的心情。

此外，對此事件的表態，也不是清一色地支持。與柴野同樣是前橫濱國大學生，事件幾個月前被逮捕而被拘留在橫濱拘留所的成員，從獄中發表聲明。據坂口所說，這個聲明說：「柴野之死，就像兄弟般，我表達深切的哀悼，但與此同時，對於將他逼往魯莽之死的武鬥路線，我在此表達內心深處最深沉的憤怒。」

而坂口「比起外部人們的動向，我當時比較關注人在獄中的川島對此有什麼反應。根據救援對策的成員所說，事件發生之後，川島一直無法入眠，看起來很消瘦衰弱。我想，果然如此啊。」坂口認為，對於組織的資深成員因自己的指令而死，川島是帶有罪惡感的。

但是，川島這種態度並未持續太久。據坂口所說：「我對在那之後他傳來的表態感到失望。因為他的主旨是：『追隨烈士之死，持續武裝鬥爭』，訴求繼續發動武裝鬥爭。我心底某個角落，曾經期待他能以這次令人心痛的犧牲為契機，宣布放棄武裝鬥爭。」

在坂口的回憶錄中，他如此批判川島：「下令救出自己的川島，當然知道上赤塚派出所襲擊事件的目的，我的理解是，他正是因此才在事件之後，情緒嚴重低落。但是，從那個表態看起來，他並不認為自己需要為柴野之死負責，他才應該率先自我批判，並訴求停止武裝鬥爭不是嗎？但他並沒有那樣做，只是搭著我們的報復情感以及外部連帶、同情的順風車，要求繼續武裝鬥爭。就算被批評只想著明哲保身或不誠實，也是理所當然。」

但是以坂口和永田為首的監獄外領導層也沒有要求停止武裝鬥爭。坂口如此回想：「上赤塚派出所襲擊事件的失敗，是反省魯莽的武裝鬥爭、修改極左路線的重要機會。然而，我們革命左派監獄內外都錯過這個機會。沉浸於（同志被殺害的）憤怒、感傷、贖罪，來自外部的同情、連帶等情感，疏於以冷靜的頭腦思考上赤塚的失敗，以及我們的未來。」永田也回想：「當時沒能冷靜地總結一二·一八鬥爭（襲擊派出所），清算式地檢討極左武裝鬥爭路線。何止如此，當時甚至認為那是一種背叛柴野、不可原諒的想法。」[233]就這樣，失去了轉變的機會。

與赤軍派的接觸和革命左派的處刑未遂

「人民葬」之後，赤軍派前來要求與革命左派指揮部聯絡。沒能從派出所搶到槍的革命左派，打算要求赤軍派讓渡槍枝，因而與對方會面。

據永田的回想，在這場會面中，赤軍派幹部說：「赤軍派因這場鬥爭受到震撼，組織基層出現應該與革命左派接觸的聲音，而指揮部也認同。」永田也表示：「革命左派向來都從赤軍派這邊學到很多。」兩者打過招呼後，決議於十二月三十一日進行指揮部會面。[234] 當天，革命左派由永田、坂口、寺岡出席，赤軍派則由森與坂東出席。

據坂口的回想，森自顧自地一直講自家派系的理論，據說討厭理論的坂口覺得「內容與新左翼運動者所說的幾乎相同，感覺不到赤軍派有什麼特色。只覺得『唉，又開始了。』假裝有在聽，但希望他趕快說完。」革命左派交給對方機關報《解放之旗》，詢問是否可以從赤軍派借槍。然而森回答：「稍微等一下，赤軍派內部會討論看看。」實際上當時的赤軍派連一支槍也沒有（一九七一年一月才成功購入），森只是為了虛張聲勢而敷衍了事。

隔年一九七一年一月初，為了聽取赤軍派的回答，再次召開兩派幹部會議。關於借槍一次，森說：「組織決定沒辦法回應要求。」交給對方機關報《赤軍》的論文，並暗示今後共鬥的可能性後就解散。

被曖昧的態度拒絕的革命左派幹部，對赤軍派沒有好印象。且據永田所說，讀了對方給的批判革命左派的論文，「就知道對方沒有讀十二月三十一日的會議中給他們的《解放之旗》。」並且「對於批判革命左派一事感到疑惑。」永田回想：「現在想想，赤軍派從一開始就把《解放之旗》當笑話，所以根本沒讀。『反美愛國＝荒謬，不成議題』（的這種赤軍派態度），從一開始到最後都沒有改變。」

本來赤軍派就是高喊世界同時革命，自認為是擁有世界無產階級先鋒中最高級理論的政黨，誇下海口說要招募民族主義者的毛澤東與金日成。另一方面革命左派則是支持毛澤東，高舉「反美愛國」的民族主義路線。兩者的理論性立場並不相容。

此外，即使女性黨員並不多但至少也打著「婦女解放」口號的革命左派，與輕蔑女性的赤軍派，兩者的差異十分鮮明。這種差異，基層成員也都知道，坂東不把革命左派的「反美愛國」路線當一回事，而金子美千代也嫌惡赤軍派：「赤裸裸的菁英主義啊，那些人。」[235]

當時的警方似乎也認為這兩個黨派不會聯手。一九七一年三月，負責跑警視廳的記者這麼說：[236]「赤軍是世界同時革命的托洛斯基主義，京濱安保則是毛澤東主義的一國革命論，彼此的意識形態無法相容，所以就算彼此承認表面的過激行動，（警視廳）認為兩者並不會在檯面下共同協商合作。」

就在與赤軍派的共鬥終止之際，革命左派下達了一個組織的決定：決定將前革命左派成員笠原照代（假名）以間諜名義處刑。

笠原是法政大學的畢業生，照革命左派的方針，她為了從事勞工運動，以高中畢業的工廠勞動者身分，從一九六九年十二月開始在三菱金屬工作。[237]然而，公司方面認為笠原的行止可疑，調查她的經歷之後，發現她隱瞞學歷，並於一九七〇年四月開除她。

雖然笠原發動撤回解僱鬥爭，但據永田所說：「這場鬥爭，我們沒有採取大眾式的鬥爭，而是企圖用武力鬥爭的方式進行，不只如此，也沒有顧慮到被解聘的笠原的生活。」根據當時的週刊雜誌報導，三菱金屬方面針對革命左派的撤回解僱鬥爭表示：「帶了十人左右的同夥來，大聲喊著口號、發傳單在門或牆上用噴漆寫一些有的沒的話，甚至還丟火焰瓶進來，真的是不知道該說什麼，一群很過分的傢伙。」

笠原為什麼被當成間諜，當事者的回憶各有不同，不是很明確。前澤辰義在幾年後說：「柴野追悼會之後，永田成了與大家格格不入的存在，組織內也蔓延著冷卻的氣氛，處於完全喪失活力的狀態，為了打破這種氣氛所想出來的方法，現在回頭想想，我覺得就是笠原的問題。」「笠原此前曾被永田勸說，要她與寺岡結婚，但是笠原拒絕，可能就是因為有這段過去，笠原才被拿出來當作提振組織氣氛的祭品。」[238]

另一方面，永田回想：當初提案讓寺岡與笠原結婚的是坂口，因為笠原拒絕，寺岡才說：「笠原是不是間諜啊？」而且，過去曾經發生過這樣的事件：笠原和杉村雅子（假名，後來加盟聯合赤軍存活下來）曾經一起貼一九七一年一月二十五日舉行集會的宣傳貼紙，在笠原暫時離開後，杉村馬上就被逮捕，但笠原卻沒事，基於這個事件，寺岡斷定笠原是間諜，主張處刑，永田回想，當時她自己也贊成這件事。[239]

另外坂口則稱「我記不太清楚」，基於永田回憶錄所述，貼紙事件被提出來當成原因，而他的記憶中只有自己曾經發言說：「要動手嗎？」此外沒有參與太多討論，只是與政治局的人們站同一邊。此外坂口說：「我對於很快就決定要處刑這一點感到強烈不安，當時覺得應該不會真的有處刑這種事吧。」但關於永田的證詞稱是他（坂口）提出要讓笠原與寺岡結婚的這一點，在坂口的回憶錄中並未提及。[240]

事件的過程並不明確，最後也沒有執行處刑。根據永田和坂口的回憶，直接的理由是在處刑後，找不到適當的地方掩埋屍體。包括永田在內，本來就對處刑不積極的政治局成員，最後決定只採取單方面斷絕組織與笠原的聯絡（實質上的除名）。

據永田的回想，笠原原本是無私奉獻自我的運動者，在革命左派襲擊槍械商店搶奪槍械之後，她來到革命左派的據點東京水產大學發動募款，但被人說「妳被當成間諜」後，就哭著離開了。在永田的回憶錄中，她反省道：「笠原應該非常無法釋懷吧。」[241]

此外據坂口所說，聯合赤軍事件後坂口等人遭到逮捕，笠原有去旁聽他們的審判，並在一九八八年寄給坂口的信中說，自己被除名之後，苦於精神疾病與酒精中毒。吃驚的坂口從獄中寄出謝罪的信件說：「我深深為我們所做的事感到抱歉。」在那之後，坂口等人幾乎喪失所有支持者，但笠原仍暗地裡進行支援坂口的活動。[242]這場處刑未遂，也有來自基層成員的批判。金子美千代提出異議，主張如果有間諜嫌疑，「應該進行大眾式的聲討」而不是處刑。此外，曾經協助笠原的撤回解僱鬥爭的大槻節子，在日記寫道：「可能有一位戰士將因為嫌疑而遭到抹殺——這件事令人感到恐怖。」[243]

然而，儘管以未遂作結，但處刑成員一事獲得公認這一點很嚴重。天野勇司在幾年後說：「革命左派只是沒有動手殺害，但我認為這個時候已經跨過紅線了。」[244]

陷入絕境的革命左派

在笠原處刑未遂前後，為了強化武裝鬥爭，革命左派政治局要求勞工成員辭職、專注於組織活動，一九七一年二月，大槻和金子等合法組織的成員也潛入地下活動。然而，根據前澤的證言，要求「工資一半以上」上繳給組織的勞工成員辭職、負責募款的合法組織成員潛入地下活動，造成革命左派的財政狀況迅速惡化。[245]

革命左派的食、衣、住，從這個時期之後加速惡化，據吉野雅邦的友人、調查聯合赤軍事件的大泉康雄所述：「吉野等以組織的錢生活的潛行成員，以超市裡最便宜的穀物製品，名為『維他麥[ii]』的加工麥和水團[iii]為主食。味噌湯也只加一半味噌，加入醬油或鹽巴，做成補充鹽分的食物。為了『改善伙食』，也曾經偷過裝著十顆高麗菜的大袋子。香菸也只限抽（最便宜的品牌）金蝙蝠一天五根。」[246]

被命令潛入地下的合法組織成員也幾乎陷入同樣狀況。根據某一位成員的回憶，他的小組有金子、大槻、佐藤和代（假名）、向山茂德（後遭處刑），但沒辦法與指揮部取得聯絡，每兩個半月換兩次藏身處，而且因為是這位成員與金子以夫婦的名義租屋的關係，其他成員為了避免被他人看見，只能在一大早或深夜才能外出，其他時間只是躲在房間內屏息以待。[247]

就連合法組織都被命令潛入地下，也是因為警察的鎮壓變得更強烈的關係。一九六九年底開始，就連救援對策組的金子也被便衣刑警跟蹤。律師伊藤真由說：「吉野的家也被（警察）部署幾乎二十

ii　譯註：原文為「ヴィタバレー」，現下較常表記為「ビタヴァレー」，是「ビタミン」（維他命）與「ヴァレー」（大麥）兩字合併而來。在此譯為「維他麥」。

iii　譯註：原文為「スイトン」，一種小麥粉加水做成丸子大小的食物。

四小時的監視體制，（吉野的母親）淑子和（哥哥）道彥玩『文字接龍』用的紙，也被以『這是暗號』為由沒收。我認為警察這緊迫盯人的方式，是讓他們往山裡去的原因之一。」[248]革命左派是在一九七一年初夏建立山岳基地，已經是襲擊派出所事件之後，當時已經開始被迫往人跡罕至的山裡移動。

一九七一年二月十七日凌晨兩點，革命左派襲擊位於栃木縣真岡市的塚田槍砲店，搶走十一支獵槍和子彈。塚田槍砲店是兼營藥局的自營業小店。

信奉毛澤東思想「不拿群眾一針一線」的革命左派，搶劫民間商店一事，在組織內也出現異議。但是據坂口所說，他當時發言表示：「槍砲店與警察權力一體化的關係，應該視為警察的基層機關。」並舉南越解放戰線的新春攻勢也造成西貢市民的死傷，表示「鬥爭中一般市民的犧牲在所難免」，將反對聲音壓下來。[249]

執行部隊是寺岡、吉野、天野與其他兩人。據坂口的回想，既然是自己把反對聲浪壓下去，「本來覺得我自己也參加行動比較輕鬆」，但因為永田說如果坂口被逮捕「就做不下去了」而阻止坂口參加，所以最後沒有參與行動。然而提案的坂口沒有參加行動這件事，造成其他行動成員對坂口的反感。[250]

參加執行部隊的吉野後來寫道：「穿著鞋子踩進塚田家，連同兩個幼小的孩子，把塚田家四人綁起來、搶走他們的商品與財產，我覺得這種行為一點道理都沒有，除了犯罪以外什麼都不是。」[251]不過不像赤軍派把銷售款項也都拿走，他們只拿走槍。[252]

事件當天早上，永田與坂口得知成功奪取槍枝的新聞後，拍著手高興地說：「如此一來就能把川島救回來了。」[253]但是在那之後，實行犯中的兩人，躲在垃圾桶的時候被警犬發現而遭到逮捕，最初栃木縣警還以為「是哪裡的小混混做的」[254]，抓到這兩人才知道是革命左派的犯罪行為。

對於這次奪槍事件，媒體的反應大致冷淡。財界的月刊《財界》評論道：「在世界都關注日本經濟繁榮的時候，真的有人會相信『槍桿子出政權』仍適用嗎？」這個評論在意料之內，但即使是對新左翼採同情立場的《朝日Journal》也刊登如下文章：「（就算想搞革命）靠獵槍十支、二十支根本成不了什麼事，而且每次在最前線的士兵要不被殺、要不被逮，根本也不知道什麼時候才能用這些好不容易拿到的獵槍來發動游擊。」「想想這些事，有常識的大人們當然會說，那只不過是小孩子的遊戲。」[255]

對左翼運動抱持同情立場的中島誠也說：「儘管他們成功取得武器，但在日本，無疑根本沒有發生全面武裝起義的理由。」結束刑期出獄的秋田明大也在一九七一年四月的手記中寫：「赤軍、京濱安保共鬥的人們，為什麼會有這些人跑出來呢？發起武裝起義，究竟是能達成什麼呢？」將他們視為無視客觀情勢，只是靠著「意氣」猛衝的集團。[256]

日本共產黨的態度更明確。事件隔天的《赤旗》上寫著，「日本共產黨革命左派」與日本共產黨完全沒有關係。

實際上，革命左派搶奪槍枝是為了救回川島，而不是為了武裝起義。然而，照《財界》的文章所說，這個事件「給了太平氣氛的世間一個巨大衝擊。」在那之後，取代過去的三派全學聯，革命左派與赤軍派、從共產同分出來的武鬥派ＲＧ、再加上以炸彈事件而為人所知的黑頭盔集團，被媒體稱為「新四派」。[257]

永田洋子的名字也同時透過媒體而為人所知。一九七一年三月的某週刊雜誌，形容永田是「美人鬥士」、「為男人盡心同時戰鬥的女人」。[258]聯合赤軍事件之後，有許多寫著永田的「醜女情結」是私刑事件起因的文章，由此也得以窺見媒體無責任且八卦的報導方式。

革命左派搶奪槍枝的事件刺激了赤軍派。坂東回想，在得知革命左派搶奪槍枝的消息後，「赤軍派也不能輸」，而在五天後的二月二十二日發動前述的M作戰。據坂口所說：「我以為赤軍不至於做到去搶銀行，所以聽到連續強盜的新聞時，沒有想到那是他們的犯罪行為。但永田說：『那絕對是赤軍派』，果然被她說中。」順帶一提，據坂東所說，沒有知會合法部門的革命戰線，就突然發動M作戰，因此造成組織混亂。[259]此後，這兩派像是在一較高下似的，越來越激進。

但是警察對革命左派的鎮壓也更加激烈。在槍砲店襲擊案之後，一都六縣開始實施汽車臨檢，美國大使館、首相官邸、警察局、派出所等地都動員了穿著防彈衣的武裝警員。據永田的回想，只是為了救回川島的鬥爭而搶了槍械的他們，「對於配置遠超過他們想像的鎮壓體制，感到非常驚訝。」而他們只能從從關東逃到長岡，然後往北海道逃走，「已經不是搞救回川島鬥爭的狀況。」[260]

逃亡並不容易。槍與彈藥的重量超過一百公斤，也需要發行機關報的器具，因此他們不得不將三把槍留在長岡的藏身處，往北海道逃。儘管是暫時的，但也與奉命潛入地下的合法部門失去聯絡。

另一方面，警察對所有的公寓進行無差別搜索，發動尋找可疑人物的公寓地毯式搜索作戰。全國的旅館、汽車旅館、車站的候車室、神社、寄物處等二十五萬個地點全都被搜查。高峰期曾經將全國二十五萬名警察中的四萬五千人投入這個作戰，導致革命左派與赤軍派的藏身處接連被發現，他們要不被逮捕，要不就只能不斷地在不同公寓間移動。[261]

革命左派的幹部們，在北海道的旅館從新聞得知長岡的藏身處被發現，放在那的槍也都被沒收，而永田、坂口、寺岡、天野等人被通緝。[262]錢用完的革命左派指揮部，在麻將館、北海道大學的自治會室和朋友家流浪，而會成為移動負擔的槍和彈藥，裝在塞有乾燥劑的塑膠袋埋在山裡，直到三月初，才終於在札幌的便宜公寓裡定居。

坂口說：「提到札幌的事就很痛苦，我們照自己的狀況利用大學的前輩和朋友們，在聯赤事件之後，強迫這些人做出許多一言難盡的犧牲。」[263]包庇他們的前輩和友人們，後來都被追究協助逃亡的罪責。在永田的回憶錄裡，這類記述不多。

在永田的回憶錄中，描寫的是在公寓生活的困難。只租了一間公寓房間的關係，「完全沒有日照，與隔壁的房間只隔一道三合板的牆壁，隔壁的狀況聽得一清二楚。地板也不是榻榻米，凹凸不平的、鋪著塑膠袋，而且不平、是傾斜的。廁所是在外面的共用廁所。」即使如此，對於已經在逃亡生活中過度疲憊的他們，「就算是這種公寓，能安定下來感到很高興。」[264]

然而公寓生活並不輕鬆。[265]據永田的回想，在氣溫降到將近零下二十度的北海道冬天，六個人的生活裡，寢具只有一條電毯，暖氣只有一台小型的石油暖爐，沒有棉被，穿著毛衣和登山外套邊發抖邊入睡。因成員被通緝中，只能以他人的名義租房子，他們一整天都得屏息保持安靜躲在屋內。因為廁所在房間外共用，只能在房間內用洗臉盆上廁所，洗臉盆滿了以後再拿到廁所去倒。各地都貼有附照片的通緝書，所以也不能去公眾澡堂，只能偶爾用熱水擦拭身體。

永田回想：「在這種生活中，最期待的就是吃飯。」但是沒有錢，主食是麥飯或麥片，或是在麵包店用很便宜的價格買袋裝的過期麵包碎片。副食大多是少量味噌加上醬油和鹽做成味噌湯。據永田說，有些過期麵包的碎片偶爾會沾上一些奶油，「那是我最期待的東西。」而她似乎認為，為了革命，生活困苦和禁慾是一種美德。

然而當然，據永田所說：「這種生活非常疲憊，身體變得僵硬，好像有什麼東西每天都在身體裡堆積似的。」對於帶病在身的永田更是如此。之後，革命左派指揮部的議論和行動，越來越多像是發瘋的東西，這也必須考慮到他們生活於惡劣環境、疲勞、不知道什麼時候會被逮捕的恐怖與緊張感等背景。

據坂口所說，「就連汽車爆胎的聲音，都會被當成獵槍開槍的聲音而引發恐慌，很難在日本進行射擊訓練。」因此永田開始主張到中國設立根據地。且據永田所說，既然信奉毛澤東思想，她也因此提案「到中國學習思想、政治。」剩餘的成員雖然不積極，但也贊成。實際情況是，在國內逃亡陷入困境的狀況下，疲勞、寒冷加上營養失調與壓力造成判斷力低下，他們途中開始自暴自棄地贊成，這才比較可能是實際情況。實際上坂口就回想，他之所以贊成去中國，是「因為感覺到武鬥的沉重負擔，也對逃亡生活感到疲憊。」[266]

但並不是逃到中國就有什麼解決方案。金子美千代聽到當時失去聯絡的指揮部在考慮逃往中國，「覺得他們腦袋是不是出問題了。」永田也在日後回想：「這完全是空談，當時只是想如果不這麼做，革命左派的武裝鬥爭就沒辦法繼續下去。」[267]然而，當時恐怕已經沒有將逃往中國視為「空談」的判斷能力了吧。

永田還在札幌開始強調「槍的品質」。關於什麼是「槍的品質」，就算讀了永田和坂口的回憶錄也搞不清楚。永田沒有具體說明，坂口也只是推論：「警鐘」以來，革命左派的想法是，思想是在實際中發展，「永田想說的是，握著槍的現在這個階段，必須二十四小時與國家權力對峙，如果思想上出現一點問題，也有致命的危險，所以現在正是被要求解決思想問題的時候，而且也是得獲得解決的時候。」[268]

原本革命左派就不像赤軍派那樣理論先行，坂口和永田也與理論家相距甚遠。坂口在這個時候，與大家一樣「姑且是同意了，但並不認為是什麼重要問題，因此不太關心。」[269]

然而這一點，事後回顧起來卻很重大。因為這隱含的意義是：被指揮部視為「思想上出現一點問題」的成員，即使只是微不足道的小事、即使在理論層次上批判的內容不明確，既然對組織來說有「致命」的可能性，就必須嚴格處理，依情況而定甚至應該處刑。

聚集在山裡的革命左派

在獄中的川島豪，送了一封要求進一步強化武裝鬥爭的信給指揮部。川島批判永田刊登在機關報上的論文是「形而上學式的」，並具體指示游擊戰、游擊式起義、全人民式的起義、乃至內戰的革命戰爭發展型態。據坂口所說，永田「本來就不喜歡被批判」，表達對川島不滿的同時，進一步主張要澈底保護取得的槍械並推動鬥爭。[270]

另一方面，當時國內外的情勢都不太穩定。一九七一年一月三十日，美軍在南越軍的支援下，進攻被視為解放戰線出擊基地的寮國。中國總理周恩來飛到河內，宣布如果美國繼續採取侵略行為的話，中國將全力支援北越和寮國，在寮國解放戰線與北越軍隊的反擊下，美軍和南越軍隊遭到擊退，此一勝利鼓舞了日本的左翼陣營。

此外，在赤軍開始執行「M作戰」當天，從二月二十二日起到三月二十五日，在第十四章所述的三里塚成田機場建設預定地，進行第一次強制執行。機場公團動員了一萬八千名警察機動隊，以中核派為首的新左翼黨派派出支援部隊，反對同盟與支援的學生們加起來共兩萬五千人與機動隊對峙，在壕溝與要塞激烈抵抗，造成雙方超過一萬四千人受傷，武裝鬥爭論更為盛行。[271]

在這個情勢下，以金子和大槻為首的合法部門，對於沒有活動方針，只能在公寓待著的狀況感到不滿。據永田所說，在指揮部內部，吉野也發言表示：「至今都被永田和坂口牽著鼻子走，今後必須由我來領導。」寺岡也提出黨改組案，由他自己擔任黨負責人，將永田降格為機關報主編、坂口降格為統一戰線負責人。[272]

永田等人對於這種組織動搖有何反應並不明確，在永田的回憶錄中，她說自己對最高領導者的地位並不戀棧，當吉野說想負責領導的時候，「我不是想當才當的，所以如果有人願意當，我會很感謝。」但是在坂口的回憶中，當寺岡提出讓永田卸任最高領導人時，永田「拉著我的衣服，為了避免被他（寺岡）聽到，她小聲地說：『喂這是怎麼回事？』表露不滿。」[273]

無論如何，這些提案都遭到否決，永田留任最高領導人。然而在革命左派眼中看起來動盪的國內外情勢中，他們沒有發表任何活動方針，只是關在各個藏身處，人們對高層的不滿已經到了可能造成組織瓦解的狀態。永田和坂口想到聯絡赤軍派來解決困境。

永田和坂口在札幌三次嘗試與赤軍派聯絡未果後，決定前往東京，與赤軍派的森恒夫會面。永田用假髮和假睫毛變裝，躲過在青函渡輪和電車上巡邏的警察，抵達東京，在一九七一年四月二十三日與森碰面。躲在藏身處生活的森變胖了，長出小腹、剪成和尚頭，和以前文學青年的形象大不相同，據永田所說：「簡直就像在建設公司工作的大叔。」[274]赤軍派內對森的暱稱是：「大叔」。

這天晚上，森帶永田等人到朋友家，做了炒高麗菜和肉。幾個月沒吃肉的永田說：「對赤軍派和革命左派在飲食上的差異感到不知如何是好，但想到這八成是用了M鬥爭的錢吧，就起了批判的心態。」[275]這種對赤軍派在物質上的嫉妒，也顯露在聯合赤軍事件中。

那天晚上，永田說如果他們被逮捕，赤軍派可以使用他們搶來的槍，同時也邀請他們一起去中國（坂口回憶中這個提案是永田擅自做的決定）。然而據永田的回想，森提起自己在學生運動時期與一九六九年七月的武裝內鬥都曾經逃走過，因此打算留在日本，「赤軍派準備在六月戰鬥。」隔天又說：「不是應該死在日本嗎？」「如果能發動一次大規模殲滅戰，就算因此戰死也不後悔。」[276]對森而言，他曾經有過在內鬥中逃走並宣示不會再次逃走才回到赤軍派的過去，從這點來說，在日本國內「殲滅」警察和機動隊，是關乎他面子的問題。

永田回想，他對森這種充滿著悲壯感的主張「心底感到靜寂，確實如果能打到殲滅戰那也就夠了吧。」然而坂口認為在內鬥中逃走，對森而言是「規定所有生存方式的重大問題，察覺這點並不困難」，但「覺得他看起來沒有那麼像革命性的人物。」[277]

之後，永田和坂口在東京友人們的家之間頻繁移動。據永田的回想：「在我們突然到訪的狀況下，只是徒增對方困擾而已。」這種生活持續了一個月以後，據永田的回想，坂口突然說：「進山裡吧」提案設置山岳基地。永田回想，應該是因為坂口大學時代是漂鳥部，才有此發想。[278]

另一方面根據坂口的回憶，坂口不知道該拿永田怎麼辦，才提案山岳基地。坂口在回憶錄中這麼寫著：[279]

離開森以後，我和永田被迫在不同藏身處間流浪度日，在到處都貼著大型通緝照片海報的東京都內，提心吊膽地移動，非常消耗精神。加上我和永田身高差距很大（永田不到一百五十公分，坂口將近一百八十公分），走路速度不一樣，兩人的判斷也經常不同的關係，一旦起衝突，永田就在派出所旁邊一動也不動，這種事還不是只有一次，我覺得很累。借地方住的時候，她又非常強硬，我對那些讓我們留宿的人總是感到非常抱歉，而這種心情也讓我非常疲憊。

累壞的坂口，想起在納粹佔領下的法國反抗軍躲在山裡的歷史，因此提出山岳基地的點子。在警察的地毯式搜索公寓的作戰下，很明顯不能在都市裡設藏身處。沒有太多討論，永田就同意了，作為前往中國的替代方案，兩人決定了山岳基地方案。

赤軍派的青砥幹夫如此回想這個時期的永田與坂口：「因為他們是完全不能進行非公開活動的外行人集團，我、遠山、行方把藏身地點分給他們。那個時候他們已經沒辦法靠自己租到房子，只要租下來馬上就會露出馬腳，所以只能借住，以一個星期為單位，在不同的支援者家借住，所以借住的人也得小心，但是他們總是叫一堆人把借住的地方弄得亂七八糟，所以最後也找不到借住的地方了。」這有可能只是赤軍派單方面的看法，但永田等人並不是因為有什麼目的才往山裡去，青砥所說的：「『往山裡逃』的說法比較正確。」，可以說大致符合他們的狀況。[280]

之後，永田與坂口在告知革命左派數人關於山岳基地案的同時，與森再次碰面，委託森募集三十萬日圓作為山岳基地的建設費用。森則要求他們交出兩把槍給赤軍派的「殲滅戰」使用，作為募款的代價。[281]

對於在理論層次上無法相容的兩派，這是個折衷的交易。雖然赤軍派在M作戰上取得一定程度的成功，手頭有資金，但他們從槍砲店搶奪槍枝的行動失敗，只有一把在一九七一年一月購入的槍。另一方面，革命左派雖然有槍，但就算想設立山岳基地，也頂多只有購買一個睡袋的錢。[282]兩方利害一致，因此交易成立。

不過這並不是當初所謂「共鬥」性質的合作。赤軍派在理論層次上輕視革命左派，而且意圖發動城市型起義，對於永田與坂口建設山岳基地的方案，森幾乎毫不關心，據永田的回想，森只是說：「嗯，就試看看吧。之後再告訴我你們的山岳總結。」在那之後，赤軍派與革命左派之間暫時沒有聯繫。永田回想：「完全沒有討論路線問題，我想雙方都感覺到沒必要再碰面了吧。所以最後就以『那就各自用各自的方式實踐吧』的感覺道別。」[283]

兩派再次接近，是在一九七一年中。原因是兩派都陷入了困境。

首先是赤軍派在M作戰等行動中，不斷有成員被逮捕。「中央軍」大部分都潰滅，發動M作戰五個月左右以後，只剩下坂東國男、植垣康博、山崎順、進藤隆三郎四人組成的「坂東隊」而已。[284]從革命左派取得的槍，在一九七一年七月襲擊米子的銀行時，襲擊部隊全員遭逮捕時全部遭到沒收。在一九七一年六月十七日，反對政府沖繩返還，他們在中核派與機動隊衝突的場子投擲鐵管炸彈，造成機動隊員約三十幾人受傷，因此對赤軍派的鎮壓越來越強烈。

在這個狀況下，只有坂東隊的活動順利進行，他們在三月二十二日從仙台振興相互銀行搶了一百萬日圓，於五月十四日從南吉田小學搶了薪資三百二十萬日圓，於六月二十四日從橫濱銀行妙蓮寺分店搶了約四十五萬日圓等。

閱讀曾參與坂東隊的植垣的回憶錄，令人驚訝的是，他們只在乎赤軍派高層的評價，完全不在乎社會是如何看待自己的行為。儘管他有寫到在M作戰初期，對強盜這種「反人民的行為」有疑慮，隨著他逐漸習慣，「對中央的做法，有『以我們的實力讓他們認可』的競爭心態」，以及「黨中央終於認可我們部隊的實力」等文句變得更為顯眼。[285]

前中大共產同的神津陽，在二〇〇七年這麼說：[286]「左翼組織是金字塔型組織，權力集中在高層，是上情下達的社會，即便有評價標準，評價的人也只在內部的封閉組織。如果這裡再加上金錢分配的話，就會誕生出比一般企業還愚蠢的升遷競爭。」植垣向來有好人的評價，但即使是他也會變成前述的狀態。

不過坂東隊的成員，除了坂東以外都不是原本出自赤軍派的人。植垣在一九六九年十月二十一日的遊行中被逮捕後遭拘留一年多，一九七一年一月剛加入赤軍派的活動。進藤是在新宿當瘋癲族、又在壽町做臨時工的重考生，在一九七一年一月被植垣招募，據植垣所說：「他幾乎沒有身為赤軍派的意識，只是當赤軍派的幫手出力而已。」[287]山崎有在早大全共鬥活動的經歷，是從德國留學回來的洋風男子，也是在一九七一年一月被植垣招募後加入赤軍派，但在照料森的生活時過度耗損，因為會開車而轉到坂東隊。進藤和山崎都在聯合赤軍事件中遭私刑而死。

植垣康博曾暫時負責讓山崎感到「耗損」、照料森的生活的任務，他後來這麼說：[288]

森潛伏的地點是位於青山的公寓，起初我想說可以住高級公寓，就很積極地過去，但是實際的任務卻像是打雜士兵，做飯、洗衣打掃、買東西，完全不知道自己為什麼加入赤軍。

森喜歡義大利麵，我常常被要求做肉醬。他也喜歡看綜藝節目的《水戶黃門》，常常一個人對著無聊的笑話捧腹大笑，在旁邊的我只能放空。我忍不住同情山崎，他看到這種政治局成員，肯定也是耗損相當多精神吧。

後來聯合赤軍成立以後，赤軍派往山岳基地前進時，革命左派提議兩派各選出九人進行軍事訓練。除了坂東隊四人，森把負責聯絡各個小隊的青砥、主要負責救援對策部門的行方正時、以及獄中幹部高木廣之的戀人遠山美枝子叫到山岳基地來，才終於湊齊九人。[289]

另一方面，革命左派也面臨組織的危機。一九七一年五月到六月，幹部們從北海道移動到被選為山岳基地的雲取山。[290]雲取山有廢棄小屋，他們命名為小袖基地，合法部門的成員也在此集結。

然而，不只是被迫擠在公寓裡的基層成員，在永田與坂口到東京的這一個月間，札幌的幹部們也越來越不滿。前述寺岡提出組織改組案，就是發生在這個時候。此外，吉野主張不要堅持用槍作戰，應該在三里塚發動炸彈鬥爭，天野主張轉換路線，將重點從軍事轉到政治。

然而，回到札幌的永田與坂口壓下了這些議論。天野進到山岳基地以來，也向永田提出討論，最後並沒有改變永田的「以槍建黨建軍武裝鬥爭」路線。[291]

永田等人為了讓合法部門的成員也隸屬於「軍」，所以把革命左派全體成員都召集到山岳基地來。這似乎是為了擺脫幹部和部下都不滿的組織崩壞狀態。曾在合法部門的前澤辰義，日後這麼說：[292]

我想最初並不是為了將山岳當作根據地才進到小袖的。畢竟當初也有提案說讓真岡事件通緝組分成幾個小隊，以登山隊的樣子登上山脊，並在這段時間好好設立城市裡的據點，說要讓領到票的人（被通緝的人）也能安全地活動。但是，永田可能是覺得如果讓成員在都市裡分散，反對自己的派系可能會聯手，在疑神疑鬼的心態下將全員集中在山裡。所以把山岳當作據點，是永田為了保全自己的地位，漸漸地改變了決定。

由於提案建設山岳基地的是坂口，全部都算在永田頭上可能有問題。在永田與坂口的回憶錄中，沒有提到前澤推測的將成員聚集到山裡的意圖。但是革命左派中也有人與前澤抱有相同的懷疑，而且從結果來看，之後發生了令人覺得前澤的主張有道理的事件。

聯合赤軍事件後，法院也做出類似的判斷。基於吉野雅邦的判決書，吉野與金子美千代的共通友人、前面提到的大泉康雄，如此記述金子美千代進到山裡以及後來的事：[293]「（金子在六月二日左右）進到小袖第一基地，並被任命為會計。這從永田的觀點來說，是把批判分子集中在自己監視之下的意思。儘管被任命為會計，原本管理組織款項的永田洋子，只交給她少許金額，並且只能吃加了山菜、鯖魚罐頭的麥雜炊等簡陋的食物。」

從吃的東西看得出來在小袖基地的生活並不輕鬆。小屋狹窄，晚上只能擠在一起睡覺。天野勇司回想當時的生活：[294]「在露營地的生活非常不方便。從食糧補給來說就很辛苦，就算能靠蜂斗菜、山芹菜、九眼獨活等山菜來攝取蔬菜，將近十人的食材，每個星期就得好幾個人一起出去採買兩次。菜單是用鯖魚罐頭燉煮的味噌粥、醬煮九眼獨活、常有的泡麵等。」

即使如此，對於像天野這種被通緝的人來說，初期山岳基地的生活似乎有一定程度的解放感。天野如此回憶一九七一年六月左右的事：[295]

「那段時間，和在北國城市裡屏息度日的潛伏生活相比，山裡的生活開放且明亮。那時候剛好奧多摩的山一片新綠，生機盎然。我們和好久不見的夥伴們進行議論，偶爾喝酒，大聲唱著國際歌。」

「然而那個露營地裡，也有為了收容離開山裡的『逃亡者』的小屋，是用一束束的蘆葦蓋的。導致半年後破局的種子，那時已經以各種樣貌出現。」

天野為了聯絡的任務回到都市，在八月被逮捕，那個時期經常與大槻節子碰面。天野讀了後來出版的大槻日記後這麼說：[296]

……讀了她的手記，覺得她在（一九七一年）四月的時候，就已經感覺到運動崩壞的預兆。恐怕只要不單是狂熱、還留有一絲理性、能冷靜地預知事態發展的人們，多少都有相同的預感吧。

當時我負責與其他的戰鬥小組聯絡，在城市裡常常與大槻一起行動。由她聯絡、安排日期和時間，兩個人一起去找那些組員。

然而，我們沒有開誠布公地討論運動的將來。從前一陣子開始，在這失去餘裕而顯得乾枯的組織中是不可能有那種對話的。

那年六月，與指揮部有過一場關於軍事方針、領導方法的論爭（指天野從札幌到小袖基地時與坂口和永田的議論），討論很激烈但是徒勞而終，在那之後我就處於半放棄的狀態。

很顯然地，組織繼續那樣下去是撐不住的，但是也不可能馬上轉換方向，只能等組織遇上瓶頸。

然而，最具決定性的事是，我自己也對極左行動有強烈共感。只要在這個前提下，結果也只能照著極左路線前進。不澈底且懷疑的極左，是不可能與盲目確信的武裝極左匹敵的。

就這樣，「不澈底且懷疑的極左」接受「盲目確信的武裝極左」的領導，為了「以槍建黨建軍的武裝鬥爭」而聚集在山岳基地。為了取回埋在北海道的槍，吉野和金子加上新組成的寺岡和杉村以及前澤共五人，被取笑是「新婚旅行」出發到北海道把槍帶回山岳基地。如前所述，永田否定自由戀愛的同時，抱有「與路線一致共同奮鬥的人結婚是最好的」的信條，這也反映在人選上。[297]

永田的戀愛觀念，雖然是她個人的特質，但也反映著她的世代擁有的感覺。許多革命左派的「女性士兵」介於二十到二十三歲之間，而永田、森、坂口等人，在聯合赤軍事件時介於二十六到二十七歲之間。儘管只是些許年齡差距，如同第一章所述，在經濟高度成長下激烈變化的時期裡，是穿著立領的學生制服度過大學生活，還是穿著牛仔褲度過大學生活，這樣大的差異。這也反映在戀愛觀念以及對組織內部個人自由的見解的差異。

相互煽動的赤軍派與革命左派

小袖基地生活最初的破局，是向山茂德與早岐靖子的脫逃與處決。

據說坂口心底是反對早岐上山的。當時二十歲的早岐，在日本大學看護學院時，因反對教育方針進行絕食抗議而遭退學處分，她在一九七〇年六月左右，加入革命左派的大眾組織京濱安保共鬥。永田讚賞她不懼炸彈鬥爭的膽量，給予高度評價，打算把她放到軍隊裡，而要她上山。

然而，坂口對於早岐在革命左派的鬥爭經歷還不到一年有疑慮，還聽說她在合法活動部門潛伏以後，仍經常跑去找她與政治無關的醫師戀人，坂口回想，他因此認為讓早岐以非法的武裝鬥爭要員上山、加入軍隊「還太早，而且覺得女性太多可能會發生什麼錯誤。」[298]

坂口雖然同意向山上山、加入軍隊，但內心似乎有所不安。向山是革命左派的資深運動者岩本哲治（假名）的高中同學，當時是重考生，與早岐同樣是在一九七〇年春天剛加入京濱安保共鬥，但他曾在一九六九年秋天以個人名義參與阻止佐藤訪美鬥爭，一九七〇年六月則曾經對三菱重工投擲火焰瓶。據坂口所說，因為當時的革命左派是以「能否果敢地參加火焰瓶鬥爭和炸彈鬥爭作為優先評價標準」的關係，因此決定讓向山上山、加入軍隊。[299]

然而據坂口所說，向山「不是運動者類型，而是個人主義者，感覺是遊行和集會的常客。」「性格是溫和型，說話也很沉著，說自己適合當恐怖分子，不適合當需要組織性活動的軍隊成員。」他是個文學青年。上山的時候，向山也算是為了變裝，以戴著假髮、穿著喇叭褲的裝扮現身，坂口說他看起來是「何等可愛的容貌。」[300]

六月初，向山上山後不久的態度，也讓坂口吃了一驚。向山在合法部門潛伏之後，與大槻節子在藏身處同居，喜愛文學的大槻很快就對向山傾心，兩人互相愛慕。

據坂口的回想，抵達小袖基地後，向山就說：「我想和大槻結婚。」又說：「為了向在獄中的渡部謝罪，我會作為軍的成員努力。」但說：「我可以當恐怖分子戰鬥，但沒辦法做更多了。」顯露出討厭被組織拘束的態度。他在基地內不參加討論，對麥飯也擺出一副很難下嚥的表情。因此坂口說：「我對他是以什麼樣的覺悟來到小袖，很早就感到不安。」[301]

年長的坂口對於年輕的早岐與向山的印象是奔放且個人主義。數日後，向山對永田、坂口、寺岡等人說：「我想下山。」據永田與坂口的回憶，他反覆說著恐怖分子之類的，又說：「我想寫小說，也想上大學。」向山當時被三個人說服而不發一語，但隔天說了一句「我去小便」後，就下了山，搭巴士回東京，坂口非常生氣地說：「被背叛了。」[302]因為向山逃走的關係，警察找到小袖基地的可能性增加，他們不得不準備往新的鹽山基地移動。

幾天後，這次換早岐說：「我想下山。」理由是「想和在東京的男朋友一起生活。」儘管永田重申她認為和同樣參與戰鬥的同志結婚最好，主張她應該清算與不問政治的男友之間的關係，與革命左派的男性結婚，但早岐沒有回話。遭逮捕後學習女性解放思想的永田，回憶道：「想起當時我那亂七八糟的應對方式就覺得很丟臉。」在那之後，早岐打算獨自下山，被坂口強力阻止，後來在七月中，她參加為了調查「殲滅戰」而下山的部隊，在七月十三日趁機逃走，回到東京。[303]

這次脫逃，革命左派的成員反應很複雜。據坂口和永田的回憶，儘管大家對於擅自脫逃的向山「很火大」，但早岐卻是向幹部們說明：「正因為像向山那樣擅自下山不好，我才來告訴你們的。」因此早岐打算下山而被逮到的時候，部分基層成員私下也說：「這不是她個人自由嘛。」坂口也「覺得很傷腦筋啊，但把她帶來山裡，本來就很勉強，就那樣隨便她，讓她下山比較好。」儘管坂口這麼想，但他回想，當時永田下了強硬的命令，要求把早岐抓回基地。[304]

前澤辰義在日後提到和永田吵早岐下山的事：305

早岐說「想回東京」的時候，我和永田發生很激烈的爭吵。我的主張是：「鬥爭這種東西是自發性地戰鬥，如果不是自己打從心底真的憎恨國家權力，那就沒辦法戰鬥。讓想逃的人加入是我們自己的責任，必須自己付出代價。如果，假設她把我們賣給敵人，如果這是個因此就會被擊倒的組織，那遲早都會被擊倒，最好就放棄。」

加藤能敬也在同一個時期以「不應該把暴力帶進內部問題」的原則出發，反對處決，因此被組織邊緣化。……當時想要在最前線與國家權力戰鬥的我，覺得沒有被指派任務是一件很痛苦的事。最後，以被永田說服的形式，贊成「依情況而定，有可能處決」的方針。

儘管如此，最初指揮部並沒有強烈想處決兩人的想法。向山逃走後，擴大黨會議於六月九日召開。據坂口的回想，這場會議後，向山的同學岩本問坂口：「放向山走沒關係嗎？」那時坂口正忙於「殲滅戰」和基地移動的準備，由於過去也出現過脫隊的人，便因此回答：「那也沒辦法。」後來坂口回想：「這個時候，如果有做什麼對策的話，或許就可以避免兩個月後殺害向山的悲劇。」306

剛上山的大槻節子也參加了這場擴大黨會議。永田告訴大槻向山逃走的事，並照著自己的主張建議大槻：「清算與向山的關係，好好經營與渡部義則的關係吧。」永田在回憶錄也寫著：「沒辦法想像路線不同的人之間的戀愛。」而根據永田的回想，大槻雖然當下回答：「我會努力奮鬥下去。」但對永田建議的態度卻很曖昧。這也是根據永田的回想，大槻將永田評為「不知道戀愛為何物的人」。[307]

革命左派幹部對脫逃者態度轉變的契機，是再次與赤軍派接觸。赤軍派的森慫恿道：「不是應該處決間諜和脫逃者嗎？」

擴大黨會議後，獄中的川島豪寄來暗示與赤軍派組成新黨的信，六月二十日前後，永田與坂口和目白綾子（假名）抵達東京。七月上旬與森會面的永田與坂口提案組成新黨，但森提案當下先考慮軍隊共鬥。與森會面幾次後，森終於開始提案組成「統一赤軍」與發行機關報《槍火》，據坂口的回想：「都是以他的步調在推進話題。」[308]

這個時期的赤軍派，實際上已經潰滅，只能選擇與革命左派合作使活動延續下去。但赤軍派瞧不起革命左派，理想上是吸收、合併革命左派。

赤軍派的青砥幹夫在二〇〇三年這麼說：「森、或者可能連我可能也那麼想：最後把京濱安保共鬥合併進來。」永田還回想：「統一赤軍成立會議就那樣結束了，但是沒有把反美愛國路線帶進這次共組，表示這件事完全在赤軍派的主導之下。」「聽說森在這場會議之後對青砥說：『我們成功吸收革命左派啦！』」[309]

儘管如此，他們還是認為「革命」的氣勢正在上揚。七月一日，鹽見的第一次公開審判開庭，鹽見回答職業是赤軍士兵，國籍是無國籍。這個新聞也感動了革命左派的成員。大槻節子聽了這則新聞之後，寫了如下的詩，據永田說，這是「非常貼切地體現我們的心情」的詩。[310]

我們……

職業——赤軍士兵
國籍——無國籍
對，從我們全員的口中對人民
　可以驕傲地說
對凶惡的敵人，可以用鐵的意志說
我們赤軍士兵
我們無國籍
而現在，我們暫居在名為日本的國土上
如同全世界的解放戰士在各自的土地上
與槍火一起更加高聲共鳴
我們赤軍士兵
我們無國籍

就這樣，一九七一年夏天，寫著如下宣言的機關報《槍火》發行：「全國無產階級的兄弟們！前進的學生、知識分子們！一九七一年七月十五日，共產同赤軍派中央委員會、以及日本共產黨（革命左派）神奈川縣常任委員會決議，各自的中央軍、人民革命軍組織將聯手。」「決議其名稱為『赤軍』。」[311]

然而即使兩派聯手，現實狀況並沒有那麼容易。與永田、坂口一起到東京的目白，抵達東京以後，說要去募款，離開以後就逃走沒有再回來。再加上前述的早岐於七月十三日逃走。

在組織動盪的狀況下，七月十九日坂口與永田再次到東京與森會面。森提案在機關報《槍火》上刊登鹽見提起的統一赤軍「六面旗（口號）」。據坂口所說，那是森對鹽見提案加上自己想法的東西：「說什麼『世界共產主義建設』、什麼『世界革命戰爭勝利』，現在看起來都是一些無可救藥的內容。」革命左派思想明顯遭到無視，完全是赤軍派的路線。[312]

其中有一項是：「達成軍的正規軍化、共產主義化，強化、擴大『赤軍』。」在山岳基地不斷發生私刑的時候，「共產主義化」成為私刑的理由，但對革命左派而言，這是第一次接觸到這個語彙。

據斯坦霍夫的調查：「共產主義化這個概念其實很曖昧，對聯合赤軍的倖存者來說也一樣，他們說完全不懂這個詞。」其實在森提起的時候，永田和坂口也一樣不懂，但坂口回想：「我和永田無意識地接受，當時只是草率地想：這反正只是為了給鹽見面子的東西吧。」[313]

這點在赤軍派也沒有兩樣。「共產主義化」在一九七一年七月鹽見於獄中發表的論文中提到：「主體的共產主義式改造＝黨的軍人化、軍中的黨化、軍的正規軍化。」但根據植垣的回想，坂東隊曾經打算就這篇論文進行討論和學習，結果「完全不懂寫了什麼。」[314]

接著在七月十九日的會議上，永田等人提起向山和早岐逃走，森說：「不是應該處決間諜和脫逃者嗎？」幾天後再次與森會面的永田與坂口說：「還在猶豫如何處置兩人。」森說：「我們現在也發生了同樣的問題。」「我們決定殺掉。」「應該要殺掉。」[315]

事實上，赤軍派從一九七一年前半開始就有關於處決的規定。據植垣所說，M作戰期間，一九七一年五月，坂東說：「今後給鬥爭造成損害的行為，將處以罰則，違反紀律將施予懲罰，自白等通敵行為則處以死刑。」植垣和青砥也曾經因為瑣碎的事，被罰兩個月禁酒禁菸。[316]

而森所說的赤軍派內的問題，是指原本在坂東隊名為牧原（假名）的女性的事。她因為喜歡進藤而一起參與M作戰，但對逃亡生活感到疲憊，因而向警方自首並洩密。據植垣的回想，森在和永田等人的會議之後，坂東隊如何處置牧原成為問題，到了七月底，坂東對植垣說：「大叔（森）說殺掉她啊。」植垣說：「沒有謹慎地運用她，我們也有責任不是嗎？」坂東答：「我也這麼覺得，所以還在猶豫。」[317]

結果牧原被趕出坂東隊，進藤則交給青砥。據青砥所說，他被森命令除掉牧原，但他沒有動手的意願，只是叫她「遠離組織」。牧原說完：「白癡、白癡！」就離開了。青砥把事情告訴森，森的反應也只是：「好吧，算了。」並沒有斥責。[318]在革命左派處決早岐和向山之後，從永田得知這件事的坂東，將這件事告訴森，結果森說：「竟然動手了嗎！這些傢伙已經不是革命家了啊！腦筋不正常了不是嗎！」[319]

說穿了，赤軍派所說的「處決」，和「佔領首相官邸」與「世界革命戰爭」一樣，只是一種虛張聲勢的說法，並不是真的想要動手殺人，但永田和坂口把森的話當真了。說些虛張聲勢的事但執行上不確實，繼承這種關西共產同氣質的赤軍派，與認真的革命左派氣質之間的差異，造成了這場悲劇。

順帶一提，根據坂口的回想，處決早岐後，他們在八月九日前後再次與森見面，永田說：「我們殺了她。」森說：「殺之前有讓她說什麼嗎？」為處決勞心的坂口覺得：「事到如今在說什麼啊？我心想。『應該殺掉』不就是不需要聽對方解釋的意思嗎？現在問這個就是否定當初的說法啊。感到憤怒的同時，也覺得森這個人言行不一，不值得信賴。」[320]

然而，革命左派的處決，讓森有了劣等感。他原本就對自己從武裝內鬥中逃走感到羞恥，無論是對革命左派的競爭心態，或是赤軍派人數較少的部分，他都覺得有必要展示赤軍派的紀律與戰鬥力在革命左派之上。知道革命左派處決之後，森斥責坂東：「為什麼沒有處決牧原？」「革命左派都做到這個程度在準備殲滅戰啊！與他們相較，你們都在幹嘛！」並威脅進藤「逃走的話就殺了你。」[321]

植垣如此回想：「原本與永田等人的革命左派之間就約定要『共同進行殲滅戰』，但是森想在九月十四日與革命左派的共同會議之前，超前發動殲滅戰，因為他意圖透過立下達成殲滅戰的功績，讓對方覺得『赤軍派確實很強』，比革命左派優越。另一個很重要的是，對森而言，沒有執行處決這件事，讓他覺得自己在政治上虧欠永田。」植垣推測：「森，想要死者。」[322]

在七月的時間點上，革命左派被森虛張聲勢的言語煽動，處決脫逃者。但在處決後，森對革命左派的劣等感，開始覺得只是在理論上的優勢是沒辦法吸收合併革命左派，開始責成部下執行處決和「殲滅戰」。換句話說，這兩派相互煽動，陷入惡性循環。

處決兩人

據永田和坂口的回想，決定和執行處決早岐、向山的過程如下。

據永田的回想，七月十五日，成立「統一赤軍」的新聞傳回鹽山基地，就在眾人的氣勢高漲之際，大槻對她說想到小屋外談談。大槻說，向山在家裡和便衣刑警喝酒，享受說山岳基地的事可以說到什麼程度的刺激感，又說向山打算把山岳基地的事寫成小說，主張「應該殺掉向山。」[323]

考慮到大槻在日記裡寫到反對處決笠原的事，坂口說，大槻的發言「令人難以想像。」[324]事實上，向山逃走以後，大槻為了交接合法部門的任務和募款抵達東京，秘密地與向山見面和發生關係。這個時候，大槻問向山的近況的同時，也告訴他自己繼續戰鬥到最後的意志。

後來大槻在榛名基地被動用私刑的時候，坦承和向山碰面的事，導致私刑更嚴重。這樣的大槻說出「應該殺掉向山。」究竟是如同坂口和其他人所指出的，是永田為了把責任轉嫁給他人而假造的記憶，還是大槻對於被自己曾經愛過的向山背叛而感到憤怒，現在仍舊無法確認。

據永田的回想，她在這個時候沒有想殺向山的意思，但是在七月十九日被森慫恿處決後，二十一日在東京新小岩的咖啡店收到大槻的報告，據永田所說，大槻的報告如下。首先早岐在逃走之後回去找戀人，說了「下山真是鬆了一口氣」之類的話。此外向山已經寫了三分之二的小說，還在猶豫故事的結局是要讓身為主角的自己以恐怖分子的身分而死，還是招出一切、摧毀組織。[325]

永田很生氣，把這件事告訴在新小岩藏身處的坂口與寺岡。在永田的回憶中，兩人也很生氣，但坂口的回憶是：「覺得向山的事很麻煩。」但關於早岐，並沒有像永田那麼憤怒。」然而，在那之後的對話，永田與坂口的回憶幾乎一致。據坂口所說，狀況如下：[326]

> 永田報告結束後，我們對於該怎麼辦陷入長考。過了一段時間，永田問：「（在山岳基地蓋的）監獄可以嗎？」
>
> 又過了一段時間，寺岡說：「要殺掉嗎？」永田停了一下，點頭說：「嗯。」
>
> 我雖然沒說話，但也同意。就這樣非常輕易地就決定要殺害早岐晴子和向山茂德。

後來坂口回想：「想到這麼草率就決定，有種被打倒的感覺。」[327]然而寺岡說：「之後就交給軍隊吧。」幾天後被森慫恿處決，就不再猶豫了。

坂口和永田最初內心確實都有猶豫。據坂口的回想，永田曾低聲地說：「即使是中核派都曾在武裝內鬥中殺人了……」這是指一九七〇年八月，中核派對革馬派運動者動用私刑後殺害，如同在第十四章所述，這個事件是武裝內鬥中最初的殺人事件。看到永田搬出這個案例意圖說服自己，坂口想：「看起來態度強勢，但內心也產生了動搖啊。」[328]

在那之後，他們為了提防早岐招供而從鹽山基地朝丹澤基地移動，同時進行處決計畫。首先，從感覺比較可能會回應呼叫的早岐下手，寺岡、吉野和瀨戶政次（假名）三人組成執行部隊，把早岐叫出來以後，由杉村和金子讓她喝下摻了安眠藥的酒，接著由有駕照的小嶋和子來運送。小嶋是川島豪的妻子招募而來，原本是名古屋「中京安保共鬥」的成員，上山後才剛與東京的成員們碰面。

據吉野的證詞，吉野原本要拒絕這個任務，但「不想被視為與早岐等人相同、想避免被認為是見風轉舵的人」而同意參與。金子則不清楚自己的任務的意義，小嶋和子則在下山被告知任務內容之後非常不安。[329]

八月三日，在咖啡店打工過的早岐，被不知道殺害計畫的大槻叫出去，在藏身處過夜，並被灌了金子買來的威士忌。早岐睡著以後，金子聯絡待機中的寺岡等人，據說那時候金子被告知早岐想在合法部門進行活動。然而，執行部隊在晚上十一點將早岐帶到外面，坐上車帶到印旛沼，毆打之後勒死，埋在湖附近。[330]

據坂口所言，在執行前，寺岡來找待機的坂口，告訴他早岐說想要在合法部門活動。但坂口說：

「已經決定的事不能更改。」壓下寺岡的動搖。在回憶錄中，坂口這麼說：「我不否認對寺岡有競爭的心態。平常總是強勢發言的寺岡，在關鍵時刻露出軟弱的一面，儘管只能對他堅定地回應，但我感到類似優越感的東西，想對他表現出自己的領導地位。我不否認自己有這種醜陋的意識。」[331]

話雖如此，坂口也「只是一直祈禱，希望能發生事故或有什麼意外來阻止這場殺人。」然而隔天清晨，寺岡等人回來報告：「殺掉了！」坂口「突然喪失力氣似的。」小嶋情緒太過震驚，甚至沒辦法自己走路，執行部隊三人與小嶋進到房間，房間內充滿屍臭。小嶋追問永田和坂口：「我沒辦法接受！」但坂口只是說：「沒辦法，這是為了保護組織。」[332]

對這次事件的實行犯吉野下判決的審判長石丸俊彥，在一九七九年的判決書中寫道：[333]

如前所述，早岐完全沒有應被殺害之責任，早岐在寺岡與被告吉野乘車前，並未察覺自己將被殺害之可能性。兩人乘車後，早岐哭著說：「被騙了。」應為察覺事情不單純而感到憤怒。畢竟是相同思想、相互信賴，一路共同參與鬥爭的「同志」，面臨同志的蠻橫、絲毫不給辯解機會、單方面地背叛行為，早岐的心肯定猶如石頭般凍結，遭受推落地獄般的絕望打擊。令人惋惜的年輕生命，遭受「同志」背叛，在承受殘酷暴虐的毆打後結束，死後（為了消滅證據）還被剝除全身衣物、埋於土中，這忿恨肯定至今也無法平靜，身在無限的淚水之中。

革命左派在這次處決之後，氣氛迅速惡化。坂口如此回想：[334]「殺害早岐後，大家的精神狀況起了很大的變化，開始出現崩壞的現象。如前所述，小嶋處於極度不穩定的狀況，在那之後她也沒有安定下來，經過好一陣子，她要離開山裡而被大家抓到的時候，她大叫：『把我埋起來！』瀨戶在殺害事件過了幾天後去找戀人，說『想要退出活動。』這時永田說服他，讓他帶著戀人回到基地，但很快地兩人就趁隙逃離基地，在名古屋被逮捕。……每一位成員的表情都很陰沉，也變得比較少講話。」

坂口靜不下來，提案再和永田、寺岡談談。但寺岡說：「事到如今，再說那些也沒用不是嗎？」坂口只能閉嘴。寺岡的表情「感覺就是『唉真是令人頭痛的人啊』。」處決當天坂口嚐到的「優越感」，說不定換成寺岡體會到了。據坂口所說：「在那之後，我滿心只想要快點執行向山的處決。」[335]

向山的處決，於八月十日執行。寺岡、吉野、瀨戶擠到房間裡，將他毆打後勒死，埋在印旛沼。據永田的回想，寺岡抱怨：「大家壓制掙扎的向山時，大概只是到窗簾那邊蹲下，完全沒有幫忙。」[336]大概這個時候在想什麼，已經沒有辦法確認。

如果像這樣藉由永田和坂口的回憶重現當時的經過，那麼提出要殺害早岐和向山的是大槻和寺岡，永田和坂口只是同意而已。在被逮捕後的審判中，永田也一直聲稱寺岡是處決的提案人。然而石丸審判長，認為「印旛沼事件的主嫌是永田」，在審判書裡如此主張：[337]

> 前述處決理由僅為表面，實際理由為，比起考量組織，永田極度恐懼遭警察逮捕，恐懼如遭逮捕將喪失身為領導者之地位與權力，終究只為免遭逮捕並保持領導者的地位與權力。……選擇寺岡與被告吉野為執行者，係因寺岡、被告吉野、瀨戶，亦即札幌殘留組成員，於入山之際皆為永田批判派，即便於六九大會三人臣服永田理論，這三人為獄外成員中之幹部（寺岡）或次於幹部之地位（被告吉野、瀨戶），據此，永田為維持領導體制，使這三人成為殺害夥伴之共犯，藉

此將這三人以體制協力者之身分納入傘下。

永田亦下令起用杉村與金子美千代為實行犯之輔助，並任命小嶋和子為司機。杉村與寺岡、金子與被告吉野各為夫婦關係，小嶋則為入山後追究永田責任者。

為了躲避自己被逮捕的風險而處決逃亡者，並讓危及自己地位的人成為共犯，使之無法抵抗。這個原理也貫徹於後來的聯合赤軍事件。

審判長的判斷中，以吉野雅邦為始的基層成員認為處決是永田的決定，似乎也帶來影響。處決兩人是「達成重大鬥爭」，使吉野升格為中央委員。一九八二年二審判決前的筆記中，審判長如此主張：[338]

> 對於採取武鬥路線的組織而言，缺乏鬥爭能力與執行意志的女性領導者，其立場與軍事大國中的「貧弱文官」相同，非常脆弱、走錯一步就會被排除，沒有什麼立足之處。小袖基地的反對聲浪，姑且是沉寂下來了，但那對她來說是極大的危機，正因為如此，她對於基層不知道她對這兩人有多憤怒，抱有危機感。她並不是因為確信理論層面上的正當性才做出殺害的決定，而是對那兩人的憤怒，對自己立場的不安（可能導致被逮捕的不安，以及對基層背叛傾向蔓延開來的危機感），讓她像是逼迫寺岡「踏繪」般，下令並且要他們負責殺害，這是我的看法。

如同吉野所指出的那樣，在主張武裝鬥爭、將戰鬥性視為首要評價標準的組織中，缺乏戰鬥能力的「女性領導人的地位」很脆弱。永田似乎也感覺到這一點。據永田的回想，寺岡提出將永田從最高領導人降格的改組案時，寺岡說：「因為最高領導人的永田是女性，有時候果然還是會有點卡住。」此外，坂口也在八月底左右對永田說：「我對女人當領導人這件事，還是多少有點抵抗啊⋯⋯。即是現在也還在領導妳啊。」[339]

革命左派儘管有主張「女性解放」，但那與其說是作為女性，不如說是「作為人類」而獲得評價，證明自己可以「和男人一樣」成為能幹的女性士兵參與戰鬥。永田強烈信奉這個信條，在小袖基地也對女性成員說：「女人要比男人更努力戰鬥。」[340]

然而，永田原本就身材矮小又病弱，何況是在被通緝的狀況下，透過武裝鬥爭展現自己的「戰鬥性」太過危險，如此一來，雖然不知道有幾分意識到這點，但除了藉由過激的煽動和處決來整肅組織，永田恐怕也沒有其他手段來證明自己的「戰鬥性」。

因此，無論誰才是處決的提案人，也無論永田是有意識還是無意識，她只能拚命、努力地將組織往「戰鬥性」的方向引導。這與森因為從內鬥中逃走所產生的愧疚感，導致他在組織內外下的指令全都採取戰鬥性的態度，就結果來說頗為類似。

而且永田對戀愛是有「古典的」感性的人，她將自由戀愛視為鬥爭的敵人，在基地內也說：「禁止有結婚以外的性關係。這是戰鬥的人必須遵守的原則。」[341]她的理想是，擁有同等戰鬥力、共享相同政治路線的女性與男性，在組織內結婚並共鬥。除此之外的戀愛，看起來都是鬥爭的敵人，都是應當排除的對象。

就這樣，在永田和森兩人底下，朝著成立「統一赤軍」的方向前進。而他們接著將「戰鬥性」地推行組織內的整肅與「共產主義化」。

「聯合赤軍」成立與事件的背景

革命左派與赤軍派就成立「統一赤軍」達成共識以後，於一九七一年八月中旬收到獄中的川島豪寄來表示反對的信。[342]在川島眼中，不主張「反美愛國」路線的「統一赤軍」，意味著革命左派被赤軍派吸收合併，因此後來放棄使用「統一赤軍」這個名稱，以保持彼此獨特性、組織聯手的含義，改而命名為「聯合赤軍」。

接下來將描述聯合赤軍私刑事件的經過，但在那之前先整理一下事件的背景。

革命左派在永田等指揮部的方針下，包括合法部門的成員在內，幾乎全員在一九七一年秋天之前就進到山裡。不只是東京的合法組織「京濱安保共鬥」，以名古屋為中心的「中京安保共鬥」的成員也幾乎澈底集中到山裡。

由於弱小組織通常透過人脈招募成員，許多革命左派的成員是同學或兄弟之類的關係。坂口、尾崎充男、岩本哲治是東京水產大學出身，寺岡、吉野、天野、金子、大槻、杉村是橫濱國立大學出身（金子、大槻、杉村是教育學部的同學），佐藤和代、中野純子（假名）、早岐晴子是日本大學看護學院出身，岩本哲治和向山茂德是高中同學。中京安保共鬥的小嶋和子與紀子（假名）是姊妹，加藤能敬、倫教、三男（假名）是兄弟，寺崎真佐江（假名）和小嶋和子是大學同學。

另外，如同永田的理想，在山岳基地的同居，也讓許多人成為戀人。綜合各種回憶錄來說，坂口與永田、吉野與金子、寺岡與杉村、大槻與向山、加藤能敬與小嶋和子等都是夫婦或戀人關係。在與赤軍派聯手之後，植垣和大槻成為戀人。

永田歡迎同志男女結婚、共鬥。金子在七月懷孕，吉野想避免妻子第三次墮胎，明言想在山裡生下孩子的時候，永田也表示贊成。曾在日中友好協會工作的革命左派同情者山本順一，在妻子生下小孩後，帶著嬰兒一起進到山岳基地的時候，也對吉野的想法表示肯定。在組織內沒有戀愛對象的佐藤和代，永田也對她說不妨考慮與赤軍派的坂東結婚。但是如果發現成員之間有不以結婚為目的的戀愛關係，永田會斥責他們。[343]

就年齡來說，最年長的是二十八歲的山本夫妻，其次是二十七歲的永田、森以及赤軍派的山田孝，坂口與坂東為二十五至二十六歲，其他以十九歲至二十二、二十三歲居多，最年輕的是十六歲的加藤三男。據加藤倫教的回想，革命左派內，「指揮部有永田、坂口、寺岡，其下的準指揮部有天野、吉野、前澤、金子等人，中堅運動者有大槻、杉村、岩本、兄（加藤能敬）、尾崎，然後是士兵，也就是『一般』的運動者有中野、佐藤、寺崎、我、弟弟、小嶋和子、小嶋紀子。大概是這樣的四層結構。」[344]

因為幾乎所有成員都到山岳基地集合，在山以外的地方只有救援對策與聯絡要員數人。當然組織處於財務困難的狀況，所以才與擁有資金的赤軍派聯手。

此外在組織內部，為了防止洩漏機密，彼此之間以假的組織名稱稱呼。因此從東京和名古屋來的成員，幾乎不知道彼此的事。根據從名古屋來的加藤倫教的回想，他是在山岳基地第一次與東京的運動者們碰面，因為彼此都用假名稱呼，「很多人到被逮捕之前都不知道本名是什麼。」[345]

革命左派與赤軍派是從十一月開始在山岳基地聯手，革命左派的組織在那之前就已經有所崩壞。六月目白綾子逃走之後，她的戀人、負責對外關係的聯絡人也失去聯繫。八月時，為了聯絡活動而到東京的天野勇司被逮捕。十月下旬，瀨戶和他的戀人逃走、在名古屋被逮捕。十一月二十三日，到東京的加藤能敬、岩本、小嶋紀子在東京府中市的是政藏身處被逮捕，躲過逮捕的金子美千代則被通緝。被逮捕的三人以不起訴獲釋，但小嶋紀子就回去名古屋了。

瀨戶的逃走對革命左派指揮部造成很大的衝擊，似乎因此開始不信任基層成員。前澤辰義在一九七二年八月提交給前橋地方法院的報告中這麼寫著：346

CC（中央委員會）陷入對同志不信任的契機是瀨戶的逃亡。瀨戶是在七〇年末加入軍隊，並因參與真岡的獵槍搶奪事件，在七一年三月遭全國通緝。而在真岡事件後急速成長的關係，當時他是組織的核心運動者。全員對他的信賴頗深，總是選他為重要作戰的成員。

所謂重要作戰，是指用獵槍殺害警察的計畫。這對日本階級鬥爭來說是緊急、必要且重要的鬥爭，從真岡事件的警察追捕中復原的我們，從七一年六月開始調查，到十月之前的五個月之間，傾組織全力調查，並作為當前的作戰目標。但接著就因為瀨戶逃走，而不得不中止計畫。

進行半年的活動落空，背叛幹部信任的瀨戶逃走、被逮捕，對組織成員的影響很大，而更讓人震驚的是，當我們得知像這種脫逃是沒辦法預防的時候。換句話說，曾經是核心的瀨戶脫逃，意味著組織半數以上的人都有可能逃走。

這造成繼續待在山裡的成員不安。十一月二十一日，到東京出差、懷孕五個月的金子美千代與友人大泉康雄見面，她一臉認真地說：「我要生下革命兒，把他養成優秀的戰士。」但是金子表情驟變，問道：「欸，康，你覺得我們在做的事怎麼樣？是不是都在做些很荒謬的事……」大泉在二〇〇三年出版的著作中寫著：「不管我怎麼絞盡腦汁地想，就是想不起來當時我是怎麼回答的。」[347]

另外，大槻節子在十二月下旬到東京出差的時候，見了某位革命左派成員的母親。[348]那位母親勸道：「你們的運動繼續這樣下去也不會有進展，果斷地重新來過吧。」但大槻回答：「這我很清楚。但是，運動有所謂『氣勢』的東西，現在沒有辦法馬上放棄。」

另外，大槻這次到東京，也是為了尋求給小孩快出生的金子建議，與醫療從業人員碰面。那時候，因為大槻的樣子看起來太過悲愴，那位醫療從業人員想阻止她：「不要回去（山岳基地）了。回去老家吧，就算妳回去也行不通的。」但大槻回答：「這我很清楚，但是回家等於是背叛同伴，這我做不到。」

這段期間，九月時三里塚有三位機動隊員死亡，如同第十四章所述，炸彈事件頻傳。永田在十月來到東京，但十月二十一日，東京已經進入戒嚴狀態，迎接國際反戰日。在這個狀況下，永田回想：「如果要繼續武裝鬥爭路線，就只能仰賴赤軍派。」[349]

事件的背景，還有他們的生活環境。在他們的回憶錄中，意外地很少觸及山上生活環境的惡劣。或許是因為無論在什麼環境，人只要在那生活幾個月就會習慣、變得不值得一提。但是在聯合赤軍事件曝光後的報導中，有非常多篇幅提到他們這幾個月生活環境的「異常」程度。

私刑發生最頻繁的是群馬縣榛名基地，這裡住了革命左派約二十人、赤軍派約十人（有些人被私刑至死或外出採買，因此人數不固定）。基地是他們蓋的小屋，寬約七公尺、長約五公尺，居住空間寬四公尺、長約二點五公尺，事件之後，群馬縣警察幹部說：「在這麼狹窄的空間，還真能住進二十人以上啊。」[350]

私刑發生在一九七一年十二月到一九七二年二月之間，他們所在的山區，這個時期的氣溫會降到零下十五度到二十度。那裡只有一台暖爐，為了繼續燃燒需要大量的柴火。據加藤倫教所說，六點半起床，「煮飯以外，保持室內溫暖的暖爐也需要大量柴火。我們指揮部的日課是，在天還亮著的時間裡，男性取水和撿柴，女性洗衣和撿柴，接著在晚餐之後開（總結）會議，在這種模式下時間過得很快，幾乎沒有閒暇時間。」[351]

主食是，在當時的雜誌被揶揄的「赤軍雜炊」：泡麵與麥片的雜炊，罐頭、山菜與麥的雜炊，或豬油與麥飯。[352]真假稍微有點不明確，不過根據當時的週刊雜誌報導：榛名基地儘管有廁所，但沒有充分發揮作用，因此小屋周圍的雪上散亂著糞尿與生理用品。[353]

浴室則只有很少的機會才會在大型鐵桶裡燒熱水，換洗衣物也很少。由於赤軍派沒有長期待在山上的準備，所以也沒有帶換洗衣物（植垣康博後來回想：「南阿爾卑斯的（赤軍派）新倉基地只是為了從美軍基地奪槍的基地，因此沒有預想會像革命左派那樣在那生活。」）身體也非常髒，永田在一九七二年二月被逮捕的時候，據週刊雜誌報導：「手心用印泥壓印後，就不知道哪一面才是正面了。手背都是汙垢和油，像黑人一樣發黑。」[354]

他們發出來的惡臭也很強烈。據報永田被逮捕時的體臭「就像燒舊鈔票時的臭味。」[355]植垣在一九七二年二月外出採買的時候，因為惡臭被通報而遭到逮捕，他在日後如此寫道：[356]「我想那是任誰都會覺得不對勁的臭味。在山上挖出（遭私刑而死的）屍體、又扛又搬運屍體的關係，不只是刺鼻的臭味而已，應該還染著一種酸甜的屍臭。」「總之，那也是因為我們當時穿著同一套衣服近兩個月的關係啊。」

革命左派在山上忍受困苦生活期間所構築的思想也是來自於此。吉野雅邦在筆記上如此寫道：[357]

「作為『槍的品質』，如果不透過在山裡忍受集體貧困生活，將每個人的生活感覺與動作的等級改造為『軍人（革命戰士）』，哪天被國家權力逮捕，招供或脫離組織就會是個人修養的選擇。當時首先成為課題的是女性變裝時的化妝方式。當時的狀況是，自己也要捨棄想要刷牙、洗臉、洗澡、換衣服、保持清潔的欲求，努力不在意這些事。」

在這樣惡劣的衣食住環境下，加上由繁重體力工作帶來的疲勞、通緝和逮捕的恐怖與緊張、夜晚令人無法入睡的寒冷、不停私刑造成的死亡，如此集體生活幾個月，喪失正常判斷能力也不意外。在解讀事件時，也必須把這個背景納入考量。

還有另一個背景是，他們從成立組織以來，就很習慣暴力或內鬥。前澤辰義在一九七二年提交給前橋地方法院的報告中，如此描述十二月三十一日尾崎充男遭私刑至死的事：[358]

自己只是沉溺於施加暴行，雖然殺掉的衝擊很大，但另一方面也強烈地覺得，這種程度的暴行就死掉，那也太沒用了。

這麼說是因為我們的活動一直以來都伴隨著武裝內鬥，我們的組織裡也有很多ＭＬ派過來的人，也聽說過有一陣子我們的成員被ＭＬ派綁架，遭受一天一夜以上的暴行、被要求要回去ＭＬ

派，但硬撐的關係最後臉腫成兩倍大。……從太過簡單就死掉的尾崎的狀態……我們感覺到他與生俱來的軟弱。

赤軍派也是在武裝內鬥和私刑中誕生，有忍受私刑才是勇者象徵的價值觀。像這樣因私刑而死，如後所述，被森命名為「敗北而死」，而非殺人，從現在的觀點來看很難置信，但是在他們活動的歷史中卻並不難理解。

另一個描寫當時狀況需考慮的背景要素是，很難進行事實的確認。至此也出現過許多坂口、永田的回憶錄與基層成員的證詞在細節上有出入的地方，儘管都一一對照進行描寫，但關於聯合赤軍事件，這方面的出入非常顯著。

當事人證言出現差異的案例之一，可以看看從永田與加藤倫教的回憶錄中對一九七二年一月二日晚上遠山美枝子私刑場面的描述。遠山當時被要求「總結」，被森強迫自己毆打自己的臉，最後臉腫了起來，此時，永田要求遠山照鏡子。這個場面在永田的回憶錄中是這麼記載的：[359]

雖然我要求她（遠山）自己好好地毆打自己的臉，但我不覺得那算得上總結，因為大家都忌諱判斷到底是不是完成總結。（在永田的回憶錄中，她說對誰發動總結，或是否完成總結，判斷權都在森的手上，自己只是追認而已。）我叫個人拿鏡子來，把鏡子對著遠山的臉。「妳知道自己現在的樣子嗎？臉看起來糟透了，但妳必須不在意這些，繼續總結才行。看見鏡子裡的自己，不能被嚇到啊。」我說。遠山看著鏡子，沒有特別驚訝的樣子，面無表情。

然而在加藤倫教的回憶錄中，他對同一個場面的描寫如下：[360]

永田命令蹲下的遠山照鏡子。

一邊說：「看妳美麗的臉現在變成這麼醜陋了。」數次強迫不想看鏡子的遠山照鏡子。

我對於永田這個行為感到驚訝。我從以前就覺得永田對自己的長相可能有自卑感，但這簡直就像白雪公主與魔女的世界啊。

永田身材矮小，因葛瑞夫茲氏病的關係眼睛突出。因此在事件發生後，出現許多報導寫著永田殺害比自己美麗的女性同志。

姑且不論這點，前述永田與加藤的回憶差異未免太大。這麼一來，以不同的回憶錄為根據來描寫，敘事就會完全不一樣。

從其他人物的回憶錄去推敲誰的描寫比較接近事實也不容易。在坂口的回憶錄中寫著：「永田把鏡子遞到她〔遠山〕面前，要她看看自己變醜的臉。遠山看起來很怨恨地看了鏡中的自己。我對於這種對待同性的態度感到非常憤怒。」然而，植垣的回憶錄中寫著：「永田想鼓勵遠山，但遠山只是一臉空洞地保持沉默。」[361]

永田回憶錄的記述，有可能是為了正當化自己的行為。然而，也沒辦法否定兄長加藤能敬遭私刑而死的加藤倫教有怨恨永田的可能性。而且永田和植垣的回憶錄是在事件發生十年後、坂口的回憶錄是二十年後、而加藤的回憶錄則是在三十年以上之後才出版，記憶也有可能扭曲。另外，在逮捕後的審判過程中，也可能參雜著彼此之間的對立。[362]透過現存的回憶錄與證言所能描寫的，也只能停留在幾乎全員一致、最低限度的事實描寫，以及從中推敲的分析，還有「這位成員眼中看起來是如此」的引用而已。

希望讀者能以如前所述的背景為前提，閱讀接下來對聯合赤軍事件的描寫。

永田的遠山批判

一九七一年十一月四日，永田與坂口在和森等赤軍派幹部開完共同軍事訓練會議後，捨棄接連出現脫逃者的丹澤基地，途經牛首基地，於二十三日抵達位於群馬縣的榛名基地。在那之前，十月六日時赤軍派的植垣曾到丹澤基地傳授炸彈的製作方式。據永田的回想，植垣個性開朗，「沒有輕視革命左派的赤軍派的態度。」革命左派的成員對他頗有好感。[363]

十二月三日，革命左派與赤軍派正式接觸，由永田、坂口、寺岡、大槻、金子等九人拜訪赤軍派的新倉基地。植垣到基地附近迎接，問他們有沒有帶水壺來，他們回答因為至今都在湖附近設立基地，所以沒有帶水壺來。植垣用無線電通知基地，抵達基地後，永田等人因沒帶水壺一事被青砥和森責備。[364]

革命左派姑且做了自我批判，但內心留有疙瘩。他們在山裡生活的時間遠比赤軍派長，也不認為有需要水壺。再加上，原本期待透過聯手讓活動有飛躍性的成長，發現赤軍派連十人都不到時，他們頗為失望。森誇大赤軍派的鬥爭與力量，並沒有告訴革命左派實際情況。

植垣後來這麼說：[365]「森從一開始就對革命左派採高壓態度，準備了可以囉唆地追究他們責任的題材，例如軍成員瀨戶脫逃問題、是政藏身處的逮捕問題等。但就在收到我用無線電通報『革命左派沒有帶水壺』後，應該是突然就覺得這是可以猛烈批評的題材。」在永田的回憶錄中也寫著，追究水壺問題，「是壓制革命左派、使之臣服於赤軍派底下的態度。」[366]

如前所述，赤軍派輕視革命左派，說聯手也是打算吸收合併。森的親信青砥後來說：「找革命左派終究是展望未來，打著藉由加強共鬥關係吸收革命左派的算盤。」[367]

然而，本來打算在九月發動殲滅戰，讓對方瞧瞧赤軍派實力的計畫已經失敗，而在山裡面的經驗也是革命左派比較豐富，人數也是革命左派比較多，赤軍派方面只有九人，這很明顯地只要進行共同訓練就會露出馬腳。在這個狀況下，森的確有可能想藉由水壺這種小事打擊革命左派，使自己處於優位。

據永田的回想，森用水壺問題批判了革命左派一陣子之後，在四日與五日晚餐後的會議上，要求「說說瀨戶逃亡與是政大量逮捕的總結來聽聽。」革命左派方面說了以他們的方式進行的總結後，森頑固地攻擊道：「沒有總結。到底是在想什麼啊。」[368]

革命左派方面不發一語，但永田突然轉換話題，開始批判赤軍派的遠山美枝子戴著戒指還塗唇膏，不是在山裡作為革命戰士戰鬥的態度。比起這半年關在山裡，幾乎沒有好好洗澡的革命左派女性戰士們，遠山的容貌看起來很整潔。

永田基於「女人必須比男人更努力」的信條，將遠山視為批判對象。她問遠山：「為什麼上山來？」遠山吃驚地說：「因為感覺需要成為革命戰士……」永田接著把遠山在會議中梳頭髮一事當成問題，反擊森說：「赤軍派反覆地說瀨戶的問題和大量逮捕的總結不成總結，說起來，遠山還戴著戒指才是問題，允許這種事的赤軍才是問題不是嗎？」[369]

革命左派的前澤辰義後來如此描述這場遠山批判：[370]

遠山穿著登山靴，既化妝也戴著戒指，那是非常普通的登山女性裝扮，我不能理解這對永田等人來說哪裡有問題。……

永田是天生直覺敏銳的女性，很快就察覺對方強勢與弱勢的地方，捧對方、利用對方、威脅對方，交鋒的技術超級一流。讓她去跑業務的話，恐怕可以成為相當優秀的業務。另一方面，也有沒辦法完全克服某種個人自卑感的部分。對於永田來說，「我」永遠都位於中心，與他人的關係也是從這一點出發，有「不想輸給這個人」的想法。所以那個時候，她是把被赤軍派挑剔的部分，加倍反駁、反擊的感覺。

永田也在回憶錄寫著：「我當時打算藉由批判遠山，來批判赤軍派。」被森攻擊的永田，恐怕的確是需要反擊的題材才盯上遠山。[371]反擊的題材，無論是小屋的建造方式，還是成員的坐姿，只要是能刁難赤軍派的，恐怕什麼都可以拿來用吧。

接著永田開始哭：「赤軍派沒吃什麼苦啊。……在山上的生活沒那麼輕鬆。我們到底是為了什麼這一路辛苦過來啊。」「這樣下去的話實在沒辦法聯手。」[372]從札幌時代到山岳基地，一路忍耐困苦生活過來的永田，對擁有資金的赤軍派的嫉妒就此爆發。

赤軍派對於這個遠山批判感到困惑。山崎順說：「到底是有什麼問題？」植垣也事後回想：「實在不曉得問題在哪。應該說，我們赤軍派幾乎沒有養成女性士兵的觀點的關係。」[373]

赤軍派原本就不讓女性加入中央軍，女性要不是輔助任務的要員，就是獄中幹部的妻子或戀人，具有重要的特殊地位。遠山屬於後者，在新倉也是「日常勞動是基層成員的工作」的態度，據植垣的回想：「直到那天為止，我們都當遠山是幹部夫人、小心翼翼地對待。」「遠山架子很大，對我們態度傲慢。」[374]

遠山因為進行救援對策活動的關係，與赤軍派獄中幹部關係密切，知道以鹽見為首的獄中幹部反對與路線不同的革命左派聯手。但是赤軍與革命左派各派出九名成員進行軍事訓練，是在十一月上旬由森和永田決定。而森為了在崩潰狀態的赤軍派中找齊九個人，才把ＶＩＰ待遇的遠山也叫來。當時人在京都的遠山只說一句：「我去調查一下山裡的狀況。」就進到山裡。[375]

遠山恐怕只是因為被森找去，只打算當天來回，或待個幾天參觀一下的想法來到小屋。而且，如前所述，赤軍派本來就沒有長期待在山裡的預定和準備。在這情況下，她對永田的攻擊感到莫名其妙也是理所當然。

順帶一提，遠山因為這個化妝的插曲而廣為人知，有些人會誤會她是都會、華麗的女性，但她其實是明大夜間部半工半讀的學生，是同樣就讀明大夜間部的重信房子的朋友。荒岱介描述，她與奔放且時髦的重信相反，「如同字面上所說，是一位勞動者風格的人。看起來就是喜歡京濱安保共鬥的人。」「為什麼要殺掉永山呢。明明也不是小資（小市民）那種類屬的人。」[376]

恐怕遠山的妝，也只是非常少量的那種吧。且據永田回想，遠山在被斥責、被要求拿下戒指的時候，答道：「這個戒指是母親買給我，為了讓我在需要錢的時候可以賣掉的東西。」[377]根據植垣的回想，遠山在後來被綁起來動用私刑的時候也說：「父親自殺了，母親辛苦把我們養大。我想要將來可以讓母親好過一點，才參加階級鬥爭。」「媽媽，美枝子會努力成為革命戰士的。」[378]她應該是沒辦法理解，為什麼戴著母親說必要的時候可以賣掉當活動資金的戒指，就會被責備是成為「女性士兵」的意志不夠吧。

赤軍派很快地也與永田的遠山批判採取同一立場。青砥日後這麼說：[379]

遠山是從赤軍派創立以來很有奉獻精神、很有魅力的運動者。所以當永田找遠山麻煩的時候，我們赤軍當時的反應是：永田這死腦筋到底在說什麼？甚至想對遠山說：「（對永田失禮的挑釁）稍微忍耐一下。」然而，隨著討論進行下去，變成「永田說的也有道理，我們也有作為革命士兵軟弱的部分。」接著演變成森的發言：「終於懂了。我知道永田在說什麼了。」

這可以說是顯示了膽小的森那種遇上強勢的對手就會選擇與對方站在同一立場的性格，不過在此發生了一個變化。根據永田的回憶，森不是說：「我知道永田在說什麼了。」而是說：「我一直在思考，解決作風、紀律問題是指什麼，現在我終於知道，那是指革命戰士的共產主義化的問題。」[380]如果永田的回憶是正確的，每個人的「共產主義化」這個說法，就出現在這裡。在這之後，「總結」與「共產主義化」這些詞彙作為一種正當化私刑的說法持續肆虐。

如前所述，聯合赤軍事件的倖存者都沒能理解「共產主義化」的意義。當時共產同叛旗派議長三上治，對森有如下描述。[381]順帶一提，如同在第七章所述，一九六八年一月的中大鬥爭時，鹽見下了「直到七〇年安保都不要撤除街壘」的指令，而批判他「這完全是不理解學生運動才會下的指令」的人，就是三上。

我和森恒夫在共產同時代，經常在合宿中碰面。鹽見當時也一樣，關西共產同的特徵是，他們在六〇年安保沒有經歷過深刻的挫折，也缺乏參與反對學費調漲鬥爭等群眾鬥爭的經驗。只要與森討論，他就會開始說：「法國五月革命的敗北，就是因為缺乏武裝的觀點。」對此我反問他：「所謂武裝的觀點，具體來說內容是什麼？」他就接不下去了，是個概念傾向很強的男人。

森接下領導性地位之後，喊出「革命戰爭」這種連他自己都不相信的口號。因此他只能把「共產主義化」這種概念性且不可能實現的突發奇想強加給底下的成員。死去的人被森的觀念論擺弄，只能說他們被迫死在一個沒有道理的地方。

不過用「觀念論」說明現實狀況（或者說是像在說明），是森在整合組織上擅長的技巧。據植垣的回想，森在一九七一年十二月十三日對植垣等赤軍派成員，以「人的要素與武器要素的分離」、「無法達成共產主義化導致敗北」等抽象論，「總結」了一九六九年赤軍成立到前階段起義與M作戰失敗。植垣如此回想當時的印象：[382]

森滔滔不絕地說著赤軍派的總結，我們為之折服。經過這次總結，我們對森有絕對的信賴。我們對森的總結表示敬佩，森一臉得意地說：「力量的差異。」

現在回頭看，這種用觀念論的方式總結得到信賴，看起來很不可思議。然而，這與在全共鬥運動中，無黨派運動者加入新左翼黨派時一樣，儘管那是脫離現實的觀念論，但在弄不清楚自己的認同時，若有人提出明快的草圖，那將會有壓倒性的魅力，而森很擅長用看似沒有破綻的方式創造這種觀念論。

順帶一提，當時森雖然以「理論家」而廣為人知，但就像當時多數學生運動者一樣，沒有好好讀書的時間，也似乎沒有很強烈的興趣。認識赤軍派時代的森的運動者說：「他討厭經濟方面的書與革命的書。那時候有讀的頂多就是大江健三郎的散文。」大阪市立大學的前輩如此評價：「學生運動的運動者，一般是從馬克思等經濟學出發。田宮高麿也是如此。但是像森這種文學部的人，是先受到存在主義的影響，然後就參加運動。」[383]森所說的「共產主義化」，並不是從經濟或社會結構議題來談，而是作為個人活著的方式來討論，也是來自這種傾向的產物吧。

隨著森轉而批判遠山，赤軍派的成員們也開始批判遠山，這顯然也是受到黨派的競爭意識影響。到了隔天六日，赤軍派的「士兵」也開始公開批評遠山：「還戴著戒指啊！還不快點拿掉！」據植垣所說，這是一種對向來重視幹部夫人的「反動」，以及「就算是批評，赤軍派也必須向革命左派誇耀自己是堅決、澈底實行」的意識，[384]這與這種心態有關：黨派間在「戰鬥性」上的競爭，即使是聲討某人，也必須比其他派別更加具「戰鬥性」。

據永田的回想，在這之後，森說：「在遠山可以總結之前不得下山，意圖下山的人就殺掉。」永田也回應：「希望在總結之前不要放她下山。」[385]就如同在早岐、向山處決所見，永田畏懼的是成員的逃亡。逃走後被警察逮捕或自首招供的話，山岳基地的位置就會曝光，她對於自己被逮捕、被處以重罪一事感到恐懼。

私刑的起點與原因

會議後兩派戰士分開，直到共同射擊訓練時再碰面。之後，十二月十四日時森與坂東到革命左派的榛名基地。這段期間，留下來的赤軍派幹部山田孝因任務前往東京，而在赤軍派的新倉基地，在植垣、青砥、山崎的監視下，被森視為「共產主義化」不足的遠山、行方、進藤三人，進行持續好幾個小時只是舉槍、無益的軍事訓練以及被強迫「總結」。[386]

在森造訪的榛名基地裡，在那之後不斷發生以「總結」為名的私刑致死案件。關於發生事件的原因，有許多評論者做出推論，在後面的章節中還會針對其中幾個進行討論，但在此先考察那些被認為較為合理以及由當事人舉出的原因。

第一個原因，斯坦霍夫如此陳述：[387]「這個革命團體沒有辦法與可以說是其存在理由的外部敵人進行對決。取而代之的是，將這股能量轉為對內部弱小者施加陰險殘忍的暴力行為。」換句話說，沒辦法與外部敵人戰鬥的他們，為了確認自己的「戰鬥性」認同，而對內部成員進行「總結」。

這被認為是實在的原因。他們發動過勇猛的煽動，但很明顯地在軍事力量上無法勝過警察，毋寧說是極度恐懼於被警察逮捕。革命左派耗費半年準備的襲擊派出所計畫，也因瀨戶逃走而遭遇挫敗。對他們來說，已經沒有作戰計畫和目標。

第二個原因是，永田推測的理由。據永田所說，每次討論到至今採取不同路線的兩派要如何創造出新路線的時候，森總是曖昧地迴避，將問題轉移到每個人的「共產主義化」。直到一九七一年十二月下旬，革命左派的小嶋和子與加藤能敬被命令「總結」，隨即被綑綁、遭全員毆打。

據永田所述，小嶋被命令「總結」的原因是在晚餐會上說：「我必須與進到我體內的資產階級思想戰鬥。」被森批判：「明明必須和資產階級思想戰鬥，說它進到自己體內就是放棄戰鬥，是自我合理化。」加藤則是在是政藏身處被逮捕的時候沒有抵抗，並且與調查的刑警閒聊，因而招致森的不悅。[388]

但據永田所述，森真正的目標不在此。儘管赤軍派瞧不起革命左派，但表現得太露骨，可能會無法成功吸收、合併有人數優勢的革命左派，因此森避免討論路線問題，藉由對革命左派成員發動「總結」，使革命左派解體以掌握領導權。永田如此寫道：[389]

> ……就算要求暴力總結以確立森的領導權，那也絕非安定的領導，藉由主張取得共產主義化，使兩派的路線差異變得曖昧，這是非常不穩定的做法。
>
> 正視綱領、路線問題的話，森的領導權可能會立即崩壞，新黨也可能瓦解。因此，為了維持由赤軍派主導所成立的新黨，並維持森的領導權，比起解決綱領、路線問題，只能將不斷持續強化、推進暴力式總結作為優先事項。

如果這個看法是正確的，「總結」的理由是什麼都無所謂，只是為了避免討論路線，才需要持續發動「總結」。實際上聯合赤軍並沒有綱領，據青砥的回想：「在赤軍內，從來沒有為了製作綱領而閱讀理論性文獻。」[390]永田主張，森這種確保領導權的方式是聯合赤軍事件的原因，自己只是沒有自覺地跟隨而已，這種說法在審判的時候被批評是逃避責任，但前述森的態度似乎也是確定的事實。

第三個原因，是著眼於森的「體育會特質」。森在高中時是劍道部的主將，據同學所述，他「以狂野自居」、是「右翼風格」，到了跳舞的時間，他「不喜歡和女生輕浮地來往」，因此總是不參加，是個「硬派」的人。[391]膽小的森，可能確實有以「硬派」自居的部分。

據植垣的回想，一九七一年九月前後，坂東隊與森閒聊的時候，森說：「我和坂東是硬派，植垣是硬派中的軟派，山崎是從德國回來的花花公子，進藤是不良少年。」植垣寫道：「這種人物批評展現了在赤軍派的建軍思想根底，有所謂『硬派』這種非常日式、右翼的思想，這在之後的共產主義化中成為重要因素，後來就如同在閒聊中提及的人物批評發動了總結。」[392]實際上，被森評為「花花公子」和「不良少年」的山崎與進藤，後來都遭私刑而死。

十二月二十六日夜晚，小嶋和加藤被捆綁起來毆打的時候，森主張毆打是協助「總結」。據永田的回想，森對加藤被毆打卻沒有失去意識時表示：「這件事反映沒有達成總結。理解共產主義的必要性並相信指揮部的話，就算被打也不會擋，所以就會失去意識。」「捆綁是為了要讓他能集中在總結。」並下令：「眼下不給他食物，讓他集中在總結上。」[393]

這幾近體育會的「苦訓」。鹽見日後評論聯合赤軍事件時說：「革命左派的容許肅清的體質，與森的體育會個性、修養主義，是最糟糕的組合。」[394]作家安岡章太郎也在事件曝光後說：「我想，聯合赤軍最初應該也只是以體育社團中隊長對低年級生施加嚴格訓練的打算，在做那些事。」[395]

一九四五年出生、以「硬派」自居的森，也是對異性缺乏理解的人。據永田的回想，森在十二月二十日前後，藉由對遠山的批判說：「決定今後也會關心女性問題。」但他接著說的話是：「生理期會出血不是很噁心嗎？」「女人還會穿胸罩和束腹啊，根本不需要那種東西不是嗎？」「為什麼會需要衛生棉啊，根本不需要那種東西不是嗎？」這就算是永田也感到傻眼，回嘴說：「我也會用。」如果不是如此，可能連穿胸罩都需要「總結」。[396]

第四個原因，主要是革命左派基層成員的主張：永田對自己不喜歡的人發動「總結」，而森只是合理化這件事。

據加藤倫教所說，他的哥哥加藤能敬變成「總結」對象，是因為提出意見書導致永田不悅。[397]一九七一年十二月十八日，革命左派舉行柴野春彥遭虐殺一週年集會時，川島豪再次批評與赤軍派聯手一事，但是與森意氣相投的永田等人，嚴厲批評在集會之後才來的川島及傳達他訊息的救援對策部門。在那之後，在是政藏身處被逮捕但不起訴獲釋的加藤能敬回到榛名基地，在永田與森面前讀了意見書，是關於獄中、獄外、救援對策有必要相互協助，並訓誡十二月十八日集會時指揮部的專擅獨行。

但是根據加藤倫教所說，已經決定捨棄川島並與赤軍派聯手的永田，無視此意見書，轉而追究加藤遭逮捕時的態度。接著在二十六日夜晚，永田目擊小嶋和子與加藤接吻，便把所有人叫醒，聲稱這是「侮辱新黨成立」，要求全員毆打這兩人作為「總結」。換句話說，加藤被「總結」，是因為被認為反抗永田，「總結」的理由根本不重要。

如果同時參照永田的回憶錄，永田說加藤雖然提出意見書，但自己只是指出那是錯認事實，至於加藤被逮捕時的態度問題，那是森所提出的。此外，發現小嶋與加藤交往而怒吼：「玷汙了『我們』的神聖場合。」那是被森影響，使她不再是原本的她。[398]

儘管兩者的回憶不同，基層成員無疑是畏懼永田的。前澤辰義在庭審記錄中表示：「永田對自己不信任的人依序找碴就是所謂的『總結』。」赤軍派的青砥也在庭審記錄表示：「永田對於那些在組織中威脅自己地位的人、意圖搶奪永田霸權的人、或者是在其他部分被認為比永田好的人（例如美貌、聰明等）極度敏感，而且她有盡可能摧毀這些人的意圖。」[399]

大槻節子與金子美千代也遭到私刑而死，革命左派的中野純子，在被逮捕後於一九七二年的供詞說：[400]

> 關於金子、大槻的個性，在我所知的範圍，我想這兩人的性格相近，兩人都神經質、聰明，是很會顧慮他人、很能察覺他人情緒變化的人，在我們煩惱的時候，總能察覺並安慰我們，是擁有一顆溫柔的心的人。但是這兩人無疑都是永田討厭的類型。
>
> 一月中左右，永田曾說：「所謂的美女和聰明的人，很容易傾向資產階級，也很容易與反革命掛鉤。我討厭美女也討厭聰明的人。」金子和大槻都是很有女性特質和溫柔的人，外型很好，在我們當中相對屬於美女，而且也很聰明。討論的時候，永田曾經批評金子與大槻：「妳們覺得自己是美女吧。覺得自己很受歡迎對吧。」可以感覺得到永田不喜歡他們。
>
> 我在榛名藏身處生活，目睹好幾位同志死掉以後，開始想著要努力不被永田討厭。因此變胖

讓外型變差、總是很有精神的樣子、像男人般不在乎外表等，我想這些都是不被討厭的條件。在榛名山、迦葉山的生活中被永田討厭，終究意味著無法生存。

生存下來的革命左派女性士兵，許多人都與中野有相同看法。寺崎真佐江在庭審記錄中表示：「金子與大槻擁有理論性地思考事情、成為領導人的力量。我想這對永田來說，會對她的地位造成威脅，所以才要求她們『總結』。」此外杉村雅子也在審判中作證：「（永田的）個性非常善妒。這也造成永田的排他性格。其他的成員不能與她同等，如果不排除意圖與自己對等並列的人，她就會感到不安。」[401]

京濱安保共鬥的成員、最後沒有進到山裡的京谷明子，在二〇〇八年作證，說她在聯合赤軍事件後不久，還沒有挖掘屍體的階段，就知道「被殺的人與沒有被殺的人的區別。」京谷說：「總之，表達自己意見的人就會被殺。」據她所言，寺岡、大槻、金子、加藤能敬等都是「理性派」、「有邏輯」、「頭腦敏銳」一人，「永田不喜歡能立論思考的人。」京谷說，至於「什麼都沒有多想的」中野與杉村等人則沒有被殺。[402]

在永田的回憶錄中，沒有提及類似中野供詞的發言，但有寫到她在一九七二年一月八日前後，對大槻說：「妳太可愛了啊，而且妳在清一色都是男性的兄弟圍繞下長大，無意識間學會了如何討男人歡心，所以妳的動作、姿態、一切都是想讓男人喜歡妳。妳必須對這件事進行總結。」「妳腦筋太好了啊。對於什麼都能透過知識用大腦迅速理解，這雖然能帶妳前進，但是到一個程度就走不下去了。妳太聰明，反而變成妳的缺點。」因此要求大槻「總結」。[403]

這在永田的主觀當中，或許只是善意的提醒，但是如果有人像中野那樣理解也不意外。在聯合赤軍也當上幹部的赤軍派坂東國男，於一九八二年永田的回憶錄《十六的墓碑》出版之後，在《給永田洋子的信》寫下的文章，或許可以適當地描寫當時的狀況：[404]

「永田同志在《十六的墓碑》中，相對地寫了許多永田同志的真心話與情感以及各種不安。但是，在我和同志們眼中的永田同志，只是個絲毫沒有人類情感的『鬼婆婆』。我在當時也覺得妳是恐怖的人、絕不動搖的人，所以底下的人把我們指揮部當成『聖上＝神』畏懼也不奇怪。」

另一方面，也有人認為關於「總結」的人選，是在森與永田算計下，讓有用的人存活。關於自己與植垣活下來的原因，青砥幹夫有如下描述：[405]

「這是對森與永田而言的理由，如果不能利用我和植垣，他們自己會很頭痛。將來總不能一直待在山裡，如果不能利用（赤軍派內負責聯絡的）我，回到東京以後要如何進行組織活動？我想他們是擔心這點。另一方面，如果不能利用（擅長製造炸彈的）植垣，將會喪失發動軍事鬥爭時的最大火力。」因此他說，即使自己和植垣做了別人做就會被「總結」的事，他們也會被放過。

但是比起這個理由，筆者認為有其他更具決定性的原因。那就是，森與永田為了保全自己，只會對那些可能會逃亡或反抗的人，找個藉口發動「總結」。

如前所述，革命左派從一九七一年十月瀨戶逃走以來，指揮部對成員失去信任，認為無論是誰逃走都不意外。如果有人逃走，山岳基地的位置會曝光，永田與森將遭到逮捕、處以重罪，加上當時已經有人提案將撤換最高領導人的永田，如果出現反抗者，永田和森被迫交出領導地位的話，在這個「總結」盛行的狀況下，他們自己也可能成為「總結」的對象。

這個假設的佐證，是永田在回憶錄《十六的墓碑》中的如下記述。一九七二年一月二十五日夜晚，金子與大槻被迫「總結」的時候，森暫時離開，留下永田、金子、大槻三人，此時永田因為「害怕兩人突然襲擊或逃走」，所以一句話都沒有說。接著她寫道：「恐懼反抗和逃亡的心情，才是森對被要求總結的人有異常警戒心與猜疑的根據，也是我們無法反對並採取同一立場的根據。」[406]

在事件十年後寫下的回憶錄中，永田寫著：「感到悲傷和絕望。」[407]雖然這是把事件主謀歸咎給森，而自己只是追隨他的寫法，但永田承認發動「總結」的理由，是「害怕反抗與逃亡」。

要求「總結」的根底是對逃亡與反抗的恐懼，這一點森和坂東也承認。森在被逮捕後，於一九七三年一月在監獄中自殺，但在那之前他寫下長篇自我批判的文章，當中寫到「被提出問題卻無法澈底總結的同志＝無法信任的同志、不能信任的同志＝不斷逃走、帶有投靠國家權力風險的人，這些概念一直在我們的腦中。」「從一開始就用這種帶著懷疑與猜忌的目光看其他成員，導致這種〈殘忍的總結〉結果。」[408]坂東後來也說：「不是只將他們視為『自我總結』較緩慢、不澈底的人而已，而是單方面地判斷他們會分裂出去、變成『脫逃分子』，甚至開始懷疑他們會『逃往國家權力，是敵對權力的私通分子』，因此總結要求才轉變成激烈的追究與詰問。」[409]

另一方面，在指揮部內最下層的吉野雅邦，讀了《十六的墓碑》後，一九八三年在獄中寫下這樣的信件：[410]「永田在書中寫到，正在對金子、大槻要求總結時，森離開小屋，出現一個人對兩個人的狀況，她對於金子她們會不會突然攻擊她感到害怕，在我看來，這個心理狀態正是潛藏在當時連續暴行底下的根本原因。」

基於這一點，也能從不同的角度思考剛才提過的第四個原因：永田的性格。如前所述，寺崎說：

「金子與大槻擁有理論性地思考事情、成為領導人的力量。我想這對永田來說，會對她的地位造成威脅，所以才要求她們『總結』。」以及青砥說：「永田對於那些在組織中威脅自己地位的人、意圖搶奪永田霸權的人」「極度敏感」。這不是單純的嫉妒，而是畏懼那些擁有力量足以剝奪自己地位的人起身反抗。

此外，森的膽小也推了這個傾向一把。前澤辰義在一九七二年被逮捕後如此供述：[411]

……關於森膽小的問題，當時進到山裡的人，有一半都被通緝。特別是赤軍，除了遠山與山田以外，全員都被通緝，因此（從最初在新倉碰面以來）森十分小心。在榛名會合以後更為嚴重，一起生活期間，多少感覺得到「這個男人很膽怯啊。」……

森的膽小，導致他對同志有不必要的懷疑，應該有武斷地冠上「敗北主義者」或「機會主義者」後就殺掉的案例。

在這之後的經過是，森對於行動有任何一點可疑之處的人都視為有逃亡的可能，並將之列為「總結」的對象。而最初成為「總結」對象的加藤能敬，曾提出意見書，明確地反抗永田。此外，小嶋在早岐被處決之後，向永田等人抗議：「我沒辦法接受」，據永田的回想，小嶋在十一月十八日透露：「我啊，在想要逃走。我有行動力，路邊搭便車也好什麼都好，只要想回去，我隨時都能回去。」在那之後，永田命令岩本等兩人監視小嶋：「如果在往榛名移動的途中意圖逃走，就把她抓起來。」[412]偶爾會有誤會，但其實十二月三日永田的遠山批判並不是「總結」的起點，而是赤軍派與革命左派在爭奪主導權。「總結」的起點，是從追究有反抗與逃亡可能的加藤與小嶋開始，而他們為人所知的「總結」手段：將人綁緊的行為，顯然也帶有防止逃亡的意圖，如果只是要讓人反省，讓人跪坐即可，要殺的話，用刀或絞殺就夠了。

但如果把人綁起來，反而對指揮部會更不信任、加劇反感，所以只要一綁起來，逃走的可能性就會倍增，如此一來就變成到死都無法鬆綁。事實是，確實沒有被緊縛之後還生存的人。

此外，在「總結」中，經常以援助「總結」的名義，命令所有成員毆打被總結者。這是為什麼？筆者的假設是，與處決早岐和向山的邏輯相同，是為了讓所有成員都成為私刑的共犯，使所有人都沒辦法逃走。

提供佐證的幹部發言，散見於各種回憶錄與證詞之中。例如根據加藤倫教的回想，在一九七二年一月十七日全員「處決」寺岡恒一之後，十八日的全體會議中，永田說：「大家的立場一致了。只要被逮捕就是死刑喔。」[413]

這個發言，在前澤辰義被逮捕後的審判書中也有提及：[414]「在不知道死了幾個人之後，永田對成員們說了意思大概是：『大家都處於同一立場，不會有人逃走。』的話。永田似乎覺得被通緝是相當沉重的負擔。藉由把成員變成共犯，大家都成為被警察追捕的對象，她似乎很高興。」

森似乎也想著同樣的事。據永田與坂口的回憶錄，在處決寺岡後，被派去名古屋的佐藤回來，回報一起去名古屋的岩本逃走了。那時森這麼說：[415]「岩本不會去找警察自首的，要是自首的話，他自己也會被以殺人罪判刑。」

此外，在讓基層成員從山岳基地下山進行採買等任務之際，指揮部很慎重地決定人選。具體來說，選擇由彼此不認識、沒有共同脫逃可能的赤軍派成員與革命左派成員組隊，反而還能讓他們相互監視。如前所述，革命左派特別有許多戀人、兄弟、同學的成員，因此不會讓他們一起下山。如果逃走的話，人們很清楚留在山岳基地的戀人和兄弟會受到什麼待遇，因此除了岩本以外，沒有脫逃者。[416]

如前所述，關於處決早岐與向山，審判長如此陳述：「處決理由僅為表面，實際理由為，比起考量組織，永田極度恐懼遭警察逮捕，恐懼如遭逮捕將喪失身為領導者之地位與權力，終究只為免遭逮捕並保持領導者的地位與權力。」「選擇（曾經批判永田的）寺岡與被告吉野為執行者……據此，永田為維持領導體制，使這三人成為殺害夥伴之共犯，藉此將這三人以體制協力者之身分納入傘下。」

這麼看下來，聯合赤軍事件的特性就變得比較清楚。許多人把這個事件當作一群以革命為目標的年輕人集團殺掉「同志」和「同伴」的事件來討論，但是聯合赤軍很難說是「同志」和「同伴」的集團。

首先赤軍派與革命左派看不起彼此、爭奪主導權，在十二月之前除了幹部以外都沒有碰過面。即使是革命左派內部，名古屋的中京安保共鬥與關東的運動者要到山上才首次見到彼此，互相以假名稱呼，直到最後都不知道本名是什麼。而赤軍派的遠山、行方、山田等，與植垣等人的「坂東隊」關係疏遠。

其次，指揮部極度恐懼基層成員會逃亡，導致自己被逮捕，以及基層成員的反抗。基層成員也害怕被指揮部討厭就會被殺掉。這種集團能撐得上是「同志」或「同伴」嗎？

青砥幹夫回想山中聯合赤軍的狀況說：[417]「（接二連三地）被找麻煩、被迫說自己不想說的話、被殺。這些大家都很清楚，所以才不敢動。那是『修羅場』。在那裡完全沒有橫向的人際連結。」「每個人都變成一個、一個的人。被要求總結的時候是一個人，被說『要總結了，集合！』而集合起來，也不過是分別告知每一個人，各自來集合罷了。……大家變得很零散，被變得很零散。」

這種集團在食、衣、住都極度惡劣的環境下，被關在極度寒冷的山裡，不知道什麼時候變成「總結」或逮捕的對象，在這種不安、恐怖、猜忌中過著集體生活，才是聯合赤軍的實際狀況。而且考慮到習慣過去內鬥暴力行為的背景，接著會發生什麼事幾乎是不言而喻。

換句話說，指揮部對逃亡與反抗的恐懼是「總結」的原動力。前面提到的第一到第四的原因：內部著重於「戰鬥性」、森為了避免討論路線而需要「總結」、森的「體育會特質」以及永田「善妒」等原因，只不過扮演了潤滑劑的角色。

如此一來，「總結」的理由是什麼都無所謂。遠山的化妝、大槻的可愛等，的確可能讓永田厭惡，但在這些理由之外，因為微不足道的藉口被「總結」的人更多。如同在後面的章節所述，只要追溯「總結」的經過，就會發現自始至終都是被認為有逃亡或反抗跡象的人被「總結」。

只是，指揮部應該沒有冷靜到從一開始就以避免逃亡和將所有成員變成共犯為目的，要求緊緊捆綁並全員毆打被總結的對象；實際的狀況恐怕是，先是循著氣勢動手，途中那種算計才無意識地浮現，爾後方法才逐漸定型。

儘管幹部可能多少有那類算計，但包括幹部在內的當事者，他們的實際感覺可能都是在搞不清楚的狀況下持續進行私刑，直到後來才終於掌握狀況，在幹部的回憶錄或者是基層成員的證言中都能輕易察覺這點，這或許也是為什麼以永田為首的所有成員都說出「自己沒有掌握私刑主導權」這種證言的理由。

喪失最後機會

基於以上的分析，以下將描述私刑的經過。由於不是令人愉快的記述，在此將避免描寫細節，以證明前述假說、確認事實為主。

一九七一年十二月二十六日，加藤能敬被捆綁、遭全員毆打時，加藤的兄弟和小嶋也被迫毆打加藤能敬。但在二十八日，小嶋盯著玻璃窗，被當作想逃亡的證明，導致小嶋也被捆綁。

在二十八日的全體會議上，尾崎充男被要求「總結」，自我批判在一九六九年十二月十八日襲擊派出所時退縮。接著森批評尾崎的自我批判不充分，以「機會主義會成為敗北主義、投降主義」為由，暗示尾崎可能會逃亡。[418]

為了「克服」尾崎的「機會主義」，尾崎在二十九日時被命令把坂口當成警察、進行決鬥。[419]尾崎只是單方面地被高大的坂口毆打，但被綁住的小嶋聲援尾崎、喊著：「殺了他！殺了他！」森斷定小嶋「根本不想總結」、「想要逃走」，將小嶋以挺起背骨的逆蝦式捆綁。在那之後，逆蝦式綑綁逐漸成為固定手法。

單方面的「決鬥」結束後，尾崎對森說：「大叔，謝謝。」森以他「在撒嬌」為由，命令他站著專注在總結上。三十日，又以尾崎說「太冷想回去睡袋」為由將之捆綁。三十一日，以「援助」總結為名，全員集中毆打尾崎腹部，造成他內臟破裂而死。

尾崎之死是第一次有人因私刑而死，使全員產生動搖。然而森在此發揮「理論性」能力，當場創造出「敗北死」的概念，意指身為革命戰士的尾崎沒有完成共產主義化的總結，敗北而死，而非殺人。

這個理論，對內心動搖的成員產生很大的影響。斯坦霍夫訪問永田洋子時，她表示被捕後：「當偵訊時被問到『為什麼殺掉同志？』時，我才意識到真的殺了他們。」[420]換句話說，她沒有意識到自己殺了人。如後所述，根據永田的情況，這個證言多少有點可疑，但如前所述，這些人已習慣武裝內鬥，認為尾崎受到這種程度的毆打就死掉，是因為他太弱，因此，「敗北死」的說法有符合他們感覺的地方。

斯坦霍夫如此評價森：[421]「他在自白與自我批判中說，如果沒有合理化尾崎的死，就必須承認自己的領導失敗。因此，他必須找出一個能轉嫁責任、最合理的解釋，實際上也找到了。」換言之，所謂「敗北死」的規定，也可以說是幹部為了自保所創造出來的概念，如果沒有這個概念，就難以忽視基層成員們因不信任指揮部而發起反叛的可能性。

但加藤倫教回想道：「我感到非常震驚。很難相信他們用『敗北死』解釋同志之死，完全沒有一點哀悼的態度。」然而他回想：「我藉著這個詐騙推卸責任，淪為共犯。」他說自己對「這種無法原諒的態度」「感到悔恨」。[422]而大部分的成員為了逃避自己成為殺人犯的罪惡感，選擇同樣與坂口走上「推卸責任」的道路。

在尾崎死去兩天前，坂東等人回到赤軍派的新倉基地，把被迫進行無益訓練的進藤、遠山、行方帶到榛名基地。一九七二年一月一日的全體會議上，以進藤是「流氓」的理由綑綁他，並在指揮部的命令下要求全體成員毆打。

如前所述，進藤對赤軍派的所屬意識薄弱，對組織的忠誠心遭到懷疑。據永田的回想，森說：「進藤以前想和牧原一起逃走啊。雖然他說在南阿爾卑斯不會逃，但這就表示進藤在想著逃走的事啊。」[423]也就是說，進藤是逃亡嫌疑犯。

這也是根據永田的回想：只有遠山說：「我下不了手。」打算拒絕動手，但被森強力下令後，「用拚了命的表情打了進藤幾次。」進藤雖然短暫地抗議：「這哪裡是總結？」但最後還是道謝說：「謝謝」。[424]

但森沒有放過進藤，當天（一月一日）將他綁在零下二十度的室外樹上，原本衰弱的進藤很快就死去。他的死也被視為「敗北死」，小嶋與加藤被迫誓言完成「總結」，兩人後來被移到小屋地板下面，當天晚上，小嶋被發現已經死亡。

據永田與坂口的回想，小嶋死後，曾經是赤軍派幹部的山田孝說：「把人逼死也無法成為革命戰士。希望可以思考一下這點。」敦促幹部重新思考。但是永田說：「那要怎麼做才好？」森則說：「死對革命戰士來說是無法規避的問題。」屏棄山田的意見。[425]

據二〇〇三年前赤軍派成員的回想，山田因任務於一月中旬下山時，對這位成員說：「現在不要來（山裡）比較好。」這位成員說：「山田救了我一命。」[426]然而，事態發展不在山田的控制之下，他隨即也因成為總結對象而喪命。

進藤死後，在一月二日的全體會議上，這次換遠山與行方成為批判對象。如前所述，遠山和行方只是為了增加赤軍派的人數才被叫來，與青砥和赤軍派「中央軍」成員相較之下，既沒有能力，忠誠心也遭到質疑。

據永田回想，被要求「總結」、被追究的遠山只是支支吾吾地說：「我不想變成小嶋那樣。⋯⋯反正我想活下去。⋯⋯我不想死。⋯⋯我不知道要怎麼總結。」森命令遠山和行方一起把小嶋的屍體抬去埋，「克服死的恐怖。」[427]

晚了點才從新倉抵達榛名基地的植垣，起初對於事態的異常感到驚訝。然而他也很快地被全體的氣氛吞噬，他在回憶錄裡寫道：[428]

我跟著大家到小屋外，去了地板下方，已經是三日的下午一點左右。遠山和行方把小嶋的屍體從地板底下搬出來，遠山把手穿過屍體腋下抱起來、行方則抬著腳，兩人把屍體拖到沼澤高處。其他人則用手電筒照著兩人腳下，邊喊著：「加油！加油！」

那個光景，怎麼看都不正常。然而，在那樣的異常狀態下，沒有人因為死亡而產生動搖，就連遠山也毫無遲疑地把屍體埋起來，我反倒從自己對這異常事態感到驚訝的態度，察覺原來沒有跟上腳步的是我，因此對山崎說：「我們落後很多呢，真的會被擊敗啊。」

儘管如此，植垣還是試著問坂東：「做這種事沒問題嗎？」但坂東只是粗魯地回答：「為了黨的建設只能這樣。」在一九八四年的回憶錄中，坂東寫著：「大聲說一句自己做錯了的勇氣，我沒有真正的革命家的勇氣。」感到深刻的後悔。[429]

抵達埋小嶋屍體的地點後，遠山騎坐在屍體上，開始毆打屍體的臉。坂口回想：「這是把無力的憤怒發洩在屍體上，令人心痛的光景。」那之後，挖了洞要埋藏屍體，為了湮滅證據把衣物剝光後，寺岡命令遠山：「把這傢伙當成敵人毆打」，遠山跨上小嶋的遺體，一邊說：「我會貫徹總結，成為革命戰士！」一邊打小嶋遺體的臉。接著寺岡說：「看清楚了，這就是敗北的人的臉，這傢伙死了也是帶著反革命的臉，這種人一直在妨礙黨的發展，大家一起毆打這傢伙。」要求成員們毆打小嶋的臉。[430]

在凌晨三點回到小屋的遠山，又被森要求總結，因此哭了起來：「我不想變成小嶋那個樣子！不要，我不想那樣子死掉！……我不知道該想什麼才好。我腦中只有死亡繞來繞去！」[431]

之後遠山說：「我絕對會完成總結」，被森命令：那就自己打自己的臉吧。在坂口的回憶錄中寫著：「大家嘴裡喊著、大聲罵著：『不要停！』『繼續打！』。」而在永田的回憶錄中則寫著：「大槻、杉村和寺崎等人說：『怎麼啦，想停手了嗎？』『妳是在打哪裡啊？』等。」在那之後，永田讓遠山用鏡子看自己腫脹的臉。儘管遠山在新倉時就已經把頭髮剪短，但為了讓她無法逃跑，森下令剃成和尚頭、把她捆綁在柱子上。[432]

天亮後，一月三日，宣布聯合赤軍C・C（中央委員會）成立，成員是森、永田、坂口、坂東、寺岡、山田、吉野七人。一般士兵規定一天只能抽三根菸，森和永田則沒有限制。全員被命令就C・C成立發言，行方說：「我支持CC。我也感到舒暢。我會全力以赴。」但「感到舒暢」的發言，被認為不是認真參與「總結」的態度，因此行方也被綁起來。[433]

一月四日，被捆綁後置之不理的加藤能敬被發現已經死亡，這也被視為是「敗北死」。據坂口所言，森在加藤死之前就斷定他「絕對想著要逃走」，在加藤死後說：「逃亡的想法被揭穿以後，絕望支配了加藤的心，他敗給自己的心而迎來急遽的死亡。」[434]

一月六日，行方在「總結」中被嚴格追究，忍不住說出自己曾經想過逃走的事，森聽見以後，將行方重新用逆蝦式綑綁，並下令：「盡全力毆打他的肩胛骨和大腿內側，讓他沒有辦法逃亡。」[435]

這段期間，遠山像是說夢話似地，喃喃著：「媽媽，美枝子會努力成為革命戰士喔。」「美枝子會讓媽媽過好日子的，再等一下喔。」這些話遭到森指責，開始澈底質問遠山過去與男性的交往關係。據坂口的回想，這時永田說：「妳總是喜歡有地位的人呢。」遠山也在被毆打肩胛骨和大腿後，遭逆蝦式綑綁，在森的指示下，讓她的兩腳之間夾著木柴、張開雙腿，寺岡說：「像跟男人睡的時候那樣打開雙腿！」男性成員們笑了，女性成員皺眉，永田為了抗議而收起笑容。[436]

一月七日天亮以後，人們發現遠山的脈搏微弱，坂東與山田對她進行人工呼吸，但依舊回天乏術。

據坂口的回想，在遠山快死的時候，坂口對想要回到中央委員會議的永田發脾氣，怒吼道：「妳的態度不認真！」[437]然而森說：「沒有生存意志的人，是敗北後自己去死的。我們沒有殺遠山。」得到後援的永田反擊道：「對侮辱我和森道歉！對延遲會議道歉！」據坂口所說：「她自尊很高，如果自尊被傷害，一定會向對方討回來。」

坂口這時「閉上眼睛、雙手交叉在胸前，在想應該要反抗還是屈服。」「覺得這是總結的高潮，自己的人格正受到考驗。」但是「我沒辦法選擇反抗，因為這兩人，特別是森，即使辯論我想我也沒辦法贏他。」確實寡言又討厭理論的坂口，與善辯的森論戰，勝負很明顯。接著坂口提出：「我想辭退C·C。」但被「辭退是不負責任。」駁倒，只好收回辭職請求，並自我批判：「對於妨礙會議進行感到抱歉。」

坂口回想自己臣服的兩個原因。第一是，對於「和森辯論，輸的話大概會被總結、被殺掉吧」的恐懼。第二是，因為「自己也參與了殺害四人的過程」，「反抗他們兩人，也表示是對自己至今的殺人罪定罪，我覺得這是非常重大的事，就因此喪失了勇氣。」

此外，在永田的回憶錄中並未提及在遠山將死之際，坂口提出辭退C．C的經過。在遠山死去兩天後，一月九日清晨，遭綑綁的行方也被發現已經死亡。

某個意義上，這是他們最後可能回頭的機會。在這之後，他們受恐懼驅使，接二連三地發動「總結」。在最後階段逃出山岳基地的前澤辰義，於一九七二年八月向前橋地方法院提出的報告中如此陳述：[438]

在我看來，這次的事件可以分為兩個部分：我放棄思考因而做出殘忍的事，以及說穿了就是看重自己的性命而參與其中。

最初那陣子，沒想過連尾崎、進藤、小嶋、加藤都會死。從山崎之後，必須阻止的心情，與阻止的話就會被殺的心情混在一起，拖拖拉拉等到下定決心要逃時，已經連續殺了山本、大槻、金子、山田。中間的遠山、行方，我覺得他們無疑是會死，但沒有思考應該怎麼做。

現在想起來很不可思議，就連自己也都沒辦法相信，但這在當時是事實。

青砥也在二〇〇三年這麼說：「尾崎死了、進藤死了、小嶋（和子）死了。……這三人是事故成分很高的死。說起來就是『啊啊不小心就死掉了』的感覺。」「在那之後，森和永田開始有意識地覺得『死了也沒差』，應該是從遠山那時候開始吧。」即使如此，青砥仍繼續參與私刑，是因為「自己哪天說不定也會被搞死，因為大家都照著做。」[439]

事態已經進入惡性循環。被森和永田懷疑有逃亡或反抗跡象的人，都被用微不足道的藉口進行「總結」而死。不參與私刑的話，自己也有可能被「總結」，如果不想死的話，就只能積極參與私刑，而如果參與私刑，自己就成為共犯，逃亡就變得更為困難。

加藤倫教如此回想：[440]「說話就會被盯上，但是又不能不說話，而沒有人知道該怎麼說才能得到森和永田的認可，對於不知道標準在哪裡的『總結』要求與暴力，除了森和永田以外，大家都感到可怕。」「恐怕永田也被恐懼支配。對於持續進行武力鬥爭的恐懼。被同伴背叛、被警察追緝、之後遭逮捕的恐懼。另一方面，她也有對革命的堅持，那也和權力慾交錯，因此做出脫離常軌的行動，對那些給自己帶來威脅的人動用私刑。」

大槻與金子的私刑致死

一九七二年一月九日，森開始批判大槻與金子。據永田所述，森批判大槻「像個女學生」、「喜歡六〇年代安保敗北的文學，那就是個問題。」並主張金子則「像個主婦」、「對底下的人命令式地下指令」，「把會計交給金子處理是個問題。」[441]但是據坂口所述，森說的是：「（金子）利用管理物資的立場，企圖支配整個團體。」[442]就這樣，大槻被要求總結，金子則解除會計的任務，永田在這之後掌管會計。

事實上，對大槻和金子的批判，從十二月底就開始了。大槻去東京出差的時候，在美容院剪頭髮、買了喇叭褲，被認為是「資產階級式的」而被要求自我批判。[443]不過在那之前，大槻就曾以合法部門中堅運動者的身分，在加藤能敬提出的意見書上共同連署，被永田懷疑有反抗的可能。

此外，金子在尾崎被迫與坂口決鬥的時候，無法忍受尾崎悲慘的樣子，途中回去小屋並說：「就算做那種事，尾崎也不可能恢復。」森聽見以後，覺得這是反抗自己的領導，開始把金子視為問題。[444]

森在十二月底說了莫名其妙的話：「女性士兵成為自立的革命戰士，就是指『從女性革命家成為革命家的女性』。」要求已婚的女性士兵離婚。此時杉村與寺岡、金子與吉野都宣布離婚。[445]

關於金子的離婚宣言，在一九七九年審判長石丸俊夫的判決書中如此陳述：[446]「永田不得不承認金子的才能與手腕，強烈感受到威脅到自己的權威和地位的恐懼。」「金子與被告吉野宣示離婚，雖然突兀，但這是金子知道永田對自己的憎惡，是為了避免對自己的『總結』波及被告吉野的體貼。」

一月十四日，輪到C・C的寺岡恒一開始被森視為「總結」對象。理由是，雖然在掩埋小嶋遺體時，寺岡將小嶋說成是「反革命」並唆使眾人毆打遺體的臉，但他認為敗北死是在努力成為革命戰士的途中陣亡，而不是反革命；另外則是在綑綁遠山的時候，「像跟男人睡的時候那樣打開雙腿！」的發言是蔑視女性。然而，更具決定性的是，永田說寺岡曾經提出把自己拉下最高領導人位置的改革方案，森據此攻擊他：「提出改組的寺岡是分派主義者。」[447]

寺岡批判連續舉行了好幾天，十七日時從清晨進行到夜晚，接著寺岡被森強迫自白，要他表明對

C・C全員的看法。寺岡說：「有想過如果永田和坂口被逮捕的話，自己就可以成為最高領導人。」或說與坂東去找適合建設山岳基地的位置時，想過要殺了坂東後逃走，並說自己會澈底實行「總結」，所以「希望可以毆打自己」。坂東後來坦承，雖然他有察覺寺岡被逼到絕境、神智混亂，因此說出虛假的自白，但當時對此也說不出口。[448]

寺岡自白之後，凌晨一點左右，永田命令基層成員們批判寺岡的「分派主義」。眾人吃了一驚而保持沉默，坂東於是斥責眾人：「寺岡他啊，想出賣永田和坂口啊！為什麼不說話啊！」於是眾人異口同聲地開始批判寺岡，大槻說：「應該把寺岡拖到中間追究」。坂口回想，他對大槻的發言「感到意外。」[449]

大槻發言的動機不明確，但是當時她已經被懷疑有反抗的可能，被森和永田要求自我批判，因此大槻對於自己被當成目標感到恐懼，有可能是藉由展現自己積極參與私刑的態度來保護自己。

森隨即提起應該將分派主義的寺岡處死。儘管眾人回答：「沒有異議！」，但聲音很小。森接著怒吼道：「聲音太小了！到底要怎樣！說清楚！」眾人因此大喊：「沒有異議！」森問寺岡：「最後有什麼話要說嗎？」寺岡回答：「很遺憾最後不能作為革命戰士而死。」以森為首，幾個人拿著冰錐朝寺岡的心臟刺，但他沒死，最後好幾個人將他勒死。寺岡的戀人杉村，看著寺岡遲遲不死、痛苦的樣子，沒辦法反對處決、只能懇求「快點讓他解脫吧。」[450]

據坂口所述，在這之後有中央委員會議，森讚賞了積極處決寺岡的成員，被稱讚的「全都是赤軍派的成員。」森做了「一如往常的流暢說明」，他說：「建設黨的戰鬥將永續地往更高水準發展」，但坂口說：「我想應該沒有人理解他在說什麼。」[451]

據永田所述，在處決寺岡的時候，山崎順似乎不想參與，在處決的圈外晃來晃去。森看著喃喃地說：「這有問題。」而據坂口所說，在寺岡處決後的中央會議上，森說：「在處決寺岡的時候，山崎在圈子外面」，那「難道不是在想逃亡的事嗎？」[452]

結果在隔天十八日的全體會議上，森開始追究山崎。山崎回答道：「對寺岡執行死刑的時候，我在想自己是不是也會被殺掉。」森怒吼道：「所謂『自己是不是也會被殺掉』的意思，要不是山崎你自己也有與寺岡的反革命行為相當的事，要不就是你認為指揮部沒有正當理由就殺掉寺岡，只能是兩者中的其中一個。」並命令山崎「總結」。[453]在那之後，一月二十日，山崎被指控在被強迫自白的情況下想要逃亡，被冰錐和刀刺傷後，最後遭到絞殺。

山崎處決前一天的十九日，派遣到名古屋的佐藤回到基地，回報同行的岩本逃亡了。他們原本是被命令回到名古屋，把小嶋紀子帶回山上。加藤倫教回想：「姊姊（小嶋和子）已經死了，我不覺得他們還會做那種事，但永田他們顯然不這麼想。」[454]

據永田所述，在佐藤的報告中，岩本說：「我沒辦法繼續下去了，決定在這裡逃走。我知道逃走的話會受到什麼對待，即使如此也要逃走。」說完後岩本就逃走了。[455]岩本和大槻都曾在加藤能敬提出的意見書中連署，在加藤遭私刑而死、大槻開始被追究的狀況下，應該是預測到下一個被盯上的就是自己。如前所述，森說：「岩本不會去找警察自首的，要是自首的話，他自己也會被以殺人罪判刑。」然而，出現逃亡者這件事，實際上讓「總結」越來越升級。

在山崎死去的一月二十日，大槻與金子又被批判了。據永田所述，永田批判大槻：「妳還沒成功總結啊。」「妳頭腦好，可以理解總結，但那沒有具體實踐啊。」據植垣所述，在山上遇見大槻以後就對她傾心的植垣，被要求說明對大槻的想法時，植垣回答：「不喜歡還沒有完成總結的大槻。」植垣對於「自己背叛了大槻」以及「大槻聽到我的回答露出一臉落寞的表情」有罪惡感。[456]

此外據永田所述，森斷定「金子一直看我」，「她從吉野移情別戀到我，這是因為她認為吉野已經沒有利用價值，所以能輕易地表明和吉野離婚。」接著永田問金子：「妳對森有什麼想法？」金子回答：「我覺得他眼睛很可愛。」森非常生氣地說：「那不是對領導人的用語。根本把我當小孩。」[457]

順帶一提，在中野純子的供詞中，永田的提問和永田的回憶稍微有些不同，中野的版本裡，永田說：「那是（對森）賣弄風騷的眼神，妳是怎麼看待村上（森在組織內的假名）的？」[458]雖然差異細微，但也不是不能解釋成，永田的想法可能是：金子意圖討好森，把自己拉下來。

在那之後，對大槻和金子的「總結」持續著。大槻換掉喇叭褲，穿上橡皮筋束帶的工作褲，金子則抱著懷孕八個月的身體，比別人收集多一倍的柴火。但是森和永田的追究並未停止，據永田的回想，森批判金子「反抗永田，意圖利用男人確立自己的地位。」大槻哭著說：「我不知道自己為什麼被要求總結」，金子則說：「我沒有反抗永田，也沒有想要利用男人。」但是對她們的追究並未停止。[459]

一月二十五日夜晚，森暫時外出，留下永田、金子、大槻三人。如前所述，永田因為「害怕兩人突然襲擊或逃走」，所以一句話都沒有說。

森回來以後，開始追問大槻與向山的關係。大槻自白道，在一九七一年六月向山逃走以後，她在東京出差的時候訪問向山並與他共度最後一夜，確認向山沒有繼續參與活動的意思後，告訴他自己會繼續參與活動後就離開了。永田回想自己第一次聽到這件事：「對性愛關係持否定看法的我，大槻的行為超出理解範圍，令人不敢相信。」「看起來大槻很汙穢。」「沒有考慮到兩人的分離令他們感到悲傷。」[460]這次追究一直持續到二十六日清晨後，大槻和金子遭到綑綁。

這個時期，因岩本的逃亡而擔心警察會找到榛名基地的幹部們，決定在迦葉山建立新基地並移動過去，許多成員都在坂口的指揮下往迦葉山移動，但在移動的過程中，擔任司機的山本順一讓車陷進泥淖裡。

原本在中日友好協會工作的山本，不是革命左派成員，只是同情者，是帶著妻子、半帶著野餐的心情來到山裡的人物。因為開車出了差錯被罵，山本說：「我只是來協助革命而已。」[461]生氣的坂口，把山本留在迦葉基地，並讓坂東等人監視他，自己到榛名基地向森等人報告。

據坂口的回想，在處決寺岡和山崎之後，覺得「過往對總結猶豫的態度已經不再被允許」，「有意識地開始迎合森，就像變了一個人似的（實際上自己也覺得改變了），開始嚴格對待基層成員。」[462]在榛名基地，坂口對於大槻和金子被捆綁感到訝異，收到報告的森下令毆打山本。遭到毆打和綑綁的山本，在三十日凌晨死去。

一月二十六日，被捆綁的大槻回答：「我會加油，我會完成總結。」而獲得食物。但是金子因為回答：「現在的我是不行的意思嗎？」儘管她是孕婦，也沒有得到任何食物。據坂口回想，金子的「話語裡滿是憤怒，凜然地迴盪在小屋中。」[463]

一月二十八日，為將大槻和金子從榛名基地移動到迦葉基地，森說：「金子在移動的過程中可能會逃跑，所以需要被狠狠痛打一頓。」命令全員毆打她。森用鐵絲做成一個圈，用來毆打金子的臉，金子就大叫：「你幹嘛！」

相較於其他遭私刑的人，都因恐懼而向森和永田求饒，有勇氣向森等人明白地抗議的，只有金子一人。據坂口的回想，永田對這樣的金子說：「因為我在，所以妳就算想當女老大也當不成的啦。」可以想見，這個發言並未記載在永田的回憶錄中。

坂口也沒辦法違抗森的命令與全體的氣氛，毆打了金子。坂口寫道：「再怎麼說是被命令做這件事，用拳頭狠狠毆打一位被綑綁、懷孕七個月的女性，這在山岳基地中殘忍的私刑中，更是特別殘酷的行為，我到死都沒有辦法迴避犯下這件事的罪責。」金子在臉被打到腫成約兩倍大之後，為了避免她逃走，還故意把她的頭髮亂剪成長短不一。那時候她流著眼淚說：「我不應該來山上的。」

在這之後，大槻和金子被移送到迦葉基地。一月三十日夜晚，森重新綑綁被綁在地板底下的大槻時，說她是「瞪著人的反抗態度。」命令全員毆打大槻。據植垣所述，永田這時說：「植垣，你打得了大槻嗎？你不站第一個打不行喔。」然而，當全員為了毆打大槻而來到地板底下的時候，大槻已經因飢餓與寒冷凍死了。[464]

另一方面，金子被捆綁的這段時間，中央委員們討論著處決金子後剖腹將肚子裡的孩子取出，作為組織的孩子養育這種荒唐無稽的提案。金子在這段期間，除了短暫時間以外，都被綁在寒冷天氣中沒鋪地板的房間裡，偶爾才能得到非常少量的牛奶。二月三日，金子陷入昏睡狀態，說著：「剪刀、石頭、布」等囈語。[465]接著在二月四日清晨，金子被發現已經死亡。

從一月二十六日被捆綁，直至二月四日死去為止約十天，撐過這麼長的私刑的只有她。後來負責聯合赤軍救援對策的高橋檀說：「肯定想著肚子裡的小孩吧，我想應該是身為母親的心情成為她生命的泉源。」[466]

金子被捆綁逐漸死去的過程中，身為中央委員的吉野雅邦並沒有向森與永田提出抗議。事件曝光後，接受雜誌採訪的金子雙親說：「我想她一定是做著與吉野組成幸福家庭的夢，若非如此那種身體是不可能撐到那種地步。」接著又說：「我們無法理解的是，美千代被殺的時候，為什麼吉野什麼都不說只是看，我想如果是美千代選擇的男人，絕不可能見死不救。」[467]

曾經是革命左派女性士兵的杉村在被逮捕後作證：[468]「吉野雖然是溫柔的人，但溫柔會導致優柔寡斷。吉野在C．C（中央委員會）內部大概也沒辦法明確地說出自己是怎麼想，或自己絕對不是怎樣等，這類批判性的話語吧。」

二〇〇八年上映、若松孝二導演的電影《實錄・聯合赤軍》在製作的時候，獄中的吉野寄了信給扮演吉野的年輕演員，信中寫道：[469]「如你所知，我是個曾經採取最違反人類倫常、最糟糕、最惡劣行動的人，我讓懷著自己的孩子並養了八個月的妻子金子美千代，悲慘地、孤獨地死去。」

一九七九年時審判吉野的石丸審判長，在判決書裡這麼說：[470]「即便被告吉野雅邦只是在表面上服從了森和永田處決金子的決定，那或許也是金子的期望。倘若被告吉野在當時的情況下說任何一句為金子辯護的話，很顯然地將導致夫婦兩人同時遭處決。」

石丸審判長退休以後，寫了信給金子與吉野的友人大泉康雄，信中說：[471]「關於金子，我至今仍深感我們失去了一位『可惜之人』。在我三十六年的法官生活中，見過、聽過、接觸過無數的被告、受害者、證人、事件關係者，金子是最令人深深感慨的『被害者』。」

森與永田結婚與逮捕

私刑導致的最後一位死者，是赤軍派幹部的山田孝。[472]他為了募款去了東京，募款狀況不如預期，在一月三十一日回到迦葉山基地後，森便開始批判山田。批判內容包括募款失敗、出差時在高崎去錢湯洗澡、理論主義、官僚主義、沒有具體實踐等，一如往常地都是些故意找麻煩的內容。

事實上來山裡的赤軍派，除了森、遠山、山田、坂東以外，在創立後過一陣子才加入或回來的人，似乎不太清楚森在武裝內鬥中逃走的經過以及他被視為膽小鬼的事。植垣等人認為森是強大的領導人，被逮捕、出獄之後，與前赤軍幹部們談話，才知道森被視為膽小鬼，他說那與「當時我對他的印象」完全不同，因而感到訝異。植垣說，知道那些事情的幹部，在他參與活動的時期「已經幾乎都被逮捕，所以我們沒有察覺那些事〔森膽小的事〕。」[473]

但山田是赤軍派成立以來的幹部，原本比逃走後再回來從「一介士兵」重新做起的森的地位還高，因此在山岳基地時也與森對等地交談，如前所述，山田也無所忌憚地對「總結」提出異議。森對坂東有絕對的信任，既然已經處決遠山，接著只要再除掉山田，就應該沒有人能威脅自己的地位了。

被批判後的山田，在森將他從中央委員除名後，被命令從「一介士兵」重新做起，被迫在一天只能喝一杯水的狀況下撿柴火。山田開始對森使用敬語，拚命地撿柴火，但隨即在森的命令下被全體成員毆打。二月四日以後，山田遭到捆綁，被遺棄在寒冬中直到手腳凍傷，於二月十二日凌晨兩點死亡。據說他最後說的話是：「說什麼給我總結！混帳！」

二月四日，從山田口中問出東京的藏身處之後，森與永田為了募款往東京出發，預計三到四天回到基地，外出期間由坂口指揮，坂東等數人掩埋金子與拆除榛名基地。

但在森與永田離開後，組織就像斷了線似地開始解體。[474]首先在二月六日，丈夫被殺害的山本順一妻子，拋下嬰兒逃走。坂口將嬰兒交給看護學院出身的中野純子照顧，並讓她帶著現金一百萬日圓出發聯絡榛名基地，但中野就那樣逃走。隔天二月七日，前澤辰義也逃走。成員接二連三脫逃，可能會讓警察找到迦葉基地，坂口等人決定移動到妙義山的洞窟。

坂口問了山田，如果警察來，是否有戰鬥的意思，山田表示有戰鬥意思後，坂口替他鬆綁。然而在坂口打電話給東京的森以後，森命令重新綑綁山田，因此坂東重新綑綁山田。已經嚴重凍傷的山田，如前所述在十二日死亡。

但森和永田，過了將近十天也沒有回來。高橋檀推測，永田和森可能是感覺到山岳基地是沉重的負擔因而想逃走。[475]

二月十三日，坂口和青砥等人開車到東京，在東京的公寓與森和永田碰面。[476]森稱讚坂東捆綁山田，說：「不愧是坂東，坂東有好好理解這些事，我可以完全信任坂東。」永田則說：「我喜歡上森了，決定與坂口離婚，和森結婚。這從共產主義化的觀點來看也是正確的。替山田鬆綁的問題，希望你能進行總結。」

坂口回想，當他聽到離婚的提案，「對這想都沒想過的發言感到一片混亂，目光沒辦法聚焦、胸口感到緊繃。」沉默一陣子以後，寡言、粗野的大漢坂口，只是說了：「知道了。」坂口寫著：「森與永田兩人結婚，似乎是以他們自己的方式忠於共產主義化理論的結果。那真是愚蠢又可怕的邏輯。」

在這一連串的事件之後，警察製作的內部文書如此描述：[477]

永田與坂口結婚兩年多，能夠順理成章地取得那個位置、成為革命左派的領導人，是因為有丈夫坂口的協助，如果沒有坂口的協助那是不可能做得到的。……

……一起在辛勞中奮鬥過來的妻子，突然說要離婚，坂口沒辦法反抗，在遭受極大的精神傷害後，回到妙義山藏身處。幾天後，在那樣的精神狀態下，越過妙義山往輕井澤逃亡，並闖入淺間山莊。

坂口和永田在共同審判中碰面，但坂口自始至終都沒有往永田的方向看一眼。

二月十四日，坂口回到妙義山的洞窟，說明森與永田結婚。據加藤倫教所言：「未免太過突然」、「不知道該如何反應。」[478]

隔天十五日，廣播傳來警察發現榛名基地、在附近的山區搜索的新聞。[479]十六日，坂口為了討論狀況，與青砥、植垣、杉村、倉田（假名）開車打算前往東京，卻在妙義湖畔被警察攔檢。他們打算加速逃亡，但車子陷入泥淖不得動彈。

兩個刑警沒發現他們是聯合赤軍、只是觀察他們的動作。坂口說：「因為丟下車子、所有人都離開太不自然」，由被通緝的自己、青砥、植垣三人「去拿把車子拖出泥淖的工具」，留下倉田和杉村，回到妙義山。

據坂口的回想，那個時候「倉田用難以形容的表情苦笑。杉村則一臉不安。」杉村清楚知道將兩人留在原地，是「迫使他們成為爭取時間的誘餌。」對於拋下兩人逃走一事，坂口如此回想：「我沒辦法否認面對警察權力時感到恐懼。我對殲滅戰的意識就只是這種程度。在那之前，以養成殲滅警察的精神力為由，在『總結』和『共產主義化』名下，以殘酷的手段造成高達十二名同志死亡，結果那一點用處也沒有。」

倉田和杉村關起車窗抵抗警察長達八小時之後遭到逮捕。另一方面，坂口提案拋棄妙義山的洞窟，往其他地方移動。儘管他們與森和永田約好隔天在妙義山會合，但坂口很快地提案移動。坂口回想這個時候的心境：「三天前在東京與兩人〔森和永田〕見面對話時，受到某件事〔離婚〕造成的精神傷害，對他們的感情已經冷淡，因此當時並沒有考慮那兩人的事，只是優先考慮自身安全而主張撤退。」[480]

森和永田從十五日的報紙得知榛名基地被發現，繞遠路通過輕井澤後，於十七日凌晨抵達妙義山的洞窟，[481]但坂口等人已經離開。上午八點左右，警察找到洞窟，森和永田為了「打一場殲滅戰」而拿起刀子。據永田的回想，這時森說：「已經沒辦法活著見到大家了啊。」語畢，問永田：「誰先出去？」永田對森膽小的發言啞口無言，回想道：「面對森這種軟弱的發言和消極的態度，和那個一直率先要求暴力總結的森，感覺根本不是同一個人。」

永田對森說：「你先走。」兩人拿著刀子衝向警隊，但馬上就被壓制。這是山中小組織的領導人們，意外單調的追捕劇。

斯坦霍夫說：「沒被逮捕的話，從東京回來的森和永田將再次發動肅清吧。下一個目標毫無疑問是坂口。」在後來吉野的筆記中寫著：「我反覆想了好幾次，如果森、永田沒有在妙義被逮捕的話，最有可能發生的，應該是坂口和我被要求對彼此『總結』，說不定會被強迫用刀進行真正的決鬥。」[482]

確實，中央委員當中，寺岡和山田已死，中堅運動者的大槻和金子也已經死亡，撇除森所信賴的坂東，只剩下坂口和吉野有可能威脅森與永田的地位。受疑神疑鬼的心態驅使的領導人們，對有能力的人與有逃亡嫌疑的人動用私刑，就是這個事件的實際狀況。

在「迷你迪士尼樂園」的槍戰

離開妙義山洞窟的坂口等人，由植垣帶頭，走上一條撥開及膝的雪、翻山越嶺的困難路線，從群馬縣進到長野縣。一行人有坂口、坂東、吉野、植垣、青砥、加藤兄弟等共九人。槍與彈藥很重，食物也只有兩天份。

二月十七日上午，他們從廣播中得知森和永田遭到逮捕。坂口「想到她（永田）病弱等，忍不住產生憐憫之情。」儘管如此，坂口回想道：「兩人被逮捕，感覺像是蓋在頭上的東西被完全拿掉似的，情緒變得明亮起來。其他人也一樣，在這之後，大家的言行都變得更放得開。」加藤倫教也回想：「想到森和永田再也不會回來找我們，我感到一陣安心。」[483]

但是他們仍舊沒有擺脫「革命戰士」的意識。據坂口所述，解放感只停留在無意識的階段，以坂口為首的成員們表明「救回森、永田」、「打贏殲滅戰」的決心。事件之後負責審問的警察相關人士推測：「表明這項決心的坂口，在心中應該有強烈的決心，對於森、永田、『給這兩人瞧瞧什麼才是真正的革命家』，而這決心可能導致他在淺間山莊沒有提出任何要求、激烈地徹底抵抗十天。」[484]

由於群馬縣警察不認為他們可以走得過那條困難的路線，他們成功突破警察的包圍。但在十八日夜晚，他們突然抵達一個奇妙的地方：有鋪好的道路，有水銀燈照亮四周環境。據植垣所說，那地方有「童話故事般的城堡和湖」，「道路很完善但是沒人，簡直就像走在未來都市裡似地不可思議。」[485]

那是在他們的地圖上也沒有標明的新興別墅分售地區：Lake Newtown。輕井澤向來以高級別墅地區聞名，而這個新開發的地區，主打上班族也買得起的別墅地區，開發了一座山、並造了一座以瑞士的萊芒湖為名的人造湖，淺間山莊也在這個區域裡，是河合樂器店提供給社員使用的別墅。

斯坦霍夫將這裡形容為「迷你迪士尼樂園」，她說：「作為『以槍進行的殲滅戰』的戰鬥地點，只能說實在太滑稽了。」[486]模仿毛澤東游擊戰的他們，在手上地圖沒有記載的高度經濟成長期的產物──「迷你迪士尼樂園」中戰鬥，象徵著他們的思想與現實的脫節。

無論如何，他們在這個別墅分售地的道路上蓋了雪屋露營。隔天十九日清晨，食物用盡的他們，指派青砥和植垣等四人去採買。在雪中走在前面導致腳已經凍傷的植垣，回想當時：「左腳因凍傷和腱鞘炎處於內出血狀態，差一點就不得不切除。所以對於指派採購成員的坂口、坂東、吉野這三名C・C成員感到非常憤怒。」[487]

坂口等人在上午九點的廣播新聞中得知，去採買的四人遭到逮捕。剩下坂口、坂東、吉野、加藤兄弟等五人的他們，討論要往九州的阿蘇山逃、還是躲進紀伊山區、抑或是搶一台長距離卡車逃亡，但沒有結論，決定先進到附近的「皐月山莊」，吃飯、擦澡、換衣服。接著坂口命令吉野和加藤兄弟去拿回放在雪屋的槍與彈藥。

根據在吉野後來寫下的筆記，他從坂口沒有參加槍砲店襲擊小組以來，就覺得他是「會用蠻橫的態度下命令，但自己絕對不會主動接下危險任務」的人，因此這個時候對他也很不滿。另一方面，坂口回想自己要求別人去做的理由是因為他把一隻鞋子借給植垣，「如果有兩雙鞋的話，我是打算自己去拿的。」原本出身鄉下貧困家庭的坂口和在城市長大的少爺吉野就個性不合，坂口說自己和吉野「對於事物的感覺差異之大，經常為此感到訝異。」[488]

這段期間，警察朝著「皐月山莊」逼近。坂口等人想找逃走用的汽車但沒有找到（他們當中沒有人會開車），因此逃進「淺間山莊」。加藤倫教對此感到悲觀：「固守（山莊）的話，被包圍遲早會輸。」但他回想當時是在坂口等人的命令下侵入淺間山莊。[489]進入淺間山莊的他們，對管理員的妻子本田好子（假名）說：「老實點就不會對妳動手。」他們將她綁在柱子上後，討論了日後的方針。

坂口、坂東、吉野提出各自的方案。據坂口所述，吉野主張：「應該衝出山莊、突破包圍網。」坂口認為不可能衝破重重包圍脫逃而反對，但吉野仍堅持這個方案。據吉野的筆記所述，提出這個方案，一方面是被「殲滅戰」影響，另一方面是因為「金子美千代死去的關係，覺得自己什麼時候死都無所謂的那種自暴自棄的心態，就是特攻隊的想法。」[490]

坂口說：「用她（本田好子）來當作我們逃走的交易籌碼如何？」坂東贊成，但吉野反對：「警察不可能答應的。」坂口提案：「大概是不可能呢。那放棄逃走，抗戰到底吧。」並說服坂東。未成年的加藤兄弟則照三人的結論去做。[491]

坂東回想下了這決定後的心境：[492]

> 我不認為這個方案（以本田當交易籌碼逃走）不可能。……如果是讓關在山莊裡的五人逃

走，我想本田夫人的存在滿足交易的條件。然而，對於用夫人當交易籌碼這種不公平的做法，我心中還是有所堅持，那未免太過卑劣，覺得那不是什麼有左翼道義的做法。……

腦中浮現的是在山岳基地時用私刑大量殺人的過去。在這些陰暗、悲慘的事件之間，我內心動搖了無數次，勉強讓自己接受這是為了準備槍戰所不得不做的事。那個時候陷入了除了與警察權力進行殲滅戰以外，就無以脫離私刑的想法。對我來說，以向警察權力挑起槍戰來補償犧牲者的願望，恐怕比其他任何人都來得強烈，那樣的自己，獲得淺間山莊這個要塞，而眼前是警察機動隊，我想，這樣一來就可以好好打一仗了。

確實淺間山莊適合固守城池的作戰。鋼筋水泥的三層樓山莊，建在山腰陡坡的中段，只有一條道路能抵達山莊，而且周圍視野開闊。

據坂口所述，吉野主張：「如果要澈底抗戰的話，就沒必要把本田當人質了不是嗎？」坂口雖然覺得「是正確的主張」但「如果放了她，我們的狀況全都會洩漏給警察知道」而拒絕釋放。[493]但坂口後來坦承：「說『我們的狀況會洩漏』只是藉口，事實上是為了延長抗戰時間才想把本田留下。加上無法預測釋放本田後的事態發展，對此感到不安也是猶豫釋放的理由之一。」吉野在筆記中批判坂口「結果只是害怕放了她而已，換句話說，那除了保護自己以外沒有別的理由。」[494]

警察開始用擴音器喊話：「你們已經被完全包圍了。沒有地方可以逃了。放下槍出來投降。抓人質是卑劣的行為。」加藤倫教說：「抓一般人當人質，這是與國民為敵。坂口他們似乎沒有認識到這件事。」「把本田當人質的話，警方會充分利用這個事實，開始宣傳聯合赤軍與『過激派』是國民的敵人，等到輿論成熟以後，便會盡全力進攻。」[495]

在那之後，坂口替本田好子鬆綁。據坂口所說，其中一個理由是「突然侵入犯下非法行為的我們，有應該遵守的最低限度的道義。」另一個理由是：「看著被捆綁的本田夫人……想起聯合赤軍的夥伴在『總結』名義下被綁在柱子的樣子，感到強烈的罪惡感。」[496]

侵入山莊後第三天，二月二十一日，警察帶來坂口、吉野、坂東等人的父母，讓他們用擴音器勸降。坂口聽到母親哽咽的聲音說：「變老了啊」、「我老家在千葉開花店，因為是鄉下，我想她應該被村子裡的人排擠。」坂東說：「警察竟然利用親人，手段骯髒的傢伙。」吉野的母親則喊話：「你說要參加勞工運動才從大學退學，現在做這些事與當初的約定不一樣啊。」坂口回想：「那對於把吉野從職場拉到街頭鬥爭的我來說很有感。」[497]

這天晚上七點的電視新聞，報導了美國總統尼克森訪問中國、受到總理周恩來歡迎的場面。北方有中蘇對立問題、援助拖延的越戰以及文化大革命造成經濟疲軟的中國，選擇了與美國妥協的道路。之後巴黎和平協約簽定，美軍從越南撤退。

這對於信奉毛澤東思想的革命左派而言是個衝擊。坂口回想，當時自己看著這個新聞，「那是顛覆我們的武鬥路線根底、衝擊性的事件。但我們不成熟的腦袋對於這件事的背景完全不能理解，只是一直盯著畫面上尼克森訪中的風景而已。」[498]

加藤倫教也說：「我和許多同伴之所以參加武裝鬥爭，是因為日本成為美國侵略越南的共犯將導致越戰擴大到中國，接著把全亞洲捲入戰爭，甚至可能造成世界大戰，而我們想阻止這個發展。」「那在這裡拚命的戰鬥到底有什麼意義？」因此戰鬥意志迅速衰退。警察為了讓他們看見這個新聞播送而持續供電，在這之後，便切斷對山莊的供水與供電。[499]

另一方面，警方對於他們沒有提出任何要求感到可疑。二月二十二日，為了讓他們提出主張，警察用裝甲車將擴音器放在山莊的玄關前面。吉野說：「使用擴音器傳達我們的主張吧。」但坂口拒絕：「保持沉默持續抵抗就是我們的主張。」[500]

坂口事後回想拒絕吉野的提議時的心境：[501]

我不得不認識到，聲討沖繩的假返還、反對佐藤政府的軍國主義等我們的主張，與抓人質、對警察開槍之間有很大的差距。……另一個原因是在山岳基地的「總結」造成大量私刑殺害的過去，這個嚴重的過去遭揭露只是時間的問題，因此想藉由專注於澈底抗戰來展示作為左翼的「良心」。現在回想起來，那是非常大的誤解，那只是用一個錯誤掩蓋另一個錯誤而已。但是，在當時我堅信不與警察權力妥協地戰鬥下去，才是作為左翼應盡的責任，那才是左翼的「良心」。

坂口還回想道：「我們沒有任何要訴諸輿論的主張。沉浸在大幅遠離現實狀況的武裝鬥爭，只是為了武鬥而武鬥。」另一方面，在吉野雅邦日後的書簡中記載著：「身為對十二人要求總結的人，特別還是領導層的成員，當時我想，只能對警察進行字面上的澈底抗戰，然後被殺掉，這才能對那十二名成員有個交代。」[502]

侵入山莊第六天，二月二十四日，救援組織「赤色救援會」主辦的「支持聯合赤軍槍戰・人民集會」在機動隊包圍下，在安田講堂前聚集約一百名參加者召開集會。[503]在新左翼同情者當中，聲援坂口的人也不少，但是多數輿論就如同加藤所預測，將綁架人質關在山莊裡的坂口等人視為「國民之敵」。電視的瞬間最高收視率達到百分之八十七點九。

侵入淺間山莊後，警察強化了從東京警視廳增援的體制。二月二十二日，一位平民一邊說著：「各位赤軍，我可以理解你們的心情。」一邊靠近山莊，坂口誤認他是便衣刑警便將他射殺，除此之外，事態沒有其他變化，警察持續在深夜製造噪音、對屋頂丟石頭，採取迫使他們睡眠不足的作戰。

警察開始突擊山莊，是在第十天，二月二十八日。警方備齊武裝警察一千三百二十八人、裝甲車八台、噴水車九台、照明車四台、推土機與吊車各一台等。另一方面，坂口看到警方加強陣勢，「忍不住苦笑說，只是逮捕五個人，哪需要這麼誇張。」[504]

二十八日上午十點，警察開始突擊。來自山莊的槍擊造成包括警視廳第二機動隊隊長在內的兩名警官殉職，警方使用大型吊車吊起鐵球破壞山莊，並使用強烈水柱噴射，到了傍晚，赤軍成員只能躲在房間的床底下，披著棉被避開噴水。據吉野的回想，那時坂口說：「總算完成總結了啊。」吉野也回答：「嗯。」[505]在那之後，五人被機動隊員逮捕，穿過外面等待的電視與報社攝影機的隊伍後被帶走。

根據從東京被派到現場指揮的佐佐淳行回想，活逮五人是警察廳長官後藤田正晴的指令，理由是：「射殺會讓他們成為殉教者，會繼續對今後產生影響。」[506]警察的目標不是殺了他們、讓他們成為英雄，而是活捉他們，使他們成為示眾的罪犯。

佐佐逮捕五人要帶走他們的時候，下了這樣的命令：「接下來會走過記者群前面，慢慢走，讓媒體好好拍下來。」機動隊員問：「這傢伙一直想辦法不要露臉。可以抓著他的頭髮、把他的頭抬起來嗎？」佐佐回答：「喔，好啊，好好地在相機前露出他們的臉。」據佐佐所述，媒體們對五個人喊著：「殺人犯！」「你們還算是人嗎！」同時不斷地按著快門。[507]

決定在赤軍侵入山莊十天後的二月二十八日突擊，也在警方的計算之內。根據事後佐佐對某電視主播說的話，警察廳有熟知警備心理學的次長在，由他策劃媒體對策，他的建議是：「等到現場的記者開始不耐煩，差不多要反抗警察的時候再發動（突擊）。」[508]

而根據佐佐所言，經過十天後，報社與電視的記者感到焦躁，輿論也夠成熟，期待警察強制突擊的氣氛成形之後，才開始進行突擊。此外還特意避開沒有發行晚報的星期天，為了讓報社記者趕得上晚報與早報的報導，以及讓電視可以在晚間與晨間新聞播報，警方選擇在下午一點和晚上十一點開記者會、設定突擊的時間與進攻。聽了佐佐這麼說的主播說：「對警察竟然想那麼多的驚訝感，以及沒想到自己也落入圈套的不甘心，兩種情緒複雜地混在一起。」[509]

斯坦霍夫說，如果是美國，武裝集團立即就會被警察射殺，沒有殺掉五人，「證明了日本警察的紀律與自制。」[510]然而這個評價稍嫌寬容。與其說日本警察比起美國警察較為自制，不如說是因為有不同的動機，所以才沒有殺掉他們。

而聯合赤軍事件並未到此結束。警方接下來透過強調聯合赤軍私刑殺人的殘暴性質，巧妙地操作新聞媒體，藉此打擊新左翼。

警方的新聞操作與「偷窺慾」的報導

發現聯合赤軍私刑致死事件，是在一九七二年三月七日進行第一次遺體挖掘時。[511]據警方的發布，在妙義山洞窟找到比逮捕人數還多的登山背包，以及被撕破的衣服，據此訊問在輕井澤淺間山莊逮捕的赤軍成員。在妙義山找到的衣服，是最後遭到私刑而死的山田孝的衣物。聯合赤軍為了湮滅證據，將遭私刑而死的屍體脫光後掩埋，並燒掉剝下來的衣物。但從妙義山移動時太匆忙，沒有時間燒掉山田的衣物。

在群馬縣警察與長野縣警察的訊問之下，遭逮捕的三人於三月時承認殺害十二人。但由於這供詞內容太出乎意料，就連警察最初也不相信，流傳著幾段插曲：警察對招供的人「反覆問了好幾次：你在騙人吧」；向不願意相信此事件的東京本廳回報：「三名嫌疑犯都說了一樣的話，可見內容無誤。」還有警察廳長官後藤田說：「你說，那種事怎麼可能發生！」等等。在最初找到山田孝的遺體後，森在看了撕破的衣物和遺體照片後產生動搖，寫下承認私刑致死的報告書，並據此挖掘十二人的遺體。

但也有人對警方的發布提出不同意見。從一九六九年之後擔任革命左派逮捕者律師的伊藤真由表示，森和永田被逮捕後不久的二月十九日，她在群馬縣高崎警署與永田會面之前，辦理會面手續的警官搭話道：「那事件真是可怕啊，從土裡接二連三地出現屍體。」伊藤當時不知道這是指什麼事，但後來聽到挖掘遺體的新聞後，她說：「我才知道那位警官是在刺探，看我知不知道山裡的事。」[512]

另外根據前往榛名基地前遭逮捕的赤軍派成員所述，一九七二年一月十日左右，調查的警官說：「你知道山裡發生什麼事了嗎？已經有人死掉了喔！」[513]如果這些證詞是正確的，警方在一九七二年一月到二月之間，就已經知道山裡的狀況，但卻刻意對私刑置之不理。

真相雖然不明，但是警方為了操作輿論，盡其可能地利用私刑致死事件卻是事實。挖掘十二人的遺體並不是同時進行，而是從三月七日到十三日之間，每一次挖掘幾具遺體的步調進行，在這段期間，連續好幾天都成了報紙和電視的頭條新聞。挖出衣物被剝光、在極度寒冷中屍體蠟化的照片和電視畫面，給人們帶來很大的衝擊。

然而，這類報導是在警方安排的「演出」下才可能做到的。一般的殺人事件，記者跟著去挖掘屍體時，經常有在挖掘地點找不到屍體的情況，電視要拍到挖出屍體的瞬間，沒有相當好的運氣是不可能的。

然而在聯合赤軍事件中，挖到遺體的瞬間，肯定都會被電視新聞報導。當時的週刊雜誌寫道：「這次的事件，警方的『演出』非常顯眼」並有如下陳述：[514]

警方會在前一天預告挖掘的屍體數目，當天出發時的樣子大概是：「來，替各位記者帶路，小心不要出任何差錯。」抵達現場後，雖然只是用繩子區隔場地，但有準備「記者席」。絕對會挖出屍體。

其實這是有理由的。在挖掘作業的前一天，會進行「預先演練」：確認完挖出來的屍體後會再回復原狀——事前預先做一次這種費時費力的作業。（對於需要分好幾次挖掘屍體的理由）警方的說明是，儘管已經依賴群馬大學醫學部的法醫學教室進行屍體解剖，但學校方面人手不足，沒辦法一次全部挖出來。但是，即使如此，也沒有必要把已經挖出來的東西再埋回去吧。這怎麼看都是為了讓挖到屍體的樣子被電視攝影機拍到的「過度演出」。

警方的演出十分奏效。私刑致死的報導，給予新左翼很大的打擊。從淺間山莊事件開始，就已經有不少人把他們稱為「瘋狂集團」，共產黨書記局長不破哲三一如既往地強調：「政府、自民黨、保安當局一直以來對這些反共暴力集團採取『放任政策』，我想特別指出這點。」漫畫家手塚治虫評論道：「我把這些人稱為『漫畫世代』，這樣的世代在伴隨著影像成長的年輕人中蔓延，是非常危險的。身為漫畫家，我認為這是該反省漫畫畫法的時期。」[515]但是另一方面，也有像二月二十五日的《朝日新聞》的〈天聲人語〉專欄的意見：「無論是如何非人道、反社會、踐踏常識的凶惡犯人，不應該稱呼他們為『瘋子』或『瘋狂』。」

但是在私刑致死曝光後，較為克制的意見也消失了。三月十日的《讀賣新聞》上，評論家藤原弘達說：「〔槍戰之前〕心情上肯定他們行動的人，事到如今，也只能說這已經沒救了。」作家金子光晴也評論道：「到了這個地步，已經不是邏輯的問題。他們完全無視現實，沒有任何國民會追隨他們。」

而當時許多報導都將這次事件視為獵奇事件，而非政治事件。某週刊雜誌寫著：「〔淺間山莊事件中〕警方到最後都無法理解他們無言的行為〔意指沒有提出任何要求一事〕，也在揭露過去大虐殺的內幕後，可以輕易『接受』了。那群人的心理狀態無法做出那種漂亮的事情。」作家松本清張說：「因為把他們想成是以革命、軍事行動等不切實際的事為目標的思想犯，才會變得難以理解。應該將他們看作不過是個殺人集團。」[516]

《每日新聞》三月十一日的社論主張：「人們常說革命必然伴隨著流血肅清，但至今他們的行動完全與革命無關，不可相提並論，將之列入革命的範疇本身就是狂妄無知。更恰當的是，將這件事看作是由凶惡犯罪集團的人們在精神上的頹廢所導致的必然結果。」週刊雜誌上寫著：「感覺讓人明白白癡的恐怖。就連用『人間失格』來形容，對他們來說都太過高級。」「那裡已經一點都沒有什麼『革命』的精神，有的只是不忍卒睹、幻化成『殺人魔』的人性醜惡而已。」[517]

以「獵奇事件」的角度報導這件事的文章，大致有三個傾向。

第一，將永田洋子的「醜女情結」視為私刑的原因。某週刊雜誌形容永田：「矮、瘦、醜、歇斯底里，加上眼睛凸出、暴牙、皮膚又黑，光是不良因子就有七個。說起來，她還有科伊科伊人或俾格米人的嘴巴。」還有其他文章將永田形容成是「用燒著猜疑心的眼睛監視年輕妓女的老鴇」、「大醜女女王」、「責罵懦弱男人的女頭目」等。某犯罪心理學者評論道：「從思想層面來說，說永田是因為凸眼情結才引發事件也不為過。」[518]也有許多報導說，是永田的葛瑞夫茲氏病引發情緒不穩定和歇斯底里，成為動用私刑的原因。

另一方面，關於森，許多報導將他形容成「二流的男人」、「膽小的廢物」、「被永田煽動的『傀儡』」、「應聲蟲」。[519]三月十四日的《朝日新聞》上刊載了一篇描述森對調查官哭訴「被判死刑太可怕了」的文章，森的膽小成為普遍評價，並助長私刑是由「大醜女女王」主導的圖像在人們心中扎根。

不只是永田，也有報導指出其他女性同樣擁有強烈的劣等感。某週刊寫著：「簡單地說，她們身為女人也好、身為社會人士也好，就是二流半到三流，是劣等感很強的女人們。」並刊登公安相關人士的發言：「永田的容貌與疾病就如同許多報導中所說……金子的雙親都在工作，雖然大概相較之下是美人，但是是單親。」「她們很貪婪。特別在知性上有強烈的劣等感。」[520]

第二個傾向是將聯合赤軍視為「自由性交集團」，私刑的理由則是男女關係的糾葛。某週刊雜誌刊載群馬縣警官的發言：「男女擠在一起睡的共同生活中，特別的兩人性交，有導致組織分裂的危險，因此反倒形成並助長複雜的男女關係。」另外某週刊雜誌以「極限狀態下的自由性交」為題，刊載了新聞記者的發言：「看來名為大槻的女戰士似乎是用身體在招募成員呢。」也有新聞記者將私刑的原因寫成是「混亂的男女關係導致的強烈疑神疑鬼。」[521]

還有其他週刊雜誌刊出將聯合赤軍的肉體關係畫成圖的「聯合赤軍相姦圖」，在指出「總結」大部分是因為「男女關係」後，刊載了群馬縣警察相關人士的發言，說金子肚子裡的小孩不知道是誰的，所以「連結到全部人就對了。」其他的週刊雜誌也寫著：「從他們的『革命思想』來看，獨佔一個女人實在太資產階級了。」「在實踐類似自由性交的過程中，他們一個接著一個被抹除。」並刊登搜查員的發言：「大部分的成員只想著亂搞。虐殺的根源應該是性方面的憎恨吧。」[522]

在男女關係之外，也有人主張私刑的原因是為了爭奪從M作戰搶來的錢。某新聞記者對週刊雜誌如此評論：「〔私刑的原因〕說穿了，錢和女人啊。搶來的錢分配得亂七八糟，而且和女人大概也處於濫交狀態吧，所以應該是底下的人打算對最高幹部發動叛亂吧。」在公安相關人士中也有人主張：「赤軍派裡有學閥啊。京大、同志社大是主流。大阪市立大學出身的森，對京大研究所的山田孝一直都帶有劣等感。」「這種學閥情結是這次私刑事件的潛流。」[523]

而第三種傾向是，認為這個事件顯示了現代社會乃至戰後社會的病理，強調「非常普通的年輕人」隨時都有可能加入瘋狂殺人集團的危險性。一九六八年以來，對於兒子或女兒進大學時，不斷耳提面命「拜託就是不要搞學生運動」的父母們，以及苦惱於與對戰爭無知的年輕人有溝通障礙的大人們，這個事件放大了那些不安。

某週刊雜誌主張：「聯合赤軍私刑事件帶來衝擊，無論怎麼表達都顯得空洞，可見這事件給國民的衝擊之大。然而，儘管如此，這並非與我們無關的事件。這是在某個地方連結到我們自己、我們的兒子、女兒、朋友的問題。」另外某週刊雜誌則主張，聯合赤軍「都是在中流以上的家庭長大的都會小孩，就是那些不知辛勞、不懂世故的孩子。」[524]

還有某雜誌以「對衝擊性事件感到不安的教育媽媽們」為題刊載文章，指出：「『世代的斷裂』正在浮現，這是多樣化正全方位進展的時代。只要教養得當，小孩就會成為父母期待的人，這種想法已經不再適用。」並介紹了以下「教育媽媽」們的意見：[525]

「那個聯合赤軍事件，我兒子差不多和他們同年紀，對我來說真是很大的衝擊啊。」「聽說聯合赤軍的人們，都是在進了大學以後才認真從事運動的，這不是與自己無關的事，真的很令人擔心。」「我的小孩哪天也會像那樣變成運動者嗎……」「養小孩真的是很難吶。我越來越不知道該怎麼辦了。」

有許多論調提到，聯合赤軍是戰後「民主教育」生出來的「鬼子」。東京教育大學教授唐澤富太郎主張：「聯合赤軍事件，赤裸裸地暴露了戰後教育的弱點。」「戰後主張『在家裡要尊重孩子』，結果他們在家庭和學校裡都被寵壞。人嬌生慣養了。」[526]

東北大學教授池田清也寫了一篇名為〈養成赤軍派的「民主」教育〉投稿到保守陣營的雜誌《文藝春秋》，主張「以戰敗為轉捩點，日本的父親權威完全下降，與忠成對的孝的道德，被視為封建式的舊道德，在名為『光輝的民主』的個人權利面前被扔在地上。」而這就是養出聯合赤軍年輕人的原因。也有文章爭論羽仁五郎為首的「進步文化人」是聯合赤軍誕生的元凶。[527]

在當時的報導中，向這樣幾乎沒有根據的文章不在少數。聯合赤軍的成員未必都是都市中產階級出身，也沒有「自由性交」的集團。當時的週刊雜誌上還有如此記述：山田孝在遭私刑瀕死之際，為了解渴而舔了雪，永田說：「這傢伙，到死都還想吃。」然而山田死的時候，永田和森在東京，所以這是不可能發生的事。[528]

在這些報導當中，也有諸如作家三好徹那樣的冷靜評論：「應該是考慮到如果讓說出軟弱意見的人下山，他們就會去通報警察吧。缺乏信任呢。聯合赤軍內部的連帶感也不是那麼緊密呢。」[529]但是總的來說，像是雜誌《現代》上的匿名文章所寫：「若無懼於不慎重發言的批評，這大概是這幾年來最有趣的事件了吧。」這大概是新聞媒體的真心話吧。[530]能如此滿足媒體的好奇心與偷窺慾的事件，可是難得一見。

反應過度的年輕人們

然而這類報導的洪水，嚴重傷害了一路支持年輕人反叛的有識之士。

大野明男僅表示：「這是非常困難的事件，沒辦法輕率地討論。」淺田光輝也只說：「事件帶來很大的衝擊，我自己還沒有辦法總結。」中島誠則說：「總之他們所做的事，給市民運動帶來很大的麻煩。運動者們因這件事受到很大的打擊。」[531]

同情新左翼的年輕人們也一樣。三月十一日的《朝日新聞》刊載了如下年輕人的聲音：「當他們沒有在淺間山莊玉碎而遭到逮捕的時候，我覺得他們果然是革命家，大人們稱呼他們為瘋狂集團的時候，我也感覺到不滿。但是，我不懂私刑的邏輯。不想再替他們辯護。」（二十歲大學生）「他們已經去到一個與我們不同的世界了。」（十九歲重考生）「那些人是不可能改善這個世界的。」（十九歲重考生）

據當時的報導，提出方針的「新左翼黨派學生姑且不論，無黨派激進派的學生們，因這次事件受到相當大的打擊。」某位無黨派運動者說：「沒辦法相信發生這樣的事啊。左翼明明就是我唯一相信的東西，竟然變成這樣。」在某報導中，記者想訪問學生對聯合赤軍事件的看法，「『真的夠了，放過我吧』的聲音佔壓倒性多數。」[532]

新左翼黨派也對事件感到困惑。一九七二年二月二十四日在安田講堂前的集會中，共產同的仏派說：「堅定支持淺間山莊槍戰。」共產同戰旗派也表明：「『聯合赤軍的槍戰』作為今日日本階級鬥爭真正的武裝鬥爭的事實，我們必須以與他們連帶為目標。」然而，三月發現私刑殺人事件後，仏派主張：「私刑殺人事件，是他們僅賴軍紀、以之為唯一的團結的羈絆，所造成的悲慘的破產姿態，對於以武裝鬥爭為目標的我們而言，將作為反省材料，銘記在心。」戰旗派也批判：「內部出現許多死者，表示這在組織上、戰略上完全錯誤。沒辦法藉由討論來修正紊亂的步伐，無疑就是腐敗。」[533]

高喊武裝鬥爭的中核派則完全沉默，被週刊雜誌嘲諷：「過去每件事發生都要召開記者會，但這次連一次也沒開。」另一方面，對街頭鬥爭原本就採批判態度的革馬派，於三月一日召開記者會表示：「武裝起義妄想集團最後抵達的是，愚劣且醜惡地自我暴露。連一點支持他們的空間都不存在。」

並強調：「我等反史達林主義革命性左翼與彼等集團無緣。」革勞協（前社青同解放派）也發表評論表示：「聯合赤軍毀滅性的敗北，是共產同小資產階級激進路線與毛澤東路線結合的必然結果以及破產的確認，並反映對今日各中間主義未來的預測。」[534]

最感到困惑的是救援對策組織「赤色救援會」。這個組織在二月二十四日的安田講堂前集會上宣言：「人民的軍隊——聯合赤軍，現在在我們面前展現英姿，大膽地展開槍戰。」機關誌《MOPR通信》上寫著：「『五名士兵』的槍戰是日本階級鬥爭所達到的最高水準，是偉大的戰鬥。」[535]

然而在私刑殺人曝光後，《MOPR通信》則刊載：「承認錯誤就是錯誤」，「整理這個問題……可以預見是相當長期且痛苦的工程。」投稿到雜誌《現代之眼》的赤色救援會成員一方面「高度評價淺間山莊槍戰的革命性」，但「聯合赤軍自我批判的日常活動中，感覺不到任何同志愛，這真是令人無法置信。」並說：「必須把這視為自己應該解決的問題，正面面對。」出席某集會的赤色救援會成員說：「現在只能說，給各位添煩了，真的很抱歉。」[536]

刊登在當時週刊雜誌上的證言，如此形容赤色救援會成員的反應：「似乎相當震驚喔。看起來對私刑一無所知啊。看著接二連三被挖出來的『敬愛的士兵』悲慘的樣子，似乎就連他們也慌張地說：『到底是怎麼回事啊』。」[537]

隨著私刑致死被報導出來，從山岳基地逃走的成員，對於自己無法脫罪也有覺悟，全員在三月中之前就自首或被逮捕。三月十日，山本順一的妻子向警方自首，十一日前澤、十三日岩本、十四日中野被逮捕，中野帶著逃走的山本夫妻的嬰兒，在她逃走時，於二月七日寄託在民家因此沒事。[538]

沒有上山的赤軍派和革命左派成員也難掩驚訝。M作戰被逮捕的赤軍派成員，向法院提交如下報告：[539]「因為一點小事就把同志脫光、用刀刺殺後丟在雪中，這是身為人類難以想像的行為。……如果自己也在妙義山的話，大概一開始就被殺掉了吧。這麼說對於被殺的人很失禮，但說真的我覺得得救了。儘管只是短暫的時間，但我對於參與（赤軍派）其中感到非常羞愧。」

於事件前的一九七一年八月被逮捕的革命左派的天野勇司如此回想：[540]

> 在山上發生的事未免太過悲慘，超出我的理解範圍，我想應該是永田發瘋了吧。……我打了電報給川島豪：「永田的精神狀況不正常。」
>
> 川島回電表示：「那是照游擊戰的鐵則去做。」讀完後我非常憤怒，把電報用力甩在地上。他想說的就是：「那只是將背叛者和不堅定分子處決罷了」而已吧。我對於把寺岡等犧牲者當成背叛者，感到無比義憤填膺。川島豪把游擊戰這種東西視為有時候得殺掉一半的夥伴，而那是「游擊戰的鐵則」，實在是極度愚蠢，令人感到憤怒。
>
> 過了一陣子，憤怒稍微平息以後，我總算領悟了——「豪先生」也不過就是那種程度的角色。既沒有政治遠見，也沒辦法真心信賴夥伴，只是一味逞強的恐怖分子。……

川島在那之後的反應也背叛了天野的期待。據天野所述：「在讀完禁止會面期間累積的信件和即將發行的機關報以後，我心底感到十分憤怒。川島豪完全不提他駁回我對於群眾鬥爭的提案，卻『批判』永田等人輕視群眾鬥爭。關於聯合赤軍的破局，他把責任完全推給永田，主張『我不需要為此負責』。」天野下結論道：「不只是關於政治思想，川島豪是人格與品行毫無可取之處的角色。」[541]

這種動搖不只發生在天野身上。大槻節子的前戀人、人在獄中的渡部義則，對東京地方法院作出如此陳述：[542]「曾是我的妻子的同志（大槻節子）在生日前，於飢寒交迫中被殺害，光是想像她有多痛苦就令人發瘋。對於永田等領導人與政治路線、思想相異的赤軍派聯手，提出了不同意見，而且沒辦法積極參與鬥爭，才是大槻同志等人遭折磨致死（大量私刑）的真相。」

當時許多報導都非常不完整，天野對於山裡的狀況掌握多少令人存疑，然而，傾向以理論說明問題的新左翼運動者，將此事件歸因於路線相左的兩派硬要合作才造成悲劇，這類意見不在少數。

例如根據當時的報導，因M作戰被逮捕的赤軍派成員，在提交給法院的報告書中表示：「明明政治路線不同，只是在游擊戰這點一致就與京濱安保共鬥聯手，那只不過是野合罷了。」共產同戰旗派的幹部也說：「這是共產同主義（世界同時革命）的赤軍派與毛澤東主義（一國革命）的京濱安保，只在軍事上聯手造成的失敗。」鹽見也在二〇〇七年主張：「永田、森在路線與思想上都不相同，卻為了自我防衛而野合、拼湊出私人政黨『新黨』，並抹殺反對這場野合的人們，就是這次事件的本質。」[543]

然而，比起這些路線問題的議論，許多投入運動的年輕人因此事件深受打擊，喪失了參與運動的動力。一九九四年出版的《全共鬥白皮書》中，刊載了對前運動者的問卷調查，關於退出運動的原因，首要理由是「武裝內鬥」，其次則是「聯合赤軍」。[544]

投身歧視問題鬥爭的某位前運動者，在二〇〇三年時如此談論聯合赤軍事件的衝擊：[545]「感覺我所理解、支持的新左翼已經結束了。」「有好一陣子我試著假裝打起精神，心裡想著不能就這樣崩潰。但還是沒辦法。感覺像是，動隨意肌，但不隨意肌已經斷掉了，退出、退出、全部退出……我就那樣退出了全部運動。」

不只是這位運動者，因為對運動失望，以這次為契機退出的年輕人不少。那並不是因為聯合赤軍事件暴露了左翼運動的醜陋，如同在第十四章所述，在一九七〇年代以後的運動中成為重要潮流的歧視問題鬥爭，不同於大學問題，不是與年輕人切身相關的問題，需要靠意志力才能持續。三里塚和水俣、對身障人士的支援也是一樣。帶有如此脆弱性的運動，在聯合赤軍事件的衝擊下，一口氣瓦解也不意外。

此外，當時主張武裝鬥爭論的學生運動，在鬥爭後會進行「總結」，平常就會進行表明意志的活動：要更具「革命」地、更「不懦弱」地挑戰下一次鬥爭。主張穩健方針的人、被視為對鬥爭「軟弱」的人、有「小資產階級」生活態度的人，則經常受到同伴的責難。

這件事讓當時的運動者感覺到聯合赤軍事件「不是與自己無關的事。」一九九四年的《全共鬥白皮書》中，某位前運動者這麼說：[546]「對事件的恐怖程度感到戰慄，但即使那種事（同伴之間指責其他成員的問題點）沒有發展為殺人，當時任何一個團體都在做一樣的事，因此格外感到恐怖。」

據田中美津所述，在一次女性解放運動的集會上，被來自新左翼黨派的女性運動者批判女性解放運動缺乏階級的觀點時，解放運動的女性們看到這位批判者塗著指甲油，開始攻擊她：「讓革命理論與指甲油同居是自相矛盾。」[547]當時廣泛地進行這類批判和追究，許多學生運動者看到永田從責難遠山的唇膏展開「總結」的報導，就像感覺到自己的運動最後會發展到什麼地步似的。

這樣的年輕人並不少。被視為「全共鬥時代」的代表歌人道浦母都子有這麼一首短歌：[548]「永田洋子可能會是我／瘀血之心已在夜半滿溢」。而批評家小阪修平也說：「我們誰都有可能成為森恒夫，必須站在這個前提上去思考事情，我一直把這點當作自己的根本命題之一。」[549]

即使是被認為離聯合赤軍最遙遠的越平聯裡，也有相同的印象傳開。曾擔任越平聯事務局長的吉川勇一，於一九七三年三月在岩國的越平聯第九次全國懇談會上的演講表示：「我認為在市民運動中，仍舊存在著連結到武裝內鬥、私刑、肅清等的自我絕對化以及變得封閉的危險。」[550] 吉川日後表示，當時之所以那麼說，是因為想到在前一年的「冷物」論爭（參照第十五章）中被聲討的經驗。[551]

參加戰鬥或「退縮」去支持「體制」，要求選邊站的嚴格主義，在東大鬥爭以後就擴散開來。這個時代有不少學生都有被如此逼問的經驗：「在安田講堂展開的攻防戰中，那些人賭上性命在戰鬥，那你打算怎麼做？」[552]

前東大全共鬥的島本健作，在一九九五年時提到，聯合赤軍事件後，有好一段時間都苦於做惡夢的經驗：[553]

> 在夢裡，家人為了要丟垃圾還什麼的，在庭院裡挖洞。然後，有種感覺：「啊，以前好像曾經在這裡埋過什麼東西。」接著發現那就是自己殺掉的屍體時，感到非常震驚，瞬間被一種自己的人生從腳底開始崩潰的感覺襲擊。醒來以後，確定自己什麼都沒做以後，鬆了一口氣……。那個時候的運動，是逼問他人、促使別人去參加運動。對那些想從鬥爭中逃走的人說：「你現在採取的行動就是一切」，然後逼他們去參加。幾乎所有人都沒辦法抵抗。我想以那種方式進行的運動，就是（聯合赤軍）事件的根底。……這絕對沒辦法當作是與自己無關的事，因此感到痛苦。

島本接著說：「只要這個問題沒辦法好好總結，全共鬥世代就不應該再次隨便組成政治集團。」

此外，許多年輕人將之視為聯合赤軍的「革命」夢想悲慘地失敗的事件。前早大全共鬥成員、作家立松和平，在大槻節子的日記出版時所寫的序文中，這麼寫道：「對於在一九六〇年代中期到七〇年代前半度過青春時代的人來說，革命是可能成真的夢。」接著他這麼寫：[554]

> 我對那個時代有這樣的想像：許多年輕人都搭上一輛目的地寫著「革命」的電車，但其實目的地不詳。許多人接二連三地在途中下車，當然是因為每個人有自己不得不下車的理由。即使沒有終點，有一群人直到最後都還留在列車上，那是聯合赤軍的人們，其中一人是大槻節子。正因為自始至終都沒有從時代的列車下車，所以一路穿過時代的最北端。
>
> 列車到的地方看起來非常寒冷，那是一個將每個人都有的矛盾擴大之後擊敗、讓同志朝著死亡前進的恐怖荒野。革命，也就是建設一個任何人都沒有掌握住的理想社會，想必有許多人對以此為志的人所做的事都感到戰慄。雖然想要朝遠方前進，但並不想去那樣恐怖的荒野。

立松將聯合赤軍描寫成直到最後都沒有捨棄「革命」理想、一直堅持下去的人們。身為前京大全共鬥成員的上野千鶴子也在二〇〇三年的座談會說：「對我們這個世代而言，那件事（聯合赤軍事件）是個創傷。」「聯合赤軍的人們，為了大義和理想，選擇了無法脫逃的道路。」[555]

上野在一九八七年時說：「我認為日本的共同體實驗，在聯合赤軍採取一個極端的形式後，已經瓦解了。」[556]這段話是基於六〇年代末的嬉皮社群，乃至七〇年代提倡生態運動的共同生活社群運動興起、挫敗的脈絡。上野似乎將聯合赤軍視為以社群為始的集體生活運動的挫折。

此外在運動關係者之間，也有人將造成聯合赤軍的原因解釋成是由所謂黨派的組織原理壓抑個人自由的結果。小中陽太郎記下在前述吉川演講的越平聯全國懇談會上，討論聯合赤軍的情況：[557]

可能也是因為外面在下雨，陰暗的岩國勞動會館中有種陰鬱的氣氛。這是一九七二年三月二十日，越平聯的全國懇談會。……

第二天伊始，一針見血地直逼事物本質、來自埼玉的小澤遼子，一如往常地從主持人位置以帶點傳教式的語氣開口。

「各位，今天我們來談談聯合赤軍吧。各位，覺得怎麼樣？被那個事件打敗了吧？」

以此為契機，人們說起與自己有關聯的話題。《越平聯新聞》的井上澄夫說：「私刑被殺的寺岡恒一，是我弟的高中同學，也曾來我家玩。我媽有點混亂，我現在也是只要吃東西就想吐。」

接著一位在京都參與反自衛隊運動的青年面色陰沉地站了起來：「我是犯下殺人案的男子的朋友。……我沒有加入他們的黨派。但是，我覺得自己比不上他們的組織和軍的理論，因此是曾經是黨派同情者。……」

聯合赤軍為何會在我們身上覆上一層陰影，我想有兩個理由。

其一是越平聯的年輕人、特別是京都的學生們，認識數名加入聯合赤軍的學生，因此，他們沒辦法把這件事當成與自己無關的事吧。

然而，更根本的問題是，「黨建設與軍」的理論擁有年輕人難以抵抗的誘惑，在他們的想法裡，聯合赤軍在理論上是正確的，只是誤判情勢，至少到他們躲進山裡之前是如此。……然而，我認為那是錯的。在一開始黨建設的部分，就已經含有無視人性、自認絕對正確的傲慢，從那種想法衍生出不認同其他人的殘忍。

據前東大全共鬥的船曳建夫的回想，當時的學生運動圈不大，所以「大概是認識的人認識的人認識的人就差不多會有一人是赤軍派。」[558]有朋友在聯合赤軍，不是特例，在這個意義上他們沒辦法把事件看作與自己無關。為了消除這層不安，便需要找到理論來解釋，例如小中把問題歸因於黨組織，因此像越平聯這種柔軟的運動體則與問題無緣。

後來也有不少人闡述類似見解。小阪修平在二〇〇六年說：「聯合赤軍是將個人性（個人層次的行動）解體為集團『倫理』的組織，這無疑是總結的遠因以及根底。」並主張全共鬥是以個人自由參加為原理的運動，與聯合赤軍那種抹殺個人的黨組織原理和「倫理」有根本性的差異。[559]後來的聯合赤軍論也有不少回溯蘇聯共產黨與日本共產黨的肅清史，意圖將黨組織的問題視為聯合赤軍事件的根底。

也有人提出與這些不同的見解。例如批評家大塚英志在一九九四年主張，遠山美枝子的戒指象徵著女性成員肯定「可愛」的「消費社會」的感性，與革命組織的嚴格主義對立，因此聯合赤軍發動肅清。[560]此外，池田祥子在一九九九年時，關注永田被川島強暴、但為了維持黨組織的關係選擇隱蔽這項事實，主張為了革命的大義而「否定『女』性」，與大槻節子和金子美千代的私刑有關。[561]

主張「否定『女』性」是聯合赤軍事件本質的見解，並不是在九〇年代才出現。如後在第十七章所述，七〇年代初期的女性解放運動中，將「男人的邏輯」視為「生產性的邏輯」，與之相對的是「女人的邏輯」，循著這個思路，一九七二年五月舉辦的女性解放運動大會，以「全體幹事」的名義發表的聲明「聯合赤軍的真相給了女性解放運動什麼提示？」中這麼說：[562]

「聯合赤軍『總結』的真相是，他們在自己的破局中證明，新左翼的本質就是，立即抹殺無益於達成『目的』的人，這種男性社會的生產性邏輯在組織中澈底橫行。」「女性運動的基軸是，對於需要其他女人的生命的執著，這不是表面的主張，而是為了生存下去。」

這些主張有許多不同的面向：聲討歧視的問題、黨組織的問題、直到最後相信「大義」的人們的悲劇、「革命的大義」壓抑了「消費社會」的感性或「『女』性」等。然而他們共通的認識是，高舉「正義」、「倫理」、「理想」設立組織、發起運動，將會抹殺個人。鈴木邦男在植垣的回憶錄《士兵們的聯合赤軍》裡寫的後記這麼說：[563]

……因為聯合赤軍，日本的新左翼運動結束了。不，不只是新左翼運動，左翼全體都結束了。被人們批判：「你看吧，說什麼革命，最後只是殺害同伴。」「革命就是那種東西吧。」被人們捨棄。不，不只是左翼，右翼或宗教也是，總之以「理想」為目標的社會運動都被認為不可信任。心裡有正義的人們都被認為是危險的。

聯合赤軍事件不僅是替六〇年代末以來的年輕人的反叛打上了休止符，也造成後來日本的所有社會運動停滯。當時的年輕人因這個事件受到的衝擊和「創傷」是如此的深刻。

聯合赤軍事件的實像與虛像

然而，筆者認為前述討論皆錯認了事態。

如同至此的檢證，聯合赤軍的實際狀況是，即使他們是「為了大義和理想選擇了無法脫逃的道路」的人們，也不是浪漫主義者。一九七一年革命左派進到山裡以後，一直都有人逃走，幹部拚命阻止脫逃。革命左派進到山裡，原本就是因為被警察追到走投無路，只好連合法組織的成員都集中到山岳基地裡，並非為了發起社群運動的共同體。

另外在赤軍派方面，行方正時和遠山美枝子明明不是中央軍成員，只是森為了湊赤軍派的人頭而強硬將他們帶到山上，赤軍派裡也混著這類成員。也有像山本順一那樣帶著郊遊野餐的心情，帶著妻子一起上山的人。將這些人們用「為了大義和理想，選擇了無法脫逃的道路」的形容來概括，實在太過勉強。

此外，隱藏在私刑背後的主因，是森和永田害怕基層成員的逃亡與反抗。而基層成員也因為害怕自己可能成為「總結」對象，因而參加私刑。無論何者，都不是「理想」、「倫理」或「正義」之類的動機。

將聯合赤軍事件視為「殺害同志」或「殺害同伴」的看法，也與實際狀況有差距。革命左派和赤軍派輕視彼此，爭奪主導權，京濱安保共鬥和中京安保共鬥的成員在山上才首次見面，幹部畏懼基層成員反叛或逃亡，基層成員害怕幹部。事件發生後過了十年，由永田、坂口、坂東等人寫下的回憶錄，恐怕是基於反省自己犯下的過錯，以及對死者的追悼，才將死去的成員描寫成「同志」，但他們在事件當時是否打從心底那麼想，則非常可疑。

鶴見俊輔於二〇〇三年時，提到自己把竹內好視為同志，他說：「聯合赤軍是不是也把同伴當成同志很可疑呢。如果真的那樣想，就不會殺害他們了吧。」這是非常單純且明快的意見。[564]「總結」的藉口，許多都只是為了找麻煩的小事，也沒有一致性。儘管多少反映出永田和森的個性與特質，但如果「總結」有逃亡和反抗可能的人才是目的的話，藉口是「買了喇叭褲」也好、「眼神很凶」也好、「看不出來有在反省」也罷，什麼理由都可以。永田批判遠山的唇膏，也只不過是在革命左派與赤軍派爭奪主導權的情況下，以水壺問題被搶先一步攻擊的永田，偶然地用來當作反擊的題材而已。

總的來說，至今許多聯合赤軍事件論，為了釐清「總結」的理由，白費了許多工夫。例如前述大塚英志主張被「總結」的女性們是因為被怪罪「消費社會」主義式的感性而遭到殺害。但以大塚所謂的「消費社會」式感性為由遭到「總結」的，在私刑致死的十二人中不過三到四人。更別說如果真如池田主張，私刑殺人的原因是「否定『女』性」，那就沒辦法說明男性也成為私刑對象的原因。

概括而言，過去的聯合赤軍事件論，誤判了事件當時的森與永田的心理狀態。他們被通緝、街上到處貼了自己的照片，在極度緊張的狀態度過一年以上的逃亡生活。特別是永田，由於已經殺害向山和早岐，被逮捕就會被判殺人罪的恐懼更是不斷累加。

永田在獄中寫的回憶錄與審判的陳述中，不斷主張自己沒有殺害「同志」的意圖，只是在森的指導下進行「總結」時，不小心讓他們死掉而已。[565]然而，如前所述，捆綁過一次的人，對幹部的反感和逃走的可能也會倍增，因此無論是有意識或無意識，只能將他們牢牢捆綁直到死亡。

而加藤倫教寫下永田說：「大家的立場一致了。只要被逮捕就是死刑喔。」森在岩本逃走時說：「要是自首的話，他自己也會被以殺人罪判刑。」如果這是事實，當時的永田和森對於犯下殺人罪是有自覺的。

聯合赤軍事件，在法律上的爭論點是，永田等人是否有殺意（殺人罪），還是「總結」的結果造成死亡（傷害致死）。鑒於當時永田的審判還在進行，她在出版的回憶錄中主張沒有殺意亦不足為奇。儘管永田聲稱不知道在法律上有沒有殺意與裁罰有關[566]，但恐怕她寫下回憶錄時也忘了十年前自己的心理狀態了。

此外，「總結」異常地升級的背景，是極為寒冷的山裡、惡劣的居住環境、簡陋的食物、重度勞動與疲勞、骯髒的衛生環境、孤立的山中小屋，在這樣的極限狀況下，包括森和永田在內，許多成員的精神狀況已經脫離常軌，這也是不容忽視的事實。

許多討論聯合赤軍的人，都是與通緝和死刑的恐怖無緣的人們，這與森和永田等人當時的心理狀態已經相當不同。無視當時的心理狀態，投射自己在運動中感覺到有問題的聲討經驗、性別歧視、黨組織的構成方式等，佔據了過去——特別是有運動經驗的人提出的——大部分的聯合赤軍論。

換句話說，可以說他們在聯合赤軍事件中，看見自己想看的東西。小阪修平和小中陽太郎將聯合赤軍事件的本質歸咎於黨組織的問題，全共鬥和越平聯將聯合赤軍視為與自己相對的存在，可以說是某種意義上正當化自己參加的運動的例子（即使本人沒有意識）。

儘管聯合赤軍的實際狀況如前所述，但同世代的運動者和同情者們仍舊被聯合赤軍事件擊倒，他們以及在他們之後的世代的評論家，仍舊持續累積不符實際狀況的聯合赤軍論，其有以下四個主要原因。

第一，事件發生之後有好一陣子，資訊來源只有受到警察操縱的資訊、包括假情報在內的媒體報導。在一九八二年永田洋子的回憶錄出版之前，通常是無法聽見聯合赤軍當事人們的聲音。

就算在永田的回憶錄出版之後，當時的運動者也有迴避聯合赤軍事件資訊的傾向。上野千鶴子在二〇〇三年說：「不只是我，對於大部分與我同世代的人來說，聯赤是個創傷，一路都在逃避，不想看、不想聽、也不想討論。」「也沒有很積極地想讀永田洋子的《十六的墓碑》」[567]

第二，如前所述，當時的運動者們，投射自己經歷過的「總結」、「聲討」、「自我批判」，將聯合赤軍事件解釋為自己的活動的延長。道浦的短歌：「永田洋子可能會是我」就是一例。

如同在第十四章所述，一九七〇年以後的運動，與過去「在街壘內的樂趣」差距甚大，而是需要用意志力和義務感來持續參與的狀態。對於處於那個狀態下的人們來說，聯合赤軍事件，如果用過分點的說法，就是個從運動中金盆洗手的絕佳藉口（無論是否對此有明確自覺）。

「如果繼續參與運動的話，最後就會變成聯合赤軍」的解釋方式，就不需要擔心脫離運動時被他人批判的恐懼，或被自己的罪惡感折磨。在這個意義上，他們也是在聯合赤軍事件中，看到自己想看的東西。對於利用這種方式脫離運動的人來說，聯合赤軍運動必須是「以『理想』為目標的社會運動」最後陷入的終極型態。

第三，因為事件當事人們有複雜的利害關係，儘管回憶錄與證言等記述有微妙的差異，但以永田回憶錄為基礎進行討論的人居多。前述的大塚英志和池田祥子等人，都是以永田的回憶錄為主要根據來討論聯合赤軍事件。

永田的回憶錄因為是第一本當事人赤裸裸地回想事件的書，因此具有決定事件印象的效果。坂口弘和加藤倫教對私刑事件的回憶錄、吉野雅邦的筆記、青砥幹夫的訪談等，都是在聯合赤軍事件一連串的審判結束之後，介於一九九〇年代後半到二〇〇〇年代之間才公開。

而永田的回憶錄裡，不會寫出對自己不利的記述，例如加藤倫教寫的：「大家的立場一致了。只要被逮捕就是死刑喔。」的發言，或坂口弘寫下的永田對金子美千代的發言：「因為我在，所以妳就算想當女老大也當不成的啦」等。我們無法確定這是永田故意隱蔽對自己不利的事實，還是到執筆寫下回憶錄時的獄中生活讓她忘記這些不利的事實，然而，在判決確定之前出版的著作，永田本來就不可能寫下對審判不利的事實。無論如何，不能只依賴永田的書，如果不參照複數的回憶錄和證言資料的話，是沒辦法掌握實際狀況的。

此外，許多聯合赤軍事件論只檢視了革命左派與赤軍派在山裡聯手之後的事，因此，兩派幹部們在那之前就開始受到遭逮捕的恐懼逼迫、兩派反目爭奪主導權、幹部們惱於維持組織和防止脫逃甚至執行處決等狀況，都沒有列入考量。過去許多聯合赤軍論之所以根本性地誤判森和永田的心理狀態，其中一個原因正是因為沒有考慮到上山以前的狀況。

而第四個原因是基於議論者的心理防衛機制：他們不願意將這個「全共鬥世代」的「創傷」事件，歸因於幹部想保全自己等這種卑微的理由。可能也有受到認為應該要保護包括永田在內的被告免於「國家權力藉由審判的攻擊」或媒體「大醜女女王」的人身攻擊的意識所影響。

因此，特別是當時有運動經驗的人們的聯合赤軍論，許多都導向黨組織問題、「理想」與「正義」的極限、「否定『女』性」等普遍性的主題。「畢竟是對自己如此巨大衝擊的事件，應該有什麼與普遍性的主題相關、更大的問題才對，希望那種問題存在」的先入為主觀念可能也發揮了作用。

然而，必須正視現實。被逼入絕境的非法集團領袖，強加嫌疑並處罰基層成員，聯合赤軍事件在這一點上不是偶然而是普遍的現象。森和永田，在加入赤軍派與革命左派之前，廣受「品格高尚」、「好人」的評價。說好聽點，森是善良（說難聽點就是膽小），永田則是善於照顧人且認真（說難聽點就是愛出鋒頭、偏執狂），儘管如此，兩人都不是有什麼致命性缺點的人類。如果被放在那種狀況和立場，那人的特徵將會以醜惡的方式呈現出來。

但是筆者認為，這與「以『理想』為目標的社會運動」陷入隘路等問題沒有關聯。更別說主張「如果沒辦法總結聯合赤軍事件，就不應該隨便發起社會運動」的想法其實沒有任何益處。

在這個意義上，筆者贊成青砥幹夫於二〇〇三年所說的意見：「聯合赤軍事件的原因是什麼，就算勉強去總結，也得不到什麼像樣的結論。什麼也得不到。」[568]習慣用感傷地賦予過多意義的方式談論這個事件，給日本的社會運動帶來甚至可說是「懲羹吹齏」的猜疑，這已經成為社會運動發展的障礙。然而，時代已經演進到應該脫離那個狀態的時期。

第十七章　女性解放運動與「私我」

一九七二年三月，聯合赤軍事件在世間引起了騷動。就在此時，一位女性正在撰寫一本書的原稿。她就是之後以日本女性解放運動的代表性早期運動家聞名的田中美津。她當時執筆的，正是女性解放運動的經典著作《致生命中的女性們》（いのちの女たちへ）。[1]

如同接下來會談到的，日本的女性解放運動不僅是與華青鬥的新左翼批判引發的「一九七〇年典範轉移」同時興起的運動，該運動也是當年女性運動者們心中積壓已久的不滿的一次大爆發。與其他的歧視問題鬥爭不同，因為是身為被歧視者的女性們主導了這場運動，所以留下此後的女性主義得以承繼的遺產。

本章將探討女性解放運動與田中美津，但首先要聲明下列兩點。第一，本章的宗旨不在於以全面綜合的視角來描述日本的女性解放運動。第二，本章的目的亦不在於對田中進行綜合性的理解或批判。筆者認為這兩點是女性研究者應該做的工作。本書之所以討論女性解放運動與田中，旨在接續本書的主題，亦即揭示女性解放運動為當時年輕人們所擁有的「現代的不幸」的產物，而田中的論調則是時代轉捩點的象徵。因此，若有讀者認為本書沒有描繪出田中最有魅力的一面，還請諒解。[2]

這裡所謂的轉捩點，是指日本社會價值觀的轉換。即對於政治運動代表的「公」的重視步入終結，以及由去政治化與私生活優先所代表的「私我」開始得到關注。這一轉換同時也顯示出，日本的年輕人如何適應了——歷經經濟高度成長從發展中國家轉變為大眾消費社會的——日本社會的現實。

女性運動者的境遇與不滿

日本的女性解放運動發生的背景，源自於六〇年代末的年輕人反叛運動中，女性運動者所面對的境遇。這不同於美國的女性解放運動，是由中產階級的貝蒂．傅瑞丹（Betty Friedan）描寫家庭主婦空虛感的著作所點燃的。

首先，當時女大學生的地位不比今日。一九六八年，日本女性進入大學、短期大學的比例為十四．四%，比男性低近十%。而且在當時，女性就算從四年制大學畢業後也幾乎不會受到企業的公開招聘，薪資較低的高中或短期大學畢業生反而更受企業歡迎。

上野千鶴子於二〇〇七年，曾如此回憶當年的情況。報紙的「招聘欄裡有五分之四是招聘男性，招聘女性的只有剩下的五分之一。職業類別不是女招待就是事務員」，「由此可見（四年制）大學畢業的女學生是多麼不受世間歡迎」。[3]日本女性主義先驅學者秋山洋子，在一九九六年也曾描述過女性所能從事的職業十分有限，高學歷的「女性前輩裡在工作的人，從事的不是高中教師就是家事法院的調查官」。[4]

父母會讓女孩子去就讀四年制大學，多數是為了「新娘修行」，或者出嫁前的「鍍金」而讓孩子去念文學部等等，僅有少數的父母認為女性也應該活躍於社會。也有許多父母害怕自己的女兒在結婚前交男朋友，所以選擇讓女兒就讀地方大學或者女子大學。一位曾為御茶水女子大學運動者的女學生表示：「在當時，父母們普遍的想法都是男孩子做學問，女孩子學技藝」，但是自己「就是想擺脫舊的家族制度、離開故鄉的城鎮」，於是以國立大學學費便宜為由說服了父母，來到了東京求學。[5]

女學生參加學生運動的動機，大致可分為三種類型。

第一種，是和男學生們一樣，出於對大學或社會現狀的不滿和正義感，以及運動所帶來的喜悅等等。從御茶水女子大學前去參與東大鬥爭的一位女學生，曾這樣描述自己的參與動機：「製作立牌、用木刻版製作傳單的過程中，有著展現自我的快樂。更重要的是，大學裡的講義完全是些無聊的東西，大多數老師的課堂，都是用著他們幾十年不曾修改的教案，連學生的臉都不看一眼，就那麼自顧自地唸下去」。[6]

亦有某位從女子高中升學到東京學藝大學的女學生，在當時的雜誌採訪裡表示：[7]「在讀一年級的時候，我被選為班級裡的自治委員。當試著和從事運動的人們接觸後，我發現他們實際上非常生氣蓬勃。」「因為在此之前，我所處的環境裡只有女生，所以他們對我來說真的很有魅力」。

像這樣，與男學生幾乎出於同樣理由而參與運動的女學生不在少數。得知山崎博昭的死訊而去參與追悼遊行的上野千鶴子、因家境貧困和社會貧富差距過大而心生憤慨，自此投身運動的重信房子等人，也都可以歸類為此類型。

女學生參與運動的第二個動機，是出於對沉浸在「新娘修行」大學生活中的其他女學生們的反感。正如本書第四章與第十二章中所論述的那樣，當時的大學或高中的男性運動者們，也存在著對那些不關心政治的同學們的反感。一位出身於當時為中核派據點的法政大學文學部的女學生，曾在當年的雜誌採訪中表示：[8]

「我所在的班級裡共有七十二個人。其中男生的數量是十七人，其餘都是女生，是典型的私立大學文學部的構成比例。女生們攻讀的明明是日本文學，但大多數人讀的卻是些中間小說[i]。她們討論的，也都是關於保齡球、跳舞、找什麼樣的男人結婚這類話題。真的太蠢了。……我很討厭這種感覺，所以從去年開始就不去教室，把時間都用在參加自治會上。」

第三種動機，用當年的新聞報導的話說，是「邂逅到了不起的男朋友，『不假思索』地奔赴到對方的黨派中去」的類型。[9]一九六六年的週刊雜誌上，曾刊載過某位女子美術大學學生的發言：[10]

「在女子美術大學裡之所以會展開學生運動，其實是因為當時女子美術大學的委員長，和當時身為共產主義者同盟幹部的男生在熱烈地談戀愛。……其他女子學校大多數也都是這種情況。最明顯的例子就是，在分派運動進入高潮的時候，『男朋友』的舉動會微妙地影響到大家。當時在御茶水女子大學裡，這種關係也非常露骨，我們去參加運動的時候，可以看到她們每個人身上都有男朋友的影子，對此我深感失望。」

這種例子似乎並非少數。一九六八年十月二十一日因為新宿事件而被逮捕的女學生，對問話的刑警如此說道：「我的男朋友真的很帥氣。在校內集會裡他也非常受到歡迎，我就是喜歡他。如果我不去遊行的話會被他疏遠，他不會再對我有所期待，所以我去遊行了」。[11]

不過，上述的幾種類型基本上都是理念中的分類，而現實中更多的例子是幾種動機混雜在一起。比如在第十章和第十一章中屢屢引用到東大全共鬥的大原紀美子的文章，而她就屬於第一種類型與第二種類型的混合型態。[12]

大原畢業於御茶水女子大學附屬高中，經過一年的重考後考上東大理科一類。她之所以選擇進入理學部，是因為抗拒當時大多數女學生都選擇去文學部的現象，同時也是受其自由派父親的影響。因為她的父親一直都告訴她：「不能輸給男性。生而為人，要成為優秀的科學家去改變世界。」她在文章裡，曾如下寫道：

我從懂事以來，就一直想成為一個優秀的人，成為一個可以為他人貢獻的人。……在我小時候，貧窮對我的心靈造成了深深的傷害。我的父母常常和我說，這個社會充滿著問題。……總之，那時的我想著，科學家也好、律師也好、作家也罷，總之先成為一個擁有好職業的人，說不定就會成為能夠改變社會的力量。……

……我之所以在眾多的職業中選擇成為科學家，其中一點是出於反抗。是出於對當時女生就應該學文科這種觀念的反抗。老師和朋友們越說我會選擇文科，我就越不想認輸，而堅定地選擇了理科。

大原之所以參加運動，是基於對學界現實的失望、多於別人的正義感和其更為敏銳的性格，以及山崎博昭之死帶來的衝擊。在這裡，混合著自由派父母的影響、幼年時代的所見所聞、對於貧富差距的切身感受、對於世人對女學生刻板印象的反抗，以及與男學生沒什麼不同的正義感等等。在現實中，像這種混合型態動機的女學生應該很多。

i 編註：「中間小說」是指介於純文學與大眾文學之間的小說類型。

然而，對這些投身運動的女學生來說，等待她們的卻是「歧視」。很多時候，她們被分配的，都是些「女人做的工作」。像是被通稱為「飯糰部隊」的炊事員、會議記錄員、投石行動中的石頭搬運員、負傷者的救護小隊成員等等。

而對男性運動者而言，他們並沒有覺察到這是一種歧視，多數人認為這只是一種角色分工罷了。一九六八年年末當上社學同委員長的荒岱介，在雜誌採訪中這麼說：「女性運動者往往擔任輔助男性的工作的角色。因此，主要參與的是如整備遊行的動員體制、進行救援活動（支援被逮捕的學生或舉辦募款）等幕後工作」。[13]從荒的口吻中，並未感覺到他認為這是一種歧視。

而在女學生一方，也有認同這種角色分工的人。在一九六六年的早大鬥爭時，擔任教育學部鬥爭對策副委員長一職的女學生曾承認此一現實，「制定方針的是男學生，去動員學生的也是男學生」，但同時亦說道：[14]「比起台前工作，女生去做幕後的工作的話，整場行動的效率會更高。」

一九六八年，一位法政大學的女學生亦如此說道：[15]「雖然我們也會去搬石頭，但從體力上來說，女性無法和機動隊進行正面交鋒對吧。所以我們被部署在後衛部隊。」「在後衛部隊並不意味著我們毫無用處。你可以這樣想，如果日本真的發生了革命戰，那麼後衛的救援隊也是十分重要的戰線……」。

在廣島大學參加了全共鬥運動的一位女學生，回想一九七〇年女性解放運動開始之前的運動時這樣說道：[16]「當時的學生運動裡有著這樣的傾向，男生裝腔作勢追名逐譽，而女生則透過自己尊敬的男生來實現自我價值。但還未能達到批判性別角色分工、將性別歧視視為問題的這一步。」

然而在現實中，她們的心境很複雜。第一次羽田鬥爭剛剛結束時，週刊採訪了站在街頭募款的三

派女學生，刊載了以下的聲音：[17]

「比起男生（說到這裡她突然壓低了聲音）我們沒有那麼有力氣，身為女生我們盡可能地多撿些石頭、照顧病員也是應該的。雖然我們也想到裝甲車的另一邊去。」（法政大學學生）

「我總是顧慮著自己有沒有妨礙到男生們，我對這樣的自己也感到很生氣。」（早稻田大學學生）

「男生衝在前面，我們卻在後面，覺得很對不起男生們。」（學藝大學學生）

該記事這麼寫道：「也就是說，這些女性們到了要行使武力的時候，會對自己和男學生在體力上有差別這件事情感到遺憾，她們想要奔赴到最前線。」而在一九六八年五月的週刊中，也有女性運動者曾說「如果日本也像越南那樣形成了『革命戰』的話，我們女生當然也要持槍而戰。」[18]

參加了京大全共鬥的上野千鶴子，是其中一位抱持著複雜心情的女性運動者。[19]在二〇〇三年她曾說道：「女人真的提供不了戰力。即使是真的要在街頭鬥爭中丟石頭，我丟的石頭也砸不中人。我們握力不足。所以說能做的工作……也就是運石頭。」

據上野所述，在當時的新左翼黨派和全共鬥等組織中，「有人在夥伴之間公然說不要組織我們女人，因為我們無法成為戰力，那只會浪費時間。」據說不輕易服輸的上野對此感到非常不甘心。當她觀看了當時很受運動者們歡迎的電影——描寫阿爾及利亞解放戰爭的《阿爾及爾之戰》時，把女性游擊隊員運輸炸彈的一幕自以為地認定為自殺式襲擊，甚至產生了「女性當然也能成為戰力，如果我們可以自爆，可以犧牲自己的話」這類的想法。

無法成為「戰力」的這種自卑情結，不僅僅只在體力面上。在閱讀男性學者執筆的理論性書籍並對其做思路清晰的討論、進行勇敢壯烈的煽動性演說等方面，女性也被認為能力上較為拙劣。為了對抗這一目光，亦是因為「看到了那些墜入愛河把理想全都交給了男人的女生們以後，告訴自己不要成為這樣的人」，一位來自御茶水女子大學的女學生做出了近乎上野口中「自我犧牲」般的努力。她這樣回想道：[20]

在黨派分裂的漩渦之中，男學生們為了構築新的理論而展開了高難度的討論。但是不管讀了多少書，無邏輯性的文學少女腦袋還是無法跟上他們的討論。即使如此，由於我缺乏理論的自卑情結，所以反而越來越沉迷於理論，寫的文章也變得生澀難懂。因為我所屬的是小小女子大學裡的一個極小黨派，所以演說、指揮示威遊行等等各種事情都需要自己去做。但我卻喜歡發呆想事情，就算是走在路上也注意不到周圍的光景事態，因此我做的事情都未能達到自己的期待。我對事態的判斷能力很差，沒有那種在演講中滔滔不絕地講下去的才能，聽了對方說的話也只會感到這麼說也有道理而無法反駁，就算在團體交涉的時候，我也會在中途突然覺得厭煩……。此前我一直是根據自己的感覺來行動做事的，但現在我必須否定這樣的自己。從此以後，正如字面上的意思，我的每一天都在自我否定中度過，變得越來越痛苦。

其實，讓女學生們感到自卑的男性運動者嘴裡的「理論」，或許並非有多麼的了不起。但是，當時的女性運動者們確實有著上述的苦惱。這件事，成為了後來女性解放運動為了對抗「屬於男性話語的」井井有條的理論，指出這世上存在「女性的話語」的背景，並獲得很多前女性運動者的支持。而男學生們，對於這些極端地付出努力的女性運動者，卻常常嗤之以鼻。日大全共鬥中隸屬中核派的一位男性幹部，曾在一九六八年十一月說道：[21]「一旦進行討論，女性的弱點很快就會暴露出來。如果指出她們對於事物看法上的問題，或者天真的態度等等，她們就會變得很生氣。拿黑寬（革馬派的教祖黑田寬一）的書來說。我對女生說了句『妳應該從來沒讀過黑寬的書吧，那我們可能沒辦法一起討論』，她們馬上隔天就把黑寬的書買回來讀了。」

然而，就算是如此努力的女學生運動者們，也逃不過端茶送水或者做飯的工作。當時的男性運動者也有著這樣一種傾向：在談論革命的同時渴求著「可愛的女人」，對於和男性同等活躍地從事運動的女性們卻敬而遠之。在第十六章已經提過，赤軍派的幹部曾經公然說過「搞運動的女人都是醜八怪啊，要找老婆的話只能找組織外部的人」的這種話。

參與了多摩美大全共鬥、之後成立女性解放團體「思想集團S・E・X」的米津知子，如此回憶全共鬥運動的時期：「有時突然會發現，女生們都在做著泡茶、做飯、剝柿子這種事情，而說到底，還是可愛的女孩子會被當成小偶像那樣特別對待，想要更努力地（和男生）一決高下的女生，會因為這樣遭到揶揄嘲笑。」後來成立「性差研」的東京女子大學的番場友子也說，「明明應該是追求人類解放的全共鬥運動，裡頭卻有著充當『炊事婦女』的女性。」[22]

參與創建了「思想集團S・E・X」的森節子，也如此回憶全共鬥時代：[23]「我們吃完飯以後，男生們就會把飯碗一扔然後走人。而留下來洗碗的，是女生們。」「在木刻版上刻字這件事情上也同樣如此。當時丟給女人來刻字這種事已經是『常識』了。」

東大全共鬥的大原紀美子也有著同樣的經歷。在第十一章曾描述過，在一九六八年十一月二十三日的東大、日大鬥爭勝利串連集會的前一天，只有女生們在不停地捏著飯糰。

大原在此之前，也有過在參加某一黨派的遊行時「與人爭吵」的經歷。而契機是因為在當時，「他們對我說因為妳是個女生，所以就命令我拿行李」，「我想，明明是馬克思主義者，卻把『因為妳是個女生』這種話掛在嘴邊。他們到底有沒有真的思考過婦女解放的問題。他們是不是覺得女生就像綠葉一樣只是個附屬的陪襯，只要可愛就行了？」而在一月二十一日，當大原抗議說「為什麼我非要為你們準備飯菜」的時候，卻被東大全共鬥的男學生揶揄「那妳能拿武鬥棒嗎？」在那一刻大原覺得，「自己因為沒有可以和男性相對抗的結實的身體，而感到十分不甘心。」[24]

一九七一年，一位中核派女性運動者在雜誌採訪中這麼說：[25]「我們真的無法贏過男性。畢竟在學生運動裡，不是熟知理論的人絕對無法進入指揮部。對於女生來說這件事太難了。況且，男生們和出身良好的乖巧大小姐要麼結婚要麼同居，把自己的小窩變成閑靜舒適的家，卻轉過頭來對我們說什麼『不要遲疑！』『鬥爭到底！』但我們可沒有像他們那樣建立和樂家庭的機會啊。最後，我們都成了消耗品不是嗎……」

從一九六九年前後，武裝鬥爭受到提倡之後，也有一部分女性被要求參與武裝訓練。在古巴和革命家們接觸後，回國加入共產同的生田愛，如此回想當時武裝訓練的情景：[26]

女性同盟員們，也被安排了和男性一樣的旨在成為戰士的特殊訓練。採取合宿的形式，訓練我們背沙袋、掌握護身的格鬥技能等等……但是，雖說我當時還是學生，但也已經生了孩子。我在古巴的時候看過很不一樣的真正革命戰士們的運動，在從古巴回日本途經加拿大的時候，也接觸過當時尚未登陸日本、初露鋒芒的「Woman · Lib」[ii]。和她們比起來，我們所接受的軍事訓練真的幼稚至極，並且男性指揮部的人（無論本人是如何的認真）由始至終存在著對女性的歧視性態度。

例如，我還能想起那些至今難忘的情景。在合宿訓練時，幹部和同盟員們圍成圓圈而坐，然後一個接一個地戴上拳擊手套，按順序做格鬥技的練習，直到訓練中的另一方真的流了鼻血倒在地上為止。圍成圈的男性幹部就對女生們起鬨，說女性同盟員也要接受完全一樣的訓練。再舉一個例子，說是要練習「武裝內鬥」時的防身術，女性緊貼著抱住男性領導者，用腳去踢他們的胯下。對於當時男性們的態度和喊話方式……，我都感覺到了有什麼不太對勁的違和感和歧視。

然而這些訓練，在機動隊面前一點用也沒有。在第十三章說過的，一九六九年四月二十八日「沖繩日」當天，有大量的女學生們被安排進黨派的街頭鬥爭中，被捕者中有十四%是女性。當時也有女學生遭到了催淚彈攻擊而無處可逃，被機動隊狂毆一頓後被逮捕說著，「事情本來不應該變成這樣的。」[27]

上野千鶴子對於當時運動中女性的處境這麼說：[28]

如果女性無法成為戰力的話，就只有兩條路。要麼成為暴力羅莎，要麼成為藤純子。要麼當

ii 譯註：和製英語，即「女性解放運動」。

和男人同等的戰士，要麼當救護隊裡救死扶傷的天使，只有這兩種選擇。而無論是哪一種，當年看起來都像是諷刺畫一樣。如果有看到男性是怎樣對待像是暴力羅莎那樣的女性的話，就會馬上明白當和男人同等的戰士的這種選擇是多麼的愚蠢。而另一方面，小可愛們不過是男人的寵物而已，她們終將變成那些等待奔赴戰場的男人歸來的「望夫的女人」。雇用機會均等法頒布的時候，曾把職業劃分為總合職和一般職。當時我就覺得這一幕很熟悉，在多年前就曾看到過。要麼變得和男人同等，要麼乖乖坐在專門給女人的指定席上。……當我們接受了這種男人的邏輯，自己便無處可去。這種感覺，想必參與全共鬥的女學生們在當時都有深刻體會。

如後述，日本的女性解放運動至少在最開始的時候，很激烈地批判「和男人同等化」，並強調「女性的話語」與「女性的邏輯」。在這背後，有著上野敘述的這種背景。

那麼，正如大原所疑惑的，當時的馬克思主義者裡面，難道沒有「婦女解放」的觀點嗎？從結論來說，有是有的。但是，和在第十四章所描述的歧視問題、汙染問題一樣，「婦女解放」也被認為是從資本主義的矛盾產生的次要問題，只要發起革命解放人類的話，問題自然就會得到解決。

之後成為日本女性主義者先驅的井上輝子，回憶到自己當時在女性史研究會剛成立的時候，「被男人們問到，為什麼現在要研究性別歧視這種次要問題」[29]。而對於當時的學生運動十分了解的記者稻垣真澄，在一九七〇年春天曾問及一位女性對於婦女解放問題的看法，這位女性隸屬於中核派、擔任法政大學經濟學部自治會書記局的領導人。而該女性聽完問題後，「點點頭笑了笑」，說道：[30]

「現在談論婦女解放什麼的都是屁話。首先，光是從口中說出婦女解放、女性解放之類的話，這個行為本身就是在自我蔑視了。所有的問題都應該被涵括在人類解放〔革命〕之中，人類解放實現了之後，女性解放才能真正實現。……首先，就是要革命。」

這也如後文將敘述的，日本的女性解放運動，在批判「和男人同等」這種現象的同時，也抗議將性別歧視消解成階級問題的觀點，並且也批判那些附和黨派邏輯、輕視女性解放運動的黨派女性幹部為「和男人同等化了的女人」。如果我們忽視了上述的背景，就無法理解這些行為。

「性解放」與「性剝削」

更為嚴重的是，等待參與全共鬥或黨派鬥爭的女性們的，並不只是做飯或者雜活。在運動期間，男性說服同為「同志」的女生和自己發生關係，甚至強姦她們的案例也不少。

例如在第十六章中提到過，永田洋子曾被革命左派的最高領袖川島豪強姦，但卻為了維持組織的穩定而選擇保持沉默。曾參加廣島大學全共鬥運動，和「社研」成員們同住在獨棟別墅的某位女學生，如此回憶自己遭到強姦的經歷：[31]

> ……在一個大家都喝了酒的夜晚，我喝多了，去到了另一個房間，在那裡被一位成員強姦了。對那個男人來說，他很早之前就想要我當他的戀人，那次只不過是他積極地主動接近了我，我們兩個人的關係進入了一個新的階段而已吧。然而，我因為喝醉了無法表達自己的意願，無法清楚地判斷當時的狀況。被他的陰莖插入的瞬間我有清楚的意識，我在感到自己的意願被違反了

的同時，也感受到了被強姦的屈辱感，而傷害我的人是一直以來信賴的伙伴，這個事實也給我帶來巨大的打擊。

而這位女學生，也是因為抱著「不把夥伴出賣給權力、想要保護組織」的想法，而沒有對強姦的行為提出控訴，或者公開抗議這件事。當時的女性普遍認為，被人強姦更像是一種「被玷汙」，而不是一種「被害」。這位女學生也說：「當時我更傾向覺得自己被玷汙了，因此只和極少數的人談到此事並要大家為我保密，我並沒有勇氣對其他人說出口。」

黨派內的強姦，據說並不罕見。在第十六章提過，植垣康博曾回想在赤軍派裡，「就算男性運動家強姦了別人，在組織上也不會被視為問題處理。」在文章中，亦描述了赤軍派女性運動者所做的工作「也只是打電話聯繫、切割謄寫版、募款和維護藏身處等。」

據生田愛所描述，「赤軍成立之前的第二次共產同和赤軍派裡，每個最高幹部身邊都跟隨著一名女性秘書」。「女性秘書」們照顧著幹部的起居生活，有的也與幹部發展成戀愛關係。[32]

某位早大的男性運動者，在一九六八年的雜誌採訪中說道，[33]「『串連』這個詞是關鍵。女生對於『我們必須串連起來』、『我們必須相互確認彼此的存在，變得更為堅不可摧』這樣的話毫無抵抗力。」

而一位日大的中核派男性運動者，也在一九六八年對雜誌的採訪這麼說[34]：「她們當中最為極端的人，會透過和男生發生性關係來延續運動。我覺得在她們的心裡有一種自卑感。學生運動中的夥伴意識實際上很強烈。我想她們是覺得和男性比起來無論在哪個方面都很遜色，而處於這種自卑的情結中，為了填補這種差距，她們試圖藉由性關係來產生連結。」

這種發言可以說是男性們的擅自詮釋。不過或許從這裡也可以看到上野千鶴子所說的「女性當然也能成為戰力，如果我們可以自爆，可以犧牲自己的話」的那種心境。

然而，除卻這種女性們的感情因素，在武裝內鬥中也發生過強姦事件。一九七〇年，就曾發生過這樣的事件。千葉大學革馬派的成員對一位中核派的女學生動用私刑，最後將其強姦並對其極盡羞辱，使其從此無法再進入學校。[35]

而在第二章敘述過，在運動還處於上升狀況的一九六八年，街壘內的男女關係其實意外地少。但從一九六九年後半至一九七〇年以後，一旦運動進入衰退狀態，同居或戀愛的例子就開始急劇增加。同志社大學的一位女學生在一九七〇年的春天曾說：[36]「直到去年春天為止，鬥爭都很激烈緊張，我們幾乎沒有意識到什麼男女關係。……而當對於鬥爭的鎮壓變得殘酷，運動退潮，大家又都疲憊不堪的時候，男女的意識也開始浮出水面，大家開始與一直以來喜歡的同志同居。我雖然沒有發展到同居的那一步，最後分手了，但也與男孩子發生了性關係。」

在歷經運動挫折後的戀愛裡，男性總會期望從女性那裡得到溫柔的安慰，希望她們為自己療傷。然而對於自身亦滿身瘡痍而已無餘裕關照他人的女性來說，被如此期待只會感到困擾。上野千鶴子曾在二〇〇七年回憶道，[37]「一九六九年的鬥爭解體後，因巨大的挫敗感和絕望，我一整年都沒有去學校，和男人陷入了一場相愛相殺的戀愛中。我用做愛和麻將來打發時間，卻完全看不到未來。」

上野亦在一九八九年寫的短文裡，對當時的情況做過如下回想：[38]

在當時，男性之間流行「自我否定」這個詞。然而，我們女性甚至連可以自我否定的「自我」都沒有。我們想要有人來一把抱住那被貶低的、被傷害的自我，而把這種希望錯誤地寄託在男人的身上。或者完完全全誤以為男人是可以將自己從悲慘的境遇中解救出來的救世主。……

男人，在遇到符合自己標準的女人的時候，會將她擁入懷中——如果女生很可愛，或者看起來很呆萌，總之是在符合他們喜歡的標準的時候。然而，實際上，男人們也（在鬥爭退敗期）忙於重塑脆弱的自我，在今天看來，我們很清楚他們根本無法應付將一整副赤裸且渾身灼痛的自我，重重地託付給他們的女人。

另外，在同一時期「性解放」思想的流入，也助長了在運動退潮期中和男性保有性關係的現象。千葉大學的某位女學生這樣回想道：[39]

「我當時十分無知，覺得自己也是一個性解放論者，所以和找了黑帳篷（當時的前衛小劇團）到大學祭來的兩個搞文化運動的男生同時發生了性行為。他們在做完後，拍下了完事後疲憊不堪的我的下體的照片。我向他們抗議，要求他們把照片還給我，但他們沒有那麼做。為了懲罰女性，便強姦女性和使用性暴力的行為，在當時日常性地發生。」

亦有原本出於純粹的正義感來參加運動的女性，突然被要求發生性關係，作為組織工作一部分的例子。時任越平聯運動者的山口文憲，曾經回想道[40]：

我並不是要說所有的情況都是這樣，但在當年嘴上高喊平等解放的運動與鬥爭內部，事實上卻一點也不平等，這件事如今已是眾所周知。在當時安排到女性身上的角色，不是救護班，就是救對（救援對策↓去拘留所送東西等照顧被逮捕同志的工作），更過分的還有負責做飯的工作。

這種事情與別的無關，就是所謂的「性別角色分工制」。從對運動中實際情況的憤怒與失望中，誕生出了當時所謂的Woman・Lib，不得不說，她們成為了現今女性主義運動的源流之一，是非常合乎常理的。

而且更為過分的是，在不知不覺中，女性甚至成了「性剝削」的對象。比如當時，有一個十分單純的女生，在經過一番思考後，決定自己去某個藏身據點看看。而就在這時，一個像長了苔蘚似的長髮男性運動者竄了出來，「要說說話嗎？」他裝作等了很久似地邀請女生去附近的「saten」（咖啡店）。接下來，只剩下他們兩個人時，長髮男並沒有進行一般的搭訕，反而開始滔滔不絕地說著以下令人費解的話。

「……嗯，所以啊，妳啊，關於妳對於鬥爭的，對自己主體性的定位和展望，特別是決心之類的，從理論上，試著就在這裡說明一下……」

而對他的話一頭霧水的女學生此時手足無措，感到驚慌害怕。而在她感到害怕的情況下，男生會怎麼做呢？是的，他以懲罰遊戲為由，要求女生脫下內褲。……雖然這幾乎聽起來像個笑話，但這種荒唐的事實際上並不少見。

而在發生這樣的性關係後，正如也在第二章提到過的，當時男女對性知識的了解都並不充分，因此懷孕和墮胎的情況屢見不鮮。就讀於千葉大學的一位女性，在全共鬥運動敗退後，「在性解放被肯定的風潮中和男人發生了肉體關係」，「僅在一次性行為中就懷了孕、然後墮胎」，她說，「我不明白，明明大家一樣都在做愛，為什麼只有身為女人的我必須承受肉體上、精神上的痛苦？」[41]

更加讓這些女性深感痛苦的，是因為她們這一代在初等教育階段接受了民主教育，被教導了男女平等的理念，但所處的現實社會卻尚未從過去的性規範中脫離出來。在學校裡教的明明是男女平等，但在全共鬥或黨派中卻被安排做飯的女性們，感受到嚴重的矛盾。如果她們最初沒有接受過男女平等之類的教育，或許就會把做飯的工作當成理所當然的事情接受，而不會在精神上遭受如此巨大的痛苦。

在此之前的婦女運動，雖然相當關切取得參政權和生理期休假、男女工資差距等制度方面的改良問題，但為什麼要由女性來倒茶這樣的問題，卻未能成為爭論的焦點。一九二五年出生的駒尺喜美，屬於遠比女性解放運動的女性年長的前一世代，曾經如此記述當自己閱讀一九七〇年登場的女性解放運動作品時的印象：[42]

「在此之前的運動中，關注的是婦女參政問題、女工哀史——勞動現場中的低工資問題等等。然而卻沒有人來解釋，到底為什麼女性一輩子都要做飯。女性做飯被當成理所當然的事情了。」「聽到了女性解放運動的發聲，她們告訴我那就是歧視。」

曾為女性解放運動者一員的佐伯洋子，在一九九二年對出生於嬰兒潮一代的女性有如下敘述：[43]「從出生到長大成人，一直活在和平憲法底下、男女平等為表面說詞的時代環境裡。男性對於女性而言，是正面意義上的競爭對手，而在考試中，女性也憑自身實力進到了自己所嚮往的大學，因此這麼多年來都沒有覺得自己身為女性遭受到歧視。而在大學時代恰好趕上的校園民主鬥爭，也是在自身的意願下參與的。而當和男人們並肩作戰，戴著頭盔拿著竹竿的那一刻開始，她們被說道『女生在這裡太危險了，趕緊後退』，才注意到在會議結束後，要去洗刷扔在桌子上的碗筷的總是女學生。」

這也許是侷限在考上大學的少數派中的現象，她們是日本現代史上，首批直到將近二十歲之前都沒有遭受過男女不平等的世代。而從這種意義上來說，女性解放運動也與全共鬥運動一樣，是戰後民主教育意料之外的遺產。

山口文憲曾這樣說道：[44]「她們最大的不幸，可以說就在於如字面意義般地，真的相信且接受了『男女平等』或『男女平權』這種戰後的價值和理念，並且想直接體現這些概念。然而，結果就是，團塊世代的女性們遭受到了自己曾經信仰的東西的巨大打擊。」女性解放運動，產生於對「戰後的價值和理念」原來「全都是謊言」的憤怒，在這個層面上，可以說日本的女性解放運動與全共鬥運動產生自共通的土壤。

如前述，在運動退潮期，同居等現象開始流行，男女間的矛盾加劇也同時產生，此時，以華青鬥的「七・七告發」為開端的典範轉移也在發生。在這一過程中，與在日外國人、被歧視部落、沖繩等一起，將對於女性的歧視問題化的女性解放運動，也作為女性們積累已久的不滿爆發而顯現出來。

女性解放運動誕生的前夜

日本的女性解放運動為世人所知，是在一九七〇年十月二十一日的國際反戰日這天。當時，以田中美津為中心的「Group・戰鬥的女人」等團體獨自進行了遊行。無須多言，這個時間點與一九七〇年後半的典範轉移期相重疊。

但實際上，我們可以列舉出一些在這之前的先驅性事例的個人或團體。例如，從谷川雁在九州組織的「社團村」出身的森崎和江與河野信子，她們二位雖然比嬰兒潮世代還要年長很多，但經常被看作是女性解放運動的先驅。

又如曾與山本義隆等人同為東大越南反戰會議成員的理學部研究生——所都美子，也常被視為女性解放運動的先驅。所於東大鬥爭正式展開之前的一九六八年一月以二十九歲之齡病死，但山本在之後極度讚賞她，因此其遺稿集在一九六九年得以出版。在她的遺稿裡，收錄了這樣的文章：[45]

研究主任躊躇滿志地說道：「拿到研究費了。我來雇用女孩子，努力好好做研究。」話到此處我們也沒有說什麼。是的，就算是他說的這個「女孩子」，其實就是低收入勞動者的別稱。

「但是，老師，如果有一天你研究費用光了，那個女孩子該怎麼辦呢？」

「我幫她在其他地方找個工作。實在沒有合適的地方的話，讓她去結婚就好了。」

老師並不知道，他口中的女孩子，也對研究充滿熱情。他口中的女孩子，也會對於自己結婚以後，青春將就此畫上休止符感到不安。

從那以後，所離開了研究室，一邊從事反戰運動，一邊在明治大學的街壘裡當自主講座的講師，並寫出了〈科學家的反體制運動是什麼樣的〉、〈現代的神話「科學」〉、〈「對科學的反抗」之辭〉等論著。山本之所以如此欣賞所，想必來自這些她對既存的大學學院派和「科學」的批判。

然而，所還執筆了〈女性希望成為怎樣的人〉、〈女性若在大學唸書〉這兩篇論文，並且在名為〈「女性的邏輯」與國家〉的論文中，將「女性的邏輯」與以生產性為名而將剩餘物排除在外的「男性的邏輯」相對立。[46]這種「女性的邏輯」，超越了重視生產性的「男性的邏輯」，並與當時的現代理性主義批判潮流相呼應，並如後述，於女性解放運動裡被積極提倡。

除了所這樣的知名人物以外，從一九六八年至一九六九年的媒體中，亦能夠零散地找到一些可以被視為女性解放運動先驅的文章。如揭載在《現代之眼》一九六九年七月號上的，北村雪美所著的〈女人的「話語」與「革命」〉一文中，就有如下文字：[47]

> 女性唯有執著於邏輯才能保有運動的原點嗎？
>
> 還是說，既存的組織，通常都只是阻止女性去構築女性革命論的阻礙者？
>
> 外部世界的邏輯和既定概念本身與自己的存在毫無關係，但卻非要把它們和自己的內部意識強行硬拉到一起產生錯覺，只有透過這樣的方式才能成為組織行動中的行為者。特別是，在完全忽略女性問題的情況下暢談革命的行為，對於女性來說，是何等不自然且歇斯底里地，構築出了不平衡的運動者形象呢？……被我誤認為是「自己」的邏輯的那些東西，和自己的內部並沒有接點，最終陷入無法用自己的話語來表達的窒息狀態中。而在那個瞬間，我們才會第一次有所認識……當我發現自己已站在無法共享黨派的話語的地點上時。

北村在該文章中繼續說道：「我只不過是一個有著讓人感到悲哀的性別的『女人』」。「只有在這種自覺中，我才能找到自己作為行為者行動的原點」。「從此以後，我要用女人的話語來說話。那是永遠的非轉向的姿態」。在包含了黨派話語的既存話語體系裡，「無法找出」能夠表達自己的不安或不滿的「話語」，這種現象不僅出現於女性身上，而是在整個全共鬥時期中都能看到。探尋「女人的話語」，卻又苦尋無果，亦是女性解放運動與全共鬥運動共通的現象。

而北村的「用女人的話語來說話」才是「永遠的非轉向」的發言，有著下述背景。在當時有很多學生，一度將馬克思主義用語「錯認為『自己』的邏輯」，在街頭或者校園裡從事運動以後，在某個契機下發現那些「話語」和「邏輯」都只不過是借來的東西，隨後便離開了運動。北村主張，如果依據「女人的話語」行動，就可以避免產生這種「轉向」的行為。

在當時的女性裡，從運動中退出、和收入良好的男性結婚的這種「轉向」類型並不罕見。聯合赤軍事件發生不久後的一九七二年三月的週刊上，曾引用對於學生運動了解頗多的稻垣真澄的評論：[48]

那些曾經參與了罷課、鬥爭的女學生，在那之後大多過著怎樣的生活呢？

稻垣先生認為，大致上可以將她們分為三個類型。

「首先是因為畢業或者中輟離開大學，在流浪狀態中依舊持續燃燒著怨念之火的人——。她們被稱作『堅忍不拔』派。

第二種是停止鬥爭，經歷平凡的相親後結婚，過著安穩的資產階級生活的人。讓人意外的是，很多歷經鬥爭的女性也很嚮往這種生活。

第三種是，和黨派裡的幹部結婚或者同居，將孩子送到托兒所，自己出去工作，丈夫則竭盡全力持續政治運動的類型。

總而言之，第二種的類型應該佔壓倒性多數。」

稻垣的評論並沒有客觀的統計數據支持，但是，就算是在後面將敘述的女性解放運動發生的時期，「第二種」類型的女性似乎也是最多的。

順便一提，關於稻垣所述的「第三種類型」，可以舉出曾經為中核派幹部的北小路敏的妻子為例（雖然她是屬於上一個世代）。鶴見俊輔曾於二〇〇三年說道：[49]「那位妻子真的是竭盡全力支持了北小路。為了北小路去做女給之類的工作。北小路一直守護到她臨終的那一刻，他十分地悲傷，還曾經寫信向我訴說。」

近似於稻垣所說的「堅忍不拔派」的例子，也有大學畢業後去唸研究所的人。如上野千鶴子即為其中的一人，她曾經這樣回想運動失敗後進入研究所的那段經歷：[50]「我完全看不到未來，也不想回老家。只是因為出於不想工作這種不純的動機而進了研究所。很差勁對吧（笑）。」「在研究所裡，我也像個死人一樣。對什麼都不感興趣，沒有想做的事，既沒有上進心也沒有學習的意願。」

就在這種暫緩期的研究所時代快結束的時候，上野接觸到了女性學。一九七〇年代後期以降，這些升學到研究所的女性中，逐漸有人繼承民間的女性解放運動，將女性主義學問化。

由於上述的先驅例子有很多，我們無法將女性解放運動的起源固定於某處。但是從自一九九二年開始發行的《日本女性解放運動史資料》一書中收錄的早期女性解放運動資料來看，除去前述的河野信子等人的社團，女性解放運動的起源似乎與一九六九年的入管鬥爭和一九七〇年的典範轉移有著密不可分的關係。

《日本女性解放運動史資料》的開頭舉出的例子，是在一九七〇年八月於東京成立的「與侵略和歧視戰鬥的亞洲婦人會議」（簡稱「亞洲婦人會議」）。該團體雖然成立於華青鬥的「七・七告發」之後，但其前身從一九六九年就開始了活動。

這個團體主要的核心成員，是一九六二年四月在社會黨的指導下建立的「日本婦人會議」的社會黨女性黨員和工人。這件事顯示出，全共鬥運動和新左翼黨派裡的女性學生運動家，並不是構成日本女性解放運動的唯一源流。（後面提到的田中美津亦是如此）

「與侵略和歧視戰鬥的亞洲婦人會議」的成立，發端於日本婦人會議決定不參加一九六九年的第十五屆日本母親大會的這個事件。[51]日本母親大會，由日教婦人部、婦人民主俱樂部等團體在一九五五年創建，每一年都會舉辦大會。然而據日本婦人會議一九六九年八月的聲明，日本母親大會的主導權被共產黨旗下的新日本婦人之會等組織所掌控，逐漸變成了「為一黨利益所用的場所」。出於對這件事的抗議，三里塚反對同盟婦人行動隊等團體從前一年開始就沒有參加日本母親大會。

在第十四章曾提到過，在日中友好協會分裂之際，「正統」派婦人委員會選擇了反日本共產黨（親中國共產黨）的立場，當其申請參加一九六九年的日本母親大會實行委員會時，遭到了新日本婦人之會等團體的拒絕。出於對這一事件的抗議，日本婦人會議做出不參加的決定。

社會黨系的日本婦人會議，比共產黨系的新日本婦人之會更為支持新左翼和三里塚鬥爭。一九六八年十二月，作為反安保全國實行委員會的一環——「向安保鬥爭的婦人聯絡會」成立，日本婦人會議亦加入其中，並參與了沖繩問題與三里塚鬥爭。

然而，一九六九年四月二十八日發生的「沖繩日」街頭鬥爭被批判為暴舉，社會黨與新左翼運動開始保持一定距離。在這一時期，「向安保鬥爭的婦人聯絡會」從一九六九年六月十五日的反安保鬥爭後開始修正路線，停止了對新左翼學生和反戰青年委員會的協力與救援。但即使如此，日本婦人會議的成員們在一九六九年秋天的一系列鬥爭中也持續投入對被捕者的救援活動。[52]日本婦人會議不參加日本母親大會，是發生在這樣的背景之下。

從一九六九年十月起，曾任日本婦人會議成員的社會黨員飯島愛子發表了一系列的文章。飯島出生於一九三二年，她的丈夫作為國際托洛斯基組織的一員，是基於打入主義戰略（參照第三章）而進了社會黨的人物（一九六三年離婚）。而飯島自身也加入了社會黨，並擔任過日本婦人會議中央常任委員，是資深的運動者。而且她還不是「在講壇上滔滔不絕的運動者」的類型。[53]以飯島為中心，成立了「與侵略和歧視戰鬥的亞洲婦人會議」。

飯島在一九六九年十月發表的文章中提到，一九六八年以來的學生鬥爭揭示了「戰後的『和平與民主主義』只不過是一種欺瞞」，而正因如此，她宣言「我們必須重新探討作為戰後民主主義一大特徵的婦女解放這個問題」。[54]飯島認為，對於「戰後的婦女解放」，「那些知曉過去（戰前）情況的一代和對此不了解的一代之間有著理解方法上的差異。對於前者來說，無論如何，婦女解放給予她們一種，將女性變成了真正的人的實感。」然而，對於年輕一代來說，「我們覺得，戰後的『解放』所獲得的，實際上是在男性和法律平等的基礎上進行的剝削和異化。」

也就是說，透過「戰後民主主義」所獲得的「男女平等」，即使是在順利發展的狀態下，也只是把女人和男人同等地吸納進資本主義體制中。並且，「我們……從經濟高度成長政策下年輕勞動力短缺的狀況中開始了解到，女性的經濟獨立和母性保護，其實是資本的強烈要求。」

飯島又進一步批判那些「認為婦女解放離不開階級解放（體制變革）的理論」是對於女性解放論的貶低。但是對於何種鬥爭更為有效這個問題，她只表明「我也不知道到底該如何是好，但我必須要以我的方式拚命思考。」

飯島在一九六九年十二月指出，日本婦人會議的年輕成員裡「認為如果婦人會議與社會黨沒有關聯的話會更好」的輿論正在逐漸升高。[55]而在一九七〇年春天，當社會黨與反戰青年委員會斷絕關係時，飯島及黨內志願者一起發表了文章，其中包含這段文字：「正如參加了日大鬥爭或東大鬥爭的學生們追問自己『何謂日大』、『何謂東大』那樣，我們也必須質問自己『何謂社會黨』。」[56]

據飯島所述，從一九六九年年末開始，關於「召集亞洲的鬥爭女性召開集會」的討論日漸增多。[57]在一九七〇年二月，以「與侵略和歧視戰鬥的亞洲婦人會議」為名義，公開發表了呼籲召開會議的宣傳文。[58]文章直指一九六九年十一月佐藤首相訪美時所發表的日美共同聲明是「對包括日本人在內的亞洲人民的侵略宣言」，並指出因為汙染問題等等，「在繁榮和現代化的名義下，人類生存條件本身正在受到威脅」，其後做出宣言：

第一點，我們想要從根源上重新理解作為戰後民主主義特徵之一的「婦女解放」。這並非是接續在社會體制變革之後的婦女解放（論），而是以一種自我變革來理解歧視問題。我們想要闡明，我們女性受到的歧視，和部落、沖繩縣民還有在日朝鮮人受到的歧視具有相同性質。

從飯島一九六九年的文章中，我們可以看到其對「戰後民主主義」和「現代」的懷疑，以及其認為女性解放無法被社會變革消解掉。然而在新的宣言中，她將女性解放定位為「自我變革」而非「社會變革」，並將其與「部落」、「沖繩」、「在日朝鮮人」等所面臨的歧視問題視為相同性質的問題。

飯島後來表示，這樣的宣言是「受到當時在日越南留學生賭上性命進行的抗議行動、在日中國人劉彩品小姐，以及華青鬥、劉道昌先生等人的刺激之下產生的。」[59]雖然華青鬥告發發生在這一呼籲發表的五個月後，但在一九六九年的入管法鬥爭中，華青鬥就已經展開了絕食行動，這一點已於第十四章提過。考慮到重視「自我變革」也是全共鬥運動的特徵，我們可以推測，飯島等人試圖用歧視問題鬥爭和全共鬥運動的話語來表達自己的問題。

順便一提，關於「婦人會議」這個名稱也有不同的意見。據曾為中核派成員的松岡洋子所述，當她們起草宣傳文之際，發生了以下爭論：[60]「也有人抗拒『婦人』這個詞。有意見認為，三十歲以上可以稱為『婦人』，但三十歲以下的應該稱為『女性』，有人說那就用『女人』吧，但又有人認為這樣過於刻意。雖然有著各種不同的意見，但最後大家採取了最耳熟能詳的用語。」

就像是六〇年代後半，有一些年輕人很討厭「和平運動」這一名稱，因其帶有共產黨「和平與民主主義」口號的味道，於是選用「反戰運動」一詞一樣，年輕世代也因「婦人」是「戰後民主主義」的運動用語而有所抗拒。一九七〇年春天，一位在全共鬥運動中隸屬同志社大學文學部鬥爭委員會的女學生曾這樣說道：[61]

「說到『婦人解放』的時候，總覺得『婦人』一詞是在戰後民主主義『健全』發展時才會出現的存在。這一點太令人討厭了。我們希望大家使用『女人』這個詞。」

由於包含了年長者在內的亞洲婦人會議認為，「女人」一詞「太做作」，所以採用了「婦人」這個「耳熟能詳」的名稱。然而在之後會介紹到的，由年輕女性們組成的女性解放運動團體，多數則選用「女人解放學生戰線」、「鬥爭女人法大女性解放」、「Group・戰鬥的女人」、「女戰線」這類避開了「婦人」一詞的名稱。

關於將性別歧視與被歧視部落、在日朝鮮人並列討論的這個做法，也引起了一些摩擦。在上述宣傳文發布後的一九七〇年二月，日本婦人會議的年長成員中有人提出了這樣的意見：「我對於將性別歧視與沖繩、部落、在日朝鮮人歧視視為同質的事物而輕描淡寫地看待這一點有所質疑。」[62]飯島在一九七〇年五月的文章中也提到：「將性別歧視與沖繩、在日朝鮮人、部落視為同質的歧視的問題意識，如果其理由僅僅在於認為它們的根源〔資本主義體制的矛盾〕相同，那就太過於簡單了。」[63]

然而，一九七〇年七月的華青鬥告發後，這種摩擦也消失了。在八月二十二日至二十三日舉行的「與侵略和歧視戰鬥的亞洲婦人會議」大會中，其基調報告就宣言道：「我們想要闡明，我們女性受到的歧視，和部落、沖繩縣民還有在日朝鮮人受到的歧視具有相同性質」[64]，這種論調也被之後的女性解放運動所繼承。

與此同時，該會議也強調了作為「壓迫民族」的自覺。在大會召開前夕的八月八日發布的文章中，提及了正在抗議強制遣返的劉彩品，並講述道：「我們必須深刻認識到，我們從過去到現在都是作為壓迫民族而存在著。」[65]之後，這個觀點也成為女性解放運動的基本論述。

但是會議本身並不如理想中順利。該大會在法政大學召開，邀請了越南、中國、馬來西亞留學生及斯里蘭卡代表、部落解放同盟、三里塚機場反對聯合婦人行動隊、沖繩全軍勞（沖繩美軍基地工會）等組織的代表，策劃了介紹南越解放婦人同盟、中華人民共和國和中日友好協會的訊息等等議程。[66]

然而，根據飯島的回憶，會議的第一天，中核派在會場入口揭起他們自己的口號（法政大學是中核派的據點），原本隱身於會場的戴著中核派頭盔的運動者也突然現身於講台。第二天，情況更變成「整個會場都充斥著像壞掉的錄音機一樣，不斷重複著『入管粉碎、誓死抗爭』的煽動口號」。另外，由於飯島反對社會黨切斷與反戰青年委員會關係的政策，從而被以「涉及亞洲婦人會議」為由，遭受了社會黨的黨員停權處分，隨後脫離了社會黨。[67]

在此之後，「與侵略和歧視戰鬥的亞洲婦人會議」由飯島擔任事務局長，但並未設置執行部或幹部，而是「以純粹個人參與的非組織體」開展活動。然而，根據一九九二年出版的《日本女性解放運動史資料I》的敘述，在「個別參與者問題意識的衰弱與深化、對立與擴散」的過程中，四年後該組織就「自然消滅」了。[68]不過，飯島在一九九六年回憶，該組織的會報一直發行到一九八〇年十二月。[69]

這兩者之間的斷裂，可能是由以下情況引起的。據飯島表示，亞洲婦人會議採取了類似於越平聯的原則，即「亞洲婦人會議不是所謂的組織，而是一個運動體」。然而，自一九七〇年代中期以後，該會議分化成「職業病共鬥會議」、「育休聯絡會」、「優生保護法修惡阻止實行委員會」、「反對妓生觀光的女性之會」等致力於各個不同主題的團體。到了一九七五年的大會時，亞洲婦人會議的存在理由已經讓人感到不夠明確。[70]因此，我們可以推斷，外部人士認為在一九七五年左右，該會議就已經「自然消滅」了。

這個軌跡，與一九七〇年代之後，越平聯分化為專門化的小團體並最終走向解散的過程相似。然而，不同之處在於，越平聯能夠在越戰結束的這個節點上明確解散，而亞洲婦人會議卻沒有這樣的時機。

但如接下來會談到的，自一九七〇年代後半以來，在全共鬥運動和一些黨派中歷經歧視的女性們開始組成小組。巧合的是，在「與侵略和歧視戰鬥的亞洲婦人會議」召開三天後的八月二十六日，美國發生了只有女性參加的一日罷工、集會和示威遊行，美國女性解放運動的興起得到了報導。田中美津也因在一九七〇年八月的「與侵略和歧視戰鬥的亞洲婦人會議」上散發傳單而引起關注，並開始成立「Group・戰鬥的女人」這一組織。

女性解放運動團體的主張

在描述田中美津的活動之前，我們先來概觀一九七〇年代後半開始出現於各地的女性解放運動團體的主張。如此一來，我們將能更清楚地理解當年田中思想與行動的特徵。

首先，女人「和男人同等」活躍在社會上這件事，被認為只不過是被資本主義體制吸納而被澈底否定。一九七〇年十一月「東大C四五SI二一志願者」（東大教養學部昭和四十五年度入學理科一類第二十一班志願者之意）所提出的呼籲文如下：[71]「我們才不想和男性以同樣的形態、在同樣的機構工作」。「（男人們）無法去做他們想要做的事，被企業圈養一輩子。一邊說著上司的壞話，一邊做著不喜歡的工作。與其以這種狀態就業，還不如動腦想想『釣金龜婿的策略』」。

與此同時，擔負守護家庭的女性角色一事也被否定了。在上述的呼籲文裡有這樣一段話：「（在資本主義社會中）『家庭』是什麼呢？家庭，就是將今天在勞動裡已經消耗掉了的男性作為明天的勞動力再生產，然後生兒育女，讓孩子接受教育使其變成下一代的勞動力的地方。」「在這種家庭中，我們連家庭關係都扭曲了。最心愛的丈夫……抱怨著一點也不有趣的工作，對於我們來說，他只不過是銜來每月工資的小鳥，最後難免淪為被輕蔑的對象。在對待孩子這一方面，正是因為孩子太讓人喜愛，也希望孩子能得到幸福，所以不得不近乎嚴苛地（也有因此把孩子殺掉的母親）逼迫他用功學習。」

那麼，為什麼有時候會看到女性發聲說「想要和男性一樣地工作」呢？上述呼籲文中對此說明：「你們以為我們說的『想要和男性一樣地工作』那句話是真的想奪回些什麼嗎？我們真正盼望的是，我們能夠去做自己想做的事情＝自己認為有必要的事情。」

同時否定「和男人同等」與「舊式的女性氣質」，這是當時女性解放運動團體中共通的觀點。東京外國語大學的團體「ＬＩＶ＆Ｂ」在一九七〇年十月發表的宣傳手冊《掙脫似是而非的女菁英身分！》裡，批判了「和男人同等」地活動、「漸漸地被自己是男人這樣的意識所控制而『沒有作為女人的實感』的女人」，並主張「女人想要生存，要麼只能是舊式的（作為被男人圍繞的存在而活著）、要麼得變成（和男人同等的猛烈工作狂）。」[72]

而在這一點上，年長的女性解放運動家也持相同的看法。一九七〇年八月舉辦的「與侵略和歧視戰鬥的亞洲婦人會議」的基調報告中，發表了這樣的觀點：「戰後的婦人運動裡，大家似乎希望透過擁有實質力量上的對等性來獲取男女平等」，「那不是平等而是同化，其最後將會造成加劇歧視的後果。」[73]

與此同時，「與侵略和歧視戰鬥的亞洲婦人會議」也開始關注「婦人勞動者中開始出現分化」的問題。[74]一九六八年便在電電公社[iii]擔任國立電報局長，身為女性擔任管理職的先驅的影山裕子，在其著作《女性的能力與開發》中，提倡有效利用女性勞動力。影山還於一九六九年召開了「女性力量活用大會」，並邀請土光敏夫進行基調演講，提倡若不採取「把女性戰力化」的行動，今後企業將會無法生存。

可以說，後來登場的女性主義者所關注的「女性的分化」問題——即上層的女性獲得「和男人同等」的管理職被吸納到資本主義中，而中下層的女性成為短期雇用關係裡的拋棄性勞動力，在此時便已被視為一個問題。「與侵略和歧視戰鬥的亞洲婦人會議」，就視「影山裕子」為「和男人同等」的那種上層女性勞動者的象徵，對其進行了論述。[75]

在新左翼黨派內，也發生了女性解放運動，「和男人同等」這件事遭到了批判。一九七一年七月舉行的中核派全學聯大會上，會議剛開始不久，女性運動者即對男性執行部展開了暴風般的批判。翌月發表的中核派女性運動者的呼籲文中，暴露了一九六九年「十一月決戰」時，當浮現「為何只交由女性同志做飯」這種不滿的聲音時，中核派的男性運動家發言說，在階級鬥爭的關鍵時刻，談論女性的不滿這種次要的問題是「對人民的背叛」。該文中還敘述到追問男性運動者的經過，她們對男性說道「身為女人不是屈辱的事情，無法直視自己是女人的現實，想著變成和男人同等才是問題。」[76]

在這樣的批判風潮中，一位中核派的女性幹部曾做如下發言：「只有無產階級解放了，女性才能解放。我們要發揮在俄國革命時期，不懼哥薩克士兵的槍林彈雨而衝在最前鋒的那些戰鬥女性們的精神。在今年秋天，女性全員應與鬥爭民眾匯流並走到最前線」，並呼籲女性也加入到一九七一年秋天武裝鬥爭的最前線戰鬥。然而，受到女性解放運動影響的女性運動者們，對將女性解放涵蓋在階級鬥爭中、讓女性成為「和男人同等」的戰士這類發言感到十分憤怒，批判該女性幹部「把和男人同等這件事作為自我解放的基準」，譴責她「多次背叛女性，而且該背叛還是以『女性解放』為名。」[77]

不只限於上述的例子，女性解放運動的女性們對於把女性解放涵蓋在階級鬥爭中的這種觀點，做出了強烈的回擊。

埼玉縣浦和地區一個名為「女戰線」的學生組織，在一九七〇年十月的文章中，質疑「革命中不分男女，革命成功之時便為女性解放（＝男性解放）之日」的想法為「愚蠢短路的樂觀想法」。[78]一九七〇年十月御茶水女子大的大學祭宣傳冊子中，也可以看到如下描述：「在貫穿了男性邏輯的歷史裡，這些〈女性的問題〉被解消進資產階級和無產階級的對立之中。我們女人不相信那種男人的革命。我們不相信那種一邊說著什麼民族歧視，一邊著卻歧視著女性的男人所進行的革命。」[79]

對抗「男性邏輯」，提倡「女性話語」、「女性邏輯」，也是當時女性解放運動的特徵之一。上述「東大C四五SI二一志願者」的呼籲如下：[80]「這個世界從生活方式到言語全都在『男性』的支配下，就連我們對於自身的思考，也是以男性的感覺和話語進行的。」一九七〇年十一月，飯島愛子提出「據我個人的感覺，整個世界本身、整個邏輯本身都是屬於『男性』的東西」，並呼籲「女性邏輯」

iii 譯註：日本電信電話株式會社NTT的前身。

的必要性，主張「想要把女性定位成一種否定理性主義、有用主義、生產性邏輯的存在」、「從這個角度來說，我們的婦人運動應該作為文明批判、理性主義批判展開。」[81]

女性被男性運動者在「性解放」的名義下當成性玩物這件事，也被批判為「現代主義」。多摩美術大學全共鬥的女性們，於一九七〇年四月成立「思想集團S・E・X」。在該組織成立不久之後發表的呼籲文中，便提出了「粉碎作為現代化路線的自由性愛！」這一口號。[82]

這種對於「女性邏輯」的強調，也是受汙染問題、當時流行的「現代理性主義批判」及「戰後民主主義批判」的影響。當時女性解放運動團體的文章中，亦可以看到「家父長制意識形態，隱藏在戰後民主主義的意識形態中陰魂不散」這種話語。[83]

然而，女性解放運動對於「現代理性主義」和「生產性」的批判，並非僅僅受到上述流行思想的影響。過去因為被認為無法成為「戰力」，而被排除於運動和社會之外的女性們，開始將「有用性」和「生產性」視為「男性邏輯」，並以「女性邏輯」與之對立，這亦是一個重要的層面。

森崎和江、所美都子、高群逸枝等人作為提倡這種「女性邏輯」的先驅，在當時的女性解放運動中被廣泛閱讀。如此一來，可以說當時女性解放運動的核心主張為雙面的否定：一為否定沉溺於「男性邏輯」中以變得「和男人同等」，二為否定支持「男性邏輯」的「女性氣質」。

這也可以說是一場拒絕既存的世界邏輯及其定位的運動。飯島愛子在一九七〇年十一月寫道：「女人的性的存在已經突破了當前的邏輯的世界」。[84]在提出這樣的「否定」並尋求新的自我認同的意義上，當時的女性解放運動亦與全共鬥運動有相似之處。

對「生產性邏輯」的批判，也與其他歧視問題相結合。前面提到的「ＬＩＶ＆Ｂ」在一九七〇年十月時曾主張：[85]「被『生產性邏輯』排除在外的不僅僅是女性，在資方的生產邏輯裡，無法創造社會價值的、無法被視為完整個體的身體障礙者等也被一併排除掉了」。

再者，「生產性的邏輯」是經濟高度成長的源泉。而女性解放運動也繼承了全共鬥運動拒絕該邏輯的思想。「思想集團S・E・X」的「成立集會總結」這樣陳述：[86]「口腹被滿足、性慾被滿足（原文）、有空閒打發時間，舒服愉快地生活在和平中的我們，我們的鬥爭不是應該持續否定這樣的我們嗎？」

於此同時，歧視問題被視為與女性解放運動及藉由該運動進行的自我確認密不可分。一九七一年七月的中核派全學聯大會上，一位女性運動者做出「性別歧視＝排外主義」這一定位，並在演說中指出：「為了持續做我自己，我只能與一切排外主義鬥爭，也只有這樣我才有未來」，「對我來說，入管體制是日常性的事情，與入管體制的鬥爭，是與日常性地襲擊而來的『女性氣質』的鬥爭，是與被男性同化這件事的鬥爭，是與被『女性氣質』同化這件事的鬥爭」。[87]

「與日常性地襲擊而來的『女性氣質』的鬥爭」，不僅僅是對家庭和男性強加的「女性氣質」的拒絕，還是與自己從幼年時期就被灌輸的「女性氣質」進行鬥爭。因此，像「內在的歧視意識」、「內在的天皇制」那些詞語一樣，「告發內在的女性意識」的口號也出現了。[88]

一九七一年五月發表的「戰鬥女性同盟」的呼籲文中，[89]可以看到入管鬥爭等歧視問題鬥爭與當時女性解放運動及尋找身分認同緊密相關的事例：

對你而言，「你」是什麼呢？

只有在不斷追問自己活著的意義的過程中，才能構築起對所有人都有意義的世界。正因如此，這個追問，是根本的革命論、根本的共產主義。

當支撐著支配構造的我們，沉重地承擔起清算日帝對朝鮮人、中國人、東南亞人民的血腥歷史的責任時，對我們來說，入管鬥爭將是一場遇見自己，重新奪回自我的鬥爭。……

女性「奪回主體」的這件事意味著什麼呢？

劉道昌君在東大安田講堂前，從二十日就開始了絕食！

他的居留期限在二十一日就到期了！

他向在日日本人提出了什麼樣的問題呢！

在這段文字中，尋找自我認同、共產主義和革命，以及在日外國人問題這些議題不可分地聯繫在一起，從現今把這些分別視為不同問題的觀點來看，這顯得有些奇異。然而，正如在第十四章所見，當時的歧視問題鬥爭包含了尋找自我認同的元素。在這個意義上，可以說，其與女性解放運動是同時代產物，兩者之間具有親和性。

而一九七〇年代後半以降，從當時成為其中一支運動主流的歧視問題鬥爭中，轉而加入女性解放運動的女性運動者並不少見，這似乎也是導致上述現象的一個重要因素。正如在第十四章中提到的，一位明治學院大學的女學生，因華青鬥的告發而產生了「歷來的新左翼行動，或許真的只是『革命遊戲』而已」的疑問，並投身入管鬥爭。約一九七一年十月左右，她在日記中寫道：「為了邁向真正的女性解放，我想成立一個團體」，不久後便將行動的重心轉移到了女性解放運動中。[90]

這種對「男性邏輯」的違和感、「追問自己活著的意義」的要素，似乎也是她們對自己參與過的運動的一種反應，即對運動中缺乏現實感這一事情的反動。一九七一年三月，「戰鬥女人法大女性解放」發布了一篇文章，標題為〈不再去『支援』了！〉。在這篇文章中，她們表述說自己在三里塚鬥爭時「想要做點什麼，想要幫上忙」而前去支援，然而「自己的參與方式，終究還是只有『支援』而已」，「換言之，那並不是對我來說的鬥爭」，她們並呼籲「所有的女人們啊，堅守在妳自己的土地上！」[91]

「思想集團S・E・X」的文章也主張：「身為學生，意識到自己是勞動力商品工廠的產物，是歧視機構的一環等等之類的，並在這種認識上構築我們自己的道路，這確實沒有錯，但卻有種應該要這麼做，如果不努力的話，那個東西就會消逝得無影無蹤的感覺，讓人感到很虛假。因為是這樣所以應該這麼做的理論，以及被那種理論割捨掉的自己的感覺，學生的女性解放運動，正是因為在這兩者的夾縫中感到了焦躁，所以才是女性解放運動」，「我們不想陷入表面上的形式論。這種東西無法填滿有著巨大空洞的內心。」該團體將這種相對於「理論」的感覺稱為「肉體」，並訴求「奪回我們的肉體」。[92]

在一九七一年七月的中核派全學聯大會上，一位女性運動者的演說，也訴說了她過去都「在男性的指揮下，完全沒有任何討論地參加了」鬥爭，並主張透過女性解放運動來「認識自己」。[93]飯島愛子也在一九七〇年十一月寫道：「男性是將存在還原為知，將客體對象還原為理性」的「理解式的存在」，而「女性是感覺式的存在」，而「他們就算可以理解入管法和入管體制，但無法真正感同身受。他們雖然可以分析，但無法了解」。[94]

當時女性解放運動的特徵，有一種表明自己曾被「男性邏輯」所說服、參與沒有現實感的鬥爭時感受到了違和感。北海道的團體「Metropoliten」[iv]在一九七一年四月的機關報中也表示，在以往的鬥爭中「感到有些東西無法透過鬥爭來解決」，並呼籲「從自己的問題出發，去進行在鬥爭中探究自我生存方式的運動」。[95]

因此，當有媒體認為日本女性運動的出現，是因為受到了美國女性解放運動的影響時，許多團體都感到十分反感。自己努力構建出來的運動被視為「進口貨」或「借來的東西」，這讓她們覺得受到侮辱。

浦和「女戰線」主張，「女性的運動絕非是受到從美國而來的流行趨勢影響才存在的……對女性來說是一種必然的radical（根源的）的東西」。[96]在東京成立的「激進．女性解放團體（Radical．Lib group）」也在一九七〇年十一月表示，「日本的女性解放運動是進口貨、女人們無法抗拒舶來品等等，這類媒體和男性的單純的批判，甚至不值我們一駁。」[97]

而這些女性解放運動的主張，也受到了新左翼黨派的批判。一九七一年十二月一位中核派女性運動家提出了對女性解放運動「最為尖銳的攻擊」，她所舉的例子是：「女性所提出的問題裡面只有女性解放。妳們對於那些『障礙者』、被爆者、部落民、沖繩縣民、在日亞洲人民持什麼立場？」[98]飯島愛子也於一九七〇年十一月寫道：「某一個研究部落問題的團體問我們，妳們覺得部落受到的歧視是與女性受到的歧視一樣簡單嗎？而新左翼某個黨派的人問我們，朝鮮人僅僅是因為自己是朝鮮人就遭到了大屠殺，女性有遭遇過那麼悲慘的事嗎？」[99]

對於這些問題，飯島回應：「歧視問題不分哪種更輕、哪種更重，不應該被排名」。[100]並回應上述中核派的女性：「不但未曾向性別壓迫進行過鬥爭，甚至還作為革命組織進行壓迫，這樣的組織對著女人問道：對於在日亞洲人的立場是什麼，沒有比這件事更為嚴重的犯罪行為了，這是在利用在日亞洲人民，掩蓋壓迫的根源」。[101]

如果是來自被歧視者當事人的批判的話無可厚非，然而借用被歧視者的權威，試圖非難女性解放運動的話就是一種「犯罪」。這個反駁，恰恰指出了當年歧視問題鬥爭中經常存在的問題。而對於如前述那樣，將歧視問題和女性解放運動不可分割地連結在一起的女性們來說，上面那種批判應該完全是屁話吧。

對於女性解放運動的另一種批判是，這些否定「男性邏輯」的女人們，是在建立一個只有女性的團體。當時的左翼運動中，人們普遍認為作為勞動階級，男女應該團結一致以革命為目標。一位明治學院大學的女大學生回憶道，一九七二年，她們在入管鬥爭中試圖組成女子解放運動團體時，「來自校園內黨派的譴責蜂擁而至，批判『成立只有女人的團體是為階級鬥爭帶來分裂的反革命行為』」。[102]

對於這樣的批判，一九七〇年十一月「激進．女性解放團體」曾做如下敘述：[103]「為了認識到自己是被壓迫者，為了確立主體，女性解放運動首先必須只能由女性來進行。」「雖說男人和女人都是被壓迫者，需要團結起來革命，然而這樣最終會敗給男性排外主義的心理作戰。」可以說，這些是在此前的運動中，經歷了男性領導者流利的「男性邏輯」的傷害才會說出的話。

但是建立只有女性的團體，是否會變得以自己的手將「女性」的框架實體化呢？一九七〇年十一

iv 譯註：Metropoliten，俄語，意指「地下鐵」。

月，「女戰線」曾這麼說：[104]「我們是為了『女戰線』不再需要被刻意冠上『女』這個字的那一刻而戰鬥。」「女戰線是過渡的存在」。

接著，對於女性在大學中是在學習「男性邏輯」的學問這件事，一位在一九七一年七月的中核派全學聯大會上演說的女性運動者提到：[105]父親強迫她去女子大學，但是她「哭著進行了反抗」，「升學到男學生佔比九十％以上的學部中，終於從被強加的『女性氣質』中逃脫出來。」但在那裡，她又「不得不努力變成和男性一樣優秀的女性，我對這樣的自己感到憤怒。」儘管如此，她這麼述說自己念大學的理由：

「大學，是現代的象徵。是男人在戰爭和剝削中創造出來的文化的最後一個醜惡的象徵。我沒有被謊騙過去。把敵人的武器變成自己的力量——這是我唯一承認的上大學的意義。」

旨在解體「女性」這個被強加的框架的運動，刻意反過來以其框架作為連結軸進行，這一做法，稱為「策略性本質主義」，在八〇至九〇年代女性主義或後殖民理論中獲得提倡。而為了能夠獲取「敵人的武器」，因此在「敵人」那裡學習的這種論述方法，亦在八〇至九〇年代，被曾留學於殖民地宗主國的學者及女性主義者所倡導。

前文提到的「女性的分化」，也是在九〇年代以後的日本備受矚目的論點，但這樣的理論和論點的萌芽，實際上在七〇年代初期的女性解放運動中就已經存在了。田中美津在一九九八年的座談會上說：「當今女性主義的主張，在那個時候就已經全部被提出來了。」[106]

順帶一提，上野千鶴子在一九九八年的著作《國族主義與性別》中，提倡「『女性』的解體」，認為「女性主義對於名為『性別』這個變數的發現，就只是為了將其解體而已。」[107]而她在一九八八年的散文中也說道：「我為了表達自我而學習的詞彙，其實都是從男人的學問裡學來的。一旦學會了敵人的作戰方式，就能夠用與其相同的武器，切入到對手的內部。」[108]

上野在一九八七年與田中美津的對談中這麼說：[109]「每當別人問我，妳的女性主義是什麼，我都會說，簡單來說，就是基於女性解放運動理論所做的延續。我真的認為，自己所寫所說的，全都不是新的東西，而是美津小姐等人在十年前全都說過的話。」由上野等人編纂，從一九九四年開始發行的全八卷的資料集《日本的女性主義》，在其編者序文中這麼寫道，「日本的女性主義既非從歐美借來的東西，也不是進口貨。」[110]

如此看來，我們可以發現，與其說上野是女性解放運動的繼承者——不如說她是為了成為繼承者而努力的人。實際上，上野在經歷武裝內鬥和聯合赤軍事件之後，無法對共同行動一事產生共感，從而在七〇年代後半開始接觸女性學，但她並沒有參與七〇年代前半的女性解放運動。[111]我們或許可以推測，正是這種沒有參加女性解放運動的內疚感，致使她有意識地努力成為女性解放運動的繼承者。

「找不到話語」的苦惱

一九七一年七月十五日於豐島公學堂召開的中核派全學聯第三十屆大會上，這些女性解放運動的女性們的憤怒，和既存黨派發生了激烈的碰撞。這場大會的混亂，由於革馬派入手了當時的議事紀錄，並為了攻擊中核派而將其發行成宣傳手冊而為世人所知。

大會的混亂，起於兩名女性被任命為書記一事。對此，東京外國語大學的女性運動者抗議道：

「為何女性同志只會被男性任命為書記呢？」而且，被安排當書記的女性運動者發言說道：「在大會即將開始的時候，中執委要我擔任書記，當我表示拒絕的時候，他們對我說，妳這是要與『沖繩鬥爭』為敵嗎？這句話裡存在著對女性的歧視。」之後，書記變成由一男一女擔任，但被大家猛烈批判為「完完全全的形式主義」，大會第一天的會議時間就這樣用完了。[112]

在大會第二天，會議開始時中央執行部代表在會上進行了自我批判。然而女性運動者們對此並不接受，因此發生了上述高喊「把敵人的武器變成自己的力量——這是我唯一承認的上大學的意義」的女性運動者開始演講的一幕。

這一演講的開頭為，「首先我必須要聲明確認的是，我們女性，現今能夠用女性的話語來訴說我們自己，這個成就在日本階級史，不，是在至今為止的馬克思主義運動史上具有劃時代的意義。」其後她批判男性運動者和幹部「你們把自己的老媽圈養起來，卻喊著什麼要打倒體制，這也太奇怪了吧」、「是你們在座諸位殺了我們這些女人」、「不想讓你們繼續活下去了」。接著形容那些遵循中核派執行部方針、認為女性問題應該被包含在階級鬥爭內的女性幹部為「最為尖銳地背叛了女人的、自稱革命左翼的女人們」。[113]

在此聲討中，男性運動者們開始接二而三地進行如下的自我批判。[114]

「因為一年級的女學生籌集到了很多捐款，所以我摸著她的頭對她說『真是個好孩子』。這種行為是對女性的侮蔑。」

「我和某女性一起同居。到現在我的考量都是不希望她遭受到危險，然而這是一種對女性的歧視。」

「至今為止，我們一直以『男中核』、『女革馬』來嘲笑革馬的軟弱。然而，把『女人』當成標籤貼在革馬這種反革命的團體上。這完完全全是對女性的蔑視。我要深刻地自我批判。」

「雖然我現在不知道要怎樣做才是對的，但是我希望女性們不要離開〔中核派〕全學聯。」

中央執行部也表明：「我們曾經對女性運動者存在歧視意識，我們對此進行自我批判，我們曾給女性同志帶來了歧視和屈辱，對此我們亦要進行自我批判。而對於曾經將女性排除在中央執行部之外一事，我們也要進行自我批判。」馬學同的副委員長也自我批判道：「我作為革命家的生活也是腐敗的。我需要從根本上重新思考革命家在女性的供養下從事運動一事的適切性」。接著，女性運動者也自我批判道：「我曾經因為自己在戰鬥，所以認為自己比其他愚蠢的女人優越，我也有過這種對女性的蔑視。」

然而，對於這種包含了只要讓女性站在最前線就好的要素在內的「自我批判」，女性運動者們相繼表示「完全沒搞清楚問題所在」、「別再說什麼自己批判，自我揭露了。越聽越無感。」在此之後，直至大會結束，大會都在處理這些問題。

然而，男性運動者們雖然在大會上進行了自我批判，但他們的意識並沒有什麼改變。某位中核派幹部在大會結束後的採訪中說道：「總之，只要不進行『革命』，就無法真正實現女性的根本解放。」另一方面，散播了這個議事紀錄的革馬派運動者也說道：「小林多喜二《黨生活者》中那種低層次的女性問題到現在都還沒有被解決……。確實，中核派的組織性頹廢在此已經暴露出來了。」這段話暴露出「女性問題」被定位成「低層次」的問題。[115]

然而，上述當時的女性解放運動中，提出的問題雖然很犀利，但是也有一個問題。那就是，並未明確說明，最為關鍵的「女性的話語」到底是什麼。

從當時的女性解放運動團體或運動者們發表的文章中可以看到，有很多都在強調創造自己獨特的話語，如「不要背誦（男人的）話語，而要創造出自己的話語」（「女戰線」）、「要把自己的存在話語化，把話語實體化」（「LIV&B」）、「要尋找可以表現女人的——我的——存在的話語」（「Metropoliten」）、「要獲取反叛的話語」（「激進・女性解放團體」）等等。但是她們真的成功做到了嗎？實際的情況是，她們因「找不到話語的沮喪」（「LIV&B」）而感到煩悶。[116]在全共鬥運動中見到的「找不到話語」的現象，同樣也發生在女性解放運動裡。

一九八八年，上野千鶴子也在提及自己從敵人的「武器」，即「男人的學問」那裡獲得了話語之後，於文章中緊接著如此寫道：[117]「同時，那種如殖民地第二代被剝奪自身話語的悲傷與沮喪縈繞在心頭。」「只有通過外語才能表現自己的這種痛苦——我能深深地體會到那位流亡作家〔蕭沆（E. M. Cioran）〕的嘆息。因為女人面臨的狀況也很相似。當我們想要表達自己時，那種語言已經被男性建立的意義和邏輯所汙染了。在此之上，比蕭沆更糟糕的是，對於女人來說，『失去的母語』到底是什麼？甚至沒有人能尋找出它的痕跡。」

運動的方法也同樣如此。據米津知子在一九八五年回憶，全共鬥運動挫敗後，男性們都進了有名的企業工作，但大學畢業的女性卻連求職也沒做，出於「對自己未能開花、正被封閉起來的不安和不滿」而展開了運動。然而，卻「完全不知道到底要進行什麼樣的運動」。不過，「女人的自我發現」、「我到底是什麼樣的人」這樣的衝動開始推著自己。[118]

能夠更好地表現她們的願望的，與其說是邏輯性的文章，不如說是像以下這段，由隸屬北海道

「Metropoliten」組織，當時即將迎來成人式（在札幌十九歲舉行成人式是慣例）的十八歲女學生所發表的，如詩一樣的文字：119

沒有美貌，沒有才能，沒有金錢的我無比清楚，我的明天絕非光明燦爛。但是，儘管如此，我也想要好好地活一回。……

我　如同神經質的思春期少女一樣　不想忘記去問為什麼　為什麼
我　並不想要一個可以回的家　我也不想幻想什麼光明的未來
我只想在「現在」把自己的重量全都背負起來　我想背負起來向前奔去
明天的我也許會崩壞　但我的眼裡只有「現在」　我想要向前奔去
帶著無法言喻的話語　帶著憤怒和憧憬
我　不是什麼成年人　不是什麼小孩子　不是已經被命名的存在
我　我　只想執著於自己　莫名其妙地就如此悲慘的自己

這篇專注於描述「私我」和「現在」的文章，雖然稚拙，但卻表達出了女性解放運動中年輕女性們的心境。而有著將這種心境更為巧妙地表達出來的話語，並身為該時期女性解放運動代表人物而為人所知的，就是田中美津。

田中美津的經歷

田中美津，據說是因為她在一九七〇年八月的「與侵略和歧視戰鬥的亞洲婦人會議」上獨自一人發放傳單，而開始受到關注。日後與田中組成「Group・戰鬥的女人」的町野美和，在千葉大學全共鬥時期因為墮胎等經歷而組織了團體「女忍者」，她如此回憶在亞洲婦人會議裡現身的田中：[120]

「七〇年八月，在法政大學舉行了兩澤葉子小姐的演講。那時一位穿著白色迷你裙的嬌小女性，在樓梯教室後方不知道在大喊著什麼，還邊發放手裡的傳單。中核派的女性們紛紛上前制止。因為她看起來有點可憐，於是我也開始幫忙發傳單。那就是我與田中美津小姐的相遇。」

出生於一九四三年的田中，根據她的著作內容，她在受到一九六七年十月山崎博昭死亡的衝擊後，於一九六八年一月的新春攻勢時期，偶然接觸到幾位為了戰爭救援而登門募款的在日越南青年，她「直覺」地感受到「越南戰災孤兒就是我啊」，於是展開了越南戰災孤兒的救助運動。根據她本人描述，她先前「與反戰一點關聯也沒有」，被周圍當成「非《週刊女性》和《女性自身》不看」的「愛跟風的人」。就連運動的方式也完全是自行摸索，「在《朝日新聞》的告示板上發起『要不要一起創建越南戰災孤兒救助會呢』的公告後，突然就聚集來了好多人」，她發起了送花給響應戰爭孤兒募款活動的人、將日本各地募集而來的手工人偶送到越南等等的行動。[121]

然而，這些活動並沒有持續太久。田中的個性，好聽一點是忠於自己的感性，說得直接一點，是依據自己當下的「直覺」屢次改變行動，卻沒有回顧過去的習慣。

首先田中認知到，日本的經濟高度成長仰賴於越南特需，也注意到「只要美國不停止侵略行為，哭泣的孩子就不會減少」，因而從戰爭孤兒援助運動轉為關注反戰運動，成立了市民團體「反戰我呸[v]」。同時，由於家住本鄉通，對東大鬥爭抱持關注，於是在一九六九年一月的安田講堂攻防戰時參加了神田拉丁區鬥爭。雖然也參加了一九六九年的「十一月決戰」，但「反戰運動迎來了倒退期，即使是我這樣沒進行過什麼像樣的鬥爭的人，也和其他人一樣深深地被挫折感擊垮。」那之後，雖然和曾在安田講堂搞籠城抗爭的男性同居，卻也只是「度過了一段空虛的日子」。[122]

在這樣的狀況下，田中得知一位在戰災孤兒救援活動中認識的越南青年，可能將被以參與反戰活動為由遭到強制遣返的事件，以此為契機，她開始投身入管抗爭。也由於當時的女性解放運動與歧視問題、入管鬥爭密不可分地開始興起，她回憶道：「參與這場抗爭，是我得以連結上女性解放運動的契機。」[123]

使田中從入管鬥爭朝向女性解放運動發展的契機，是因為她閱讀了精神分析學家威廉・賴希[vi]（Wilhelm Reich）的著作《性與文化的革命》。她在此與「人類意識結構的核心是性」這一話語相遇，使田中「直覺感受」到「自己那麼長時間以來一再地切剖自己的理由，因為這一句話而瞬間變得清晰。」[124]同時，她與同居男性的關係，據說某種程度上也引發了她對性問題的深入思考。從那時起，她開始投入女性解放運動。

從溫和的救援運動轉而參加街頭鬥爭、在運動衰退後帶來的挫折和空虛感中步入同居生活、接觸

v 譯註：我呸（あかんべ）是指用手指翻開下眼皮，同時吐舌頭做鬼臉的動作。
vi 譯註：威廉・賴希，奧匈帝國出身（現烏克蘭）的佛洛伊德學派心理學家。

入管鬥爭，並從此走向女性解放運動，田中的這種經歷，在當時的女性運動者中算是相當常見的歷程。

然而，田中與當時多數的女性解放運動者相比，有著稍微不同的經歷。首先，她並未就讀大學，而是在高中畢業後進入宣傳公司工作，但因為和上司間的婚外情，在九個月後就辭職了。之後，她住在原本是魚舖而當時變成外燴料理店的老家，「重複著抹布擦地的工作卻心事重重」，整天苦惱地認為「我是個失敗者」、「我是個悲慘的人」，過著「每天都充滿不安」的生活。因此，她表示自己會開始參加各類運動的理由，是「當時的我只看見自己心中的空洞，無論如何都想填滿那個洞。」[125]

再者，雖然她參與了街頭鬥爭，但並未接受過黨派組織工作的招募，她的「反戰我呸」據說大多與越平聯保持「若即若離的關係」，相互提攜參與溫和的示威遊行。在二〇〇九年的一次訪談中，被曾為京大全共鬥運動者的上野千鶴子問及，是否曾經在全共鬥或某個黨派中經歷過性別歧視而受傷的經驗？田中回答道：「我沒有上大學，所以沒有在黨派中受到傷害的體驗。」她表示自己在街頭鬥爭中也從未扔過石塊。[126]

當田中展開女性解放運動時，她已經二十七歲，高中畢業後一度丟了工作，一邊消磨掉當時的適婚年齡期，在老家住了一段時間。用現在的話來形容，田中就是「住在自己家裡的自由工作者」，以當時來說就是「大齡單身女」，這也難怪她會說自己「每天都充滿不安」，並且拚命填補「心中的空洞」。對於田中來說，這些才是迫切的問題。比起前文那些女性解放運動的女性們，進入大學後面對到全共鬥和黨派內部的性別歧視，田中的經歷相當特殊。

另外，當時田中自稱是「做什麼都不長久的女人」，在她的經歷中「幼稚園、畫畫班、芭蕾舞、週日學校、英語會話、打字課等等，每次嘗試都半途而廢，稍微久一點的也只堅持了八個月。」根據一九七二年的著作，「剛開始女性解放運動時，碰到了一位老友，對方把臉湊近看著我問，這次會長久持續下去嗎？」[127]就結論來說，她的女性解放運動也只從一九七〇年開始持續了四年多而已。田中在一九七五年離開日本前往墨西哥，之後轉行成為一名針灸師。

田中在一九九六年寫下，「對於過去做過什麼、發生過什麼之類的，我完──全不感興趣。『現在』才是一切，只有『現在』才是現實。」在二〇〇四年的演講中，她表示「談論過去的事情已經讓我厭煩到難以忍受了。」[128]儘管如此，七〇年代初期的田中，仍是日本女性解放運動中最受矚目的人物之一。

在運動初期發放的一系列傳單裡，包括使田中廣受人知的〈從廁所中解放〉，如同許多田中筆下的文章一樣，大多不屬於邏輯性的內容（如果讓當時的她來解釋的話，她會說因為自己寫的不是關於「男性邏輯」的內容，所以這是理所當然的），而多少有些難以概要。另外，在這些傳單中也認為女性的壓迫「尚未被話語化」[129]，在這層意義上也近乎於無法歸納，然而總的來說，主要有以下內容。

首先，在當前的「私有制經濟體制」中，實施了名為「一夫一妻制」的女性私有制，導致應為自由溝通的性行為被壓抑。即便如此，當前流行的「自由性愛」，只不過是「將女性當成〈排泄性慾的〉廁所的男性意識射後不理的耍帥表現而已」。在現行體制下，女性充其量只是供男性方便的「母親」或「廁所」一般的存在。而「名為處女的私有財產」則被當作至關重要的人生大事，「依循著從男性母親那裡傳承下來的『女人』形象」，作為「討人歡心的小可愛」，被限制在一夫一妻制的框架中。[130]

接著，如果考慮到「從軍慰安婦這個大型廁所集團」中「大部分是朝鮮人」的事實，藉此深入挖掘女性問題，就能與「我的沖繩」和「我的安保」相遇，也能將入管體制視為自己的問題。並且，在將「對社會和男性積累起的怨恨」「運動化的過程中，逼近國家的起源、打破對男性和對自己的幻想」，最終目標是「透過實現女性解放及女性的性解放來獲得人類解放」。[131]

田中在一九七〇年八月的傳單中問道，「在叢林中發生的戰鬥，與妳相遇的接點是什麼呢？」這顯示出她還未有真正將越戰反戰運動視為「自己的問題」的現實感。另外，她也提到其他如「睜眼說瞎話的事已經夠多了」，或者「直覺地感受到『啊，那樣不對，只是邏輯作為邏輯在不斷地展開。這並不是本質』」，似乎對當時的運動以「男性邏輯」強行將越戰和安保牽拖成「自己的問題」感到違和。接著，關於上面這個問題，她的回答是，「對於我們女人來說，〈越戰和自己的〉接點就是『女人存在本身』。」[132]

田中的傳單和文章，有著從讀者的角度可以有各種不同解讀方式的特徵，單從上述概要，可能難以理解她的傳單為何對當時的女性如此具有魅力。當時的女性解放運動者首藤久美子回憶道：「〈女性解放運動〉既不是一個組織體，甚至也不是個有什麼特別的理論支撐的運動。非要說的話，唯一共通的就只有解放身為女性的『私我』這一點，其他的就是，有多少試著自我解放的女性，就存在著多少種女性解放運動。」[133]那麼，或許有多少個對田中的傳單產生共鳴的女性們，就存在著多少種對傳單的解釋吧。

批評家有馬真喜子如此描述一九七〇年末聚集在田中周圍的女性們：[134]

N小姐。新聞社外勤。看到〈田中發放的傳單之一的〉〈情慾解放宣言〉後開始參加。雖然參加過越平聯，但對於將政治問題內化為自己的問題的說法，一直覺得不太對勁而感到焦躁。此時，她遇見了這張傳單，意識到在「自己」的內心中，缺失了「女人」的部分，「自己」變成了一個像是裝腔作勢的優等生一樣的抽象人類。

M小姐。從小時候開始，就被母親命令「去做飯，去打掃」，並被灌輸這是為了結婚做的重要準備而一直有所反感。在大學參加全共鬥，與男孩子一樣搞著街壘封鎖，也做了武鬥訓練。然而，到了今年二月，開始與男孩有了肉體關係之後，非常驚訝自己變成了一個只知道迎合男性的臉色、乖巧順從的可愛女孩。之後懷孕、墮胎，在這過程中不斷地煩惱地思考著：人是什麼，女人又是什麼。她甚至懷疑全共鬥運動中其實並未包含「女人」的解放。當她在亞洲婦人會議的時候拿到〈情慾解放宣言〉和〈入管法與禁止墮胎法與……〉，終於明白了自己追求的是什麼。

……

K小姐是雙薪家庭的主婦。雙方都堅持認為煮飯和洗衣是女人的事。如此一來，她為兼顧事業和家庭，總是在忙碌奔波，片刻也無法好好地活著。首先要打破這個模式——就算家裡有多髒也不出手整理。這是她正在實行的日常鬥爭。

就算只看上述的三位女性，她們聚集在田中身邊的原因和背景也都不一樣。然而，藉由閱讀〈從廁所中解放〉等田中的傳單，發現了自己難以言喻的「現實感的缺失」和「現代的不幸」，從而「恍然大悟」的女性並不少。

原因在於，田中拒絕表面的「男性邏輯」，提出能使自己感到現實感的戰鬥。另外，如同武田美由紀——不久後以田中為中心開設的女性解放新宿中心成員之一——的評價：「田中小姐的話語聽起來非常詩意。」相反，據某位中央大學的女性運動者的說法，男性運動者們則評論「田中美津小姐的話就像外語一樣難以理解。」[135]

可以說，田中的傳單以各式各樣的形式點燃了女性們長年來鬱積的無法言喻的問題意識。就這個意義上來說，「非常詩意」且在邏輯上難以彙整的田中的文章，可以說也與「自我否定」這個詞彙十分類似，發揮了讓每個女性都能自由地讀取自己的問題意識的功能。

此外，田中受到關注的原因，似乎還有兩點。

其一是田中的外貌。她在這段時期的傳單中，強調過去的婦女運動是「很不帥氣」的「全醜女聯的運動」。相對地，她主張「我們的女性解放運動很帥氣」。[136]或許也因為如此，她總是注意著自己的穿著，被當時的年輕女性們認為是「很帥氣」的存在。

例如，一九四九年出生的小泉美代說，在一次集會上「田中美津小姐全身清一色黑、腳踩著這麼高的全黑高跟鞋，看起來非常帥氣」，因此她開始加入女性解放運動。[137]一九五二年出生的北山黎子也回憶道：「第一次見到美津小姐是在一九七〇年的十．二一集會上。她覆蓋著黑色面罩，頭戴黑色頭盔，一看就知道是女性解放運動者的裝扮。我當時高三，因為想知道女性解放運動是什麼，所以興奮地去參加，結果真的有這樣的人存在，當時我想，這就對了！（笑）」。[138]

田中是個身高約一百五十公分的嬌小女性，在二〇〇四年的演講中，她如此描述：[139]「我一直都很重視穿著。」「這次的演講也一樣，我最一開始想的是要穿什麼來才好。」如前文所述，她在一九七〇年八月的亞洲婦人會議上發放傳單時，據說穿著一件白色的迷你裙。

六〇年代中期之前的運動者們，大多把關注服裝看作是某種小資產階級的表現。在當時的示威遊行中，必須得有將要面對機動隊管制的覺悟，即使是女性也必須身著「抗議風格」的牛仔褲和運動鞋。

另一方面，在一九七〇年左右，隨著經濟高度成長的進展，年輕人之間逐漸流行起對「帥氣」消費文化和時尚的嚮往。田中在一九七〇年以白色迷你裙和黑色高跟鞋之姿亮相，除了突破了從前的「抗議風格」，可以說也是受到消費文化的刺激而出現的「帥氣」穿著。

此外，田中受到關注的另一個原因是，她強調自己在幼年時遭受過家中男性幫傭的性暴力，在血液檢查中也出現梅毒的陽性反應，因而被看作「性暴力受害者」的象徵性存在。町野美和回憶道：「美津小姐吸引我的地方就是，她不避諱暢談自己是性暴力受害者的經驗。」[140]

町野自己，如前文所述，參與了千葉大學全共鬥的活動後，曾有過性行為和墮胎的經歷。當時，擁有這樣經歷的前全共鬥或新左翼運動的女性並不少見。田中的存在，成為了男性底下「性暴力受害者」的象徵，因此贏得了女性們的信任與尊敬。

然而，「性暴力受害者」的形象，似乎也是當時田中選擇性塑造出來的一面。確實，田中在幼年時曾經遭受家中幫傭的性騷擾，不過如後文所述，她在一九九五年的一次採訪中表示「像玩遊戲一樣，挺有趣的」。而在一九九八年的座談會上，田中則這麼描述在女性解放運動期間的自己：[141]

人類是一種需要故事的生物。例如，從前我一直糾結於自己又矮又醜又不受歡迎。但另一方面，我卻不想正視這件事。因為那很痛苦。於是，我緊抓著六歲時遭受的兒童性虐待，創造了一個全部的不幸都源自於此的故事。因為，讓自己成為受害者，對我而言是一種救贖。

這段話，對於把田中當成「性暴力受害者」象徵的人、或者因她的傳單而覺醒並拒絕成為「討（男性）歡心的小可愛」的人來說，或許會感到意外。在一九九六年的文章中，田中提到「真實有很多種樣貌。以個人來說，其取決於自己採納什麼樣的故事。」[142]

事實上，田中時常更動自己生命史中的「故事」。例如，田中在一九七二年的著作《致生命中的女性們》中提到，父親對妻子施以暴力，母親的性冷感讓她無法對女兒傾注愛，「『性冷感的女人』於我而言，是『絕望』的象徵，體現出一種最沒有價值的存在」。「母愛神話中，我是被否定了的孩子」，因此她說自己在成長過程中下定決心「絕對不要變成母親那樣」。[143]

然而，田中在一九九〇年代和二〇〇〇年代的訪談或演講中，卻形容母親為「直覺上是個正直的人」、「完全沒有對我說過『明明是個女人卻怎樣怎樣』這類的話」。關於父親則是只評論「對父親的印象很淺薄」，她也提到「我常常被說『田中小姐生在一個好家庭，所以才能健康地成長呢……』」。而在一九七二年描述父母時，她則談到「我家的父母蠻橫且極具支配慾，所以讓我變得不幸，我是家庭帝國主義下的犧牲者。接觸新左翼運動後，我開始這麼想……。明明我家根本和帝國主義還是什麼的一點關係也沒有，但卻隱約覺得自己好像理解了什麼。」[144]

此外，田中對於自己「故事」的更動和矛盾並沒有抱持否定意識。如同後文所述，她在參與女性解放運動期間的主張，是原封不動地肯定著矛盾的自己，並且，她在二〇〇四年的演講中表示「我對一直做同一件事很不擅長」。[145]

更進一步說，當時的女性在二十三到二十四歲之間結婚是常態。一九四三年出生的田中，也在二十三到二十四歲時進行了兩次相親，但因梅毒檢測呈陽性反應，她認為「骯髒」的自己沒有結婚的資格，主動拒絕了進入婚姻。[146]

這一點，顯示了儘管她提倡跳脫現有的性規範，但實際上她自己仍受制於當時的性規範。在二〇〇四年的演講中，她形容參與女性解放運動之前的自己：[147]「年輕時不都想要受歡迎嗎」、「我真的很努力了。從《女性自身》和《週刊女性》學到的，和男人對視時，要先將視線放低，想像畫出一個V字形後再向上看之類的，我超級認真的在練習……」。

當時，二十七歲的女性，一般來說都已經結婚並育有子女，或者從事學校教師等職業。然而，田中在高中時離家出走，又如前述就業後也失敗，之後「打工經常遭到解雇」，每天過著「只有悲慘能證明自己存在的生活」。[148]在田中參與女性解放活動後不久，某次接受媒體採訪時，她考慮到「說自己二十七歲，恐怕會被認為是在搞什麼大齡單身女洩恨運動吧」，因此為了「可以看起來年輕一點」而撒謊表示「自己二十六歲」。[149]

正如前面所述，以現在的話語來說，田中是一個超過適婚年齡的自由工作者，以當時的話語來說則是個「大齡單身女」。因此，田中身著白色迷你裙和黑色高跟鞋一個人發放傳單的行動，可以說是相當有特色的破天荒行徑。田中在二〇〇一年表示：「我總覺得，以不羈為命的我的女性解放運動，似乎被那些穿著緊身洋裝、透明衣、畫著黑臉辣妹妝的年輕女孩們以她們的激進微妙地繼承了下來」，一九七二年的著作《致生命中的女性們》一書中記載：「我的女性解放」是「忍受了二十六年悲慘歲月後的起義」（當時田中公開的年齡是二十六歲）。[150]

正如第二章所述，或許是處於「大齡單身女」的自由工作者狀態下，讓田中也因心理不安而飽受厭食症的折磨，「沒有明確的原因，卻常常在半夜醒來哭泣。」接受梅毒血液檢測也不是因為有病症，而是「某一天突然萌生某種強迫性的想法，擔心自己的血液是否變得骯髒」，而試圖尋找自己痛苦的根源所得來的結果。在此之後，她轉而認為「在汙辱中也存在生命的可能性」，「我，想要活下去」，「我只有這個念頭」。[151]

田中在一九六八年遇見了在日越南青年，「直覺」地感受到「越南戰災孤兒就是我啊」，開始了越南戰災孤兒救援活動。這些行動，發生在前面這樣的情況之下。隨後，她全心投入這項活動中並表示：「累積的感受一次全部噴發出來，成為了一條急流，流向了『我的越南』。」[152]也就是說，她在越南戰災孤兒救援活動中，找到了能突破「只有悲慘」的日子的出口。

另一個讓田中一腳踏入運動的原因是山崎博昭的死亡。但對她來說，山崎的死亡所帶來的，並非像其他許多運動者一樣，是藉由山崎的死而再次喚醒對於戰後和平教育的理念。

當時的田中，抱持著自己是遭受過兒童性暴力的「有罪的孩子」的自覺，而且在梅毒檢測呈陽性後，她也認為自己是個「恥辱」的女人而苦惱。因此，在《致生命中的女性們》一書中，她甚至寫道：「我是一個『罪人』。本不應該出生的人。」這或許也受到當時身為「大齡單身女」自由工作者的自卑感所影響。田中從山崎遺留的筆記中找到了一線光明，筆記內容這麼寫道：「我們的生命，意義在於為了淨化罪惡」。她「直覺」地認為參與運動可以實現「罪的淨化」。[153]

之後，不論是投身反戰運動，又或是與男性同居時，她對於擺脫「悲慘感」、「空虛感」、「罪」和「恥辱」的渴望似乎並未改變。她在一九六九年一月參與了神田拉丁區鬥爭時，「直覺」地感受到

「現在一切的歷史正在遭到質問」，並獲得了「令人目眩神迷」的滿足感和狂喜。而在運動退潮時，她陷入挫折感和空虛感，與一位退出新左翼的男性同居。在那時，她表示身為「罪人」的自己，「透過侍奉那個男人，幻想著自己被『革命』所擁抱。」[154]

一九七二年，田中從戰災孤兒救援活動轉往街頭鬥爭，又輾轉進入同居生活。在這個過程中，「我活著是為了什麼」和「我是誰」的問題在她腦中揮之不去。她還提到當時自己的困擾是「並未活著的實感」，參與示威遊行和街頭鬥爭「是因為在組成陣形、唱著《國際歌》的過程中，能確實地感覺到自己就在這裡。因此，心底暗自期待著與機動隊的衝突，這也是為了想要更強烈地體會那種實感」。[155]可以說她同樣也是為了擺脫「現代的不幸」而投入運動的其中一個年輕人。

田中提到另一個參與運動的原因是「罪的淨化」，這也是想要擺脫「並未活著的實感」這種空虛感的另一種表現。在《致生命中的女性們》中，田中寫道：「對我來說，罪的淨化其實就是，渴求活得更充實的願望。」[156]

如此看來，田中在認為自己是越戰加害者的自覺基礎上，為了擺脫空虛感而加入街頭鬥爭。然而，「在道理上能理解的『幫助越南』，在日常中的並未活著的實感面前，也仍然顯得相當遙遠」。另外，她也說，「『打倒日本帝國主義』的場面話，對我來說已經隨便怎樣都無所謂了。問題是，並未活著的我——。從遊行回到一個人獨處的時候，不停流淌的空虛感包覆著我。」[157]

在這樣的情況下，田中偶然接觸到了賴希的書。正如她在山崎博昭的手記中找到擺脫空虛感的途徑，她也從賴希的著作中發現了一樣的東西。田中從賴希的著作中得到是，將性的問題視為社會根源的觀點，以及「所謂存在的證明，是伴隨著『確信自己就在這裡』這種存在的顫動所感受到的狂喜」。[158]田中在七〇年代發放的傳單中，強調「男性話語」帶來了鬥爭後的空虛感，另一方面也大力倡導透過女性解放和性解放來獲得「狂喜」。

然而，田中所說的「狂喜」和「性高潮」，不僅僅是單純的性快感，而是如同「伴隨著『確信自己就在這裡』這種存在的顫動所感受到的狂喜」一詞所示，也是一種對自身存在的確認。在《致生命中的女性們》中，她描述「我對於性高潮的願望是，希望在與男人『相遇』的過程中，讓自己變得更為鮮明」、「本來，人的一生就是不斷探問自身存在意義的過程」。[159]

在展開女性解放運動之後，田中等人進行了「未婚媽媽」支援運動，但田中表示「未婚媽媽」代表著「自己決定了自己的生活方式，這才是真正追求生之證明的女性」。[160]這反映出對田中而言，這個議題不只關於人權運動和擁護自主決定權等面向，同時也是涉及到「生之證明」的問題。可以說對田中來說，女性解放運動也具有以性的形式表現出「現代的不幸」與自我確認問題的一面。

再次強調，田中是一位「自認為又矮又醜而不受歡迎」，過著自由工作者生活的「大齡單身女」。一九七二年的著作《致生命中的女性們》中，她說道：「我是一個如自卑感聚合體一般的女人，不管做什麼都會搞砸」、「對我來說，女性解放運動是一個堂堂正正地肯定自我缺陷的運動」。[161]

田中在一九九六年時，形容當時的女性解放運動的狀態，對她來說就像是這樣：「用右腳踢開『女人就該有女人樣』的束縛，也用左腳踢開『獨立的女性得要這樣生活』的壓抑，然後仰望天空」。田中表示，女性解放「用棒球來說的話，就是九局下半，五比一落後的球賽。此時奮不顧身的第一棒打者揮出了猛烈的一擊！」[162]可以說，當時二十七歲的「大齡單身女」田中，穿著不符年齡的白色迷你裙發放傳單的行為，是在運動及同居生活中挫敗的她，在「悲慘」與「虛無感」中「奮不顧身的一擊」。

這樣看來，會發現田中與第十四章提到的津村喬，在行動軌跡上有些許相似之處。津村為填滿自己的空虛感而成立早稻田大學反戰聯合後，對不能充分表達自己願望的「話語」產生懷疑、對缺乏現實性的鬥爭抱持著違和感，雖然在歧視問題上找到了突破口，但最終卻捨棄一切轉而從事太極拳和自然飲食。田中也為了填補自己的空虛感而參與了戰災孤兒救援活動和街頭鬥爭，之後對無法表現自己願望的「男性邏輯」和「男性話語」產生懷疑，認為鬥爭缺乏現實感而感受到違和感，在女性解放中找到了突破口，之後卻大手一揮轉而走上成為針灸師的道路。

田中在一九九八年說道，自己一九七五年去到墨西哥後「深切感受到自己迄今為止都是靠著頭腦在生活」、「最重要的是身體」、「我決定從身體開始重新生活，所以才開始學習針灸」。[163]同時，她之所以結束在日本的女性解放運動前往墨西哥，是發現「名為『運動』的襯衫，穿在我身上並不適合。」[164]

津村和田中，都在反覆多次尋找得以表現自我的「話語」的試錯過程後，最終放棄了對「話語」的探究，轉為以「肉體」為對象。可以說，對田中而言，（在運動這種形式下的）女性解放，如同對津村而言的歧視問題一樣，或許某個層面上也是「尋找自我」的「補充代位」。一九九四年的一次對談中，田中表示：「即使沒有作為運動的女性解放，我這樣的人還是會為了自我實現而四處奔走吧。」[165]

如同津村提出的歧視問題引起了迴響，田中的傳單及文章也得到了響應。然而，與津村不同，田中身為女性，同時也抱持著身為「性暴力受害者」的自我認識，加強了她對同時代女性們的說服力。

另外，由於當時田中的行動是她「奮不顧身的一擊」，不難想像其對人們帶來的衝擊。

田中的女性解放運動的開始

就這樣，受到田中刺激的女性們聚集在一起，包括田中在內共三人組成了「女性解放聯絡會議準備會」。在一九七〇年十月二十一日的國際反戰日上，她們以「Group・戰鬥的女人」的名義，聯合其他的女性團體共同舉辦了只有女性的遊行示威，這被視為日本女性解放運動的一個里程碑。

隔天的《朝日新聞》，刊登了題為「走進銀座的Woman・Lib」的報導，配上當天照片如此呈現了這場遊行：[166]

> 銀座迴盪著只有女性們的口號聲。約兩百人。年輕女性戴著粉紅或黑色的頭盔，進行之字形的遊行。每當機動隊試圖進行管制時，都被「解放女人」和「鬥爭勝利」的女性尖銳呼聲所壓倒。
>
> 在美國等多地遍地開花的女性解放運動「Woman・Lib」的日本版，首次走上街頭。
>
> 從六月份開始持續進行著研討會活動的「Group・戰鬥的女人」和「女性解放運動準備會」的成員，大多為二十至二十五歲的公司員工和學生。
>
> 傍晚五點半，她們在銀座一丁目的清水谷公園集合，馬上就被蜂擁而至的記者和攝影師包圍。
>
> 一人高聲喊道「媒體是敵人。他們試圖把我們奇觀化。」眾人應聲附和「哇——」，鼓起氣

勢趕走了攝影師。貼在牆上的告示寫著——「禁止男性進入，包含新聞工作者。」

當代表一聲喊出「解體古老的家族模式」、「女性解放就是人類解放」等口號，立刻形成約五百人的圓圈。隨後，「所謂的女性氣質到底是什麼」的横幅引領著眾人，走向霓虹燈閃爍的街道展開遊行。

她們高舉著「媽媽，結婚真的幸福嗎？」、「對男人來說，女人到底是什麼？」等標語，從數寄屋橋一路走到新橋，炫麗的之字形遊行順勢展開，讓一輛輛在她們後面的計程車只能慢吞吞地駛著。「哇，這就是女性解放運動啊」，經過的路人紛紛目瞪口呆。

評論家齋藤美奈子在二〇〇一年指出，這篇報導在當時的女性解放新聞中已經「算是相對惡意較少的評論」了，示意這篇報導中仍帶有些微的「惡意」。[167]話雖如此，根據女性研究學者齋藤正美的調查，寫下這篇報導的作者表示，「因為我是男性，所以這篇文章才能在公司受到重視」、「如果是女性的話就不會被刊登了」。[168]當時社會和媒體便是以這樣的態度在對待女性解放運動。

順帶一提，雖然在美國使用了「Lib」和「Women's Liberation」這兩個詞，但和製英語的「Woman・Lib」，似乎是從這篇報導開始流傳開來的。[169]雖然在本章一直使用「Lib」一詞來概括各地的運動和團體，但據上野千鶴子所言，「當時的人們開始積極接受『Lib』這個名稱，是在隔年〔一九七一年〕八月的女性解放合宿之後」，並指出「儘管使用了片假名英語的『リブ』（Lib），但日本的『Lib』是作為一個獨立的存在而成立的」。[170]無論如何，至少事實上並非如上文報導所敘述的，發生了「在美國等多地遍地開花的女性解放運動『Woman・Lib』的日本版」。

實際上，前一節介紹的團體的書面資料中，除了亞洲婦人會議以外，大多數都是在一九七〇年十月之後的記錄。千葉大學全共鬥成員組成的「女忍者」、多摩美術大學全共鬥成員組成的「思想集團S・E・X」等，雖是在一九七〇年十月之前就成立的團體，但一九七〇年十月二十一日的示威遊行，似乎對促成各地女性團體的成立起了相當大的影響。這雖然可能與華青鬥告發引發的典範轉移浪潮有關，但更可以說是女性們長期累積的不滿，在十月二十一日這天的示威遊行中被點燃的結果。

例如，針對明治學院大學「戰鬥女性同盟」成立的經過，前成員如此回憶：171

那時，我們可以說幾乎每天都參加了不同地方舉行的集會和遊行。……十・二一的國際反戰日，各種不同的黨派聚集在清水谷公園。想著和朋友一起去集會看看，我抱著這種心情來到了現場。正討論著要在哪面旗幟下排隊時，一眼望去看到有個隊伍只有女性在列隊、立著女性的旗幟、發放著女性解放的傳單。「有一個女性的隊伍」，於是我們也加入了這個隊伍。……第二天去學校時，碰到了在遊行中見過的人。雖然知道那個人也是同一所學校的學生，在走廊上偶爾會擦肩而過，但並沒有真正交談過。然而，共同參與遊行成了我們交談的契機。巧合的是，這樣的人有五位，談話過程中聊到要組成一個屬於我們的團體，於是就在隔天正式成立了團體。

如前所述，「Group・戰鬥的女人」成立初期雖然只有三人，但在《朝日新聞》的報導中，卻集結成了約兩百人的隊伍。儘管這也是因為合併了其他的女性團體，但如上述那樣的參加者眾多也是一個重要因素。就這樣，各地開始陸續組成小型團體。

田中在二〇〇〇年的演講中提到，「女性解放運動中，每個運動團體都很小，以約莫十人組成的小組居多。」[172]第十四章中描述過，平均十人左右組成的黑頭盔集團，逐漸取代中核派這類的大型黨派，成為七〇年代初期鬥爭的「主角」。女性解放運動團體的狀態與此變化，是同時並行發生的現象。

一九七〇年末，「Group・戰鬥的女人」的有馬真喜子接受採訪，如此描述了團體成員們聚集於原為田中住處的「中心」的情況：[173]

「團體的核心成員聚在一個只有六疊塌塌米大的中心，每天都討論、製作傳單到深夜。她們不拘泥於『私有財產制度』，共用著大家工作賺來的錢，一起吃飯、製作傳單，有時會連吃好幾天泡麵當晚餐。偶爾會有人送來些小點心。小小的書桌既是餐桌，也成了木刻版印刷的工作桌。年輕的熱情、女性的體味、以及香菸的煙霧瀰漫在空氣中。」

田中就是在這樣的環境中展現了自己的思想。然而從結論來說，她的觀點基本上與當時大多數女性解放團體的觀點並沒有太大的不同。

具體來說，在《致生命中的女性們》中，田中提出了以下的主張：男性體現了資本主義的「生產性邏輯」，「無法在自己內部懷有『自然』」，而女性則懷有「自然」。而「生產性的邏輯與現代理性主義形成兩人三腳般的合作，一直以來都奪走了人類的『自然』。」「現代理性主義思維透過拋棄無意識，不斷在鬥爭中培養著『反革命』。」「稱作社會或文明一類的事物，唯一無法征服的，就是那使人畏懼的，女性子宮所孕育的自然。」在這本書中，田中還提到了「母親之所以遺棄我，也是因為『家』的生產性邏輯」。[174]

當時也有男性的運動者批判「現代理性主義」。然而，在《致生命中的女性們》中，田中則如此敘述：[175]

女性被認為是與「自然」相近的存在。這源於，女性的思維是，先將抽屜中的內容物一股腦地傾倒出來，全部不留餘地混雜在一起後才開始的模式有深刻關聯。而男性井然有序的抽屜，實際上是以結合了生產性邏輯的現代理性主義的思維為立足點所形成的。然而本質上，人類的存在是非理性的，是作為矛盾而存在的。如果不合理的事被接受，那道理就會被否定。現代理性主義的思維，透過將作為矛盾複合體的人類壓縮進同一框架中，持續地施以壓迫。在反越戰運動、全共鬥運動中，人們反覆提出像是「人活著到底意味著什麼？」質疑自己作為大企業中的其中一個齒輪，受制於其生產性邏輯。長髮長鬚族的誕生，瘋狂的復權也被提出來討論，這之間的關聯，發生在否定現代理性主義的共通點之上。然而，如果不從根本上質疑「身為男性」的這件事，男性的反現代理性主義將只會一直停留在反對（anti-）之上。

根據田中的說法，「男性試圖透過理論（話語）贏得整體性，而女性的存在本身就具有整體性」，重點「不是要像男性一樣好好整理抽屜，而是要持續執著於自己那散亂的抽屜」。因此，「〔女性的整體性〕在本質上不能用話語來表達，每時每刻的真正的想法，都只能透過當時的『混亂』來表現」，「所謂的混亂，就是存在本身所述說的真實的聲音，那正是每個當下最為確切的真正的想法。」[176]

這種論點雖然提出了問題，卻和前述的許多團體一樣，似乎不僅不具有能夠述說自己問題的「話語」，也沒有明確制定未來的目標。田中美津雖然於一九七〇年八月發放了在女性間引起轟動的〈從廁所中解放〉的傳單，但在傳單上也寫著：「然而，如果被問及透過『身為女性』追求『人類解放』的具體形象是什麼，答案其實並不明確。」[177]

然而，田中並未像全共鬥運動期間的男性運動者或其他許多團體的女性一樣，將「找不到話語」視為問題，反而肯定了女性的「混亂」。根據田中的觀點，「從整理得井然有序的內在中跳出來的男性的話語，是失去生命的話語，是啟蒙的話語，是投靠支配一方的話語。現代理性主義將話語與肉體分離、將瘋狂從肉體中驅逐。如此一來女性的混亂，只能是試圖用混亂來表述的話語與肉體的復權，只能是瘋狂的復權。」而「對於現在正痛苦著的人說，冷靜下來、用清晰易懂、有邏輯的方式好好地說的這件事，完完全全就只是統治者的話術而已」，「混亂正是女性最美麗的武器，它就是女性靈魂本身」。[178]

「混亂」也是田中的一個關鍵詞。一九七二年出版的《致生命中的女性們》冠上了「混亂Woman・Lib論」的副標，不同於強調邏輯整合性的「男性」或是「總是能巧妙地避免混亂的」「偉大知識分子」，而是認為「在一個人的內心中，總是共存著兩相矛盾的真實心聲，而兩者的結合之處，就是『存在於此的女性』這樣的存在。」[179]

在《致生命中的女性們》中，田中為了說明「想要取悅體制價值觀的自己，和不想那麼做的自己之間的矛盾」而舉例說道，這就如同原本隨性地盤腿而坐的自己，在心儀的男性突然走進房間時，才匆忙正襟危坐的情況一樣。接著，她表示「當兩種相互矛盾的真實心聲各自有所主張時，身體必然會產生混亂，然而，正是在混亂之中，我們的未來才會豐盈地孕育而生。」[180]

也就是說，懷抱這種矛盾與「混亂」的存在才是現實中的「『存在於此的女性』」，只能用一種邏輯概念來清楚劃分的人類，不過是只能存在於理念上的「『哪裡都不存在的女性』」。田中主張「女性解放總是從兩種真實心聲之間出發。從那之間的混亂中出發。」[181]

話雖如此，撇除她對於「混亂」的肯定，在田中與「Group・戰鬥的女人」的主張中，除了某一點之外，與其他團體相比並沒有突出的特徵。而那一個特徵，就是她們提倡武裝鬥爭和培育「女士兵」。

朝向武裝鬥爭論發展

就現存的傳單來說，田中似乎是從一九七〇年十一月左右開始提倡武裝鬥爭論。那是在一九七〇年十月二十一日的示威遊行中，日本的女性解放運動引起關注，田中等人的周圍也聚集起其他女性的時期。

反對一九七〇年十一月提出的優生保護法修正案（該法案禁止基於經濟考量的墮胎行為，由於反對意見眾多最終未通過），以及勞動基準法修正案的傳單中，接連提到了下列的話語：「貞女和慰安婦是位於私有財產制度下的性否定社會兩極的女性，她們相互成對支持著侵略」、「我們的母親是最不知羞恥的壓迫者」、「當一名菁英女性在滿足她的遠大志向時，其行為建立在九十九人的犧牲之上」。除此之外，還有一系列的口號，如「反對勞基法修惡！」「反對禁止墮胎法！」「阻止入管法提交議程！」等等，並提到「作為『女士兵』，讓女性解放運動成為全國性政治議題！」。[182]

在這時期的「Group・戰鬥的女人」的傳單中，幾乎一定都會提及以武裝鬥爭推翻「私有財產制度下的性否定社會」的「女士兵」的必要性。在一九七〇年十一月的傳單〈從戰鬥的女性邁向三里塚的農民〉中，批評三里塚的武裝鬥爭不夠充分，主張必須要「創造出女士兵！」以回應「邁向世界革命戰爭的階級形成的問題」。[183]

在一九七〇年十二月的傳單〈女性解放將拓展這一年！〉中，也批判了「說新左翼的鬥爭是『因為身為大學生才能搞的小鬼的戰爭扮家家酒』的庶民」，同時呼籲「必須得創造才行。創造出權力鬥爭＝軍事＝共產主義」、「是要法西斯主義還是要革命！」。[184]在十二月八日的日美開戰紀念日的抗議標語牌上，則提到「對朝鮮人的歧視和對女性的歧視是侵略體制的根本」、「女性應該拿起槍桿阻止侵略！」、「將槍藏在長裙下」等等。[185]

同樣製作於一九七〇年十二月的傳單〈由女士兵來揚棄弱者無用的切齒悔恨吧！〉中主張道：「朝向世界革命戰爭前進，日常性武裝鬥爭的時代已經開始了」，「讓非法活動（例如武器和彈藥的製造方法）也化為實體吧」。[186]一九七一年一月，號召女性們參與共同生活集團「青鱂魚共生集團」的傳單中提到，「真正得以接近權力的鬥爭，在本質上只有非法的武裝鬥爭」。[187]

此外，一九七一年二月發生革命左派搶劫槍砲店事件不久後，一九七一年三月的傳單中闡述了「我們作為鬥爭群體中最引人關注的一群人，支持京濱安保共鬥的鬥爭」，並表示「正在創造展開日常武裝鬥爭之根據地的共生集團」。在接下來的一九七一年四月的傳單中，宣稱該共生集團將成為「萌芽性地體現出軍事和共產主義思想的過渡媒介」。[188]

這些傳單尚不清楚是否全部出於田中之手。然而，正如下文所述，田中表示，在這個時期她確實寫過提倡武裝鬥爭以及「世界革命戰爭」的宣傳內容。另外，從文體以及文中提及的故事內容來看，可以推測其中相當多都是由田中撰寫的。

另外值得注意的一點是，同時期的武裝鬥爭論和「女士兵」的創生論，被提倡為摧毀作為「男性邏輯」的「生產性邏輯」的手段。

一九七〇年十二月和一九七一年一月的傳單中，可以看到像是「超越了統治者的生產性邏輯、超越了男性＝鬥爭中的生產性邏輯的女性」、「立基於性別歧視上，面對著與機動隊的鬥爭，勉強地保持了其生產性邏輯的新左翼『政治』」等措辭。[189]上述論述表達出這樣的認識：不管是統治者、企業還是黨派，都在追求「生產性」與「合理性」的同時壓迫了「女性」。

然而，在一九七〇年十二月的另一份傳單中則提到，「超越了建立在對女性的壓迫和歧視之上的男性生產性邏輯的邏輯↓以育兒與持槍同等的意識來完成階級的形成」。[190]同樣在十二月的另一份傳單〈由女士兵來揚棄弱者無用的切齒悔恨吧！〉中也提到，「女性們啊，貫徹育兒及持槍同等的意識，真正作為革命性的無產階級創造出自我吧！！女性們啊，朝向建設黨和軍隊，構築屬於自己的共產主義論和革命論吧！！」[191]

「混亂」以及「充滿矛盾的女性」等等田中的關鍵詞，也被連結上了武裝鬥爭論。在一九七〇年十二月的傳單中指出，「以『存在於此的充滿矛盾的女性』為媒介，創造出擔負世界革命戰爭的女士兵」。[192]

正如後文所述，田中在一九七二年的著作《致生命中的女性們》中表示，會想參加如四月二十八日或十月二十一日等特定紀念日舉行的鬥爭，是出自於「對於非日常性的憧憬」，這種憧憬正是屬於

「男性鬥爭」的特徵。而「女性鬥爭」則是切斷了這種「對於非日常性的憧憬」的日常性鬥爭。然而，在提倡武裝鬥爭時期的傳單中，這種邏輯也被連結上了武裝鬥爭。

例如一九七一年一月的傳單上主張，「女性鬥爭出發自對抗『作為女性』的日常性壓迫，是對於建立在捨棄了日常性之上的，迄今新左翼政治性質本身的質問」、「在充裕的生活中仍抱持『並未活著』的感受而處於極端狀態的女性們，弒子、棄子、成為賣春主婦等等，持續發起著否定女性存在形式的反叛」。接著認為，「如果能打破這種情況，真正逼近權力的鬥爭，在本質上只能是非法的武裝鬥爭的話，現在，我們應該做的就是進行非公然的、非法的鬥爭」，並問道，「在共生集團中，每個人各自能夠創造出何等豐富的共產主義式的社會關係和存在樣貌呢？」[193]

換言之，可以說當時的田中，主張透過在「共產主義式關係」場所的共生集團中的集體生活，培育出超越「男性邏輯」、「生產性邏輯」、「對於非日常性的憧憬」，並具有「女性邏輯」的「女士兵」，由這些「女士兵」創建「軍隊及政黨」。並且，可以說她夢想著將「混亂」和「充滿矛盾」的「女性」提升為「女士兵」，藉由「世界革命戰爭」打倒「私有財產制度下的性否定社會」。

另外，可以在一些段落中看到，當時的田中夢想著「女士兵」能發揮超出男性的戰鬥力。例如在一九七〇年十二月的傳單中，記載著以下文章：[194]

六九年　四・二八沖繩日　大眾武裝鬥爭的　幻想　發生了必然的敗北
那時　女人下跪著　女人懇求著　女人諂媚著
「男性邏輯」與「男性鬥爭」　被剝去權威的外衣　崩壞殆盡

一九六九年四月二十八日的沖繩日街頭鬥爭，在機動隊面前慘敗，隨後武裝鬥爭論興起，誕生出了赤軍派。與上述類似主旨的文章，也被收錄在一九七二年的《致生命中的女性們》中。其中提到「赤軍和女性解放運動，是在落日餘暉中孕育而生的赤子」。[195]

在《致生命中的女性們》中，田中認為在沖繩日當天，當陽剛的「男性鬥爭」幻滅時，產生了與「男性鬥爭」訣別的女性解放運動，以及更加強烈地追求「男性鬥爭」而誕生的赤軍。這是她對這兩者所做出的明確區分。實際上，如前文所述，田中並沒有參加過黨派或全共鬥，然而這樣的語句，卻成為了《致生命中的女性們》喚起曾參與全共鬥或黨派而感受過不滿的前女性運動者們共感的原因之一。

然而，一九七一年一月刊載了同樣主旨文章的傳單，在內容上卻有所不同。首先，開頭的文章便提到，一九六九年四月二十八日，「已經可以清楚發現自然發生的群眾鬥爭所能達到的『軍事』上的極限，同時也明確地顯示出小資產階級性鬥爭主體的侷限性。暴露出了男性的、由男性主導的、為了男性的鬥爭的脆弱。」接著，文中提到「創造出盟友的組織化暴力→開拓世界革命戰爭，朝向以黨及正規軍為媒介的城市游擊戰，女性必須將自己革命主體化」，傳單最後以「創建革命軍！」結尾。[196]

換句話說，這個時間點的田中可能是這麼想的：一九六九年四月沖繩日的失敗，是因為「男性」的鬥爭是尚未組織化且「自然發生的」鬥爭，其「鬥爭主體」仍是「小資產階級性」的。因此，「女性」應該進行由「黨和正規軍」組織的組織化武裝鬥爭，成為完成「革命主體化」的「女士兵」，並且實現「創建革命軍」。

雖說當時正盛行著武裝鬥爭論，然而從現存的資料來看，過去並沒有其他如此推崇武裝鬥爭和創造「女士兵」的女性解放運動團體。然而，如同當時的武裝鬥爭論多半只是在嘴巴上說說，「Group・戰鬥的女人」也沒有實際展開取得槍支之類的行動。然而，「Group・戰鬥的女人」一度被視為「女性解放運動中的極左派」，又因為「世界革命戰爭」是以赤軍派為代表的共產同的用語，因此經常被問到「田中小姐是共產同的哪一派呢？」[197]

為什麼田中會傾向於這種武裝鬥爭論呢？可以推測出的原因有四個。

首先，是田中的武鬥情結。她自己身形嬌小且體弱多病，一般來說並不適合參與武裝鬥爭。根據《致生命中的女性們》所述，田中參加一九六九年一月的神田拉丁區鬥爭時，基於「我以我自己的方式，將深刻內化了『人活著的意義是什麼』這個問題而開始的東大鬥爭，視為與自己息息相關的事情」，所以在鬥爭中「亢奮的情緒也達到了極點」。然而，實際上，她並沒有參與混戰的勇氣，「甚至無法握起所謂的武鬥棒，就算去了遊行也都只想著逃跑」，「對自己感到羞恥」。儘管也參加了一九六九年十一月的阻止佐藤訪美鬥爭，但「僅僅只能在機動隊面前慌張地逃竄，被汽油彈嚇得蜷縮身體，我對這樣的自己的屈辱感不斷疊加，最終成為了我深感羞愧的負擔。」[198]

田中如此形容當時的自己，「我鑽牛角尖地想著，握不住〔武鬥棒〕就等同於自己的意識不足」。[199]如前所述，她始終無法消除參與「男性邏輯」的鬥爭時，「並未活著」的感覺，因此強調自己在一九六九年四月的沖繩日，從對於「男性鬥爭」的幻想中醒來。然而，這段話或許同時也是對於過去——因為「意識不足」握不住武鬥棒而感到自卑——的自己的反彈。因此，也可以推測她可能是想試圖藉由提倡超越「男性鬥爭」的武裝鬥爭，來消除這種心理上的自卑感。

第二個原因是，正如前述，她將遊行與同機動隊的衝突定位成獲得「活著」的實感——用她的話來說，「狂喜」——的場合。

一九七一年四月的「Group・戰鬥的女人」的傳單中寫道：「在活出自己的『生』的過程中，渴望與其他的『生』交錯，但卻被疏離、被斷片化的人類，在摸索普遍的人際關係的過程中，希望喚回自身整體性的這種最為本質的渴望，將會引領我們走向世界革命戰爭。」此外，在提倡武裝鬥爭的時期裡，田中投稿於《週刊讀書人》上的文章中這麼說道：[200]

所謂的自我表現意即「存在的證明」，其總是指從零開始創造事物的過程。……所謂從零開始創造的過程，指的是精神與肉體融為一體的過程。是否能夠保有存在的顫動而甘心接受狂喜，首先取決於與自身之間的緊張程度。孩子們想去到更危險的地方以尋求自我的心情，我非常了解。……只要還是生活在階級社會中，自我表現就是以奪回被奪走的自我作為原則。在與權力隔著三途之川[vii]對戰的過程中，做出自我存在的證明——所謂的「革命」就是最極致的性高潮！

如同在第一次羽田鬥爭中，出現了「在機動隊面前展現我們的存在」這種煽動的言論所示，不少年輕人為了在與機動隊的衝突中尋求「活著」的實感而加入鬥爭。但是田中在賴希的影響下，用「狂喜」和「性高潮」等詞語來表現「活著」的實感。為了得到這種「狂喜」而參與街頭鬥爭的田中，不難推測她會提倡更能獲得「狂喜」的武裝鬥爭。

在一九七二年的《致生命中的女性們》中，田中如此解釋她從前頻繁在文章中使用「世界革命戰爭」等詞彙的原因：[201]「這不是一個『政治』問題，而是一個關於『情慾』（Eros）的問題。換句話說，這是從情感中所誕生的世界革命戰爭。對於邂逅的渴望、想要活得更充實的渴望，這些渴望使我選擇了這些詞彙。」若考慮到田中把與機動隊的衝突視為能夠獲得「活著」實感的「最極致的性高潮」，也就可以理解為何對她來說，「世界革命戰爭」也是「『情慾』的問題」以及「想要活得更充實的渴望」的一種表現了。

可以推測出的第三個原因是，對當時的女性解放運動缺乏明確的路線而感到焦躁。

當時，「Group・戰鬥的女人」在一九七〇年十月二十一日的國際反戰日遊行後，於十二月八日召開「與侵略和歧視鬥爭的女性集會」，舉辦了讓女性們互相交流自身問題意識的討論會。然而，這樣的發展並非全然一帆風順。

貌似由田中撰寫的一九七一年二月的傳單中感嘆道：「說到『運動』，就是發放傳單、示威遊行、集會，想像力匱乏到沒有其他的形式」，並寫道：「為什麼不能在日常中將自己創造為『嶄新而燦爛的女性』呢」。然後，她在一九七一年三月八日的國際婦女節總結集會上，主張「開始日常性的武裝鬥爭」、「正在組織著作為鬥爭根據地的共生集團」，並表示「支持京濱安保共鬥的鬥爭」。[202]

如前述，許多女性解放團體也處於尋遍不得自己「話語」的狀態，對於要進行什麼樣的運動感到困惑。如果當時的女性解放運動「既不是一個組織體，甚至也不是個有什麼特別的理論支撐的運動。

vii 譯註：日本傳說中的冥河。

非要說的話，唯一共通的就只有解放身為女性的『私我』這一點，其他的就是，有多少試著自我解放的女性，就存在著多少種女性解放運動」的話，發生上述的情況也是理所當然的。

各地的女性解放團體的運動也是一樣，雖然都反對優生保護法修正案，但除此之外運動的訴求則是千差萬別。亞洲婦人會議進行了入管鬥爭以及反對日本企業擴張亞洲的運動，北海道的Metropolitan則展開了學習女性史以及輪流閱讀森崎和江等人著作的學習活動。

然而，這種形式的活動也並非完全順利。亞洲婦人會議雖然採取了與越平聯和全共鬥類似的形式，不設置專職管理人員，而是透過個人的自由參加來運作大眾討論會，然而在一九七〇年十月的大會報告中也提到，因為這樣的組織模式，「常常出現每次開會都有三分之一到近半數的出席者是首次參與的情況，這雖然是令人高興的事，但也意味著無法避免地反覆進行同樣的討論。」[203]

田中美津藉由發放傳單號召出來的女性集會，也實在很難說取得了什麼豐碩的成果。一九七〇年八月三十日舉辦了一場對田中的傳單內容有所共鳴的女性們的集會，田中於隔次的傳單中如此描寫了該集會的情況：[204]「三十日當天的集會以每位參與者（約三十人左右）各自分享自己的問題開始，但只進行了這件事，集會就結束了。大家提到的內容包括與權力、家庭、男性、子女的關係，以及積怨已久的不滿。」「這是一個能夠談論自己內在的憤憤不平和泥濘般心境的集會。」然而，要從這樣的層次中抽離並不容易。

田中也策劃了邀請外來講師的討論會等活動，並曾找來當時活躍的女性評論家桐島洋子，但結果並不如預期。田中聽完桐島的話後，認為「她所說的充實生活，想像起來，似乎無非就是在這個社會獲得認可，用賺來的收入穿著高級成衣住在高級公寓裡，找來志同道合的朋友歡樂度日」，田中並指責桐島與影山裕子為「向統治方倒戈的女人」和「地獄使者」。[205]

另一方面，桐島在當時的週刊雜誌中，如此評價了田中和「Group・戰鬥的女人」：[206]「田中小姐，在一對一的對話時只是個一般的女人。然而一旦進到女性解放團體中，開始進行煽動發言的她，就會變成巫女，變成在頌念著禱告詞的巫女。」「我曾參加過幾次女性解放團體的集會，但每次都一樣。大家都只是無休止地、一個接一個地抱怨著自己的性經驗等累積著的怨恨。無聊到極點，實在令人難以忍受。」

桐島的評價或許過於片面，但她的確點出了女性解放運動缺乏明確方針的問題。無法開拓出運動的前進方向，這似乎也是使田中朝武裝鬥爭論發展的原因之一。

然而，如果只是為了開拓運動的方向，未必一定要朝武裝鬥爭論發展。恐怕使田中朝著武裝鬥爭論前進的第四個因素，在於她想要擺脫「悲慘」處境的願望。

再次強調，當時的田中是一位對「又醜又不受歡迎」的自己感到自卑，而且超過適婚期的大齡單身女子，心境上強烈地懷抱著「被玷汙的女人」和「有罪的孩子」的情感。她雖然曾一度透過組成反戰小組擺脫了這種處境，但該組織最終還是解散了，即使參與街頭鬥爭，她仍然抹消不去「並未活著」的感受。

為此，根據二〇〇九年的訪談，田中提到「如果我這麼悲慘，那這樣的地球就算毀滅也無所謂——這種陰暗的心情，就像是被逼到絕境的蓋達組織一樣。」如後述，她接觸了赤軍派並為其提供據點，她提到，「現在想起來，當時的自己是被他們的毀滅傾向與那股暗黑感所吸引了。」這雖然也與第二項理由——田中將武裝鬥爭視為「狂喜」以及「活著」的實感的這項理由——有所重疊。但或許可以說，她朝著武裝鬥爭論發展的原因在於，因為她在運動中無法抹去「悲慘」與「並未活著」的實感，所以想要用武裝鬥爭這類「毀滅傾向」的方式來取得「活著」的實感。[207]

田中的轉變

在這樣的狀態下，一九七〇年十二月八日，「Group・戰鬥的女人」，以日美開戰紀念日和反對優生保護法修正案等為主題舉行了遊行，也在一九七一年八月號召了全國的女性解放團體，在信州舉辦了「女性解放合宿」。她們拒絕男性記者的採訪，合宿的執行委員會準備了其中六十％的計畫，另外的四十％則是以「妳們的事情妳們自己處理」的原則，交由參與者自主負責，並倡導「想什麼就放手去做」。[208]

這次合宿被視為日本女性解放運動史上的一個劃時代的突破，由聚集而來的女性們所形成的網絡，後續也催生出包含女性解放雜誌《女・情慾》在內的成果。然而，如同越平聯的「反萬博」（為了反戰的萬國博覽會）一樣，即使以「妳們的事情妳們自己處理」的原則，讓集結而來的人自主處理，事情也並未如理想中的那樣順利。第一天進行了長達二十小時的自我介紹與討論會，也有圍著營火跳舞的活動，但「Group・戰鬥的女人」的某位成員如此記錄了參加合宿的感想。[209]

「我對合宿抱著天真的期望。」「去了肯定會發生些什麼。帶著磨磨蹭蹭什麼都做不到的自己，參加了這次合宿。」「在能夠做自己想做的事情的合宿中，反而越感受到不知道想做的事情是什麼的自己有多麼悲慘。在充分的自由時間裡，連和旁邊的女性搭話都不敢的悲慘狀態。」「一面躺下讀著

《性的權利》，一面想著來到這裡後除了讀書之外什麼都沒做，煩悶到讓人無法忍受。」「妳們的事情妳們自己處理……的嚴酷。」

田中在女性解放合宿後的傳單中寫道：[210]「看來好像不能老是都用同一種模式。單方面地舉辦抗議集會、舉辦搖滾之夜、反覆說著『女性，女性，女性』的煽動傳單……這些真的都是些用到爛的模式了。」由此可以看出，田中從一九七〇年八月開始運動以來，即使經過了多次示威遊行和女性解放合宿，還是沒有找出運動前進的方向。

抱持這種認識的不只有田中一人。一九七一年十二月，在「Group・戰鬥的女人」成員寫的論文〈關於女性解放運動的方向性〉中，先是提到了「經過七一年信州的合宿後，女性解放的種子正悄然在全國蔓延」，但同時也指出「運動的方向可以說是極度混亂。」[211]

在與其他運動的共鬥中，也沒能找出一條明確的出路。據說，「Group・戰鬥的女人」的成員曾經在支援三里塚運動時，被農民調侃為「Wu-liman・Bu」[viii]、「Bu小妞」等。根據參與過三里塚運動的石井紀子回憶，「三里塚是壓倒性的男性社會」，聲援學生的營地裡「坦白說風紀也很混亂」，「因此已經可以說是為所欲為的狀態了。到處都張貼著裸體海報。嚴重的歧視也是家常便飯。」[212]就算女性解放運動已經興起，其他鬥爭現場的氛圍依然還是維持著原樣。

以「Group・戰鬥的女人」為代表，當時的女性解放運動之所以無法制定出明確的運動方針，其中一個原因是，她們很多都只是二十多出頭歲的——好聽地說是年輕充滿活力，不好聽地說則是無知

viii 譯註：Wo-liman・Bu（ウーリマン・ブー），是將女性解放運動的和製英語Woman・Lib（ウーマン・リブ）拆字後再變形的造語。

且涉世未深的——年輕女性的團體。「Group・戰鬥的女人」中也是，除了一九四三年出生的田中是二十歲後半以外，經營著這個共生集團的成員們「平均年齡為二十一、二歲」。[213]與全共鬥運動一樣，她們在不成熟的同時，卻又往往傾向於傲慢地徹頭徹尾否定「戰後民主主義」及過去的女性運動。

例如，田中在一九七〇年八月份發放的傳單中這樣寫著：「過去的女性解放運動，事實上是一個就連對女性本身來說都毫無吸引力的，生硬尷尬的全醜女聯運動。」「明治時代以來的女性解放運動的鬥士們都很不帥氣，這是為了讓女性作為女性被解放，從而不得不先變成男性的必然過程。」接著，她們主張自己要進行一場不追求「和男人同等」的「帥氣」運動。[214]

然而，在目前可以在資料集中看到的明治以降的女權運動論文和婦女運動論中，很難找到主張追求「和男人同等」的例子。戰前的女權運動大多在於提倡將參政權授予善盡「國家母親」責任的女性，而戰後的婦女運動則以設立托兒所和獲得生理假等為主要目標之一。

如前述，田中很難說是一個好學的人，而是一個以「直覺感受」行動的類型。在一九九四年的對談中，當加納實紀代詢問只閱讀《週刊女性》和《女性自身》這兩本雜誌的田中，是如何書寫傳單文案的，又是從哪裡學來那些話語的時候，田中這麼回答：「是在運動中喔。從傳單上看到的。」換句話說，她是「從（一同參與反戰運動的）男性們那裡學來了話語」，進而書寫自己的文章。[215]

此外，田中似乎也不太了解同時期的亞洲婦人會議的主張和活動。在上述的一九九四年的對談中，加納指出在《日本女性解放運動史資料》中，亞洲婦人會議被論述成女性解放運動的先驅。對此，田中回答「是這樣的嗎？……以我的感覺來說，大概是『是喔？』這樣的感覺」，表達了違和感，並談及自己在展開女性解放運動後才初次與飯島愛子等人相識，卻無法與她們產生共鳴。[216]

不怎麼關心同時期的女性運動，以自己的「直覺」行動，並從男性運動者的傳單文字學來「話語」的田中，實在難以想像她詳細了解過去的女性運動史。她恐怕是因為目睹了中核派等組織中試圖「和男人同等」地行動的女性幹部等等，才自以為地認為過去的女性解放運動是一場以達成「和男性同等」為目標的運動。

聚集在田中周遭的年輕成員也一樣。有馬真喜子在一九七〇年底採訪「Group・戰鬥的女人」時，如下記錄了成員們的發言：[217]「市川房枝？她也活太久了吧。」「女性力量？和男性邏輯一樣吧。我們否定菁英女。」「說到婦女參政運動，當我們在一個國家內展開爭取權利的鬥爭時，日本帝國主義在作為軍國之妻的貞女及從軍慰安婦的支持下，開始了對他國的侵略。婦女參政運動並未對其體制做出任何應對，結果成為了共犯。作為創造出從軍慰安婦體制共犯的女人的運動等等，甚至是醜陋的。」

關於成員們對過去女性運動的「激烈拒絕」，有馬表示：「對我來說，這種邏輯雖然有一半是可以理解的，但另一半卻難以理解。」「我對過去各種婦女運動發揮的作用以及其成果，大部分都給予正面評價與肯定。我相信，那是一次又一次，將一個又一個石頭堆疊了起來……正是因為有被如此建立起來的女性地位……由女性解放運動所象徵的對於整體文化的質疑，以及對於男女角色的質疑才得以被提出來。為什麼要否定這樣的過程？為什麼不能予以肯定呢？我無法理解對於這個連續性的拒絕。」

有馬在這篇報導中推測，「Group・戰鬥的女人」的成員們，之所以不願意從過去的女性運動中學習並且對其徹頭徹尾的全盤否定，並非因為她們理解到過去婦女運動的侷限，而是因為她們所經驗過的「以全共鬥為代表的新左翼運動中，女性沒有擔任過救護或炊事以外的角色」。這些女性們就算可以做出對於既存黨派與「男性邏輯」的批判，但依然缺乏產生新的運動理念的力量，這或許可說是無可避免的事。

一九七一年下半以後，田中的主張出現變化。武裝鬥爭論開始消聲匿跡。如同後續所述，在聯合赤軍事件後寫成的《致生命中的女性們》中，田中轉為否定武裝鬥爭和「女士兵」。

田中是何時，又是為何開始否定武裝鬥爭，這一點並不十分清楚。在《致生命中的女性們》中，她提到自己之所以在過去會使用「世界革命戰爭」這樣的詞彙，是因為——想逃離「不管做什麼都會搞砸」的「自卑感聚合體」的日常生活，想要抓住「活著」的實感的——「革命的非日常性信仰」。而「得以下定決心宣告與這個幻想訣別，是在女性解放運動合宿的時候，舉辦這個活動的其中一個目的，就是為了要與新左翼明確地斷絕關係」。[218]

然而，這樣的記述很難讓人直接認同。因為，被認為也是由田中所書寫的，一九七一年七月由女性解放合宿實行委員會發行的《女性解放合宿新聞》第二號中，依然提倡「追求武裝與共產主義」。[219]

說起來，田中的武裝鬥爭論與「女士兵」論，是意圖超越男性的「生產性邏輯」和「非日常邏輯」，並在日常性之中「使用與育兒及持槍同等的意識貫徹到底」的理論。在上述的《女性解放合宿新聞》中，更是以「不是相對於日常性的非日常性，而是創造出新的日常性！」為標語，提倡了「追求武裝與共產主義」。

那麼，田中是何時，又為何放棄武裝鬥爭論的呢？這似乎有兩個因素。其一，是她與赤軍派的接觸；其二，是她走訪了革命左派的山岳基地。首先，讓我們先從田中與赤軍派的接觸開始談起。

根據二〇〇九年公開的田中的訪談，她與赤軍派接觸的狀況如下。[220]當時，她過著白天在老家的外燴料理店工作，晚上則回到「本鄉赤門前父母名下的破舊小屋中睡覺」的生活。她說，這段時期，「在新左翼的運動完全崩解後，被邀請去了朋友的公寓，在那裡有著赤軍派的年輕人，拜託我『希望可以借住在妳家過夜』。雖然有些困惑，但想著『好吧，反正也有兩個房間，又是獨棟的房子』，於是接受了請託，結果這個地方就漸漸變成了赤軍派的據點。」

正如第十六章所述，一九六九年九月的全國全共鬥成立大會上，赤軍派與其他共產同組織發生了武裝內鬥，對此田中表示「希望『赤軍』能獲勝」。當時的運動者已經意識到武鬥棒與汽油彈鬥爭的極限，而赤軍派的出現，獲得了一部分年輕人的期待，田中也是其中一人。田中在之後主張起武裝鬥爭論和「女士兵」培育論，與武裝鬥爭產生了共鳴。因此，可以說田中提供住處給赤軍派，在某種程度上是相當自然的事。

接著，她也提到自己曾抱著「革命家或許還蠻迷人的」的嚮往，也期待過他們能像「白馬王子」一樣，拯救她脫離悲慘的處境。又如前述，被自己的「悲慘」心態困住的田中，因為有過「『這樣的地球就算毀滅也無所謂』這種像是蓋達組織一樣的心情」，所以「現在想起來，大概是被他們（赤軍派）的毀滅傾向與那股暗黑感所吸引了。」

然而，根據二〇〇九年的訪談，田中當時已經是二十多歲的後半，她對於一九六九年十一月赤軍派在大菩薩嶺研議的衝入首相官邸計畫和軍事訓練，已經覺得那「等同於兒戲」。因此，她表示，自己會提供住處給赤軍派的原因之一，是「想知道」「他們到底認真到什麼程度」。可以說田中之所以接觸赤軍派，一半是出於憧憬，另一半則是想了解他們的真實樣貌。

然而結果卻讓田中幻滅。當她提供赤軍派的年輕人住宿，聽著他們熱中討論的內容，田中甚至產生了「這些人說的革命，不是什麼值得認真看待的東西」、「赤軍這幫人，就是一群熱中於危險事物的巨嬰罷了」、「靠近一看，就是一些大頭的幼稚肌肉男集團而已」等等的印象。實際看過他們的活動後，田中認為「當時的他們已經筋疲力竭，就算說是什麼非法活動，最後也只是像老鼠一樣四處亂竄而已」，「當權者要一網打盡這些人，應該不難才對。」

正如第十六章所述，赤軍派雖然大吹大擂地談論著「占領首相官邸」、「世界同時革命」等，但實際行動卻屢屢失敗，行動也相當鬆散。看到這種情況，田中對他們產生上述的印象並不難理解。

此外，田中對赤軍派也有另一層意義上的幻滅。正如前面提到的，高中畢業的她，沒有因為加入黨派或全共鬥而承受過性別歧視的經驗。反過來說，正因如此，她才能在赤軍派身上投射「白馬王子」的形象。但赤軍派年輕人們的對話，卻也在這個意義上讓田中失望了。

根據二〇〇九年田中的訪談內容，她以「相隔一層紙拉門」的距離，聽到了借住在家裡的赤軍派年輕人們的對話。其中有人說「如果要結婚的話，還是沒在搞運動的女孩子比較好」，她也無意間得知了「他們的組織會讓女性擔任電話接線生，或晚上到風化區賺錢，甚至把她們變為戀人供養自己。」此外，在這些赤軍年輕人眼中，當時已經過了女性適婚年齡的田中很明顯「只不過是個出借住處的大姊姊而已」。正如第十六章所述，赤軍派充斥著蔑視女性的風氣，這在田中面前也顯露無遺。

最終，赤軍派的年輕人們甚至對田中放話：「當我們因為《破防法》而遭到逮捕時，妳也會一起被帶走的。」田中發覺，「這些人一邊說著『我們將隱身在人民之海中戰鬥』這種帥氣的話，卻一點也不好好對待提供他們根據地的我。這樣的革命家一點價值也沒有！」於是，她在「近距離見識到這些誓死從事武裝的團體」後，「對武裝本身抱持的浪漫情懷」便「開始逐漸褪色」。

根據赤軍派各隊的聯絡人、負責安排根據地的青砥幹夫在二〇〇八年的回憶，「田中小姐是赤軍派的支持者，我曾經與她有多到令人厭煩的無數次爭論，但最終我還是無法理解她。」雖然可以發現田中並非只是默默地聽著赤軍派之間的對話，但赤軍派一方可能只將田中視為提供根據地的「支持者」，並未能理解她女性解放的思想。

實際上，田中（以及「Group・戰鬥的女人」）提出武裝鬥爭和培育「女士兵」、支持京濱安保共鬥等文章，時間點大多都落在一九七〇年十一月到一九七一年四月之間，之後都只是稍嫌被動地做著再版過去的傳單等行動。而如前文所述，雖然在一九七一年七月的《女性解放合宿新聞》中，也提及了「追求武裝和共產主義」，但不再像過去那麼高調。或許隨著對赤軍派的實際樣貌的失望，對於武裝鬥爭的幻滅也越來越深。

對於這樣的田中來說，造成她更加確定對武裝鬥爭感到幻滅的事件，發生在一九七一年八月的「女性解放合宿」結束後，一九七一年十月，她走訪了革命左派的丹澤基地。根據二〇〇九年田中的訪談，她已對赤軍派這個大言不慚且強烈蔑視女性的「幼稚肌肉男集團」完全幻滅，但對於包括永田洋子在內的那些成為武裝士兵的女性革命左派，她仍抱有「女性革命家是怎樣的人？」的好奇心和期待感。關於這次丹澤基地的訪問，永田洋子和田中美津兩人都有寫下回憶錄，雖然兩者的細節有所出入，但先從永田的《十六的墓碑》看起。

根據永田的回憶，她第一次與田中見面，是在女性解放合宿結束不久後的一九七一年九月下旬。當時，永田為了和赤軍派的森恒夫開會而前往東京，與革命左派最高領導者川島豪的妻子一起見到了田中。永田記道：「因為當時女性解放運動的人提供了赤軍派根據地，所以希望她們也能協助同樣提倡婦女解放的我們革命左派。」[221]

當時，革命左派因搶劫槍支等罪行而遭到通緝，向大眾募資的網絡也正逐漸被切斷。他們之所以與女性解放團體接觸，部分目的是為了想確保與大眾之間的聯繫接點。如前所述，一九七一年三月，「Group・戰鬥的女人」主張了支持京濱安保共鬥。但在永田的回憶錄中並沒有這樣的記述，她似乎不知道「Group・戰鬥的女人」曾經表態支持過他們。而永田也表示，她「並不知道田中小姐她們對赤軍派提供的協助的詳細狀況。」

據永田表示，這次會面在討論內容上幾乎是兩條平行線。永田指出，「革命左派的婦女解放思想與田中小姐她們倡導的內容並不一致，因此關於這件事（共鬥）的討論也沒有進展。田中小姐談到了隨著節奏擺動身體的樂趣以及性愛情感的話題，但對當時的我來說，這些完全不是我所關心的事。」

儘管田中和永田都主張要培育「女士兵」，但永田是具有「保守」性觀念的人，因此她和田中在「性愛情感」方面的認知根本不可能一致。而田中喜歡隨著音樂跳舞，在女性解放合宿的活動中也大聲播放著珍妮絲・賈普林（Janis Joplin）的唱片。然而，永田卻是會將這樣的行為視為「小資產階級式」行徑的舊式運動者。

從永田的角度來看，她無法理解明明是一場主張武裝鬥爭的組織同志的會面，為什麼田中會談論性愛和舞蹈呢？但是，田中的武裝鬥爭論是「性高潮」的一種表現，和性愛及舞蹈的狂喜處於同一層次。

然而對於永田來說，武裝鬥爭是現實中的事，他們為了搶奪槍支而遭通緝，四處輾轉逃亡，最終被迫在山中過著禁慾的生活。對於這樣的永田來說，田中談論的性愛和舞蹈的狂喜「完全不是她所關心的事」並不足為奇。

就這樣，會談在雙方的想法完全沒有交集的情況下結束。然而，在這次會面中，田中提到「在三里塚的九・一六鬥爭〔三名機動隊員死亡〕現場，也有女性解放運動的成員在場，她們有可能也會遭到逮捕。我很擔心，因為不知道如果被捕的話會發生什麼事」，於是向永田尋求建議。田中的這一發言顯示出，儘管她在傳單中宣傳武裝鬥爭和非法活動，但缺乏對非法活動的認識。

對此，永田表示：「既然如此，不就應該趁這個機會嘗試看看非法活動，並開始策劃這樣的活動嗎？」並且提出「我們可以讓妳們參觀看看我們的非法活動。」田中回答：「一定，我非常想去看看。」於是，永田便帶她去到了他們位於丹澤的基地。

另一方面，在田中二〇〇四年的演講中，她提到自己走訪革命左派山岳基地，是出於「純粹的好奇心」以及「只是想去看看」，並沒有提到想要學習非法活動的相關知識等等。[222]這不見得是謊言，如後述，田中確實參訪了丹澤基地，但並未表現出想學習非法活動的態度，在那之後，田中等人也並未展開非法活動，這些也可以佐證。

接著，田中在這次演講中提到，她並非主動想去山岳基地，而是因為「順著永田等人的邀請」，「因為對方都開口了，所以才去的」。[223]然而，這樣的說法似乎有些不自然。當時的革命左派因為幹部遭到通緝等原因，被逼迫躲藏在遠離人煙的偏僻山岳基地。在這樣的情況下，他們不太可能因為參觀者出自「純粹的好奇心」而冒險邀請對方參觀秘密基地。

田中在一九九四年的對談中提到，在女性解放運動時期發生了太多事情，導致自己「全部都忘了」。[224]或許可以推測，在田中與永田面對面時，田中一方也由於自己的「好奇心」，想要親眼一見與只是說說的赤軍派不同的，實際搶奪了槍械躲藏在山岳基地的革命左派「女性革命家」，為了給這個想法找一個理由而提出想要學習非法活動，永田方面則是認真地看待這件事，這樣的情況或許比較接近事實。

相反地，後來永田等人非常擔心山岳基地被警察發現，甚至對可能逃跑的成員動用了私刑，如此一來，也令人困惑為什麼當初會邀請田中參訪丹澤基地呢？然而當時，參訪發生在一九七一年十一月底的瀨戶脫逃事件之前，革命左派的幹部們還沒處於認為任何人都隨時有可能逃走的疑心暗鬼狀態之中。而丹澤基地只是個臨時根據地，當時他們正在調查過冬用的候選基地，十一月就會移動到榛名基地。因此，他們可能判斷，就算邀請田中到丹澤基地，實際上也不會有太大的損害。

就這樣，田中走訪了革命左派的丹澤基地。然而根據永田的回憶錄，革命左派的成員們「和田中她們圍坐在一起，大家圍繞著非法活動，討論了各種話題」，而田中並沒有特別表現出太大的興趣，「談話內容僅限於普通閒聊」。

永田記錄道，她認為田中對非法活動的話題缺乏興趣的原因在於，「田中等人對缺乏群眾性的武裝鬥爭路線抱持批判立場」。然而，這種解釋可能是永田後來被逮捕之後，基於自己的組織與大眾疏離的悔恨所投射出的一種看法。

說起來，田中就算是在女性解放的運動中也並沒有追求過「群眾性」。當她們邀請桐島洋子參加討論會時，桐島批評：「女性解放運動者的話語對我來說太過艱澀，實在難以理解。」對此，田中反駁說：「若不是從自身的痛苦出發，話語就只是單純的話語，隨時都可以讓它變得淺顯易懂」，「現在正感受到痛苦的人，根本沒有餘力去把自己的話語變得更易於他人理解」，她厲聲說道，思路清晰且「易懂的話語，是為了支配而存在的話語」，「想要讓人理解的想法是種乞討的心態。」[225]

後者的「想要讓人理解的想法是種乞討的心態」這句話，甚至成了《致生命中的女性們》的章節標題，作為田中留下的名言而為人所知。她在《致生命中的女性們》中宣稱：「問題始終不在於他人如何看待自己，而是在於自己是什麼樣的人。」在二〇〇四年的演講中，她也指出：「不必讓其他人覺得好。只要我自己覺得這樣很好就夠了。」[226]這樣的田中，不太可能因為缺乏「群眾性」而對革命左派的活動不感興趣。

那麼，為什麼田中在丹澤基地會對非法武裝鬥爭的話題態度消極呢？這可能是因為，她夢想中的「女性革命家」形象，與現實中革命左派的情況之間的差距實在太大了。

田中認為武裝鬥爭是「最極致的性高潮」，但這對永田來說完全無法理解。而當田中走訪了丹澤基地後，她發現非法武裝鬥爭與性愛或舞蹈的狂喜毫無關聯，而是一種被迫禁慾的生活。注重衣裝的田中穿著迷你裙造訪了丹澤基地。在二〇〇四年的演講中，儘管田中說「我不太記得了」，但回憶永田說過「我們每天都吃豆腐渣」，她表示：「嗯，我還記得那時心想，我可不想每天都吃豆腐渣。」[227]

此外，革命左派的「認真」態度似乎也與喜歡跳舞和性愛、「以不羈為命」的田中合不來。根據二〇〇四年田中的演講內容，當時在丹澤基地的革命左派成員，都給她一種「每個人都很好很健康的感覺」、「超級認真」，並且「每個人都笑嘻嘻的，話說得不多」、「好像被從電影《有著融鐵爐的城鎮》

中走出來的人物包圍的感覺」，田中感覺自己和他們「格格不入」。[228]

當時，陷入資金困境的革命左派忍受著簡陋的飯菜，過著山岳基地的生活。他們從前身的「警鐘」時期開始，就是受到毛澤東路線影響的組織，用大眾易懂的詞語書寫傳單，並要求學生放棄學生身分投入勞工運動。在這時，革命左派已經殺害了逃跑的向山和早岐，雖說已經不再是過去那種質樸的組織，但還殘留著舊有的氛圍。

田中提到的電影《有著融鐵爐的城鎮》，是一部由吉永小百合在一九六三年所主演的作品。從鑄造工廠城鎮的一名少女的視角，探討貧困和歧視問題，並描繪了從勞工運動中尋找希望的人們的故事。這部電影可以說是一九七一年當時年輕人認為的，過時且不酷的「戰後民主主義」的典型「超嚴肅」電影。

另外，田中還有一個特點，她具有厭惡「認真」的傾向。

正如前文所述，因為童年時期遭受過幫傭的性暴力，田中總是自責自己成為了一個「恥辱的女人」，為了「淨化生命」而投身社會運動。但根據一九九五年的訪談，實際上這位幫傭對她來說是一個「能讓自己安心的人」，「並沒有遭受過那麼糟糕地對待，而是像在玩耍一樣，感覺很開心。」然而當她將這件事告訴母親之後，母親嚴厲地責罵了那位幫傭，田中因此開始認為自己「『不小心變成了壞孩子』，變成了『有罪的孩子』」，從而「持續懲罰當時感到開心的自己」。[229]

如前述，一九四三年出生的田中，試圖透過少報一歲來避免被視為「大齡單身女」，這可以看出她有著內化了某種「保守」性規範的面向，在這個意義上，她和一九四五年出生的永田類似。田中在這種性規範意識上，經歷了內疚所帶來的痛苦（在一九九五年的訪談中，她提到這種內疚意識讓自己

「直到二十七歲展開女性解放運動之前，甚至沒有交到能稱得上是朋友的朋友」）[230]，考慮到這一點，便可以理解她為何在讀了賴希的作品後，會「直覺」地認為，「對性的壓抑」正是讓她感到痛苦的這個世上的萬惡根源。

此外，因為母親對幫傭的斥責，讓田中抱持著「有罪的孩子」的意識，直到二十七歲前都因為內疚而感到痛苦。這也透露出她本人其實也是個「超級認真」的人。換言之，或許正是因為田中本人「超級認真」的個性，使得自己產生因內疚而痛苦的經驗，從而形成後續對於「認真」特質的厭惡感。

田中在一九九二年時表示，由於自己也有過親身經歷，讓她有機會與患有飲食障礙的女性們接觸，並認知到「所謂的飲食障礙，其實是一種完美主義者的病」。在一九九四年與加納實紀代的對談中，田中提到「說大多數的問題都是因為過於認真所導致的也不為過。」[231]先不論飲食障礙，現實世界中發生的貪汙和犯罪是否真的是「因為過於認真所導致的」呢？這仍有待商榷。然而對於長期因自己的「認真」而內疚受苦的田中來說，世界或許就是這樣映照在她眼中。

概括上述的脈絡，可以推測田中宣揚「不羈為命」，並自稱為「愛跟風的人」，也可能是她為了打破自己「超級認真」的特質而進行的一種說反話行為。畢竟，真正「不羈」且愛跟風的人，不太會如此稱呼自己。

因此，比起「認真」的活動，田中更偏好於幽默和戲謔類的活動。在一九八七年與上野千鶴子的對談中，田中回顧自己七〇年代前半參與女性解放運動的時代，她說：「在我所做的事裡，自己也稍微覺得做得不錯的只有幾件事，女性解放合宿、音樂劇（由『Dotekabou劇團』製作的一齣名為『女性解放』的諷刺劇）以及《女性解放新聞》」。對於被許多人認為是她們運動最大成就的阻止優生保護法修正案，她則表示：「我覺得那即使不是由我來做，也一樣可以做到。」[232]

對於這樣的田中而言，「認真」是一種批判用語。在一九九四年的對談中，田中對亞洲婦人會議做出以下評論：「她們真的很認真，所以是對自己的事不太能一笑置之的人」，並將其定位為「女性解放運動前史」般的存在。同時在這場對談中，田中提到「我們出版的《女性解放新聞》也是相當引人發笑的刊物，『音樂劇．女性解放』更完全是一部喜劇。擁有能夠輕鬆地嘲笑自身嚴肅性的視角，這就是女性解放的創新之處。」「相比之下，大眾媒體總是想把我們描繪成一群性急且過度認真的歇斯底里女人。」[233]

「一笑置之」自身的「嚴肅性」，藉此拯救因「認真」而陷入內疚的痛苦狀態中的自己。這對田中來說是非常重要的事，也是「女性解放運動的創新之處」。這麼一來，我們也能理解為何田中會將像是亞洲婦人會議這樣，（據田中所言）極為「認真」且「不苟言笑的人們」評為「女性解放運動前史」，並且也在自己的活動中，比起阻止優生保護法修正案這類「認真」的行動，更加看重音樂劇這類諷刺性行動。

對田中來說，丹澤基地革命左派的禁慾與「超級認真」成了令她感到拒斥的原因。田中因對革命左派感到格格不入，在被問及聯繫方式時，「隨意講了一個很少用的電話號碼」，就迅速離開了丹澤基地。[234]

另一個不足為奇的事情，是田中對革命左派情況的缺乏理解。當永田提到他們吃豆腐渣時，田中以為他們認為「豆腐渣等於革命」。此外，當永田提到自己就算在餐廳吃飯，也會把剩菜裝在塑膠袋中帶走時，田中認為「永田真的很像大嬸」。[235]

即使是革命左派，也不會認為豆腐渣具有革命意義。他們吃豆腐渣或是把剩菜帶回家，是因為在長時間的逃亡和山中生活裡，陷入了貧困缺糧的處境。然而，田中對此一無所知，而以為這只是不帥氣且「認真」的「大嬸」行徑。

就這樣，田中對於在藏身處沉迷於空想式武裝鬥爭議論的赤軍派感到幻滅，也在接觸過實際投入武裝鬥爭的革命左派後，意識到非法武裝鬥爭與自己夢想中「最極致的性高潮」大相逕庭，是一種禁慾且不帥氣的「超級認真」的鬥爭。如前述，田中雖然提倡著非法武裝鬥爭，但未曾在現實上著手展開行動。或許這樣的田中從未想過，非法武裝鬥爭會需要忍受長期的扎實籌備以及失去自由的逃亡生活，與敵人砲火相交的「性高潮」式場面，只不過是其中的一小部分。

於是，她與赤軍派的接觸所產生的對於武裝鬥爭的幻滅，在與革命左派的接觸後變得更加明確。赤軍派的誇大言語和草率行為，在已經超過二十五歲的田中眼裡，只是不成熟的「巨嬰」行徑，而且她對赤軍派蔑視女性的傾向也感到幻滅。另一方面，雖然革命左派相較於赤軍派更為認真，女性蔑視的風氣也較少，但他們的認真程度反倒只讓田中感到「不合拍」。可以說，田中透過與兩種性格迥異的武裝鬥爭組織接觸，在兩種不同的層面上對武裝鬥爭的真實樣貌有所幻滅。

此外，除上述兩個原因，被認為是一九七一年秋季之後，田中逐漸遠離武裝鬥爭論的原因還有一個，那就是中核派在一九七一年十一月發動的「澀谷暴動」和「日比谷暴動」。

如前述，一九七一年七月舉辦的中核派全學聯大會上，受到女性解放影響的女性運動者們，向男性運動者和領導幹部發起了暴風式的抨擊。然而，這些女性運動者的聲音並未能改變中核派的路線。不僅如此，在「女性全員應與鬥爭民眾匯流並走向最前線」的呼聲下，在第十四章描述過，女性運動者在一九七一年秋季暴動中被推上了最前線。

田中在《致生命中的女性們》中如此描述了這個經過：[236]「在中核派的第三十屆全學聯大會上發起了女性解放運動，儘管看來進展相當順利，但最終還是被吸納進例行的『貫徹秋天的決戰吧』那種似是而非的合理性中」，「為了完成女性解放而表現得與男人一樣的女性們，自願加入了武鬥棒與汽油彈的隊伍中」，「從結果來看，在全學聯大會上引起的女性解放旋風，可以說是為女性令人驚艷的表現做好了準備。」

女性解放運動如果提倡了「女士兵」的武裝鬥爭，可能會反過來被黨派利用，導致女性運動者被迫「和男人同等」地參與戰鬥——田中或許是在觀察了中核派從一九七一年夏天到秋天的動向後產生了這樣的想法。這件事連同她與赤軍派、革命左派的接觸，致使田中脫離了武裝鬥爭論。

另一方面，一九七一年八月舉辦的女性解放合宿中，建立起了女性解放運動團體的全國性連結網絡，十二月，由「Group・戰鬥的女人」及參與合宿的其他團體為中心，召開了「那明年應該做些什麼呢集會」。在會議上，決定了將於一九七二年舉辦女性解放大會以及設立女性解放中心，並圍繞會議內容展開「女子色情思想集會」等一連串的討論會。一九七二年一月，確定了將從四月三十日起舉行女性解放大會，「五月女性解放大會籌備會」則由田中等約三十人組成。[237]

田中在一九七二年二月的女性解放大會籌備新聞中，寫下了一篇題為「向五月女性解放大會的喊話——從理所當然女性到女性」的文章。田中提到這篇文章的「草案完成於〔聯合赤軍的〕連續私刑殺人事件被報導出來而廣為人知的約一個半月前。」[238]在這篇文章中，她如此寫道：[239]

如果說女人是作為雌性，對著男性展現「女性氣質」的話，男人則是作為雄性，向社會展示著「男子氣概」。無論是在過去還是現代，當這種男子氣概的邏輯一旦建立在「為了大義扼殺『私我』」的表面說法上時，男性很容易就會被企業的大義——追求利潤——困住，即使有著無法充分展現「男子氣概」的挫折與絕望，但作為雄性，並不會直接面對遭到企業的生產性邏輯所壓制的悲慘。他們會就這樣在不直接面對的情況下算了。因為，被——男性為之獻身犧牲自我的企業大義的——生產性邏輯所扼殺的「私我」，對於男性來說，是女性；對於大人來說，是孩子；對於年輕人來說，是老人；對於一般人來說，是被歧視部落民；對大和人來說，是沖繩人；對於四肢健全的人來說，是身體障礙者、被爆者；對於日本人來說，是在日朝鮮人、中國人，還有同性戀者。

在這篇文章中表現出來的，將對於在日朝鮮人及被歧視部落民的歧視，與對女性的歧視並行而論的論調，以及對於「生產性邏輯」的批判等等，與過往並沒有什麼不同。然而一個重大的變化是，「為了大義扼殺『私我』」這個話語，幾乎是以作為「生產性邏輯」同義詞的姿態登場。

在田中放棄武裝鬥爭論不久後登場的，是「為了大義扼殺『私我』」這句話。田中（恐怕是在無意識中），將塑造出內疚意念的「認真」重疊上「大義」、將為此受到折磨的自我重疊上「『私我』」也說不一定。

上述文章中所說的「大義」，指的是「企業的生產性邏輯」。然而，從田中向來主張新左翼也是依循著「生產性的邏輯」展開行動的一點來說，在某種契機下，這種對於「大義」的批判將轉變為對於新左翼的批判，這個轉變當然是有可能發生的。實際上，田中正是在聯合赤軍事件曝光的時期寫下的《致生命中的女性們》一書中，全面使用了「為了大義扼殺『私我』」這句話來批判新左翼運動。

脫離「革命大義」

根據田中的說法，她是在撰寫《致生命中的女性們》的初期得知了聯合赤軍的私刑事件。「這種時候還下筆如流的人才不正常啊。」她一邊寫著稿，一邊與編輯如此爭辯。而其書的內容，用一句話來說就是，「不論是革命的生產性邏輯，或是企業的生產性邏輯，在厭惡女性生理這方面上並沒有什麼不同」，也就是指，在「為了大義扼殺『私我』」這點上，不論是企業、大日本帝國還是新左翼都一樣。240

在這本書中，田中首先坦白了自己的經歷。內容包括自己是個「不管做什麼都會搞砸」的「自卑感聚合體」、母親的性冷感、她自從幼年時被幫傭「騷擾」後，就因為活在「恥辱之中」的內疚而感到痛苦、因為梅毒檢測呈陽性而再次確認了自己就是「恥辱的女人」、身為超過適婚期的女人，卻過著每次打工總是馬上就遭到解僱，虛度著每一天的生活、在這樣的情況下為了掌握「活著」的實感與完成「生命的淨化」而參加街頭鬥爭等等。

在這些自我揭露之後，田中在《致生命中的女性們》中對新左翼進行了澈底的批判。

首先，根據她的說法，新左翼執迷於在「○．○決戰」這樣的非日常空間中與機動隊產生衝突。但據田中所言，「革命和法西斯主義只有一線之隔。在非日常空間中，這兩極之物雖同樣誕生於想要極限地燃燒生命與可能性的願望中，但卻都是以無聊的日常——沒有性高潮的日常作為前提。」也就是說，在非日常空間的祭典中尋找救贖，只不過是「將『今日的悲慘』偷偷代換成『明日的可能性』」，「在這些人的志向裡，正在孕育著法西斯主義的種子。」[241]

為了說明新左翼的革命志向和法西斯主義，都是由對於非日常空間的渴望所支撐著，她舉例指出：「當三島由紀夫切腹自盡時，我認識的那些像是『革命家』的男人們，都帶著被搶先了一步的羨慕眼光在看待這件事。」據田中的說法，在憧憬於切腹或殉死[ix]這類非日常空間中的死亡這點上，三島和新左翼來自共同的根源，即男性「證明自己存在的方式就是『為了大義扼殺私我』。」[242]田中如此描述了「為了大義扼殺『私我』」成為男性存在證明的結構：[243]

男人被認為是好面子的生物。意即所謂男性的歷史性，是以執著於表面說法為本質所發展出來的。這個表面說法指的是，認為「為了大義扼殺私我」是好的。在向社會證明自己存在的過程中，男性的行為方法，即所謂男子氣概應有的樣子，就是基於這個邏輯，經過反覆試錯而形成的。……

就算不回想起三島的例子，我們也可以發現，大義總是想要在非日常空間中讓自身變得更加鮮明。男子氣概的極致——切腹，也是讓「女性與孩童」無法靠近的非日常的極致。……對女性來說，大義是一種耀眼的光芒。它作為一種絕對性的價值存續至今。在家父長制下，為男性奉獻

ix 譯註：「殉死」指的是君主或丈夫死亡後，臣子或妻子緊隨在後自殺（有時為被自殺）的行為。

等同於為大義奉獻，因此殉死——相對於男性的切腹而言，被視為婦道的極致。……受到男性野心連累的生命，不是別的，正是「殺人的私我」，不，應該說是「被殺害的私我」。

就算不讀三島的《春雪》也可以知道，切腹之所以總是伴隨殉死，實際上是因為在男性的大義中，唯有先存在著一個「被殺害的私我」，才能具備在最後成為使萬人揪心的巨星演員的條件。……在名為社會的舞台上，只要男性還有一絲想要成為巨星的想法，女性就注定得在後面乖乖當黑衣人。

根據田中的說法，「對女性而言，新左翼的鬥爭就是巨星與黑衣人、切腹和殉死的鬥爭。自從懂事以來，就被灌輸了男性比自己偉大的觀念。這種在意識與無意識下絕對化的對於男性的幻想，即使在新左翼內部，也讓女性成為了黑衣人般的存在。」「非日常正是男人大義的花道[x]」，但作為男性切腹協力者而殉死的女性，才是被「大義」殺害的「私我」。而「所謂的協力者，就是注定無法完整燃燒的生命」，「這也就是為什麼從新左翼中必將誕生女性解放的原因。」[244]

此外，男性之所以披上作為「企業大義」的「生產性邏輯」，是資本主義社會的必然。「社會的表面說法要求的男性，是不背叛生產性邏輯的『強大男性』」，因為企業的生產性要求習得這種思維方式。」而「男性的表面說法文化，一直以來都持續支撐著生產性邏輯。男性那整理得井然有序的抽屜，在男性的體內支撐著生產性的邏輯。」而新左翼也不過是「將社會的大義轉變成革命的大義而已，男性的反體制，根本就不可能超越體制的框架。」然而，女性解放，則是「從否定性地總結了新左翼的——藉由將重擔轉嫁在女性肩上才辛辛苦苦維持住的——非日常性優先的運動總體中開始的運動」。245

田中如下論述了女性與抱持「生產性邏輯」和「現代理性主義」的新左翼之間的關係：246

六〇年代的鬥爭是一場試圖在非日常政治空間中將自我普遍對象化的鬥爭。然而，這僅是表面上的說法，實際上，它是試圖藉由一年三百六十五天當中僅有幾天的〇月．〇日鬥爭所建構出來的非日常空間，來昇華悲慘日常生活的鬥爭。……那是源於，為了大義扼殺私我，這個一直以來的日本傳統精神風土，與現代理性主義的思想中誕生的產物。……

而新左翼的男性，和一些為了和男人齊頭同等而努力的女性，也採用了這種思考方式。對於鬥爭的生產性而言，現代理性主義的思考是難能可貴的朋友。……武裝行動成為了非日常政治空間的主角，為此鬥爭必須更加效率化。從而，街頭鬥爭越是活躍，必然地非生產性的女性就只能越被迫退居後方，與此同時，試圖表現得和男人一樣來爭取女性解放的女性們，自願加入了武鬥棒與汽油彈的隊伍中。

根據田中的說法，如同許多女性運動者為了參與鬥爭而被迫墮胎，「不論是革命的生產性邏輯，或是企業的生產性邏輯，在厭惡女性生理這方面上並沒有什麼不同」。此外，雖然新左翼的年輕人讚

x 譯註：「花道」為歌舞伎中演員進退場用的走道，位於下舞台（面對舞台的左側）。最初的目的在於讓觀眾贈花給喜歡的演員，因而稱為花道。在田中文裡意指「登場展現自我用的通道」。

責年長者在戰爭中的責任，但「那些仍在細數著『預科練之歌』[xi]當中難以忘懷的那段時光的大人們，與那些以打倒日帝為旗幟，持續將武器從武鬥棒升級成汽油彈、炸彈的年輕人之間，只有一邊信奉的是大東亞共榮圈、一邊信奉的是世界共產主義的不同而已。」「說起來，參與侵略戰爭和參與〇月・〇日鬥爭是一丘之貉。只要他們為了大義（表面說法）而試圖藉由男子氣概來證明自己的存在的動機不變的話。」[247]

田中進一步討論了大東亞共榮圈和革命兩者之間大義的相似性：[248]「『你們這些傢伙，當時一同起身鬥爭了嗎！』新左翼的男性經常這樣互相質問。……當時指的是，〇月・〇日的非日常空間。當時，是否朝向革命大義，充分展現出男子氣概了呢？當時，是否將一切貫徹到底了呢？——對於無法回答這些問題的男性，會在黨派裡被視為『非國民』。」而女性為了避免被貼上「非國民」的汙名，墮胎並自願參加汽油彈部隊，學習馬克思主義並否定自己的女性性質，以避免「非國民」的恥辱，從而「在新左翼內部取得了公民權」。[249]

根據田中的說法，「如果女性以諂媚男性而活，那麼男性就是以諂媚社會而活」。男性會為了「大義」犧牲，以對社會證明自己的存在，然而「被塑造成要對男性證明自己的存在的女性，則在性高潮中尋求確認自己確實存在於此的極致實感。」「女性是為了在男性的懷抱中找到一切活著的意義，而被創造出來的。」[250]

並且「只要還有向男性證明存在的欲求，不論從事什麼職業，不論裝扮得多麼激進，她的子宮就是生育機器，是物化了的子宮。」田中認為，「濃妝和素顏都是諂媚」，甚至學習馬克思來討好黨派的男人也是一種「諂媚」。她認為：「就算透過學習了馬克思而能無視社會價值觀，仍然無法無視喜歡的男性的價值觀，這正是女性生存的困境。會有這麼多的『前左翼』背叛了『打破一夫一妻制！』的口號、勤勉地做著家事，就是因為這個原因。」[251]

田中進一步點破了新左翼女性和男性的關係：[252]

對於新左翼的女性來說，「革命」就是具備男子氣概的男人的代名詞。是在小資產階級的世界裡，她們絕對無法遇到的、如同王子殿下一般的存在。當一般女性在用「資生堂」化妝的時候，她們則是用革命的大義來化妝。只不過是將「如果我的皮膚能白一點」的願望，偷偷抽換成「如果革命能到來」的邏輯而已，她們同樣在夢想著自己有一天能穿上玻璃鞋。如果「革命」是男子氣概幻想的產物，那麼與之成對的女性氣質的願望，會在解放運動當中，形成女性之間的相互反目也是理所當然的。這種反目，表現成了誰能為革命大義成就出更有用的殉死這樣的競爭。奉獻給革命（大義）和奉獻給革命家（男性）是同一件事，根據她們信奉的對象，女性被分成暴力型和小可愛型。

田中的主張，有一部分正確地揭露了新左翼和全共鬥之中女性的地位，以及畢業後成為企業戰士的男性的實際樣貌。如前所述，雖然田中並未進入大學，也沒有加入全共鬥或黨派的經驗，但她的新

xi 譯註：原稱為「若鷲の歌（わかわしのうた）」，以二戰時的海軍飛行預備科練習生（予科練）為題材，作為一九四三年在日本公開的電影《決戦の大空へ》的主題曲而創作的戰時歌謠。

左翼批判，卻得以觸及那些在全共鬥及黨派中感受到性別歧視的前女子大學運動者們的心。因此，這本書獲得了來自前新左翼與前全共鬥的女性們支持，並成為女性解放運動的經典之作。

然而，這本書在很大程度上也反映了田中自己的經歷。即使田中提到「以無聊的日常，沒有性高潮的日常為溫床的法西斯主義和革命」，然而為了擺脫「沒有性高潮」的日常而參與「非日常空間」的街頭抗爭，並與自稱「革命家」的男性同居的似乎是她自己。[253]

即便如此，上述經歷在當時的女性運動者中或多或少是共通的。但田中在這本書中還提到：「不論是切腹還是殉死，都是源於對性的罪惡感。為了大義而扼殺私我的禁慾主義，是被那些無意識地追求淨化自己生命的人支撐著的。」[254]

一旦說到這種地步，要將其視為當時女性運動者的共同感受就有些勉強了。在童年時感受到了私密愉悅的田中，因為被灌輸了「對性的罪惡感」和「禁慾主義」，所以在感到內疚的同時，為了「無意識地追求淨化自己生命」而參加街頭鬥爭。上段的內容，可以說是田中將個人的心理狀態一般化的論述。

此外，田中在《致生命中的女性們》中直言：[255]

……黨派是男人證明作為雄性存在的方法，由於其歷史性，所以當它與權力的對抗短暫停歇時，必然只能試著透過武裝內鬥來維持其組織。而對於試圖向男性證明其存在的反體制中的雌性們，男性將革命大義與身為「強大男性」的自己疊合，並在表面上做出效忠於革命的假象，藉此，也必然會打造出一個向男性與男性組織宣誓忠誠的機制。妻子去賺錢，丈夫去革命的分工體制，這和世間上的男女角色究竟有什麼不同？……就算女性拿起了武鬥棒，甚至將其升級成炸彈，對於一個缺乏感受痛苦的能力的男性組織來說，允許女士兵的出現，終究只不過是有效率地使用雌性的極端現象而已。

這裡可以看到一個轉變。田中過去所說的「女士兵」，應該是超越了「生產性邏輯」和「非日常空間的鬥爭」，同時照顧孩子並拿起槍桿的存在。然而在上述文章中，「女士兵」卻是被描述成完全遭到黨派的「生產性邏輯」利用的存在。雖然想要超越「生產性邏輯」、「現代理性主義」、「非日常空間」的論述與過去一樣，但「女士兵」這個詞的意義已經改變了。[256]

在這本書中，田中轉而完全否定武裝鬥爭。她在書中表示：「最渴望武裝鬥爭的明明是權力。也就是說，當權力想要所有的運動走向非公開化時，哪裡會有到處高喊著武裝鬥爭的笨蛋呢！就算在新左翼的延長線上發起所謂的武裝鬥爭，也只會白白送死而已。」[257]

在這個時期，田中等人的「Group・戰鬥的女人」也被公安警察盯上，田中在二〇〇一年回憶道：「那是一個只要有激進派的朋友，就會被便衣〔刑警〕尾隨的時代。」[258]這意味著，權力「想要讓所有的運動走向非公開化」，這似乎是當時田中的實際感受。但無論如何，在此田中完全改變了對武裝鬥爭和「女士兵」的看法。

接著，田中在《致生命中的女性們》中指出新左翼「非日常空間」鬥爭的兩個錯誤。一個是對「權力」概念的理解過於狹窄。另一個是支撐著七〇年代以降反歧視鬥爭的「加害者邏輯」過於片面。

首先，對於「權力」，田中提到：「即使不特別喧嚷著『權力、權力』，我們每天都生活在被權力包圍著的日常中」、「最近在眼前、最直接的壓迫，表面上從來不會呈現出『政治性』的色彩」、「並不是資產階級直接進行了壓迫。絕對不是佐藤首相伸出手來奪走了女性生命的光輝。而是『不歡迎男人來訪』這樣一句由大眾所說出來的話、差別對待畢業後打算直接就業的學生的教師、暗示女性職員婚後離職的組長，讓每一天的生活變得更加艱難。」[259]

換言之，「我們的第一個錯誤是，儘管原本權力作為一個總體，將其總體性以日常性呈現出來，但我們卻還是急於只在腦中分析壓迫，將問題收束成政治問題，急於物理性地粉碎政治權力，並試圖找到通往勝利與解放的最短路徑。」「如果按照那種思考方式，權力將總會以清晰的姿態呈現——也就是政治權力。所有的壞事都是它的錯。」如此導致的結果，便是「〇月・〇日之戰」，又或是「殲滅機動隊的鬥爭」。[260]

「權力」日常地如網絡般捕捉著人們。這樣的觀點，可以說與傅柯等人的權力概念相似。然而，田中對權力的觀點並非觀念性的考察，而是來自女性解放運動的取向，也就是認為比起「非日常空間」的鬥爭，「日常的」鬥爭更為重要，因此有必要對抗「認為『女性應該要純潔』的支配邏輯」及「墮胎、強姦等於骯髒女人的思考方式」。[261]

另一方面，關於「加害者邏輯」的片面性，田中有以下描述：[262]「現在才能這麼說的是，將壓迫和被壓迫清晰地二元劃分的思考方式，終究只限於理論的範疇。這是因為，被壓迫者的日常生活，就是建立在壓迫和被壓迫的多層次關聯之中。首先，在我自己身上就是如此。」換句話說，儘管自己作為女性是被壓迫者，但作為「日本人」這層意義上卻是對亞洲的加害者。

此外，「對壓迫民族一面倒的觀點，最終只不過是一種表面說法。」「戰前與戰後自始至終都身為壓迫民族，這個沾滿血跡的烙印確實也緊緊貼在我的背上，然而，這並不是我發自真心的想法。」[263]

因為，「人類是種可以忍受他人的痛苦長達三年的生物。明明是這樣，但還要以作為壓迫者的痛苦為原點展開鬥爭，這不管怎樣都讓人覺得有點可疑。」「自稱『壓迫者』的各位，在面對在日朝鮮人、被歧視部落民等『被壓迫者』時，陷入了不斷得準備好『自我批判』的窘境中，這是試圖以他人的痛苦為出發點進行鬥爭者的必經之路。」[264]

為了掩飾這種不合理，「最後，他們甚至說出『將在日朝鮮人、中國人的痛苦當成自己的痛苦』的這種話。」「大部分的鬥爭主體藉由不斷告訴自己『我是壓迫者』、『我是壓迫者』來擔負起入管鬥爭。他們倚賴他人的痛苦——被施加於在日朝鮮人與中國人身上的壓迫，來背負著入管鬥爭。如果不告訴自己『因為這裡存在著政治問題！』，他們就無法確認作為『壓迫者』的自己。」他們無法直視「同時是壓迫者和被壓迫者的事實」，「藉由不斷告訴自己是壓迫者，來忽視自身作為被壓迫者的悲慘，從而達成即自的（an sich）[xii]自我解放。」[265]

根據田中的說法，這也連結著新左翼的決戰主義。意即，「黨派的煽動經常以『作為壓迫民族的——我們啊——』開頭，基於作為『壓迫者』的共通點，新左翼團結一致地高舉革命的大義，朝著『決戰』直直奔去。也就是說，朝著政治權力直直奔去——」。而「加害者邏輯」將「不得不進行的『決戰』的『不做不行的不合理行為正當化。畢竟我們是壓迫民族，所以必須毫不質疑地加入打倒

xii　譯註：日文原文寫作「即自的」，來自於德文「an sich」。

日本帝國主義的行列。」[266]在此基礎上，田中進一步說道：[267]

「加害者邏輯」之所以成為問題，是因為它會讓人捨棄作為被壓迫者的自己。其罪惡性在於，明明在同時身為壓迫者與被壓迫者的矛盾中，活生生地存在著鬥爭的辯證法，但卻只一味地強調作為壓迫民族的論述，使人抱持著使命感，奉獻於不過只是表面說法的革命大義。所謂的「作為壓迫者」，在實感上說到底只是種表面說法，因此總是以清晰的方式存在，讓男人們滿足其自身對於男子氣概與作為革命家的願望。當抱持著使命感投入「不得不進行的階級鬥爭」時，為了表面說法犧牲的不自然感，其禁慾主義的行為帶來了幽微的喜悅。在不得不做這麼做的決心所孕育出的頂點上，意即在密藏於內心中的喜悅的頂點上，設定了○・○日的革命性非日常。

……

當依循著為了君主甚至可以獻上性命的切腹邏輯、依循著男子氣概的邏輯獻身於革命大義時，就已經注定了鬥爭將朝向在非日常空間中尋求自我，而女性也將作為協力的黑衣人支持著男性的花道。「加害者邏輯」成為了將「為了大義扼殺私我」與現代理性主義連結起來的接點，並且還用「不得不這麼做」的使命感，將這兩者的串接處給包覆隱藏了起來。

正如第十四章所述，當小田實在一九六六年提出「被害者＝加害者」論的時候，強調了既為被害者也是加害者的多層性。到了一九七〇年典範轉移發生後的年輕人運動中，才變成單方面地強調著作為加害者的層面。然而，田中似乎只了解到後者的論述。

如前述，田中在反戰運動中與越平聯相互合作，她提到之後創建女性解放新宿中心時之所以並未設立等級制度，也是受到了越平聯的影響。[268]不過，田中並不是一位喜歡讀書的人，因此她或許根本不熟悉小田的著作。田中會注意到被害者和加害者的多層性，或許並非受到小田的影響，而是因為當時的女性解放團體，重視女性在受到壓迫的同時也站在作為「日本人」這一壓迫者位置上的問題，所以才會形成這樣的認識。

此外，田中的童年經驗，似乎也是讓她關注多層性的原因之一。田中在一九九五年的訪談中提到，幼年時遭到家庭幫傭的騷擾時，自己其實也樂在其中，因此她表示「自己無法光明正大地站在『我是被害者』的立場上，並一直懲罰著當時感到愉悅的自己。」[269]感到私密愉悅的自己，不是能夠被毫無保留地歸屬到「被害者」的存在，這種內疚感，連接著對於「清晰」地區分被害者和加害者的違和感。

作為「自我分身」的聯合赤軍詮釋

在這樣的背景下，田中在《致生命中的女性們》中論述了聯合赤軍事件，特別是永田洋子。[270]如第十六章所述，當時永田被媒體報導成「大醜女女王」等，對於女性解放運動者來說，這是一個無法放著不管的問題。就結果而言，田中對聯合赤軍事件的詮釋，也象徵了當時的反叛青年對於聯合赤軍事件的反應。

如前述，田中將女性解放和赤軍派定位為，從一九六九年四月二十八日沖繩日的落敗中誕生的雙胞胎。在沖繩日的落敗中，「暴露出了男性的、由男性主導的、為了男性的鬥爭的脆弱」，「從執著於軍事極限性的過程中孕育出了赤軍，從執著於鬥爭主體極限性的過程中孕育出了女性解放」。這與提倡培育「女士兵」和「革命軍」的時期有著不同的定位，然而田中表示，「我的女性解放與赤軍在同一天於母體著床」，「我實在無法將他們的錯誤當作別人家的事看待。」[271]

接著，田中關注到永田患有葛瑞夫茲氏病。在當時的報導中，認為因為永田患有葛瑞夫茲氏病，從而導致了私刑事件的論調四起。

田中是在梅毒檢測呈陽性反應之後，才參與了「非日常空間」的街頭鬥爭。田中說道，「這樣的我，能以自己切身的實感深刻地了解，為什麼永田洋子會如此執著於革命的非日常性幻想。在人生即將起步的時候，被告知罹患了葛瑞夫茲氏病，如果沒有完全痊癒的話，最終有可能會導致精神錯亂，她背負著這樣子的身體的痛苦，越想越讓人百感交集。」[272]

田中在一九七二年四月出版了《致生命中的女性們》後，隨即在同年五月發表了名為〈永田洋子就是我〉的短文。田中在文中如此闡述：[273]

「現在我對於她〔永田〕是一位『溫柔的女性』這件事沒有任何一絲懷疑。並且，我也能夠生動地想像，將一個極為普通、正常的女性的她與我自身重疊在一起的模樣。……我直覺認為，永田洋子的溫柔與堅強，應該與她被賦予了超乎常人的忍受苦難的能力有深刻的關聯。」「透過使一名女性成為一群女性們來尋求自己的我，與殺害了懷胎八個月女性的永田之間的差異等等，僅僅都只是偶然。」

然後，田中在《致生命中的女性們》中這樣寫道：[274]「然而，她殺害了懷有身孕的女性，而我與女性解放相遇了——。她和我是從哪裡開始走上了分歧的道路呢？」

依據田中的說法，她認為其中一個原因是疾病的種類。田中得了梅毒這種必須正視與性相關問題的病，從而與女性解放相遇。但患有葛瑞夫茲氏病的永田，並沒有這樣的契機。因此田中說道，「在摸索女性解放運動的過程中，我的革命性非日常幻想必將破滅，而永田則是將一切都賭在了上面。」[275]

而永田嚴格遵循革命「大義」倫理的原因，「類似於夢想著能和男人同等地出人頭地，而一心努力的女性，容易變得比男性更男性的情況。」「不管是永田，還是有意成為管理階層的女性，如果女性以變得和男性齊頭同等為目標並向上攀爬時，她們就得付出兩倍於男性的努力。為了男性革命大義犧牲的永田，即使變得比男性更加殘酷，也不是因為永田本身很殘酷，而是因為強迫女性付出兩倍努力的這個社會的機制，『妙義山中的某個結局』只是證明了這個機制的存在而已。」[276]

然而，根據田中的說法，只要新左翼的「革命大義」仍是以「殉死」為前提，「無論永田如何獻出和男人同等的努力，都無法從殉死的歷史必然性中逃脫。」[277]田中總結道，因為永田追尋著自己理想中非日常的「哪裡都不存在的女性」，所以不得不將日常生活中的「存在於此的女性」從眼前抹去。在〈永田洋子就是我〉中，田中這麼提到：[278]

因為急於想成為完全政治性的、革命性的存在，她不得不肅清那些比自己更濃厚地殘留著「存在於此的女性」色彩的女性們。她不得不殺害懷有八個月身孕的女性、迷戀於飾品的女性。正是因為直到最後一刻，她依然預感到自身將在「哪裡都不存在的女性」和「存在於此的女性」

之間被劇烈地撕裂，所以才不得不痛下殺手——。進行殺戮的是她自己，被殺死的也是她自己。

田中在《致生命中的女性們》中主張，「如果女性試圖比男性更積極地奉行革命理論，那麼所有女性都會是永田洋子」。她進一步認為，為了得到新左翼男性的喜愛而學習馬克思主義的女性，和一般女性的不同之處，只不過在於是用馬克思還是用資生堂化妝的差別而已，她直言「這個世上向男性搖著尾巴的女性，全部都是永田洋子。」[279]

田中自始至終堅持認為，聯合赤軍事件是新左翼「為了大義扼殺『私我』」這種邏輯的極致表現。此後，田中於一九七二年九月創立了「女性解放新宿中心」，與年輕女性一起度過共生集團生活，組織反對優生保護法等運動。然而，由於運動的疲憊和原本就有的慢性腎臟炎加劇，導致她健康不佳與過度疲累，一九七五年，她參加了在墨西哥舉辦的聯合國婦人會議後並未返回日本，爾後放棄運動在墨西哥居住了近五年。之後，她意識到女性解放運動期間只使用了「頭腦」，於是為了學習東方醫學、成為一名調養身體的針灸師而回到日本。然而，田中在一九九五年時談到：[280]

「我當時並沒有那麼想回去（日本）。發生了聯合赤軍事件對吧。像他們那樣，在日常生活中禁慾，卻又渴望在非日常的槍戰中讓情慾綻放，將死亡的情慾視為活著的目的，我認為這樣很荒謬。但是，我們並未從他們所認同的『為了大義扼殺私我』，透過忍受某些事情而產生的喜悅中解脫。」

「不管怎樣，日本人就是有著喜歡奉獻、忍耐痛苦的國民性，我們該如何解開這種困境，才能說自己已經超越了聯合赤軍呢？逗留在墨西哥的期間，我一直在思考這個問題。」

「身為日本人的這件事，我也很想要可以重新選擇。儘管我在腦中不斷地否定，但在體內還是會有像這樣把禁慾當作喜悅的部分。我試著想要解決這一點。但我認為，在日本思考身為日本人的這件事，並不會有什麼答案。」

以上這些話顯示出，田中原本是一個禁慾且具有倫理上的「認真」的人，她在聯合赤軍事件中看到了這種倫理上「認真」的極限。

如前述，對田中而言的女性解放，被想像成是上述的「認真」或新左翼「革命大義」的對立面。一九九四年，加納實紀代與田中對談時，加納提到，曾有一位女性因穿著皮革牛仔褲參加集會，而被女性解放運動的女性們指責為「資產階級的」，並問田中是否認為女性解放運動容易偏向倫理主義。對此，田中回答：「倫理主義，說穿了就是認真主義嘛。」「認真這件事確實存在著很大的問題。」並且提出了以下主張：[281]

> 咦？女性解放特別容易偏向倫理主義什麼的，根本沒這種事。妳看新左翼當時還不是也有相當濃厚的倫理主義。我認為是新左翼的某個前進的方向最終形成了聯合赤軍事件，妳想想看在聯合赤軍事件中，那些士兵們是被以什麼樣的形式總結致死的。
>
> 在那其中的倫理主義，例如，有人開口說「幫我拿一下那邊的衛生紙」，就會被總結成「革命家不應該有這樣的依賴行為而遭到殺害（這是指在一九七一年十二月二十九日，因為遭受私刑而體態衰弱的尾崎充男說出「幫我拿張衛生紙」時，遭到大槻節子大聲斥責「別撒嬌！」一事）。還有一名女性士兵因為在射擊訓練時戴著耳環而遭到了總結。
>
> 這並不是說聯合赤軍特別傾向倫理主義，在此顯現出來的是過去運動累積出來的結果。

基於這一連串對聯合赤軍事件以及永田洋子的詮釋，田中成立了「透過救助聯合赤軍事件的女性被告而盡可能逼近事件本質之會」，開始展開對於永田等人的支援活動。田中在一九七二年十一月首次與永田在東京拘留所會見後，曾經一度相當熱忱地以每週一次的頻率前去探訪。[282]

田中將會面時她對永田的印象描述為「不知道該說青澀還是幼稚」，並形容以永田為首的其他聯合赤軍成員是一群「對解放有著強烈冀求的心地善良的人們」。她認為，導致私刑事件的原因在於「被稱為CC（聯合赤軍中央委員會）的那些人都是些『品格高尚的人』」，並主張是這些人的「認真」和倫理主義導致了私刑事件的發生。[283]

對於在前一章了解到聯合赤軍事件實際情況的讀者來說，田中對於聯合赤軍的詮釋顯然與事實不符。如前述，田中聲稱，永田「殺害了懷有身孕的女性」，而她自己則與女性解放相遇。此外，在二〇〇九年的採訪中，她提及在拜訪丹澤基地時：「那裡有一位孕婦，她笑得非常開心。那個笑容讓我至今也難以忘懷。」[284]當然，她說的孕婦指的是金子美千代，然而，永田在金子遭受私刑時說「因為我在，所以妳就算想當女老大也當不成的啦。」在這個證詞面前，對照田中所說的「我直覺認為，永田洋子的溫柔與堅強，應該與她被賦予了超乎常人的忍受苦難的能力有深刻的關聯」這句話，實在不得不多少讓人感到空洞。

然而，田中是一個比起深思熟慮或事實調查，更傾向於憑直覺行事的類型。此外，田中的「永田洋子就是我」這句話雖然在當時廣為人知，但就算只讀過她的《致生命中的女性們》，便能發現田中數次寫下「越南戰災孤兒就是我」「哭泣的越南小孩就是我！」「我直覺認為『永山則夫就是我』」

等言論，因此「永田洋子就是我」這句話並沒有那麼特別。[285]

田中「直覺感受」到「越南戰災孤兒就是我」的原因，也與她的經歷有所重合。在一九九四年的一次訪談中，田中講述了她開始進行越南戰災孤兒救援活動的原因：[286]「當時我最關心的問題，不是北越南越誰對誰錯，而是明明在同一個村子裡，為什麼那個孩子有爸爸，但我的爸爸卻死掉了呢？這種可以說毫無道理的問題。」「這與我當時的意識——為什麼只有我遭受了性虐待，為何不是那個孩子，而是只有我——完全地重合。」

當「直覺感受」到自己的經歷和痛苦能與某個對象互通時，田中便會展開行動。田中認為，自己的行動發生在將他者的痛苦感受成自身痛苦的時候，然而男性則認為行動必須在以「邏輯」抽象地掌握問題後才能展開，她批評這些男性是「不能設身處地思考問題的男人們」。[287]

然而，田中在「直覺感受」到某個對象與自己的痛苦相通時，並沒有習慣檢視這個對象是否真的是如她所想的那種存在。田中在一九八七年時曾表示：「有一句話是這麼說的：『我愛你這件事，與你無關』，我啊，就是會說出這種話的人。太過沉溺於自己了。」[288]

這個發言，似乎從某一方面反映了對於田中來說，以「XX就是我」「直覺感受」到的對象，是個什麼樣的存在。重要的是，田中是否能在對方身上找到自身的經歷和痛苦，並將其當成「設身處地」的對象，至於這個對象在現實中是什麼樣的存在，基本上其實與她「無關」。無論好壞，透過這種方式獲得行動的力量，可以說就是田中的特色。

對於以田中為核心成立的女性解放新宿中心等七〇年代女性解放共生集團展開調查的西村光子，在二〇〇六年如此評論了田中的聯合赤軍論：「〔田中〕只是將她一直以來的女性解放理論套用到聯合赤軍事件上而已，並沒有跡象顯示她曾深入進行過將聯合赤軍對象化的工作＝從聯合赤軍事件中重新評價女性解放運動的工作。」另外，關於女性解放新宿中心的人際關係，西村說道：「在『以女性為鏡觀看』的這面鏡子中只反映出自己的形象，田中最終只是在尋找自己的分身。」[289]

事實上，女性解放新宿中心的女性們，比田中更冷靜地看待聯合赤軍。

如前述，田中在一九七五年就去了墨西哥，但在一九九五年，她形容聚集在女性解放新宿中心的女性們變成了像是「黏在一起的飯粒」的關係，並表示「我無法成為『飯粒』」。[290]或許因此，田中也缺席了在一九九六年舉行的，集合了前女性解放新宿中心女性成員們的座談會。

根據這場座談會的記錄，即使是在平等和共享之下展開了共同生活的女性解放新宿中心，所有人也都仰慕著田中，看起來還是構成了某種上下級關係。中心開設時平均年齡在二十一至二十二歲上下的成員與二十八歲的田中之間，無論在人生經驗還是言語化能力上都存在著明顯的差異。這一點是無法否認的。

根據前成員米津知子和北山黎子的說法，「美津小姐是一個具有壓倒性力量的人」，因此「在談話上沒有任何人能與美津小姐匹敵」。另一位前成員町野美和回憶說，自己曾被田中指責「Kalido（町野美和的綽號），妳話很多吵死了」之類的話，並提到當時存在著一種氛圍，「當有一個人被田中指責的時候，其他人都會因為害怕換成自己被罵，所以都（默默地）低著頭」。[291]

此外，前成員森節子也說道，「不只無法與美津小姐建立起平等的關係，她這個人，似乎也沒有打算這麼做的意思。」[292]另外，角色分工也在暗中固定了下來，例如有人負責茶碗清潔、有人負責抄寫田中的手稿等等。

在這場座談會上，最常負責洗碗的最年輕的成員生原玲子這麼說道：在聯合赤軍事件後，「我想，如果美津小姐是永田洋子的話，我可能就是被殺掉的那一方。」而在女性解放新宿中心，她也留意著「不能讓食物的品質下降」，並說「我那時認為，之所以會發生聯合赤軍事件，或許是因為大家沒有好好曬被子，沒有好好地吃飯。」[293]

另外，前成員遠藤美咲認為「女性解放中心沒有變得像聯赤那樣極端的原因之一」，在於「女性解放中心是一個大眾組織，所以來者不拒、往者不追，就算有人離開了，也不會擔心那些人會去向權力舉報。但是聯赤卻會因為擔心據點有可能曝光，最後甚至走到了殺人這一步。」[294]

這些認識，比起田中的詮釋更接近於聯合赤軍事件的真實情況。她們會有如此貼近事實的認知，或許是長期共同生活在以田中這名具有超凡領袖魅力的人物為核心的閉鎖小空間中，讓她們能夠在經驗上理解成員的心理與權力關係可能會帶來什麼樣的結果。

西村光子說，「我覺得，田中或許認為她在共生集團中的位置與永田洋子相近，自己也可能引發聯赤事件」，所以田中才宣稱「永田洋子就是我」並前往墨西哥。[295]田中也在一九九五年提到，她對於被自己澈底壓制、默不作聲的成員感到惱怒，並以「快抓狂的感覺」向她們說「大家發表意見吧。否則所有事都會變成必須要由我來承擔」。此外，她在二〇〇九年說道：「曾經一度有可能變成」「迷你聯赤」。[296]

然而，根據田中的說法，「我越是生氣，她們就越是失去信心，我對此感到罪惡感。」[297]除了連日以來的反對優生保護法運動等使她疲憊不堪之外，感受到共同生活帶來的重擔，也可能是田中最終前往墨西哥的原因。

健康狀態也日漸惡化的田中，在墨西哥恢復了活力。她在墨西哥談了戀愛，生了孩子，如前述那樣，在五年後為了學習東方醫學而歸國。她描述在墨西哥的經歷為，「拉丁文化中，『當下就是一切』，每個人都是顆顆分明的飯粒」，「我深深覺得去墨西哥是對的」。[298]從這些話中也可以看出，田中成功從為了明日的革命而嚴禁「當下」慾望的禁慾倫理主義與「認真」的壓力中、以及從女性解放新宿中心的（據田中的形容）「黏在一起的飯粒」般的人際關係中，逃離到墨西哥而產生的安心感。

從聯合赤軍詮釋到對消費社會的肯定

然而，這本書之所以討論田中，並不是要批判田中，也不是為了全面性地檢證當時的女性解放運動。正如前章所見，對聯合赤軍事件投射了「自我分身」的年輕人並不少。本書選擇討論田中，是將其當成其中一個案例研究。

就結論來說，田中對聯合赤軍的詮釋，與肯定當時隨著經濟高度成長而蓬勃發展的大眾消費社會息息相關。也就是說，認為革命和法西斯主義，新左翼和大日本帝國，都在「以大義扼殺『私我』」的這種禁慾主義上是共通的——這種聯合赤軍詮釋的最終目的地，在某個意義上十分清楚。意即，相較於「公共」的「大義」或社會運動等等，更應該優先考慮「私我」的欲望，這樣的邏輯漸漸浮現出來。

《致生命中的女性們》一書中是如此描述的。田中指出，「只是個耳環也會被貼上『反革命』的標籤，這也是因為個體所奉獻的大義總是只有一個根源。」[299]這個根源當然指的就是，為了明日的大義而扼殺今日的「私我」的邏輯。

而當時的田中主張，社會問題源於對性慾的壓抑。這件事與——基於禁慾主義和「有罪的孩子」的意識，抑制了自己在和幫傭的行為中感受到的私密愉悅，從而飽受內疚之苦的——田中的個人經歷重疊。田中在《致生命中的女性們》中這樣主張：[300]

當這個社會建立在禁慾主義之上時，「反革命」指的不是耳環，而是指將耳環視為「反革命」的那種思維本身。如前述，禁慾主義誕生自對性的壓抑，而這種壓抑首先以壓抑女性的性為核心。如果是這樣的話，那麼試圖強行用禁慾主義填補革命理論和肉身之間的裂縫，最終將會走向以「身為女性」為由而肅清女性的道路。

在這裡，「以大義扼殺『私我』」、「將耳環視為『反革命』的那種思維方式」，或「壓抑」、「禁慾主義」都會被視為「反革命」。田中主張，權力使人們處於「沒有性高潮」的狀態，激起對非日常空間的憧憬，並維持「以大義扼殺『私我』」的「企業大義」和「生產性邏輯」。因此，「那些按自己的想法活在每個當下，不寄望明天的可能性的人們，對統治者而言就是礙眼的存在。」[301]

在二〇〇四年的演講中，田中這麼說：「永田和田中的區別」在於「一言蔽之，我是個愛跟風的人，但永田卻不是。」那麼，「什麼是跟風呢？就我個人的解釋來說，就是一個忠於自己欲望、願望和快樂的人。」[302]

在這場演講中，田中這麼主張：[303]「如果永田在毅然之餘也能夠說出，我也想戴耳環，戴著耳環去革命有什麼不對的，那麼或許在群馬縣山中的那些事就不會發生了。」「為了作為革命戰士參加男性的革命，配戴耳環是不被允許的。但自己就是一個想戴耳環的女人。永田不得不率先排除的，不就是戴了耳環的女人嗎？因為戴耳環的女人，就是另一個自己。」

然而，如前章所述，由於塗口紅、戴耳環、穿喇叭褲等理由而遭受私刑的，在十二名私刑死者中頂多只有三到四人。此外，永田在與田中的接觸中，受到了女性解放思想的影響，開始意識到自己的女性解放思想有誤，並一面寫下了《十六的墓碑》等回憶錄。在這些回憶錄中，永田反省地寫下，自己為了維繫組織而沒有開口說出自己遭到了川島豪強姦一事，以及曾責備大槻節子還與逃離組織的前男友維持關係是錯誤的等等。然而，永田並未寫下她自己也想要戴耳環。

如果田中真的想了解聯合赤軍事件的實際情況，先不說如果是在一九七二年，可能還只有不完整的報導資訊，但在各種回憶錄都已經出版的二〇〇四年，她應該可以確認上述的情況是否屬實。然而，田中是個比起實地調查，更忠於自己的「直覺感受」的人。

而田中否定的「禁慾主義」與「大義」，並非僅限於「革命大義」。田中在《致生命中的女性們》中這麼描述：[304]「在『和平與民主主義』的幻想下，我們不斷被灌輸著為了大家、為了所有人的價值觀，從而變得連自己到底想要做什麼都搞不清楚了，在這種情況下，我們可不能浪費哪怕是一點點自我滿足。」

從這裡可以讀出，田中的禁慾主義和倫理意識，不僅僅源於她個人的「認真」，還有部分養成自戰後的民主教育。正如筆者在先著《「民主」與「愛國」》中所詳述的，戰敗後到一九六〇年代前半的教育和文化，傾向於批判追求個人欲望而不顧他人的態度，「眾人一步，勝過一人百步」的話語就是箇中象徵。

在經濟高度成長之前貧富差距巨大的日本社會，很直接地接受了這種倫理觀。田中和嬰兒潮世代在經濟高度成長前度過了童年，因此有不少人都有過周遭有付不起學校午餐費的朋友、大人無法幫自己添購文具等類似的經驗，而教師們也常說著「不要變成自私自利的人」。

田中之所以說「在『和平與民主主義』的幻想下，我們不斷被灌輸著為了大家、為了所有人的價值觀」，正是基於這個原因。可以說，田中不僅否定了「革命大義」，還否定了戰後民主教育中「為了大家」的倫理觀念，並主張忠於自己的欲望。

然後，對於戰後民主教育理念的否定，在批評「戰後民主主義」為虛妄的風潮中被付諸實行。田中也在《致生命中的女性們》中，以「經濟動物們將自己土地上的女人們視為廁所替代品的狀況，在和平與民主主義幻想的死角中逐漸擴展。儘管外皮不同，內餡卻是一樣的。只不過是生產性邏輯與企業利潤取代了神國日本的大義，成為了被侍奉的對象而已」[305]，批判了「戰後民主主義」的虛妄。

可以說，田中在無意識中完成了——正當化忠實於自身欲望這個行為的邏輯框架的——組裝作業的最後工程。嬰兒潮世代由於被教化了民主教育倫理，並成長於經濟高度成長前的貧困社會，因此他們對經濟高度成長期出現的大眾消費社會，抱持著同時具有憧憬和反感的矛盾情結。他們一邊跳著阿哥哥舞，一邊卻高唱著「反對產學合作」，就是此種矛盾情結的體現。

然而，戰後民主教育中「為了大家」的倫理觀念，早已在全共鬥和新左翼運動中，被斷定為「戰後民主主義的虛妄」。在此之上，田中對於否定了「戰後民主主義」的全共鬥與新左翼的嚴格主義和「革命大義」也進行了否定。至此，應該已經沒有任何可以阻礙為了品嚐大眾消費社會果實而忠於自已欲望之行為的倫理觀念了。

然而，田中並非直接肯定大眾消費社會。她在《致生命中的女性們》中闡述：[306]「奴隸們試圖以某種方式填補生命的不完全燃燒與潛在的飢餓感，而向『資生堂』、『Sony』和『日產』等尋求救贖。」

換言之，當時的田中認為購買消費品，也是為了掩飾「沒有性高潮」和「並未活著的實感」的「非日常幻想」的一部分。然而，她埋葬「革命大義」並主張以「私我」為優先，可能帶來了超乎她預想的效果。《致生命中的女性們》出版的一九七二年前後，與六〇年代後期不同，年輕的運動者們就算想要抗拒大眾消費社會，在感性上也還是會受到大眾消費社會的吸引。

生於一九五〇年的運動者高橋源一郎，當時為橫濱國立大學學生，並有認識的人參與了聯合赤軍。他在二〇〇三年表示：「比我們高差不多兩個年級的人，差不多都是無可救藥的率直左翼，低一個年級則大概有一半的學生已經變成消費社會化的左翼了。」這在第一章已經提過。高橋在二〇〇八年如此回憶七〇年代初期，[307]「身體有一半是非政治性的。越是參與政治運動，剩下的一半就越抗拒。白天如果去了遊行，晚上不聽爵士樂的話就無法平靜。整個人就這樣被撕裂開來。」

上野千鶴子也在二〇〇三年提到，[308]「『anan』（アンアン）雜誌創刊於一九七〇年，然而有報導指出，某個當秘密聯絡人的女孩在被逮捕時拿著『anan』雜誌，身穿長版及踝大衣和迷你裙。」「那種消費社會的感性（和六〇年代）有所不同」。學生運動者的感性起了變化，和領導一九六六年早稻田大學鬥爭運動的大口昭彥，那種身穿立領學生制服、擁有劍道三段的「硬派」運動者已經不一樣了。

就算在運動現場，到了七〇年代左右，與大眾消費文化相互混雜的情況也已經愈形深化。根據參與反歧視運動團體「偶蹄之會」的中野正夫所述，「偶蹄之會」以津村喬等早大反戰聯合的成員和幾位認真的運動者為中心，此外「還有一些準備進入戲劇圈的新人、不再是運動者的遊手好閒人士、整天釣女人的男子、攝影師、雜誌頭版撰稿人」等等，「各式各樣的人聚集在一起」。[309]不再是第一章所描述的運動者和嬉皮涇渭分明的時代，而是持續受到大眾消費文化的全面滲透。

接著，田中在一九七二年否定了「革命大義」，聲稱聯合赤軍事件是否定了「私我」的新左翼嚴格主義的必然結果。田中的這個行為也反映了時代的潮流。

自一九五三年以來，統計數理研究所每五年會進行一次國民意識調查，其中一項為「與自己的感受相近的生活方式」。[310]選項中包括了「不考慮金錢與名譽，過著符合自己興趣的生活（興趣）」、「不操心地過著每一天（安樂）」、「拚命工作變得富有（財產）」、「排除世間不公正的事情，過著無比清廉正直的生活（清廉）」、「不考慮個人的事情，為了社會奉獻一切的生活（社會）」、「認真唸書，提升名譽（名譽）」等。

社會學家日高六郎在一九八〇年的著作中指出，上述的五個選項中，「財產」和「名譽」並未顯示出太大的時代變化，並且將「興趣」和「安樂」命名為「『私生活』取向」，而「清廉」和「社會」則歸為「『公』取向」，並分析這兩者的總體變化。

其結果如下：在一九五三年調查開始時，「『公』取向」占三十九%，而「『私生活』取向」占十六%，顯示「『公』取向」佔優勢。然而，到了經濟高度成長開始的一九五八年發生了逆轉，「『公』取向」為二十九%，而「『私生活』取向」則提高至四十五%。接著，到了一九六八年，「『公』取向」為二十三%，而「『私生活』取向」為五十二%。接著到了一九七三年，「『公』取向」為十六%，而「『私生活』取向」則為六十二%，「『公』取向」的持續下降和「『私生活』取向」的優勢變得更加顯著。

正如前述，像是因山崎博昭的死亡而感動，從而參與全共鬥運動的年輕人一樣，具有社會性取向的年輕人，即便在一九六八年也不是多數派，大學裡的全共鬥運動參加者及同情者最多僅佔二成。有意思的是，在一九六八年的調查中，選擇回答「『公』取向」的人，占比為二十三%，幾乎與大學裡全共鬥運動相關人士的比例相同。

當然，全共鬥運動不是一種壓抑「私我」來全力奉獻於「公共」的運動，而是認為自我的變革將會帶動社會變革的，符合「自我世代」風格的運動，儘管如此，這之中仍然包含了社會性的取向。然而，隨著經濟高度成長的進一步發展、全共鬥運動的失敗、新左翼運動的挫折，以及聯合赤軍事件的發生等，「為了社會」的這種「『公』取向」的衰敗，以及「『私生活』取向」的優勢已變得難以撼動。

一九七二年田中在《致生命中的女性們》裡主張的觀點，與上述的時代潮流一致。儘管田中並非直接肯定大眾消費社會，也或許她的欲望肯定論只是為了否定她自己禁慾的性格而做出的反諷，但她的話語的確可能成為促進時代趨勢的催化劑。而且更重要的是，抱持著與田中相似的對於聯合赤軍的看法，從而退出運動的年輕人不在少數。

田中澈底地批判了以新左翼為代表的，將社會運動優先於私生活的做法。她在《致生命中的女性們》中寫道：「女性的解放，就是從視殉死為良善的心理構造中解放出來」，「因此，為了運動放棄男人與孩子的想法，實在是讓人敬謝不敏。」對於試圖將自己的生活和生命賭在運動上的人們，她說：「對於那些始終執著於革命性非日常幻想的男人們，我們要毫不猶豫地對他們說：你們這些傢伙自己去死吧！」[311]

隨後，田中在一九七二年九月開設了女性解放新宿中心，致力於反對優生保護法修正案的運動等。但到了一九七五年六月，她拋下了「名為『運動』的襯衫」前往墨西哥。失去身為主幹的田中，並早已在共同生活和運動中疲憊不堪的中心剩餘成員們，停止了共同生活，以輪班駐守的方式維持中心的營運。

然而，到了一九七七年五月，終於筋疲力竭的成員們宣布了「女性解放新宿中心的休館致意」。在其中這麼說：[312]

「除了最一開始的『二十四小時萬事諮詢』業務之外，還有『避孕．墮胎．生產諮詢』、討論會、示威遊行和集會、合宿、音樂劇演出，等等等等……真的是持續繁忙的每一天。這段期間，中心的營運就算只看經濟面，每個月平均也需要花費三十萬日圓，我們靠著《女性解放新聞》的訂購捐款、販售宣傳手冊而來的收入和自掏腰包的錢等等讓中心持續營運，現在回想起來，覺得我們做得真的很不錯。」「當有五個人的時候，三個人去打工；當有七個人的時候，四個人去打工。用著這些錢一面維持生計，一面專心致力於運動的每一天。」「當成員的平均年齡逼近花漾三十的此刻，還想要像以前一樣靠著體力硬撐下去，已經不是肯定與否，而是個實際上無法達成的現實了。」

這份「致意」的文末，宣布了中心將暫時休館一年，並表示「將來希望能帶著更深厚的知識與具體性，與大家一起重新開館」。然而，最終中心並未重新開放。

在一九七〇年「思想集團S．E．X」創立時即參加其中，並一直留在女性解放新宿中心持續活動直至最後一刻的成員米津知子，對西村光子述說了休館時自己的心境：[313]

> 當女性解放中心在經濟上窮途末路、自己的身體也快撐不下去、美津小姐等人也去了墨西哥，我也認為已經無法繼續下去的那段時間，在提出要關閉女性解放中心時，有人跑來說，請不要讓它結束。那個人說自己一直保存著報紙上關於女性解放中心的記事，想著哪天要是發生了什麼事就到這裡來，所以才請我們不要結束。然而，我在聽到這句話時忍不住哭了出來。如果這樣的話，妳來捐款幫助我不是很好嗎？當然有很多人捐款和一起幫忙，但我們已經筋疲力盡了。如果是在我們力氣用盡時幫助我們，說要一起努力繼續運作下去的話倒還能理解，但如果只是嘴巴上說著要我們繼續下去，我想是辦不到的。我曾經一度不知道該說什麼才好，只好一把鼻涕一把眼淚地哭著走在夜晚的街道上。我們已經累了啊，誰來做點什麼吧，光是叫我們繼續下去是辦不到的。

米津是一位在一九九六年的座談會上說「如果是在戰爭時期，我大概會是一個出色的軍國少女吧」的「認真」女性。[314]

就這樣，在女性解放新宿中心關閉後，田中為了學習東方醫學而回國。後續她也一直主張自己並沒有拋棄女性解放運動。而因為津村喬不是在日朝鮮人，因此他離開運動轉而學習太極拳和自然飲食被視為放棄運動。然而，或許也與田中身為女性有關，她主張，不管是當針灸師還是學習東方醫學，只要自己還活著且持續活動，那就是「我的女性解放運動」。

一九八三年，表現出田中這般意向的著作《不論身處何方，都是女性解放運動者》出版。這本書匯集了從七〇年代至八〇年代初期田中零碎撰寫的文章。在書的後記中，田中寫道：[315]

「真是吵死了。說什麼田中來參加了集會卻沒有參與示威遊行、還是說什麼只顧著帶小孩，都不參與運動等等之類的。」「白癡嗎？參加集會和示威遊行才叫運動嗎？一旦成為女性解放運動者，不管在哪裡都是女性解放運動者。」「現在好像變成了『不來參加集會嗎？你這個非國民！』的這種感覺。」「只顧著帶小孩有什麼不對！」「只顧著與男人相處有什麼不對！」「只顧著自己的事情有什麼不對！」

在這本書出版的一九八三年，年輕人們反叛的季節已經完全結束。而這一年，淺田彰的《構造與力》出版且登上暢銷書，這也是「新學院派」（New Academism）一詞流行起來的一年。

在這個時期，前法政大學全共鬥的糸井重里身為西武百貨等企業的廣告文案創作者而馳名、以前新宿高中全共鬥的坂本龍一為首組成的樂團「Yellow Magic Orchestra」迎來了巔峰期，而前京大全共鬥的上野千鶴子在一九八二年以《性感女孩大研究》一書出道。這一代人已經不再像是六〇年代那樣只是文化的接受者，而是變成大眾消費社會文化的創造者，大為活躍著的時代開始了。

結論

——妳認為日本的女性改變了嗎？

——是的，我認為改變了。而其變化的規模與速度，比我預測的還要大、還要快得多。

——上野女士，妳認為妳們的女性主義對這個變化有造成影響嗎？

——……。

一九八九年，上野千鶴子接受一位加拿大女性的採訪時，對這個問題無言以對。[1]上野或許注意到了。包含女性在內，日本社會改變了。然而，這與其說是女性主義運動的成果，不如說是高度資本主義滲透的結果。

上野在記下了這次訪談的短文中如此寫著。在一度沉默後，她向採訪者這麼回答：「我認為女性主義發送出來的訊息，也確實地觸及到了那些不是女性主義者的女性們。因為，那是朝向所有女性發送了『不必一直忍耐著也沒有關係，只要做自己就好』的訊息。」

但是上野也這麼寫道，「女性主義也是時代的產物」。女性主義「不必一直忍耐著也沒有關係」的訊息，正是因為與時代的變化相符，所以才得以確實地傳達給了女性們。其結果是，「人一旦被自己的欲望喚醒，就會變成利己主義者。女性們也變成了利己主義者。過去藉由女性壓抑自我而成立的家族或社會結構開始產生了動搖。」

田中美津在一九八七年與上野千鶴子的對談中，舉了在一九七一年八月女性解放合宿時，她把腳翹到桌子上聽取參加者自我介紹，而被報紙大幅報導的例子，並且這麼說：[2]

「我們當時，雖然說著『解體一夫一妻制度』、『什麼叫做女性氣質』等等話語，但我認為他們（大眾媒體與「世間」）感受最深刻的，是由把腳翹到桌子上、躺臥著聽著自我介紹的女人所象徵的『某種事物』。那是預示著接下來的時代的『某種事物』。」「上野女士的《尋找「私我」遊戲》書中，有一段以『女人們變得放蕩』為開頭，我看到這段文字就想，啊，我們做的事情確實傳達出去了。把腳擱在桌子上的我將訊息傳達出去了。」

這樣的變化是不可逆的。然而，這真的是「好事」嗎？這真的是包含上野在內的六〇年代反叛年輕人們所期盼的嗎？

「那個時代」的反叛是什麼？

如同在序章也描述過的，「那個時代」的年輕人們的反叛是什麼，至今尚未有明確的定位。閱讀完本書的讀者們，應該已經對這個問題預想好答案了吧。那場反叛，可以說是對於高度經濟成長的集體性摩擦反應。這裡，讓我們重新回顧一下從第一章開始描述至此的，造成年輕人們反叛的原因。

第一是，大學生人數的激增與大眾化。六〇年代前半，大學入學率急速上升，在一九六三年超過了高等教育大眾化指標的百分之十五。六〇年代後半，入學率的上升幅度雖然沒有那麼大，但戰後嬰兒潮世代的人數眾多，大學生人數急速增加。

其結果是，量產型教育的普遍化、學生與教師之間的溝通變得稀薄。設施不足、食堂爆滿沒有位子可坐、圖書館的設施也很貧乏。儘管教育內容與設備惡劣，但卻因擴充設施與新建校舍而頻頻調漲學費，從而招致了那些來自不富裕家庭的學生以及半工半讀學生的憤怒。

而大學生的激增，也使得被稱為「最後不是成為博士就是大臣」的大學畢業生出路變得平庸，帶來了「最後只能變成上班族」的封閉感。「上班族」對於當時的年輕人而言，象徵著對於未來的封閉感。

如同於第二章中敘述的，大野明男在一九六八年曾提及「對今天的學生而言，畢業就是以上班族的形式被嵌入社會中，而這也就意味著喪失了身而為人的主體性。」高畠通敏也在一九六九年寫道，「今日的學生運動同時對『資本制社會』，以及或者該說更多是對『管理社會』燃起熊熊敵意……大概是因為階級晉升的出人頭地之途遭封閉，是種階級性的怨恨。」「這點可從學生諸君們的傳單、演說中頻繁出現『我們這一輩子早就注定是底層上班族，只能成為下士階級的人』看出。」。

在學生這邊也有一樣的意見。前東大全共鬥的社會學者橋爪大三郎，二〇〇〇年在論及鬥爭動機時說道，「驅使我們行動的，難道不就是不想成為上班族的這種想法嗎？」這清楚地說出了他們鬥爭的其中一項原因。[3]

第二是，由經濟高度成長帶來的社會劇變。這其中交織了多個層次的現象。

其中之一，是在第二章也提過的，這個世代的價值觀跟不上生活文化急速富裕化的變動。嬰兒潮世代小時候在鄉下的自然與城鎮的巷弄中長大，穿著像是「小鰹魚」、「小海帶」[i]的服裝及髮型，但到了大學生時期，則是在都會中改穿上了牛仔褲和迷你裙。他們一方面迎接這種生活文化的變化，一方面卻抱持著強烈的違和感與罪惡感。

已於第二章中描述過，從地方來到東京的東大全共鬥成員小阪修平等人，在看到混凝土建築時感受到了強烈的違和感。在當時流行的「混凝土叢林」一詞中，也表現出了對於劇變社會的反感。如今正逐漸迎來退休的這個世代，經常可以看到他們訴說著想在退休後從都會移居到鄉下種田的夢想，這顯示出他們小時候對於「人應該過的生活」所烙印下的形象。並不難想像對於這樣的他們來說，一九六八年當時日本的街道，看起來不是「人應該過的生活」，而是「資本主義體制」以及「管理社會」。當時的大學生們，殘留著童年時貧困的時代記憶，也認識因經濟困難而無法升學的朋友，對於踩著其他人進入大學一事抱持罪惡感。這種罪惡感，連結上了對於「資本主義體制」與「管理社會」的憎惡，以及反對「產學合作」的口號。

而從這種罪惡感中，他們產生了在自己享受著的繁榮背後，一定存在著犧牲者的思考。由此，日本透過協助越南戰爭而達成高度經濟成長的這一點被提出來強調，自己也是越南人的加害者的這種意識擴散開來，從而連結上了反越戰運動。接著，在第十四章描述過的一九七〇年的典範轉移之後，在日朝鮮人、水俁病患者、被歧視部落出身者等取代了「越南人」而獲得關注。

韓戰特需佔了當時日本貿易的六成左右，而越戰特需則為一成到兩成之間。然而，韓戰當時，並未發生基於日本是韓戰加害者的這種自覺的運動。之所以在對特需依存度較低的越南戰爭中，加害者意識反而更為強烈地擴散，其原因或許有一部分單純只是因為生活上開始有了可以思考這些事情的餘裕，然而，對於自己因為經濟高度成長而迅速變得富裕一事的困惑與罪惡感，早已於事前作為基底而存在，這也是相當關鍵的因素。

另外，學生們對於大學的想像，還停留在入學率較低時代的舊制高中、舊帝大那樣的狀態中，從而對因經濟高度成長而劇烈改變的大學現實感到失望，這也成了鬥爭發生的因素之一。學生們認為，「真正的大學」是為了探究真理，而不是為了資本主義的人才養成與產業發展這種世俗的目的而存在。

如在第七章所見，一九六七年的橫濱國大鬥爭，就是起因於學生們將學藝學部被更名為教育學部一事，解釋成大學從廣泛的學習場所淪為教師人才的培訓機關。從一九六五年的慶大鬥爭、一九六六年的早大鬥爭，到一九六八年的日大鬥爭等，學生們一貫地抱怨著大學不再是「探究真理的場所」，而墮落成為了經濟高速成長服務的人才培訓機關。他們在對於量產型的課堂感到失望之際，藉由在街壘中開設自主講座，試著恢復「真正的大學」。

「反對產學合作」的口號，可以說以批判資本主義的語彙，表現出了學生們認為大學不應該是世俗場所的感覺。他們基於過去大學的印象，對於在經濟高度成長下變了樣的大學現況展開批判，但由於東大鬥爭中出現了主張過去對大學的印象都是幻想的說法，並且這個說法受到新左翼黨派的推波助瀾而廣為流傳，導致這個因素在一九六九年之後減弱了，然而，在一九六五至六八年間仍然是重要的因素。

i　譯註：長谷川町子的漫畫《わかめちゃんとかつおくん》的角色。

接著，社會結構與大人們的感知也未能跟上因經濟高度成長形成的社會劇變。慶大鬥爭與日大鬥爭的背景是，這些私立大學過去以人數少的私塾般經營，即使因為經濟高度成長而變成巨型化，一人校長還是執掌著獨裁般的權力，管理與營運也都並未現代化。

開啟東大鬥爭的醫學部鬥爭，也是起因於雖然醫學部畢業生已經與經濟高度成長之前不同，畢業後難以直接開業，但還是引進了近似於無償勞動的研修醫生制度。此外，雖然為了高度成長下的人才供給而以理科為中心大幅增加了學生名額，但大學還是一樣是在戰爭體驗世代的教授們的想法下營運，研究生被要求在俗稱為「相撲部屋」與「徒弟修業」的課堂上無償勞動，巨型化的大學已經不適合由教授會自治等等事態，也連帶導致了鬥爭的長期化。

另外，經濟高度成長導致青壯年男性急速往都市集中，因為來不及做出相應的整備，導致惡劣的居住環境與娛樂設施不足等社會性條件，也造成了成千上萬的群眾湧進學生與機動隊的衝突現場看熱鬧。在第八章與第十三章中提過，這些群眾，有時會朝警隊丟擲石塊，在王子鬥爭或新宿事件中甚至成為了實際上的主角。越平聯的新宿西口民謠游擊集會，人數最多曾聚集了約五千人，這也與相當多青年勞動者在週六晚上沒有娛樂活動可去脫不了關係。

越平聯事務局長吉川勇一在二〇〇九年的訪談中，如此敘述了為何雖然處於經濟成長最為鼎盛的時期，還是發生了年輕人們的反叛的原因：[4]

「雖然確實是景氣很好的時期，但我認為還是有一種極強的封閉感。也就是說，我們接下來會怎麼樣呢？可以成為什麼樣的人呢？社會又將走向何方？這種封閉感相當強烈。」

吉川的這段話可以這麼解釋，前半部的「我們接下來會怎麼樣呢？可以成為什麼樣的人呢？」是由於大學生的大眾化而產生的所謂「最後只能變成上班族」的封閉感，後半部「社會又將走向何方？」則是對於因經濟高度成長而產生劇變的社會結構的不安與困惑。這麼一來，就可以大致上理解當時年輕人的封閉感。

當時雖然是景氣很好的時期，但人們的不滿並不單單只由經濟情況決定。在經濟高度成長期，在大人們當中，對於因高度成長而產生劇變的社會抱持違和感的人、因為離開故鄉而在都市感到孤獨的人，或者是對於都市惡劣的居住環境與汙染感到不滿的人並不少。根據內閣府的調查，回答對當前生活感到不滿的人數從一九五九年的百分之三十一，到了一九七一年增加為百分之四十點八。三浦展指出，「對於生活的不滿並未因經濟成長而消解，反而可以說在經濟變動明顯的時期擴大了。」[5]

三浦的觀點有部分與歷史學上所謂的「道德經濟」（moral economy）相通。在這裡「經濟」的意義與「秩序」或「規範」相近，所謂的道德經濟，是指民眾具有的秩序意識與規範意識。英國的民眾史學家們調查了十八世紀的暴動與叛亂，注意到它們並不是發生在糧食問題極度困頓的情況下，而是盛行於因資本主義的滲透而產生社會變動的地區。

也就是說，在這些變動當中，產生了對民眾具有的「應然秩序」的規範意識的破壞行為（商人的投機或期待價格上漲而囤貨等行為），而比起生活困頓，民眾更多時候是在認為這些行為違背了民眾的道德經濟時，才發動起義。[6]三浦指出的「對於生活的不滿並未因經濟成長而消解，反而可以說在經濟變動明顯的時期擴大了」，可以說是因為經濟變動的激烈程度，導致違背過去民眾抱持的道德經濟的現象頻繁發生。

在這種因為道德經濟而形成的民眾起義中，會發生針對被認為是破壞了秩序的對象的羞辱行為

（例如集體發出噪雜聲音揭露不吉之物的喧鬧〔Charivari〕等），藉此在民眾意識內進行「秩序的恢復」。比起社會結構的變革，這些更多是以在意識層面上恢復秩序為目的的「運動」。

日本的民眾史學家安丸良夫認為，日本近世的起義與暴動，或者明治時期的秩父事件等民眾起義中，都可以見到這種特徵。據安丸所言，在這種起義的過程中，參加者們進入了異質於日常生活的時空中，感受到「全面解放的想像」，形成了「確信代表該社會之正義的權威與力量，僅體現於起義集團中的情況」。研究西歐民眾文化的巴赫金（Mikhail Bakhtin）也認為，在起義的過程中，「民眾暫時性地進入了全體性、自由、平等、豐饒的烏托邦中。」[7]

如果應用這個理論，則可以將全共鬥運動（把一九六五年慶大鬥爭也看作全共鬥運動的先驅）視為，因為當時的社會與大學背叛了嬰兒潮世代的「應然社會形象」與「應然大眾形象」的道德經濟而產生的起義。批鬥大學校長等人的「大眾團交」作為一種「喧鬧」，是比起制度的變革，更重視意識層面上的秩序恢復與變革的行為，而起義者也擺出了認為正義只存在於自己一方，甚至可說是自以為是的姿態。如果考慮到這些情況，我們應該可以說這個理論能夠有效地進一步說明全共鬥運動的特徵。

此外，如同本書描述的，進入街壘的人們，全都抱持著彷彿逃離了枯燥無味的日常生活，感受到「全面解放的想像」，「進入了全體性、自由、平等、豐饒的烏托邦中」的印象。當時為早大學生的津村喬，在描寫作為全共鬥運動的一環、發生於一九六九年的第二次早大鬥爭的初期情景時，將進入到與日常異質時空中的烏托邦狀態稱為「那個」，並如此描述[8]：

……在「那個」開始的時候，我們只是覺得被拋進了莫名其妙的情況中。「那個」看似就像地震一樣從地下湧出。那其中有著近似於地震時會有的恐懼與解放感。不，那或許是更為輕快的情緒。好比某個早上醒來，發現外頭一片銀白的世界，熟悉的校園變得陌生，昨日還不能做的很多事情一瞬間突然都能做了。我們可以像是打雪仗、堆雪人一樣地發放傳單、搞搞小遊行、與不認識的人搭話，盡情地嬉戲。而且，任何人都可以，不是「黨派」或「運動者」的任何人都可以想要這麼做，也都可以實際執行自己的想法。

在這個第二次早大鬥爭時期，在街壘中獲得的烏托邦夢想已然自我目的化，如前述那種憑藉我們自己的力量建立「真正的大學」的動機已經變得薄弱。說起來，或許可以如此概括全共鬥運動：一九六五年到六八年是如前述那樣，起因於嬰兒潮世代們的道德經濟被打破，而一九六九年一月的安田講堂攻防戰之後，則是為了將街壘內的烏托邦自我目的化。

但以街壘為代表，也可以稱之為祭典的起義的興奮狀態並沒有持續太久。一九六五年在慶大鬥爭中雖出現了「全校性」的熱烈氛圍，但根據鈴木博雄的分析，那也只維持了幾天就消沉了。正如本書已經論述過，就算是在之後的各個鬥爭中，祭典式的熱烈氛圍大部分都只維持了一週或最多一個月左右。

例如東大鬥爭，短期來說是從一九六八年六月引入機動隊到一九六九年一月的安田講堂攻防戰，長期來看則從一九六八年一月的醫學部展開罷課開始，持續到妨礙課堂行動頻繁發生的一九六九年五月左右。然而，如第十章所述，真正全校性的盛行發生於一九六八年六月十五日引入機動隊起的一週左右，以及暑假剛結束的一到兩週之間。剩下的期間全都由全共鬥與新左翼黨派、民青等運動者們的黨派鬥爭所獨攬，七成以上的學生已不再到大學來了。

看到安田講堂攻防戰的新聞報導而開始隨之仿效，並在街壘裡做著烏托邦美夢的各地學生們，並不知道這樣的祭典性時期並不會持續太久。如同在第十三章看到的，學生們並不知道其他大學的街壘如何運作，具體來說，甚至連在街壘內男女是不是睡在同一間房間這種事也並不清楚。這樣的鬥爭，可說是理所當然的在各地最後都只成為了短暫的煙火。比起大學，反而在一部分的專門學校或其他學校中展開了更為認真的鬥爭，然而，整體傾向就如上述。

補充說明，全共鬥運動往往被認為是從一九六八年五月的日大全共鬥成立開始，持續了大約兩年直到一九六九年末的高中鬥爭，但這並不正確。

東大與日大的鬥爭，在一九六九年一月到二月之間實際上就已經結束了。於此前後，京大的鬥爭相繼而起，同志社大與立命館大等關西各地的大學鬥爭也接連發生，一九六九年九月隨著京大的鐘樓被「攻陷」，運動告終。接著過了一陣子之後，運動擴展到了弘前大等地方大學，在弘前大，一九六九年六月到九月底為街壘佔領的時期。十月到十一月，由於新左翼黨派為了「秋季決戰」從各地大學抽調走了主要的成員，因此幾乎所有大學的街壘封鎖都終止了。而大學鬥爭結束的一九六九年底，高中鬥爭接續爆發，但其與受「大學自治」保護的大學鬥爭不同，絕大多數都在短期間內遭到鎮壓。

可以說全共鬥運動的期間雖然合計約兩年，但並非全國的大學在這兩年裡都處於烽火之中。在東大的鬥爭結束後開始了京大等關西的鬥爭，當這些逐漸平息後又開始了地方大學的鬥爭，大學鬥爭結束之際，高中鬥爭又相繼而起，就像是鞭炮一樣，一個爆炸結束後下一個爆炸又接續著開始，這個過程花費了兩年才全部結束。

民主教育的基礎與認同危機

如果「那個時代」反叛的原因，第一是大學生的大眾化、第二是由經濟高度成長帶來的社會變動，那麼第三個原因就是戰後教育的基礎。

如第一章所述，從敗戰後直到一九五八年勤評鬥爭前後，實行了依循戰後「和平與民主主義」理念的教育。這段時期，家長與教師們的戰爭體驗還很鮮明，他們講述的「和平與民主主義」理念，以真誠的願望傳達給了學生們。在敗戰不久後的社會混亂期中，甚至可以為了決定學生會憲章而暫停三天的課程來討論。一直到貧富差距巨大的一九六〇年前後，「不要變成自私自利的人」、「眾人一步，勝過一人百步」這些教師們的耳提面命，也確實地傳達給了學生們。

然而，在前方等待內化了這種初等教育價值觀的嬰兒潮世代的，是在經濟高度成長期迎來的升學競爭。升學競爭本身雖然從戰前就存在了，但那是僅限於一部分上層階級的現象。然而，在高中升學率突破五成的一九六〇年前後，嬰兒潮世代成為了首個幾乎全體都被捲入升學競爭的世代。

當然，他們並不習慣升學競爭這種事。在初等教育被教導「不要變成自私自利的人」的他們，對於踹下別人的升學競爭抱有罪惡感。在東大鬥爭中，出現了「自我否定」這樣的話語，想要對過去二十年埋頭於升學考試的人生有所懺悔，或者認為即使退學，也無法消除曾經身為東大生的烙印等等，這些從現在的角度看來甚至顯得自我意識過剩的話語，正是來自這樣的背景。

像戰後初期那樣，為了學生會憲章花費三天進行討論的情況已經難以想像。在勤評鬥爭中敗北的教師們，往往轉而採取息事寧人的消極主義，禁止在學園祭等場合討論越南戰爭等議題。

教師們一方面採取這種姿態，一方面在道德與社會的課堂上講述民主主義的理念，同時推崇升學競爭。教師或許會認為，利用可自行運用的道德與社會的課堂時間講述民主主義的理念，是有良心的行為。但是一邊講述民主主義、一邊推崇升學競爭的教師們的姿態，對於已內化了初等教育教導的價值觀的學生們來說，顯得十分虛偽欺瞞。這件事成了在全共鬥運動中「戰後民主主義的欺瞞」一詞流行的基礎。

然而，這個世代的「戰後民主主義批判」，並不是這麼單純地出現的想法。如本書所檢證的，日大鬥爭初期提出的主張是「大學民主化」，東大鬥爭初期也有同樣的傾向。東大全共鬥之所以開始提倡「戰後民主主義的欺瞞」，是基於要對抗打著「和平與民主主義」旗幟的日本共產黨及民青。而且，如第十四章所檢證的，以批判「戰後民主主義」的話語表現這種反感的行為，始於一九六九年一月。然而，這種批判的定型句，很快就被覺得中等教育教師們很虛偽欺瞞的全國各地大學生所接受了。

但即使經過了這樣的過程，戰後民主教育的基礎也並未消失。如各章所述，許多大學鬥爭發生的原因，是因為大學校方以非民主的決定方式宣布調漲學費、課堂上存在著可說是「封建的」師徒關係，這些與接受戰後民主主義教育的學生們的價值觀並不相符。女性解放運動，也被認為如果沒有戰後民主主義教育教導了男女平等的概念，就不可能發生。他們在批判「戰後民主主義」的同時，也在無意識中依循著其價值觀前進。

這也表現在鬥爭的微觀層面上。全共鬥運動中，學生之間，或者學生與教師之間的討論進行的相當頻繁。這與後面將描述的當時青年們的孤獨感及對於溝通的渴望也有關聯。然而如第一章所述，一位前全共鬥的運動者在二〇〇三年表示，「我小學、中學的時候，全身浸淫在民主主義教育中成長」，「年輕的老師們」教導他們要「帶有問題意識，用言語表達出來，進行深入討論」。

在某種意義下，可以說全共鬥運動的學生們，直接實踐了在初等教育中被教導的行動模式。在這個意義上，全共鬥運動也可以說是一種試著想要找回因為經濟高度成長而消失的——為了討論學生會憲章而停課三天的——他們童年狀態的文藝復興式行為。

當在高中與大學直接實踐「帶有問題意識，用言語表達出來，進行深入討論」的價值觀時，多數的高中教師禁止了學園祭的「政治性」展示，而多數的大學教師則僅僅只是做出敷衍的回應。這對學生們而言，是背叛了他們童年時期形成的道德經濟的行為。

在這種背景下出現的「戰後民主主義」批判，正因為是他們否定了曾經一度內化的價值，所以伴隨著一種或可稱為近親憎惡的激烈性質。他們自己在升學競爭中背叛了「不要變成自私自利的人」價值觀的罪惡感，或許也成了他們加速攻擊訴說著這種道德的（他們所認為的）「進步的文化人」的原因。

接著，如果要在（一）學生的大眾化、（二）經濟高度成長帶來的社會變化、（三）戰後民主教育之外，舉出第四個原因的話，那就是當時年輕人的認同危機與想要擺脫「現代的不幸」的願望。如本書第二章等處所見，經濟高度成長導致的社會劇變，為年輕人們帶來巨大的認同危機。

他們的體驗如下。童年時期熟悉的田園與巷弄風景消失了，上京後在都會令人不快的混凝土建築校舍裡聽著量產型的課堂，和教師及朋友也幾乎沒有互動。他們在初等教育中培養出來的「眾人一步，勝過一人百步」的價值觀，遭到在升學競爭中踹落他人的自己所背叛。他們被丟進和自己成長的社會完全迥異的環境中，陷入認同危機也並非毫無道理。

如同與自然環境的消失並行發生似地，現實感的稀薄化也開始發生。困擾於認同危機與現實感的稀薄化、沒有「活著」的實感、自殘行為或進食障礙、拒絕上學等，後來在八〇年代到九〇年代間開始受到注目的問題也已初現端倪，這點已於第一、第二章提及。

此外，又加上六〇年安保的「敗北」與學生運動的低迷，社會黨、共產黨與工會等既存革新組織的保守化及形式化等因素。他們對量產型課堂感到無趣、對社會運動也沒有期待，被迫過著孤獨的學生生活，在這種情況中，因精神官能症而前往學生相談室尋求協助的學生急速增加，「三無氣質」在一九六七年成為了流行語，這些已在第二章描述過。

他們可以說是，第一個集體性地面對與父母親世代所面對的貧困、飢餓、戰爭等容易理解的「近代的不幸」不同的，難以言語化（他們最終也未能將之言語化）的「現代的不幸」的世代。這一點，是本書整體的主題。日本從經濟高度成長以前的發展中國家型社會，藉由高度成長而急速變化成高度資本主義的先進國型社會。在此過程中，他們面對了異於過去的苦惱。

因空虛感而感到苦惱，尋求著真實反饋感的不只是大學生，從地方上京的青年勞動者也是如此。這樣的勞動者們聚集到了反戰青年委員會等組織中，這已於第四章描述。

而如第二章所述，某大學文化祭的號召文寫道，「我們這些現代的學生們，什麼事都可以自由去幹。可以說我們擁有一切的自由。只有一件事除外，那就是『放棄當學生的自由』！」這種封閉感，雖然對他們自己來說很深刻，但對於只了解「近代的不幸」的年長者來說，卻只是種奢侈的煩惱。

對他們而言，投身學生運動、與機動隊發生衝突，在街壘中和友人談話交流，從事這些事情不僅能獲得連帶感與朋友，也得以確認自己的自我認同，因此具有巨大的魅力。自一九六五年的慶大鬥爭以來，街壘內的學生們彷彿在量產型大學中找到了「綠洲」一般洋溢著活力、第一次羽田鬥爭中出現了「在機動隊面前展現我們的存在」的煽動演說、這個世代的代表性和歌歌人道浦母都子詠唱著「壓迫而來的〈機動隊〉盾牌／不斷畏懼／在不斷畏懼中確認／我的存在」的短歌等等，這些已在第五章和第八章中記述。

在《中央公論》一九六八年七月號的座談會上，政治學者永井陽之助如此說道：[9]

當代的先進資本主義諸國，變成了具有能夠完美吸收抵抗與反抗的構造的社會，變成了人們就算組成反體制政黨展開抵抗，也無關痛癢的管理社會。像是用手推門簾一樣，難以言喻又總是解決不了的不滿集中地出現在學生運動之中。關於這件事，我的假設是：社會化的過程——從小孩變成大人的過程——在柔性構造的社會中，將會產生結構性的變化。這個變化就是所謂的「青春期的消失」。換言之，在硬性構造社會裡的青春期，有著像是父親、教師或年長者這樣的抵抗對象（岩盤），人們藉由抵抗這些權威確立自我。……然而在當代社會中，父母和教師都失去了權威。再加上消費水準在年齡層上的下降，青少年成為了巨大的市場，「經濟」和「政治」都處心積慮於討好他們並從中榨取利益。隨著欺凌孩童並透過權威施加壓迫的抵抗對象的消失，反而失去了得以確立安定自我存在證明的青春期。所以，他們必須自行創造出抵抗的對象物，確立自身的存在證明。因此，他們飆車、從事示威遊行、進行挑釁。如此一來，國家權力就會向他們展開攻擊。此時，他們才初次品嚐到生命的充實感、爽快的肉體解放感、朋友之間的連帶感，以及生而為人的實感。

由於這種意向，所以出現了這樣的現象：全共鬥學生將只會隨意草率地回答問題的「進步的文化人」，澈底地視為對抗對象，而貫徹了保守意見的林健太郎等人，反而更受到他們的歡迎。比起政治傾向上的左右之別，能否成為滿足學生們想要溝通的心願的對話對象、能否成為像是機動隊的盾牌一樣堅固的牆壁，成為用以確認自我的衝撞對手，這才是更重要的。

八〇年代末《東京大學新聞》的記者，曾採訪東大鬥爭的北野隆一這麼寫道：[10]「我感覺當時的學生所尋求的，到最後似乎只是『值得對決的對手』。例如，就算與己方的主張完全相反，只要能站出來對話，坦坦蕩蕩不轉移話題地陳述自己意見，這樣的教師就會得到學生的肯定。」這是無需多做解釋的評論。

為什麼是「政治」

然而，如果確認自我存在的欲求是全共鬥運動的其中一項原因，這裡就會產生一個問題：為什麼非得要以政治（性）運動的形態進行不可呢？

實際上，參與全共鬥運動的人只佔同世代的約百分之五左右，如在第一章說過的，多數的年輕人都藉由娛樂與愛好來轉移注意力。然而，儘管全共鬥運動者不是多數派，在經濟成長最鼎盛的時期中，仍有許多人在主張著馬克思主義的奇妙政治（性）運動裡，尋求自我的確認，這也是事實。

對三派全學聯的內部實情感到失望，拋下中核派幹部的位子，創刊雜誌《去到遠方》的小野田襄二，在一九七八年的論文中如此表示：[11]「我對全共鬥世代有一個疑問：為什麼非得是政治不可？這個政治到底是什麼？我認為全共鬥世代，在這十年之間持續逃避著這個問題。」

作為對此的一種回應，前東大全共鬥的參與者、社會學家橋爪大三郎在二〇〇三年的著作《「心」是否存在》的後記中如此表述：[12]

當我還是學生的時候，「心」的問題並不被太當一回事，大家都喜歡討論政治、經濟或社會的矛盾。越南戰爭或者美日安保條約、經濟效率優先的大企業與汙染、核子實驗……。有很多糟蹋這個世界，讓我們難以繼續生存下去的事情。當時，大家普遍相信只要依序思考這些問題，持續進行抗議與反對運動，自己的問題也能得到解決。

依循馬克思主義的官方觀點，「心」不過只是被經濟下層結構決定的上層結構的一部分，只要發起革命，「心」的問題就會自動得到解決，單獨思考「心」的問題並沒有意義。就算不遵照馬克思主義，在發展中國家，「心」的問題也與階級差異與貧困密不可分。

因此，在日本還是發展中國家的時代，並沒有將「心」的問題與政治或經濟問題分開來討論的習慣，即使存在，也被視為有條件這麼做的富裕青年的「奢侈的煩惱」。當時就算走進書店，也不會像現在一樣看到一大堆關於心理健康的書，更多是與社會科學和時事問題相關的書籍。在這樣的典範與話語資源中，如果要思考「心」或者自我認同的問題，似乎無論如何都只能採取以「政治」性話語發起運動的形式。

但同時，這個時期也是日本從發展中國家，藉由經濟高度成長變成大眾消費社會先進國的時期。年輕人與學生的意識也正在變化。橋爪雖然參加了東大全共鬥，但也在上述文章中繼續寫道：[13]「說起來，我是更多關注自己的那種人，總是面對著麻煩的自我意識。雖然不喜歡這樣，所以嘗試去思考社會的問題，但總覺得那並不是與自己切身相關的問題，因此並未認真地思考它們。」

就連參加過東大全共鬥的橋爪也是如此。儘管有許多人在黨派等組織講述的「政治性話語」中並未感受到真實感，但也沒有將「心」或自我認同問題與政治切開來思考的習慣或話語資源。這種過渡期的社會情況，或許可以說造成了在第十一章提過的，感嘆「找不到話語」的無黨派激進派的興起。年輕時期的橋爪如果成長於今日，或許就能立刻在書店入手心理健康相關的書籍，並浸淫在那種述說方式之中吧。

這也是一時失去支持的馬克思主義在六〇年代末迎來復興的其中一項原因。如同第四章高橋徹所述，與法國等地不同，在日本，以異化論為代表的人本主義式馬克思讀解相當受到歡迎，訴求「主體的形成」的中核派與革馬派吸引了眾多支持者。可以說，當時缺乏處理「心」的問題的話語資源，而馬克思主義作為表現以「異化」為代表的「心」的問題的媒介而復興了。

一九六九年早大鬥爭時為右翼學生的鈴木邦男（之後組成了右翼團體「一水會」），在二〇〇一年如此回憶：[14]

〔全學共鬥會議的運動者們〕在煽動演說上偶爾也會說出一些好話。「我們正在被異化。不被當成人對待。產業只要求我們作為『零件』而非作為『人』」、「所以我們反對產學合作路線。守護學術自由！」……。這讓我感動。這也是馬克思說的嗎？如果是這樣的話，我覺得我有必要讀一讀。

就連站在對抗馬克思主義立場的右翼學生，都對「異化」這個關鍵詞有所反應。在此清楚地展示出，當時在經濟高度成長下受到認同危機困擾而感到「異化」的學生，與「守護學術自由」這種「保守的」道德經濟產生共鳴，並開始關注馬克思主義。當然，在參加全共鬥運動的學生中，很多人並未好好讀過馬克思的原典，有些也只是將其當成流行知識閱讀，即使如此，上述的情況還是存在。

第十七章中討論的女性解放運動的運動者們，反對認為只要改變下層結構就能解決女性生活困境與「並未活著」之實感的官方馬克思主義。然而，一直要等到後來女性主義的興起，才得以產出取代馬克思主義的話語資源。在此之前，女性解放運動的女性們，還是在如反對優生保護法修正案這樣的「政治」運動中尋求自我表現的空間。

反過來，或許可以說當代日本的政治運動之所以無法聚集年輕人，是因為太過習慣於將「心」、「並未活著的實感」、「自我認同」等問題與社會和政治分開來討論所致。就算被當成社會問題討論，多半也都是以既存社會體制為前提，討論在其框架中如何加以調適與爬升的言論，或者如何部分地改良當代社會的言論居多。這樣的言論，很難熱切地激起年輕人想望烏托邦的動力。

更進一步說，由於「那個時代」的反叛只在留下了聯合赤軍、恐怖行動與武裝內鬥等悲慘的記憶之後就消失了，因此以「政治運動」、「社會運動」的話語談論「並未活著的實感」的問題，並鼓動年輕人參與社會改革運動被視為是危險的。可以說因為留下了這種負面的遺產，所以招致了之後的話語情況。近年來，關於貧富差距與青年就業問題的討論急速增加，為這種狀態帶來了變化，關於這一點將於之後詳述。

另外，還可以指出以下幾個層面。如同在第四章看到的，當時的運動者認為自我變革與社會變革之間相互連繫，抱持著兩者一體的實際感受。這與他們的童年時期還處於經濟高度成長以前，還存在著地域社群的連帶感，記憶中還埋藏著與社會之間的一體感有關。正因如此，「自我否定」等自我內在變革的「尋找自我」乃至「心理」要素，與社會整體的變革是被連結在一起討論的。另一方面，在生長於因為資本主義的滲透而朝向個人化（原子化）發展的時期的當代年輕人中，似乎沒有太多人會覺得自己個人的煩惱與社會、政治結構不可分割，或懷著只要自己產生變化、社會也將隨之改變的這種一體感。

當時的年輕人與當代年輕人的另一個差異是身體感覺。嬰兒潮世代在發展中國家的日本長大，家庭七人同住在六疊大榻榻米房間的生活並不罕見，能擁有自己獨立房間的青少年不多。就算在兒童的遊戲中，像是相撲或擠饅頭遊戲等伴隨著肉體接觸的遊戲也較多。因此，這個世代的年輕人從小就熟悉肉體接觸，在青年時期發起的運動中，也傾向於透過組織陣形展開遊行等與他者之間的肉體接觸行為來獲得「活著的實感」。

三田誠廣諷刺地描繪「那個時代」學生運動的小說《我是什麼》（這個書名本身就展現了「那個時代」的反叛性格），如此描述了主角首次參加黨派示威遊行的模樣。[15]順便一提，故事的設定是主角從鄉下上京到東京的大學，「〔入學以來的〕這半個月，幾乎沒有和別人做過像樣的對話。獨自一人居住的公寓，不習慣的東京生活，大學裡也沒有認識的人」，他在思考著「居於此處的我究竟是什麼」的狀態下，只是單單收到邀約就參加了遊行。

> 我幾乎忍不住要落淚。對於B派的理論，我一無所知。關於政治、關於社會的動向，我也無知到令人羞愧。但就這樣牢牢地勾住彼此的手臂，身體與身體緊貼到足以感受彼此皮膚的溫暖，滿身汗水地持續重複高喊著同一個口號……我被彷彿融為一體的感覺打動。還有從前後左右傳來的肉體壓力的舒適感——。

這樣子的肉體接觸感，在都市大學的「異化」狀況中，為他們帶來了得以回憶起從小熟悉的那種令人懷念的感動。獲得了這種身體接觸的場所，體會到從「異化」感之中脫離出來，這是當時年輕人在「政治」運動中尋求解決「心」的問題的其中一個原因。（因為是男女交往還不像現在一樣自由的時代，能與女性手勾手，似乎也是另一種參加遊行的原因。）

然而，現在的年輕人是大多數從小就在獨立房間中長大的世代，對於在遊行中滿身是汗地與陌生的他者肉體接觸應該沒有什麼好感。實際上，即使觀察參加了伊拉克反戰或不穩定無產階級運動等「政治」運動的年輕人們，也會發現在他們的遊行中不會出現陣形，而是相互保持著一定的身體距離。

無論如何，擔負了全共鬥運動的嬰兒潮世代，是日本現代史上首個集體面對「現代的不幸」的世代。這種以「政治」運動的形式表現「心」的問題的現象，是「那個時代」反叛的其中一面。可以說，全共鬥運動雖然是對於經濟高度成長的集體摩擦現象，但也是日本史上首次集體面對「現代的不幸」的世代所展開的大規模「尋找自我」運動。

作為「政治運動」的評價

然而，作為政治運動，「那個時代」年輕人們的反叛存在著巨大的侷限性。

首先，是理論層面上的貧乏。本應領導作為政治運動的反叛的黨派，雖然粗製濫造出許多根基於馬克思主義的革命理論，但幾乎都無法適用於當時的情況。之前提過的小野田襄二在二〇〇三年這麼寫道：[16]

> 戰後的資本主義社會將人類的欲望商品化，張開了商品經濟的網絡。馬克思雖然以勞動力商品、工資奴隸指稱了工人，但資本主義經濟的商品結構，創造了一個無法用如此單一的話語表達的時代。……
>
> 當代的工人不再是馬克思時代的樸實工人，而是更加覺醒於自己的欲望。他們不會復古地尋求貧困帶來的禁慾美德。如果要使用奴隸這樣的詞彙，可以說他們是無法從把人類欲望商品化的經濟機制的貪慾中逃脫的奴隸吧。不僅限於工人，資本家、經營者、自民黨的政治家、大學教授、官僚、藝術家甚至是和尚都深深陷入「將人類欲望商品化的資本主義經濟的網絡」中。即使

再怎麼討厭這件事也無法逃脫。六〇年代的日本，是朝著這種時代過渡的轉換期。（新左翼黨派喊出的）反帝、反史達林革命思想，並沒有試著看到這件事。他們並不想要看到這件事。

小野田在這本著作中提到，在一九六七年時，就連作為「純粹的馬克思主義者」的「我，也都開始對馬克思的革命思想萌生質疑。」根據小野田的說法，中核派的最高領導者本多延嘉也在當時說道，「革共同不管再怎麼努力，都無法與資產階級蓄積出來的統治能力相抗衡。」他們也隱隱約約了解到，馬克思主義的理論已經不再適用於經濟高度成長後的日本社會現況。然而，一旦承認這件事，他們的行動就將無法成立。因此「並沒有試著看到，也不想要看到」日本社會的改變。

本書中也引用過的，共產同的運動者三上治於二〇〇〇年這麼寫道：[17]在全共鬥運動中，「政治黨派提供了各式各樣的詞彙。如學生的『生活與權利』意識高漲、對產學合作的反對意識，以及對大學的帝國主義式重整的抵抗意識等。……所有說法都未能切中要點。」「〔全共鬥運動中〕學生共同意識的外顯現象，是在資本主義的高度資本主義化之下形成學生階層的異化意識。」

結果，當時黨派的現況分析論與革命理論，現在看起來變成了「都未能切中要點」的垃圾山。新左翼運動中，出現了主張藉由山中的游擊戰，將解放區擴展至農村並包圍都市——這從當時日本社會的情況來看，大抵上是不合時宜的——這種毛澤東思想的革命左派，並以之作為前身之一，孕育出了聯合赤軍。他們在手中的「地圖」裡並未標記出來的「迷你迪士尼樂園」新興（別墅區與警方展開槍戰，迎來了現實上的終結。這件事可謂象徵了新左翼的侷限性。

然而，未能滿足於黨派教條式馬克思主義話語的無黨派與女性解放運動的運動者們，也創造不出得以表現自身封閉感的話語。東大全共鬥的無黨派激進派們苦惱於「找不到話語」的狀態、女性解放運動的運動者們儘管說著要創造出「女性的話語」但也未能實現，這些分別在第十一章與第十七章提過。無黨派運動者們無法創造出自己的話語，而是期待只要遵循著黨派所給予的世界觀，就能得到安定的自我認同與夥伴，從而向黨派靠攏。這些我們可以在第九章的日大鬥爭等事例中看到。

在聯合赤軍事件發生不久後的對談中，記者上野宏志如此描述全共鬥與新左翼黨派之間的關係：[18]

「在我看來，新左翼的各黨派，實際上是舊左派，似乎比社共〔社會黨、共產黨〕還要更接近於舊左派。這是在世界共產主義運動史中，於理論上已經被克服的過時事物。就算這樣，為什麼新左翼的各派還是形成了一定的社會性黨派呢？我認為這是因為經濟高度成長深化了矛盾，製造出只憑藉社共的鬥爭無法拯救的階層。這些階層剛好結合了伴隨著過時理論與激進主義的反代代木諸派，形成了所謂新左翼的潮流。」

「我認為全共鬥與所謂的新左翼黨派完全不同。當時〔六八年〕支撐起爆發性新左翼運動潮流的是越平聯、反戰青年委員會與全共鬥。各黨派……我覺得就像是中途吸附上肚子側邊的吸盤魚一樣。全共鬥最初非常美好，但因為與黨派結合而產生了腐敗。依我的理解，原先全共鬥並不是組織而是運動體，就像是越平聯的學生版，初期的反戰青年委員會也是越平聯的青年版。當初的全共鬥運動是期盼著改良的學生運動。沒有什麼難懂的綱領。只要看看東大全共鬥最早的宣傳或宣言，就可以清楚知道初期的全共鬥運動是個多麼素樸的改良性運動。是諸如抗議處分不合理等等的……人權鬥爭。不但並非什麼反權力鬥爭，也是完全都沒提到過革命二字的素樸學生運動。後來，學生自己走向了激進主義。黨派因而從中途取得並掌握了全共鬥的主導權。」

「大學被當代社會拋在後頭，既未現代化也未能當代化。……另一方面，學生隨著數量的增加而趨向無產階級化，與大學之間產生了斷裂並出現各種不滿。……學生們素樸地感到憤怒，盡可能地提出改良性的訴求。雖然或許也有少數一部分熱中於革命的傢伙，但大部分學生的訴求都是素樸的改良性訴求。到這時，學生們都還跟隨著運動。黨派一方，因為他們是永遠的革命家，所以也乘上了這股浪潮。」

「從這幾年在現場親眼看著運動走過來的人的立場來說，我感覺不管是新左翼還是全共鬥，這些諸多派系能量的高峰，既非東大安田講堂、也不是六九年的四・二八，而是六八年十月二十一日的反戰日，也就是新宿騷亂。到了六九年，運動就已經開始走下坡了。」

這些上野對於全共鬥的觀點，比起東大全共鬥，可能更適用於日大全共鬥。東大鬥爭從初期的醫學部鬥爭就已經與社學同建立起深厚的關係，東大全共鬥末期的激進化也有一部分是由無黨派激進派所主導，而非全都來自黨派的誘導。

但是，大致上來說，上野的觀察似乎都算準確。六〇年代末年輕人們反叛的能量，發生自社共等既存政黨所無法理解的經濟高度成長的扭曲之中，並通過全共鬥與越平聯等組織浮現出來。一九六八年七月，三派全學聯分裂以後，黨派四分五裂的狀態已經進入末期。然而，幾乎在同一時期開始的全共鬥運動成為了黨派吸收新成員的場所，黨派由此獲得了許多運動者，從而得以延續生命。在這個意義上來說，黨派是全共鬥運動「吸盤魚」的看法也不見得不恰當。

對於上野的這番看法，對談的安東仁兵衛同意「黨派是吸盤魚，這一點的確是事實」，但認為全共鬥的主張並不單純只是「改良性的訴求」，他這麼說：[19]

……我認為全共鬥蘊含的可能性相當大。現今大學的構造及其存在本身就是當代管理．大量生產社會的縮影。而學生的存在，也從過去的知識階層型轉變為勞動者——潛在的勞動者，從這一點來說，大學的鬥爭具有與當代社會的抗議和鬥爭串連的可能性。……

……即使訴求是改良性的，但他們硬是不以「非政治」而是「無黨派」稱呼自己，這底下似乎流淌著與黨派的革命不同的，想要全面拒絕現存體制的情感。……或者他們的動機，是因為能清楚看見自己從搖籃到墳墓一輩子的生命軌跡而滿溢著空虛，從而為了自我確認——而非否定——「四年間」青春的「No」等等。無論是哪一種動機……其中或許還是隱藏著並非單純的改良性訴求就能解決的意欲——朝向變革的能量。例如，東大全共鬥在提出所謂七項訴求的同時，比起訴求本身，實際上更被積極地討論的是追求大學當局「吞下訴求的邏輯」。這個，可能是上述那種情感的「焦躁著急」的表現吧。

但根據安東的說法，無黨派雖然生出了「專業人士想都想不到的自由發想及行為」，但他們高呼的「No」並未超出「情感的維度」。「作為專業人士的黨派，原本的角色應該是在學習無黨派嶄新且豐富的思考及行動的同時，確認並引導其避開無黨派容易陷入的無責任性與危險性」，但它們卻一味地利用全共鬥運動，只是將其當成吸收新人的場所。[20]

如同上野與安東所言，從經濟高度成長的扭曲中產生的年輕人們的反叛，具有攻擊社會全體的扭曲的潛在可能性。然而，無黨派們沒有將其轉化為具體話語與行動的手段，而黨派也只是將他們的能量壓縮進陳舊的馬克思主義革命論中加以利用而已。

結果，全共鬥運動並未成為具有可稱之為「政治運動」性質的東西，而是以對體制說「No」的「情感」表現與「青春的自我確認」告終。如果所謂的政治運動，是為了獲得政治性目的的行為，那麼東大鬥爭中期以後的全共鬥運動並不能被稱為「政治運動」。

成功撤回學費調漲案而解除街壘的一九六八年初的中大鬥爭、或者以公開經營與言論自由為明確目標的日大鬥爭等，都還算是「政治運動」。但是，即使校方實際上已經同意了七項訴求卻還是持續鬥爭的東大全共鬥，其行為雖然是「反叛」乃至「思想革命」、「表現行為」，卻並非「政治運動」。

如同第十一章所述，一九六八年末以後的東大全共鬥，批判民青提出的設置協議會等實現制度性改革的主張為「獲取主義」，開始提倡永久持續性的反叛。就這樣，當大家明白東大全共鬥追求的既不是大學的民主改革，也並非想要取得什麼具體成果的「政治運動」時，多數的一般學生開始背離東大全共鬥。

當時全共鬥運動的參加者及同情者或許會這麼說：如果說一九六八年二月中大鬥爭那樣的形式要比東大鬥爭更好的話，那不就是認同民青主張的校內改良主義嗎？一九六八年後期之後這種論調的存在，也是東大鬥爭型的全共鬥運動擴散的原因之一。

但就像在第II部所述，取得一定成果而妥協的鬥爭，在東大鬥爭之前就已存在。也有像是一九六六年橫濱國大鬥爭那樣，雖然未能達成撤回學部名稱變更案的主要目標，但還是以「其他能拿的都拿了」的姿態達成妥協的鬥爭。當這樣的妥協發生時，並未有人批判其為民青主張的校內改良主義。在中大鬥爭中，主張不要止步於校內的勝利並持續維持街壘到一九七〇年的社學同，遭到了學生們的痛罵。

日本社會整體的革命云云，原本就是遠遠超出各地大學全共鬥力量的目標。直到一九六八年初的中大鬥爭與初期的日大鬥爭之前，人們認為在大學鬥爭中能夠取得的只是一定程度的校內改革，如果能夠獲得相應的成果，達成妥協是理所當然的事情。

這個情況的變質，始於東大全共鬥生出了思辨性的「自我否定」邏輯，與當時正好在東大佔據支配性地位的民青針鋒相對，從而形成了認為取得校內改革就等同於民青提倡的「獲取主義」論調。另外，新左翼黨派與其在校內改革上達成妥協，更希望鬥爭陷入僵局以持續維持大學的據點，因此協助擴散了批判校內改良主義就是民青的論調。

可以說，認為使大學鬥爭變作取得校內改革的「政治運動」就是「民青式」的論調，是以東大鬥爭為契機生產出來，並在新左翼黨派的推波助瀾下流通的論調。此外，想要進行「存在式的自我確認運動」與「表現行為」而非「政治運動」的年輕人眾多，也為接受這個論調提供了基底。因此，想當然地，模仿東大鬥爭而起的各地大學的全共鬥運動，幾乎什麼成果都沒能留下就「敗北」了。

另外，在東大全共鬥中也有一種厭惡「政治」性妥協的傾向。根據一九六九年二月《世界》雜誌進行的東大生民意調查，回答「參加」過全共鬥的人將來的志向，以「研究者」的三十七%最多，希望進入「官廳」的為一．七%、「經營」為〇．七%，希望投身政界的未滿一%。[21]這個調查結果，顯示出東大全共鬥的支持者為本來就厭惡世俗「政治」、喜愛「純粹」「表現行為」的人們。

而在西歐與美國，從擔負了所謂「一九六八年」反叛的世代中出現的政治運動者，一定數量的人進入了政界，像是西德的「綠黨」。但在日本，這樣的情況並未大規模發生，而是在研究者以及媒體評論界有許多出身於全共鬥運動的人。上述的調查已經暗示了這樣的未來。然而，能夠走上研究者這條道路的，可能僅限於東大等一部分菁英學校出身的人。

東大鬥爭，是「那個時代」反叛的轉捩點。不同於過去的大學鬥爭是為了實現訴求的鬥爭，鬥爭的性格轉變成了表達自己的鬥爭意志與提出異議的表現行為。公然進行武裝內鬥，在鐘樓堅守到最後一刻的玉碎主義（雖然當事者們應該會否定這個形容）皆是如此。

這樣的東大鬥爭（後期的形態），決定了其後全共鬥運動的風格。在其後的鬥爭中，打從一開始就已經將街壘中的烏托邦空間自我目的化，甚至有些例子還是在進行了街壘封鎖以後才開始思考訴求，這些已於第十三章說明。

如第十五章所述，越平聯的事務局長吉川勇一，在一九六九年如此主張：「我認為越平聯運動是一個政治運動（而非政黨運動）。既不是『確立主體性的運動』，也不是『存在式的自我確認運動』，當然更不是『道德運動』。」他還指出，「既然是政治運動，考慮運動的效果」就是必要的，「如果只藉由激進的形式提出問題就能解決問題的話那就很簡單，但事情不可能會這樣發展。」吉川似乎已經看出了全共鬥運動的變質。

吉川在二〇〇七年的訪談中這麼說：[22]

以前在一次講座中，當我和埼玉越平聯的前成員對話時，前中大全共鬥的天野惠一發表了意見。據他所言，全共鬥運動雖然的確具有自我確認運動的層面，但這擴大了年輕人的支持。然而，我回應道，或許這真的在學生當中擴大了支持，但從包含大人在內的群眾運動與反越戰運動的大框架來看，並沒有擴大支持的效果，反而成為了逐漸走向孤立的原因。連政治效果都不考慮，只是單純與機動隊衝撞並想要從中尋找出活著的意義，我無法支持這樣的行為。

如果是年輕人的自我確認運動，或許會擴大年輕人的支持。但就當然無法獲得校外的市民、工人與年長者們的支持。

與此同時發生的黨派街頭鬥爭也是一樣。扣除在一九六八年一月佐世保鬥爭中，三派全學聯衝入佐世保基地的模樣意外喚起年長者戰爭記憶的事例，黨派的街頭鬥爭在王子和三里塚等當地限定範圍內的市民與農民之外，並未集結出廣泛的支持。

多數年長者們並不能理解年輕人們感受到的封閉感與「現代的不幸」。大部分的年長者，戰後努力工作，在生活上獲得了一定的寬裕，並且終於能夠讓孩子上大學，他們的反應顯示出他們不明白年輕人在不滿什麼，為什麼要在景氣好的時期提倡馬克思主義、揮舞武鬥棒。結果，年輕人們的反叛在未能超出年輕人範圍的情況下結束了。

「那個時代」的反叛，過去常被當成「政治運動」討論，但實際上其中年輕人的「自我確認運動」或「表現行為」的層面相當濃厚。即使如此，至今之所以一直被稱為「政治運動」來討論，其中一個原因，是因為如前述所言，當時的話語資源有限，結果便採取了與「政治運動」類似的形式。

然而，上野千鶴子在二〇〇三年表示，全共鬥運動「與其說是想要獲得什麼的手段—目的型的運動，更像是表現陳述異議之情感的表現型新社會運動」。[23]雖然一九七〇年代以降的所謂「新社會運動」確實具有這樣的層面，但對「社會運動」做出這般定義是否恰當？按照這個定義，街頭劇場、藝術、寫作，甚至割腕還是自殺未遂、離家出走，只要是「表現陳述異議之情感」的行為恐怕都算是「新社會運動」。這與為了獲得一定目的的「政治」運動的邏輯有時可能不相容，也有最終只淪為自我滿足的可能。

而試圖將反叛的能量導向所謂「革命」這個政治運動的黨派，其操作方法只能說相當拙劣。他們固執於陳舊的馬克思主義，「沒有試著看到」正在高度資本主義化的日本社會的實際情形。這雖然也是原因之一，但當時黨派的運動者大多都是校內政治家或黨派內政治家，雖然有能力謀略校內政治或黨派鬥爭，但並不精通國家層級或國際層級的政治過程。因此，在校外只能提出「衝入國會」、「佔領霞關」這種毫無前景的戰術。結果就是，「那個時代」的反叛，最終只被「大人」們當成了暫時性的社會風潮。

「自我世代」的自我確認運動

另外，由於是為了自我表現乃至自我確認的運動，當時反叛的年輕人們普遍都不太優先考慮政治上的實際效果，這並不限於東大全共鬥。

舉例而言，讓我們來看看田中美津在一九八七年的發言。根據她的說法，從一九七五年聯合國設立了十年計畫的國際婦女年開始，「獲得聯合國認證」的女性解放運動「確實開始了墮落」。根據田中所言，「國際婦女年以降，運動變成以『人權』和『男女平等』等關鍵詞為動力進行，並轉而以改變法律制度為主軸。在這個意義上，我認為這與以『我』的痛苦為基準點看待世界，同時進行我的變革與社會的變革的女性解放運動相比，確實變得更容易參與。但是，從自我探問出發的想法也變得稀薄。」[24]

此外，田中在一九七二年的《致生命中的女性們》中，定義「女性解放運動為，旨在於女性合力打破生存困難，並同時透過復甦女性與女性之間關係中的愛慾，以確立主體的運動。」[25]從這裡可以看到，田中認為的女性解放運動，與其說是以實現「人權」與「男女平等」等制度改革的運動，更接近於著重在從「『我』的痛苦」出發，藉由「自我探問」「確立主體」的行為。然而如前述，當時的運動者與當代年輕人不同，認為探問自我的痛苦連結著社會變革。即使如此，不能忽略的是比起獲取政治目標，「自我確認運動」還是更加受到重視的傾向。

田中並不喜歡阻止優生保護法修正案等「嚴肅」的運動，但這也不是她的特點。米津知子支持女性解放運動新宿中心直到最後一刻，她在二〇〇八的研究會上指出，她們運動最大的成果就是阻止優生保護法修正案。然而同時，米津儘管之後持續從事市民運動，但於一九八〇年左右，對於年輕的運動者提出想要利用國際條約及法律來強化她們的主張的這個提議感到驚訝，因為過去她們的運動從未有這樣的發想。[26]以前的她們認為，就算沒有國際條約與法律知識等等，只要透過遊行或其他方式表達自己的抗議意志，就足以使運動成立。

與田中美津一起組成「Group・戰鬥的女人」的麻川麻里子（音譯，麻川まり子）於一九九六年這麼說：[27]

我認為那時的女性解放運動有兩個層面。一個是以「女性的關係性變革」與自我變革等詞語展開的，關於自我的意識變革運動（共生集團）。另一個是，對於歧視女性、把女性的性與勞動力當成剝削對象的資本主義社會體制的抗議、女性解放運動的宣傳活動（女性解放刊物的發行等）、對於這個社會體制的鬥爭（對於優生保護法修惡的鬥爭等），以及對於因此受害的女性們的緊急救援活動（女性避難所）等社會性的活動。

這兩個層面，雖然也同時承接了自我變革、意識變革等個人的內部性意識問題，以及針對社會體制的力量邏輯、政治力學所支配的領域，但我認為那時候的我們似乎並沒有明確認識到這件事情的意義。

肩負女性解放活動的女性們大多是二十歲前後的年輕女性。我認為對於每一位參與的女性來說——對我來說也是——這場運動可以說是成長過程中自我發現的試錯過程。……在思考這其中女性們的自我變革與自我形成時，也必須一同考慮的是，致力於此目標的我們，還沒有足夠的人生經歷可以訴說自己是什麼人，甚至忘記了作為人的力量極限與脆弱程度。

麻川說，自我變革的「尋找自我」要素，與社會變革的要素密不可分地混合在一起。這也是他們那個世代認為社會與個人相互連結的這種意識的產物，這點已於之前敘述。然而對於要理解「政治的力學」，他們還不夠成熟。因此不管怎樣，他們就算從事社會運動，「尋找自我」的要素往往還是會變得相當濃厚。米津知子在一九九六年表示，雖然「不從每個人的內部改變的話，就無法實現社會結構的變革」、「如果要質疑社會的話，也要探問自己的內部」等等是當時運動的特徵，但「在當時的運動裡，似乎將重點放在其『內部』上。」[28]

受到一九七四年引爆三菱重工（作為日本最大的軍需產業企業而為人所知）本社大樓的東亞反日武裝戰線的影響而展開炸彈行動的加藤三郎，在一九八八年回憶起當時自己的心境。他認為，自己是侵略了亞洲的日本帝國主義的子孫，「將自己視為醜惡的存在而自我否定，為了贖罪」而必須展開行動。加藤這麼表示：[29]

就算有美好的動機，例如與侵略和歧視鬥爭、與被壓迫者共同生存等等，說起來也都只是在找藉口而已，實際上只是試圖藉由這些鬥爭證明「我是值得活著的好人」。所以，這些鬥爭並不在乎是否能在現實上成為解決問題的方法。那是一種拚了命證明我不是壞孩子而是好孩子的，身為倫理優等生的行為。這可以說是膨脹自我精神中的利己主義的行為，所謂的為了他者，對我來說只不過是藉口而已。當然，那時候的我完全沒有意識到這件事。

這種無視政治效果的主觀性傾向，也與無計畫式的行動主義連結在一起。二〇〇五年，在由比嬰兒潮世代年輕約十年的作者們撰寫的《給過去曾經具革命性的父親們》，針對赤軍派「用三千人的機關槍部隊與兩千人的拔刀隊佔領首相官邸三週」的起義計畫問道，「那第四週以後到底有什麼打算呢？」[30]關於這個計畫，藤本敏夫評價指出，這就像是明治維新志士一樣，在「在櫻田門外偷襲井伊大老，以為殺了他事情就有所改變」，這已於第十六章提過。

當時的大學教師們，也對當時年輕人們的行動抱持著相似的印象。早大教授神澤一郎，在第一次

羽田鬥爭不久後的一九六七年十一月的座談會上這麼說：[31]

我們看著反民青派諸君的行動，也深切地感受到他們的心情主義。一旦發生政治問題，他們就一定會召開集會，組織遊行隊伍出動。他們說，不知道自己這樣的行動會有多大的影響力、會起到什麼作用。但作為青年，從我們的角度來看，不能坐視不管，所以才拿著頭盔和旗竿出動。我總是在想，這與二・二六事件的青年將校，或是更久以前的明治維新的志士們，當然思想內容與意義不同，但在思考方式上似乎有相當多共通之處。

在不考慮政治效果，採取「純真」的直接行動這一點上，與「明治維新的志士」及「二・二六事件的青年將校」相似，這樣的意見在其他地方偶爾也能看到。然而，吉野源三郎對此提出異議。他在一九六九年春天與藤田省三的對談中這麼說：[32]

戰前，在那場二・二六事件發生前不久，我從引發反叛的步兵第一連隊的一位中隊長那裡聽來了一個故事……當時，擔任中隊長的大尉級將校們，得知了自己領導的中隊士兵們的家庭狀況後紛紛感到擔憂，認為不能讓事情就這樣繼續下去。

中隊長有責任檢閱寄送給部下士兵的信件，因而無法避免地了解到士兵的家庭狀況。在世界經濟大恐慌過後四、五年的當時，日本正陷於深不見底的不景氣之中。家裡寄給士兵們的信，每一封都在訴說著家計的困難與現實處境。……

……在身處那場反叛〔二．二六事件〕的中心，發起行動的第一連隊中隊長們的動機中，我認為確實包含著對於失去社會正義的日本現實處境的激憤，以及對於由部下士兵所代表的民眾苦難的真摯同情。……

他們的行動，雖然在我們看來犯了主觀主義的錯誤，但即便如此，他們是認真地同感於民眾的苦惱、並客觀地認為必須解決這些問題。……他們有著某種必須獻身的目標，並不僅是高歌著自己的反叛。

今天，當我接觸到激進的學生運動，就想起了這個關於二．二六將校的事。雖然有著左翼右翼的不同，一方是作為「昭和維新的先驅」、另一方則自命為「日本革命的引爆器」。看著學生們的言論與行動、閱讀他們寫的東西，以及為他們辯駁的評論家所寫的東西時，我就會私底下將其與那些將校們的——在我所理解的範圍內的——心境相比較，探尋這些人們動機的深度。坦白說，我在那些人們寫下的東西中，幾乎找不到像是聽到第一連隊中隊長們的故事那樣沉痛而觸動人心的內容。這對我們來說，反而是件寂寞而令人感到擔憂的事情。

如前述，發起炸彈行動的加藤三郎說，「這可以說是膨脹自我精神中的利己主義的行為，所謂的為了他者，對我來說只不過是藉口而已。」如果是這樣的話，那他們就與二．二六事件的青年將校不一樣了。

吉野進一步在這場對談中提到，[33]「戰前認真的左翼學生」多數對資產階級的出身感到羞恥，「忍受著極為禁慾的生活」、「擁有值得奉獻自身的他者〔民眾〕。」「有沒有擁有這種值得獻身的他者，正是問題的所在。」「由於沒有他者的存在，所以逐漸陷入主觀主義中。」「所謂的革命性與這樣的精神，我認為對我來說是不可分割的，它是什麼時候，又為什麼丟失的呢？」「大抵上，自我否定等詞語開始氾濫，被描述成一件在內心裡非常深刻的東西」、「過度關注於『自己』」或『學問的作法』。」「只不過為了大學變革這種事情，就隨意踐踏人權、施加暴力。這只能說是人類道義情感的麻痺。」

對此，對談的藤田這麼回應道，反叛的學生們「在理論上認同工人階級為革命的主力。但在我看來，在他們的想法中革命是前提，是為了革命才必須喚醒工人。並沒有為了工人階級只好革命的這種想法。」比起為了工人而發動革命，他們是因為自己想要發動革命，所以認為工人也應該奮起，「這樣並不能讓工人階級有所行動。」[34]

吉野等人的指摘，也可以在六〇年安保鬥爭與全共鬥運動之間的差異中看到。一九六〇年六月初，在學生遊行隊伍與警隊發生衝突以後，附近的居民進行了像是井戶端會議[ii]一樣的討論。有人說「是全學聯先出手的……」，有人反駁「那又怎麼樣？你以為『學生桑』是因為想要這麼做才做的嗎？」[35]可以看到，這些居民覺得學生不是因為「想要這麼做才做」，而是為了代表自己的正義感而鬥爭，所以才支持他們。

「那個時代」年輕人們反叛的情況則不同。與一九六〇年比起來，大學生不再是少數的菁英，「學生桑」這樣的敬語也已經空洞化。民眾也——佐世保鬥爭例外——將年輕人們的反叛視為「想要這麼做才做的」，並未給予支持與敬意（日大鬥爭在與佐世保不同的意義上也是一個例外）。

ii 譯註：井戶端會議，在日文中用以戲謔地指稱婦女在井邊洗衣服時的群聚聊天。

小田實評論全共鬥學生並沒有把校外的市民放在眼裡，這已於第十三章中提過。評論家大野力在一九六九年夏天提及，他對當時學生們之間流行的歌曲《加入自衛隊吧》感到「非常不愉快」。[36]這首歌合唱著「各位男人中的男人／加入機動隊／加入吧／加入吧」，並以「加入機動隊隨花散落吧」作為結尾，當時常在反戰遊行與集會上被演唱。大野解釋他對這首歌感到不愉快的理由：

這恐怕是因為我認識幾個自衛隊員也不一定。……中學教師時代的學生中，那些成績優異的學生們，大家都去唸了全日制的高中，接著進入大學，其中的大部分在想法上成為了反體制派。然而有一個學生因為父親過世必須照顧弟妹，沒辦法只好上了定時制高中。加入自衛隊的，就是這個白天在鎮上工廠工作的男生。他在告知我錄取了防衛大學的時候，對我這麼說：

「我只有這條路可以選」……

這個情況表明，就算從社會一般的觀點來看，他們也不是「男人中的男人」。在他們內心中也並不這麼認為。然而這先擱開不談，讓我在意的是歌中像是在嘲笑他們這些人似的氛圍。

……這也不是說〔唱著《加入自衛隊吧》的〕年輕人們就是「公子」、「小姐」。然而他們確實大部分都是大學生。就算是以打工為生，還是有著使這個情況得以可能的家庭環境背景。他們擁有足夠的自由培養批判體制的眼光。直截了當地說，他們在某種意義上，難道不是比起成為自衛隊的同世代青年們，在更為優渥的條件下長大成人的嗎？對於自衛隊的批判，就是構築在這個基礎上。

這樣的他們，不是正經地提出訴求，而是揶揄加入自衛隊的同世代青年，我看到一種無自覺的優越感，感覺到一種不遜。他們究竟是否有好好質疑過他們揶揄的情況的前提呢？這難道不是一個問題嗎？

但是，「那個時代」學生們的心態，並不像是如吉野說的戰前的那種「認真左翼青年」。他們，如果借用曾在第十章引用的東大國文學科傳單的話來說，是「自我世代」。在小野田襄二創刊的雜誌《去到遠方》第三號（一九六九年夏天）裡，刊載了以下這篇某位學生的文章：[37] 問題是藉由「自我否定」挖掘自身的內部，「我們絕對不是禁慾式地忍耐著『這也想做、那也想做』的自身欲求而為了勞動者鬥爭著。」

一九三八年出生，屬於安保世代的小野田，在一九七八年〈對於全共鬥世代的違和與共感〉這篇論述中，引用了上述的文章並如此寫道：[38]

「我就是那種『禁慾式地忍耐著自身欲求而為了勞動者們鬥爭』的人。對我來說，沒有禁慾主義就沒有政治。」「對於我（們的世代）而言，沒有в народ（意指「走進民眾裡」的俄羅斯語）的呼喚就不可能有政治。對於貧困、不公平的正義感是政治的原型，禁慾的生活是其必然的結果。」「我們談論的革命，是為了實現社會正義而犧牲。」「然而對於全共鬥世代來說，為了社會正義而犧牲的精神恐怕感覺起來相當遙遠。」「創立三派全學聯的過程中，我意識到（六〇年代後半的）學生運動者的精神世界與共產主義（馬克思主義）並不相容。」「全共鬥運動的精神，似乎更接近於『我們絕對不是禁慾式地忍耐著這也想做、那也想做的自身欲求而為了勞動者鬥爭著』。」

前述吉野源三郎提出的問題，也就是過去「左翼青年」具有的對民眾獻身的禁慾精神「是什麼時候，又為什麼丟失的呢」的問題，似乎可以這麼回答：在經濟高度成長中，大學生的存在變得大眾化，從而不再是抱持著責任意識與使命感的菁英，這種精神也隨之消失。

小野田也在二〇〇三年的《所謂革命左翼的擬制》中這麼寫道：[39]

〔自己也參加過的〕六〇年安保鬥爭，宣告了正因為體會過戰前天皇制與軍國主義才得以成立的「和平與民主主義旗幟」的運動基礎的終結。參與六〇年安保鬥爭的參加者，光是東京就達到了數十萬人，其中九成是親身體會過戰前天皇制與軍國主義的人們。不久後，這個〔在自民黨支配下繁榮的〕日本社會〔的現況〕成為了「和平與民主主義」的象徵，並朝著經濟高度成長承接下去。「和平與民主主義旗幟」等等已經不再受到〔學生們〕關注。

由此，迎來了諸如反對日韓會談、反對企業號靠港等，對日本人來說只存在著空洞殘響的時代。以十・八羽田鬥爭來說，是由在中學、高中時期的成長過程中親身體驗了戰後的經濟高度成長——而非戰前天皇制與軍國主義——的世代擔任了主要的角色。全體日本人都接收到高度成長帶來的好處，因此，〔六〇年代後半以降的鬥爭是〕藉由對其〔高度成長的好處〕的反對而成立的青春期特有的運動。

這裡顯示出六〇年安保世代與嬰兒潮世代之間的差異，同時也顯示出，接續在戰前世代的吉野與六〇年安保世代的小野田之間的感性，以經濟高度成長為界而遭到了切斷。由此，可以看到成為「自我世代」的自我確認運動的反叛，輕視「政治」的效果、未能喚起包含年長者在內的民眾的支持，最後以「青春期特有的運動」告終的其中一項原因。

「他們」應該被批判的點

然而，筆者並不是要指責六〇年代末的年輕人們缺乏獻身的態度與禁慾主義。在日本還是發展中國家的時代，也就是貧困與戰爭這種「近代的不幸」近在眼前，學生是擔負著國政責任的少數菁英的時代，吉野所言的獻身態度與禁慾主義自然而然地產生在「認真的左翼學生」身上。在社會條件與大學生的地位都不同的「那個時代」的年輕人身上，要求這些事情並不合理。

而「那個時代」的年輕人們所面對的「現代的不幸」雖然比「近代的不幸」更難以表達，但這是性質的差異而非優劣之分。試著表達出這些問題的行為，就算以所謂政治運動的標準來看相當拙劣，但這依然還是性質的不同而非優劣之分。如果將此誤認為優劣的問題，就會陷入像是對當代拒絕上學的孩子說，「第三世界有很多因為貧窮而不能上學的小孩，但你卻這麼奢侈」的這類毫無意義的說教當中。

但在「那個時代」的反叛中，有幾個明確應該被批判的點。列舉如下。

第一，他們過於無知且性急地單方面批判了過去的「戰後民主主義」。的確，生長於正在成為先進國家的社會中，面對「現代的不幸」的他們，對於以解決日本還處於發展中國家時所形成的「近代的不幸」為課題的思想並不懷有現實感，這是很容易想像的。

但是，例如黨派之間的鬥爭與武裝鬥爭帶來了什麼樣的不良影響與悲劇，而怎麼樣的鬥爭方法才能獲取民眾的共鳴等問題，應該都有可能從戰後的運動與思想的累積中有所學習才是。以「戰後民主主義的虛妄」一語埋葬過去遺產的傲慢，即使遭受批判也是在所難免的。

第二點，是運動後的去向。因為面對著不同性質的「不幸」，因此我認為比起對於民眾的獻身更重視「自己」這點並不應該被批判。然而，對於「自己」的重視，不只無法獲得民眾的支持，也帶來如小田實批判的，「對著後來的人們說不要進入這種『帝國主義大學』，這種學校沒有入學的必要，但自己卻進入了『帝國主義企業』」這樣的結果。

當然，從以前就有所謂「就業轉向」的現象。然而全共鬥運動的參加者雖然與過去的學生運動相較之下算多，但在運動過後留在運動裡的人數並不高，「成品率」不佳，這幾乎已成為了定論。

為什麼會發生這個情況呢？出生於一九四〇年，從六〇年代前半開始成為民青運動者的川上徹，在二〇〇六年的著作中這麼批判全共鬥運動：[40]「看到『不知辛勞』的年輕人突然『激進化』，高喊著『共產黨＝機會主義』等等，讓我覺得『這不是在開玩笑吧』。這是十分苦澀的感覺。我認為他們似乎首先體現了對於歷史的傲慢（＝無知）。」川上接著在這本著作中這麼說：[41]

許多自稱全共鬥同情者的人們，後來同時進入了經濟高度成長下的企業社會。殘留著對於形式＝形象的「自我否定的自我」的淡淡共感，多數人已經準備好跳進被精細地組織起來的社會當中。等著他們的是，以只有「我們公司」、「我們組織」繁榮才有可能實現自我這樣的意識為常識的社會。而已經成為歷史事實的是，在不知不覺中全共鬥戰士已經變身成了企業戰士。

這種現象有時候被稱為全共鬥世代的「轉向」。但我在想，這是「轉向」嗎？這倒不如說是平行移動才對吧。他們主要的關心本來就是「自己」。激進的運動最後著陸的是「自己」。雖然他們在運動中抓住了質疑自我存在的契機，但未能完成之後的重建，殘留下重建的餘地＝空間，在這種情況下就直接走入了社會，只留下了關注「自我」的空殼。這個空殼必須被什麼給填滿才行。

可以填充的東西有很多，可以是公司至上主義、或者像是在閃爍發光似的大眾社會的魅力，在以競爭為原理成立的社會中，當然不缺填充的材料。全共鬥戰士們變身為企業戰士的過程，似乎比我想像的還要來得順暢。這個絕對不是可以被稱為轉向之類高尚事物的過程。因為在轉向中，理應存在著轉向的人的痛苦呻吟和精神上的糾葛才是。

聯合赤軍的領導者森恒夫的高中同學如此評論他，「我認為他的本質是體制性的」、「他如果就業的話，應該會是很出色的上班族」。[42]在第十六章也提過，革命左派的前澤辰義認為，永田洋子應該能成為「優秀的業務」。許多個森與永田就這樣成為「出色的上班族」與「優秀的業務」，支撐起了七〇年代以降的日本經濟。

當然，在前全共鬥與黨派運動者中，也有後來持續從事其他活動的人。也有人無法順利在企業裡就業，走上了不得志的人生道路。在這些人中，或許會有人說前述川上的批判只是民青自以為是的批評。但就算是這些人，應該也能夠在腦海裡浮現幾個符合川上這番形容的過去的友人吧。而在民青的運動者中，回答大學畢業後還是會持續活動的人佔大多數，相較於此，三派系的運動者到了大四就會退休則為通例，這也顯示在第四章介紹過的高橋徹的調查中。

如第十三章所述，全共鬥運動的參加者很容易就會變成「企業戰士」的現象，在當時就已經被指出來了。一九六九年四月，中島誠這麼記錄了從某企業的研究所員那邊聽來的情況：[43]

現今的研究所員，就算是在日立、八幡還是東芝那樣的大企業裡，也只不過是整體研究技術系統中的一顆齒輪而已。我們總是為了這個問題而苦惱，所以對於新入所的學生們懷抱著期待，因為他們才剛在最近的大學鬥爭中具體實踐並流血作戰過。我們總想著，不知道他們會帶來多麼大膽的行動呢？

然而，一旦他們進入成為研究所員，就彷彿一下子變了一個人似地溫順起來。明明應該是狼少年撲進羊群中，但卻很快就同樣變成了羊。這實在不可思議到讓我難以理解，他這麼說。

但這在某種意義上也理所當然。如在第二章引用過的，在一九六八年十月八日的新宿，一位學生一面毆打雜誌記者一面這麼喊著：「大學畢業後進入某公司就職的那一刻，連退休金的金額就都已經被計算好了，這種非人道的制度必須連根拔除、推翻。眼下正在革命，暴力是可被容許的。」這清楚顯示出，上述這位學生確信，畢業後就能擔任直到退休之前身分都能有所保障的終生雇用職，將學生時代視為就業之前的緩衝時期。這樣的學生並不少。這可以說是發生上述現象的原因之一。在此，可以說也加入了如川上指出的那種「自我世代」的心態。

第三個應該批判的點，是運動的道德。例如在一九六九到一九七一年的街頭鬥爭中，常常會出現將民間的車輛放倒作為臨時街壘的行為。金城朝夫在一九七三年描寫沖繩政治狀況的著作《沖繩處分》中這麼提到：[44]「我在參加東京的遊行時最感到憤怒的是，遊行隊伍有時候會襲擊民間的車輛。我目擊到他們常用竹竿敲打計程車、焚燒民間車輛，不管有什麼樣的理由，我都不能理解這個行為。就算有多麼了不起的理論武裝，襲擊一般民眾的行為，對於那位民眾來說，只會讓他覺得遊行隊伍和警察一樣都是敵人。」

根據金城的說法，在一九七〇年十二月沖繩的「胡差暴動」中有七十五台車遭到燒毀，全都是與美軍相關人等的車輛，民間的車輛一台也沒有被焚燒。另外，就算是在暴動狀態中，「也有考慮到不要造成民間房屋的損害，車輛被拖到遠離加油站的地方，或被拖到路中心焚燒。」

越平聯的吉川勇一也提過類似的事例：[45]「到了六九年，新左翼的街頭鬥爭快速地激進化，使用汽油彈對抗機動隊成為了常態，放倒路上的民間車輛當成街壘等等，其中也出現了『殲滅機動隊』這樣的口號。我感覺到這將會使群眾運動變得越來越孤立。」

武裝內鬥又進一步讓道德的退步更加惡化。在第四章已經提過，早大全共鬥的學生向鈴木邦男說道，「民奴根本不是人，只是日共的遙控人偶。愛怎麼揍就怎麼揍啦。不然，跟民奴的女人幹一炮吧。民奴啥的，就是痛扁！幹死！然後殲滅他們啦。」

另外，在第十四章曾提及的武裝鬥爭論者瀧田修在一九七一年這麼說：[46]「沒有扔出過一發炸彈，誰會尊重你。」「引爆瓦斯的話，人就會死。這不僅限於機動隊，普通人也會死。這種事也是沒辦法的不是嗎？」在此，一般市民的犧牲等等，在他空想的暴力論面前完全不在考慮範圍之內。一如第十四章記載的那樣，瀧田在被逮捕後表示，自己當時的發言只是「應時代氛圍的要求而出現的話語」。

當時年輕人的反叛，很大程度上是為了「自我確認」的「表現行為」。那麼，為了自我確認與表現行為，殺害機動隊員或一般民眾、強姦對立黨派的女性、破壞民間的車輛及房屋也沒關係嗎？這些是無法被正當化的行為。

第四個批判點，是運動內的責任意識。吉野源三郎在一九六九年這麼說：[47]

「我曾參加過三次學生們的鬥爭，也將頭部受傷的學生送往醫院過。在基層士兵的陣列中揮舞角材的都是些二十歲左右，才剛脫離孩子階段的青年。讓這些人進行這樣的行動，會搞出什麼事來呢？我認為擔任領導的人們必須澈底地仔細思考這件事。」

筆者在撰寫本書時，閱讀了許多黨派或全共鬥的中堅運動者和幹部的回憶錄及談話。然而，其中記載著由於自己拙劣的作戰與指揮，導致在部下中出現許多傷者與被捕者，因而感到悔恨的，除了受到集中指責的聯合赤軍幹部外，寥寥可數。

也有人會說，執行逮捕的是警察，負責指揮的自己沒有責任。然而關於這個問題，丸山真男已經在一九五六年的〈戰爭責任論的盲點〉中，以討論共產黨的戰爭責任的方式論述過了。丸山在文中論道，就阻止戰爭爆發失敗的點上，共產黨無法免除其「政治責任」，他這麼說：[48]

「敗軍之將，就算他再怎麼堅持到最後，他依然還是敗軍之將，無法以敵人的砲火比預期猛烈或手法的殘忍，或者友方陣營的背叛來逃避指揮官的責任。因為戰略與戰術正應該是在對這一切的預測之上制定出來的才是。」

與此相關的，是東大全共鬥對於安田講堂攻防戰的評價。過去從未有過採取了如此大規模籠城戰術的大學鬥爭。因為大家清楚知道，就算採用了這樣的戰術也沒有保護建物群的可能，作為大學鬥爭的「政治」性意義幾乎為零。

如同在第十一章所見，東大全共鬥也了解這件事，實際上，他們是為了表現自己鬥爭的意志才決意進行這樣的行為。然而，如果是這樣的話，東大全共鬥的核心成員自己關起來抵抗，或者進行抗議的宣傳，只有這樣應該也行。一旦讓東大全共鬥的下級運動者以及黨派的支援部隊包圍建物群進行圍城，將會造成許多傷者與被捕者，甚至可能有人死亡。對於這樣的情況，東大全共鬥的幹部們打算如何負起責任呢？

安田講堂攻防戰，為全國全共鬥運動帶來了不斷重複模仿「玉碎」的結果。這似乎也對之後的日本社會運動帶來了最後終將敗北的觀念，因此造成了不良的影響。

東大全共鬥的前核心成員也許會進行以下這樣的反駁：東大全共鬥是不具有中心的自由參加的運動體，並非是由指揮部發出了命令，因此用像是存在著指揮部一樣地談論領導者的責任並不合情理。但是安東仁兵衛在一九七二年的評論認為，東大全共鬥說是沒有指揮部的運動體，實際上是「無責任的體系」。安東說道，「誰進行了武裝內鬥沒人知道。誰在何時進行了這樣的鬥爭，在怎麼樣的組織責任下做出了決定沒人知道。縱使有行動，責任的歸屬也不明」、「東大全共鬥雖然有議長、也有幾個出現在大眾媒體上的明星，但政治責任、組織責任到底如何歸屬並不清楚」、「在自我否定之前，簡單的自制能力與責任似乎已經麻痺了」、「甚至連自己的罪由自己來評斷的分寸也沒有。這樣怎麼能談論自主管理、學生權力等等之類的呢？」[49]

筆者為了書寫《「民主」與「愛國」》，閱讀了包含幹部將校在內的許多前日本軍人的回憶錄。

他們大多並未表達出對於淪為戰場的亞洲各地區人們的責任意識。然而，因為自己拙劣的指揮作戰造成部下喪生，並為此感到悔恨的回憶錄，雖然並非多數但也不算少見。

當時的年輕人們，批判父母輩世代參與了侵略戰爭。但稍微比他們年少的四方田犬彥，在二〇〇三年指出，這個世代的鬥爭體驗者「自豪地回憶著在遊行中被逮捕後的拘留所經驗」、「得意地談論著現在成為名人的某某人當時屬於哪個黨派等等瑣碎的情報」，他「遇到這些人遇到都煩了」，並寫道「這與我父親那個世代在戰後復員回來，自豪地展示著過去軍隊的榮光與同袍之情的故事有什麼不同？」[50]而且，如果這樣的他們對於過去的鬥爭，也沒有向戰爭體驗者們那樣的悔恨之情的話，那麼其鬥爭的道德就該遭到質疑。

國際比較

筆者由於對其他國家缺乏知識與研究見解，以下有部分只是大致上的推測，但我還是在此試著將日本的「一九六八年」進行國際性的比較。

首先，關於「一九六八年」是「世界性」的學生反叛時期的觀點，我想提出一些質疑。一九六八年，大部分亞洲、非洲國家都沒有經歷過學生反叛。中國的文化大革命與格瓦拉的行動、捷克事件等等，都與學生反叛無關。發生學生反叛的國家是，日本、美國、法國、義大利、西德等國。[51]以此稱為「世界」難道不是一種西方中心主義嗎？

一九六八年這些國家發生學生反叛的背景，在日本、美國、法國等地，有很多相似的部分。因為經濟成長造成朝向高度資本主義社會的轉型，隨之而來的學生階層的大眾化與從菁英地位的下降等等都是共通的。[52]另外一提，英國在六〇年代大學生的人數並沒有急速增加，也沒有發生大規模的學生反叛。[53]

而世代交替的現象在世界各國也是共通的。雖然不到日本這樣的程度，但不管在美國還是法國，都一樣基於第二次世界大戰的教訓，對戰後出生的嬰兒潮世代進行了重視和平的教育。中國的文化大革命雖然與學生反叛的性質不同，但也主要是由並未經歷過革命的世代擔負。硬要說「一九六八年」存在著「世界」共通的「激動」的話，那麼其原因可以歸因於越南戰爭在各地引發反戰運動的世界局勢，以及沒有經歷過二次大戰和緊接其後的獨立革命的世代之興起等共通因素。

然而與美國和法國相比，日本的學生反叛也有不同的地方。美國的「一九六八年」延續了公民權運動與種族問題，不可能與日本的運動性質相同。又如第四章中介紹過的，許多美國的學生運動者出身於「富裕社會」的波希米亞上層社會，因此與文化運動具有親近性，但日本的運動者多數出身自中下階層，黨派的運動者與文化活動的關係甚少。

至於法國的「五月革命」，雖然發展成工人的總罷工從而對政權產生了威脅，但僅持續約莫一個月就結束了，而且並未擴散到巴黎以外，就這些層面而言，「五月革命」若以日本的現象來說，比起全共鬥運動，更接近於岸信介內閣於五月十九日強行通過安保條約修正案之後的六〇年安保鬥爭。如果說「五月革命」是擴及到勞動者而在短期內結束的「廣而短」的鬥爭，那麼日本的學生反叛可以說是只限縮在學生當中，從一九六五年持續到一九七二年的「狹而長」的鬥爭。

那麼，與法國等地相較起來，日本的「一九六八年」的特徵又是從哪裡產生的呢？以筆者對法國、美國和西德情況的理解，無法對此進行精細的檢證，在此試著提出幾個假說。

第一，與其他先進國家比起來，日本是藉由經濟高度成長而急速地進入先進國行列的國家，這或許是其中一個因素。在日本，由於在發展中國家狀態中養成人格特質的年輕人們被丟入了升學考試競爭中，與童年時期的文化斷裂過大，從而容易面臨認同危機，並且由於還殘留著過去「保守的」大學觀，因此像是「自我否定」的口號或者「所謂的大學是什麼」、「所謂的學問是什麼」等質疑成為首要關切的傾向較為強烈。而高度成長前後社會生活的變化也比美國等地來得激烈，因此「現代理性主義」批判以獨特的型態興起。

與日本不同，在其他先進國家，環境、風景或生活型態的劇變、大學生的大眾化等等，未必全都是在六〇年代快速地發生。在美國，早在五〇年代末，城市的年輕人就已經在社會結構的變化中陷入「現代的不幸」之中，從而出現「垮掉的一代」的運動，我在之前的著作《「民主」與「愛國」》的第十六章中已提過這點。

儘管尚須等待今後對於其他國家更為詳盡的研究，但若要提出假設的話，由於面對「現代的不幸」而產生的「尋找自我」的層面，雖然可能在其他國家的學生反叛中也或多或少存在，但在經濟急劇成長的日本的學生反叛中，或許是最為強烈的。這一點，或許也導致了日本的學生反叛逸脫出「政治」運動的範疇，無法像「五月革命」那樣喚起勞動者的共感，而東大全共鬥參加者中也只有不到一％想要成為政治家。如果這個推測為真，也可以說明日本這個世代的前運動者較少進入政界的這個現象。

我想提出的第二個原因，是政治經驗的不同。在一九六八年《每日新聞》記者的座談會上，有人發言道：[54]「我們不能忘記，日本與法國不同的地方，在於〔日本〕沒有革命經驗。所謂的革命究竟是什麼？那是有時甚至還會因此失去自己性命的行動。當我觀察日本學生的行動，我不認為他們在行動之前想過這些問題。」

在安田講堂攻防戰中被動員的支援部隊學生表示：「因為我們心裡總覺得不會被殺掉……」、斯坦霍夫認為如果是在美國，像聯合赤軍那樣的武裝組織，所有人應該會立刻遭到射殺，這些在第十一章與第十六章中已經提過。一九六八年當時的報導評論了日本街頭遊行中與機動隊的衝突，「一位外國記者困惑地說，『如此激烈的遊行反覆發生卻沒有人死亡，簡直不可思議』」、「對於經歷過多次攸關生死的戰爭或革命的歐美人來說，這實在是不可思議。」[55]

在巴黎的五月革命中，一九六八年五月二日索邦大學南特爾分校遭到封鎖，十日，在學生街的拉丁區築起街壘的學生與機動隊發生衝突，並陸續爆發對警察警備過當的反彈，從十三日起工人也加入罷工。但各大學、各學部在第一時間就實行了讓學生代表參加評議員會等制度上的改革措施。接著於五月三十日，戴高樂總統發表演說，承認學生積極參與大學管理、工人參與工廠管理、市民參與自治體管理的權利，運動隨之平息。

許多學生將這場總統的演說解釋為，對於各大學已經做出的「讓學生參加管理」這項決議的保證。因此，五月二十九日學生運動的領袖龔本第雖然在記者會上呼籲「必須以暴力對抗暴力」，但反應大抵上冷淡，還出現了批判龔本第的聲明，龔本第也立刻自我批判。[56]

如此，巴黎「五月革命」的學生們獲得在一定程度上參與大學管理的目標後，就結束了鬥爭。這與東大全共鬥始終拒絕參與大學管理，並持續作為戰鬥「意志表現」之鬥爭等等並不相同。

在日本，成功爭取具體政治目標的政治鬥爭經驗並不多，因而欠缺「獲得一定條件下的勝利」這個觀念，往往會陷入要麼全面勝利、要麼全面敗北的二選一思維當中。而在運動的過程中，由於認為即使「全面敗北」也不會喪命，因此相較於達成「不純粹」的妥協性訴求，往往更傾向於輕易選擇「全面敗北」。這似乎也是將鬥爭導向觀念性激進主義與非妥協姿態的其中一項原因。而筑紫哲也提到，在以武裝的美軍為對手的沖繩的運動中，並沒有出現使用武鬥棒的暴力行動，這已於第十三章中引用過。因此，當時的報導有時也將日本的學生反叛稱為「天真的激進主義」。[57]

確實，如果有被射殺的危險，就不可能在機動隊的盾牌前面說著像是「要確認自己的存在」這種輕鬆的話。可以推測，這種「安全性」前提的存在，也成了學生的反叛朝向「存在式的自我確認運動」傾斜的原因。

接著，若要提出第三個因素的話，新左翼各黨派的存在也很關鍵。

在日本，作為中核派和革馬派源流的革共同、第四國際、共產同等等，都是在一九五〇年代後半之前、日本尚處於發展中國家時成立的。它們就像在發展中國家狀態下成立的組織，每一個都信奉著古典馬克思主義，這即使到了經歷經濟高度成長、社會轉型後的六〇年代也依然持續。

日本新左翼黨派的特徵之一，是如在第四章中高橋徹以「古典」、「不退讓」評價的那樣，固執於古典馬克思主義。雖然在美國、法國與西德等地也有「新左派」的運動團體，但大多要不是在一九六八年學生反叛興起時匆忙成立的，就是從過去的學生組織或公民權運動等公民運動延伸出來的組織。並沒有像日本的新左翼黨派這樣，從一九六八年以前就存在著許多以古典馬克思主義革命為志向的集團，並深入至各大學扎根的情況。

這個現象的其中一個原因，或許是因為在其他歐美先進諸國，由於一九三八年的《德蘇互不侵犯條約》和西班牙內戰，以及先進國化的社會情況，主張古典革命理論的馬克思主義團體並沒有廣泛存在的空間。然而在日本，就算到了一九六八年，還殘留著發展中國家時代成立的新左翼黨派殘黨。這反映了藉由經濟高度成長先進國化的期間較短的事實。另一方面，在一九六五年越平聯成立之前，日本並未大規模存在像美國公民權運動那樣的市民運動。

新左翼各黨派在六〇年代中期完全低迷，呈現四分五裂的狀態。如果沒有學生反叛的浪潮，新左翼各黨派或許會因為不放棄古典馬克思主義，而幾乎全數於七〇年代初自然消滅。然而作為五〇年代遺物的新左翼黨派，剛好碰上了學生反叛的浪潮，像是「吸盤魚」一樣吸收這股能量而延續了性命，維持著古典馬克思主義，引導了學生反叛的能量。

如前述，以五〇年代為源流的新左翼黨派所信奉的理論，不僅無法跟上在經濟高度成長下轉型的日本社會現況，也無法理解學生運動發生的原因。然而，無從表現自己正在面對的「現代的不幸」的年輕人們，一些人相信從黨派的理論中能找出解答，一些人則不管什麼理論，逕自在黨派的街頭鬥爭中尋找發洩精力的場所。

而日本快速達成經濟成長的特徵，不僅讓新左翼黨派殘存了下來，也成為了其古典的理論獲得廣泛性接受的基礎。

如前述，革命左派夢想著基於毛澤東思想的山岳游擊戰，由其衍生出來的聯合赤軍，在經濟高度成長產物的「迷你迪士尼樂園」展開了槍擊戰。這從當代的視角來看是一種諷刺的景象。但是參加了日本的學生反叛的世代，特別是永田洋子與森恒夫等年長的世代，是在日本尚屬發展中國家的時期形成了人格特質，他們接受古典的馬克思主義似乎也並不奇怪。

新左翼黨派的滲透對於日本的「一九六八年」造成的影響並不少。當初以自發性的樸實訴求興起並獲得一般學生與大眾支持的大學鬥爭，隨著黨派的滲透開始主張「七〇年安保」和「革命」，從而失去一般學生及輿論的支持，在日大鬥爭中可以很典型地看到這樣的過程。

因此，日本的學生反叛和法國「五月革命」不同，成為了沒有輿論及一般學生支持的「狹隘」的運動。反過來，與只限定在巴黎的法國抗爭不同，日本的學生反叛借助黨派的全國組織網，將鬥爭擴散至全國。而且在黨派組織的持久力之下，有別於法國的抗爭是自然發生並於短期內結束，日本的學生反叛持續了數年之久。結果，「五月革命」成了「廣而短」的運動，日本的學生反叛則成為「狹而長」的運動。

在當時新左翼黨派的運動者中，除了高層的算計與背後交涉以外，似乎相當程度上還是有許多認真的人。然而，黨派的功過還是應當被適當地檢證。

首先，如果要說黨派的「功」，那應該就是使運動擴及全國並長時間持續，以及將運動從校園鬥爭「上升」到政治鬥爭。將運動的基礎知識跨越大學的範圍向外輸出，應該也可以說是「功」。

然而，說黨派頻繁引發徒勞的黨派鬥爭與武裝內鬥是其「罪過」，這是任誰都沒有異議的吧。而將校園鬥爭「上升」到所謂「革命」的政治鬥爭，也能被視為只是將學生反叛誘導進了浪費能量的非現實的鬥爭中而已。

而憑藉黨派組織的持久力將運動長期化這點，也可以說是「過」。因為，黨派雖然透過介入各地的大學鬥爭、入管鬥爭、障礙者運動、反對機場運動、反對汙染運動，使日本的「一九六八年」比法國等地更加長期化，但也可以說，代價是使日本的「一九六八年」一直持續到了各地潛在的運動能量耗盡、枯竭才停止。

因此，日本的「一九六八年」比起其他先進各國還要長，但在那之後的沉寂也尤其顯著。而黨派將學生反叛的能量誘導進了暴力的街頭鬥爭與武裝內鬥，也為往後的日本社會運動留下了不好的印象。這些成為了日本七〇年代以降社會運動低迷的原因之一。

上述由於是對他國事務不甚熟悉的筆者的推測，因此僅僅只是假設。在日本雖然也有書籍概略說明西德的「六八年運動」及其後以「綠黨」等方式持續推展的過程，[58]但我並未讀到以充分的社會結構分析，清楚說明為何在西德與其他國家這件事得以可能的著作。這還要懇請各國的當代史研究者多作指教。

經濟高度成長期的運動

以上是「那個時代」的反叛作為「政治運動」的評價。以下將試著在不能以過去「政治運動」的尺度來衡量那場反叛的前提之下，試著從別的基準來評價它。

如前述，「那個時代」的年輕人們的反叛，若極度簡化地形容，可以說是對於高度經濟成長之集體摩擦現象的表現行為。年輕人們可以說就像礦坑裡的金絲雀一樣，比大人們更為敏感地感受到了高度經濟成長的毒性，並尖銳地鳴叫著。

他們的行動作為政治運動十分拙劣。那麼作為自我確認運動，或者作為尋求串連的烏托邦的意識

變革運動，是否具有效果呢？桃山學院大學的教授真繼伸彥在一九七〇年這麼表述：[59]

……我想先介紹一位別間大學全共鬥女學生的告白。她說，只有在與警察機動隊戰鬥中，收集石頭遞給男學生的時候，才會感覺到人與人之間的連帶感。乍看之下是個悲痛的告白，但我卻感受到虛偽。如果她沒有欺騙自己的話，她感受到的只是同樣生病的人的連帶感而已。真正的連帶感，是堅忍不拔的持續。我在她的告白裡看到了青年普遍具有的浪漫主義傾向。也就是說，追求不可能的美與真實（但那既不是美也不是真實），並且病態地偏執於錯以為那些美與真實已經被實現的異常情況。

我多次從全共鬥的學生那裡聽到同樣的告白。……他們幾乎一致地表示，唯有置身於與警察機動隊衝突的危機情況中，才能首次體會到連帶感與正義感的充實，以及人性的解放感。對於這種類型的告白，我總是感覺到一種危險的浪漫主義。在那裡，我無法看到真正的勇氣。我自己過去〔所屬在共產黨之下被要求參與武裝鬥爭路線的時期〕在面臨相似的情況下時，面對著警官，不要說汽油彈，就連石頭也不敢丟出去。我對於這樣的行為實在感到非常的厭惡。究竟哪一邊是正常的？我認為我自己的反應才是正常的。我認為極端的鬥爭絕非人類的解放，而只不過是生活在病態社會中痛苦的表現而已。沉溺在虛假瞬間的精神，不，應該說精神的一種傾向中，缺乏真正的持續堅忍的勇氣。就此來說……全共鬥的學生諸君構築出的解放區一定無法持續下去。

年輕人們在反叛之中體會到了連帶感及解放感。然而，如果說這就像是毒癮患者一樣，尋求並逃避到非日常的「危機情況」中的行為的話，那麼評價也就不得不改變了。

另外，全共鬥運動的街壘也有作為臨時性暫緩期的逃避場所的傾向。津村喬在後來針對全共鬥運動中的街壘空間這麼描述道：[60]

社會強加而來的生活方式——應該說是權力的一方嗎——是存在的。如果乖乖地待在他們準備好的空間裡，只會變成自閉症或精神分裂，這在升學考試戰爭中可以看到。……認真完成學業離開〔大學〕，進入公司，然後一層層往上爬，我認為這是難以忍受的事情。後來，出現了所謂的暫緩期人類〔小此木啟吾的《暫緩期人類的世代》出版於一九七八年〕，想要有所保留地對待自己或社會提出的要求來決定自己一生的這件事，想要暫停自己的人生，這樣的感覺我認為大家都有。當這個形象外顯化時，它就成了街壘，這在某個意義上來說，是我們的集體治療。

津村在一九七八年的評論中認為，大學與街頭鬥爭的街壘「共通的是『遮蔽』這樣子的形式」。大部分的街壘不是像日大那樣用以保護自己免於遭受右翼襲擊的實用性街壘，而「僅僅只是一種形式，一種對於想要遮蔽某物的意志表現」。他們想要「遮蔽」的是「自己被自動化了的未來，升學、畢業、就業這樣的軌道本身」、是「攀登上秩序的階梯這件事」。「全共鬥，是對於在這個世界自動地進化成長、對自己也將在其中『上升』、獲得安穩生活的，以身體進行的抵抗。這是最早出現的對於經濟高度成長的根本性批判。」[61]

津村的主張有一定的道理。那雖然可能不是政治運動，但卻是「批判經濟高度成長」的表現行為。然而，它是否只是一時的暫緩期而已呢？不能否認後來還是有人持續貫徹著這樣的「對於經濟高度成長的根本性批判」。但大部分在渡過一時的暫緩期之後，都畢業並就業了。

如第十三章所述，在安田講堂攻防戰中遭逮捕的學生中，「表面上，他們主張著解體大學，否定內在的大學意識。但這些被逮捕的少年們，似乎全都在擔心著自己會不會就此失去大學生的身分。」如果是這樣的話，可以說他們並沒有決心脫離人生的「軌道」，而只是享受著一時之間的暫緩期而已。

這樣的傾向，在沒有參加鬥爭的「一般學生」中更加顯著。真繼伸彥在全共鬥運動進入後期的一九六九年的評論中如此提到：[62]

……不管在哪裡的大學鬥爭中，總是讓我感到驚訝的，是一般學生的漠不關心。別說是對民主主義，是連對上課這個學生原本的權利遭到剝奪都漠不關心。敢於執行街壘封鎖的學生，不管在哪個大學裡都極為少數。同時，轉向民青一方反對封鎖的學生也極為少數，也未能形成第三勢力。……

……決定當代學生運動走向的，或許是一般學生漠不關心的利己主義也不一定。某個時期，他們無意識地支持拒絕妥協的全學鬥。這是因為他們能提供罷課、停課與考試延期的利益。但是，一般學生到了某個時期，又會有意識地轉而支持妥協的民青一方。這是因為他們如果不順利取得學分畢業就無法就業的緣故。那麼，停課和就業哪一個更為重要呢？當然是後者。因此，最後勝利的不是全學鬥而是民青。順便一提，在一般學生這般表面上的算計背後，隱藏著另一種算計——在我國的資本主義體制穩定成長的現在，自己只要在形式上畢了業就能找到工作的算計，這在最後其實助長了自民黨政府。……這種在數量上強大的利己主義，漸次清楚地將巨大且沉重的鐘擺從全學鬥轉向民青、爾後再轉向自民黨。

一般學生在前半學年因為期待停課而支持全共鬥，後半學年則是為求畢業、升級或就業而背離全共鬥。在東大鬥爭當中可以很典型地看到的這種模式，無論在哪個大學都一樣可見。因此，許多這個世代的大學生，利用大學的停課去旅行或玩樂，儘管偶爾會走訪街壘，但最後仍會支持排除全共鬥以確保自己的就業機會，渡過了符合「自我世代」的大學生活。

從現在看來，可以從前述津村的證言中窺看到一個明顯的趨勢。也就是當時的學生們，就算厭惡大學畢業後進入公司直到退休的人生路徑，但並不懷疑自己一旦進入這樣的人生路徑，就能「上升」的這件事。

這在現在看來是令人吃驚的。如筆者於前著《「民主」與「愛國」》中所寫，一九五四年京都大學文學部畢業生的就業率不到十三％，直到一九六〇年之後，才基本上達成了大學畢業生的充分就業。而被稱為「就業冰河期」的一九九〇年代後半以降，這樣的狀態就結束了。換言之，「那個時代」的年輕人們反抗的「人生軌道」，只不過存在了約莫三十年。

因為升學率的提高與經濟高度成長，「升學考試戰爭」幾乎涵蓋了所有的孩子，大學畢業的男性——女性在那個時候就算從四年制大學畢業也找不到工作——的充分就業狀態，在一九六〇年前半達成。一九六八年的當時，這種狀態才確立不到五年，但他們卻認為這會永遠持續下去，想像力很明顯不足。總之，他們對於自己經驗過的中學、高中、大學以外的「人生軌道」一無所知，對於那些以外的狀態也缺乏想像的能力。

這樣的好景氣也在背後支撐著年輕人們的反叛。立花隆在一九六九年的評論中，陳述了加入反戰青年委員會的年輕勞動者變多的原因：[63]「就算從公司辭職，在邁入完全雇用甚至超雇用時代的現今，只要不要求過高，要找到新的工作並不困難。這應該也是就算賭上被解雇的風險也要參與運動的反戰勞動者增加的原因。」

這樣的情況在學生中也一樣。一九六九年十月《朝日新聞》的文章這麼描述：[64]「對於不管發生什麼事，生活都不會面臨困難的社會狀況的安心感，也潛藏在行動派年輕人的意識深處。破壞建築物、投擲汽油彈的學生們，也能在獄中接受畢業考試。『雖然講了各種各樣的理由，但簡言之，就是讓我們去做想做的事情』，東大全共鬥的學生（二十一歲）在論戰『暴力論』的最後，如此冷笑地說著。」

中大社學同的運動者神津陽也在二〇〇六年指出，比起為了生活而勞苦的戰中派雙親，「高度成長期的人手不足，給予了我們這一世代轉守為攻的勇氣。」[65]他們有著學生時代就算稍微作亂，在人手不足的經濟高度成長期還是能找到工作的安心感。

那麼，當曾經反對看似一切都被決定好的「軌道」的這個世代邁入即將退休之年，那條安定的「軌道」開始崩解的時候，他們會做出什麼反應呢？

如前述，一九六八年十月在新宿揮舞著武鬥棒的學生說著，「大學畢業後進入某公司就職的那一刻，連退休金的金額就都已經被計算好了，這種非人道的制度必須連根拔除、推翻。」如果這個學生就業，並維持上述的人生觀的話，當他自己成為裁員或減薪對象時，理應會對「連退休金的金額就都已經被計算好了」的社會之崩壞感到高興才對。

《全共鬥白皮書》出版於尚未強烈意識到經濟不景氣的一九九四年，在其導言座談會上，前全共鬥參加者提到，因為全共鬥運動讓他們了解到另外一種世界的可能，「作為世代的全共鬥」的「秩序感覺（與其他世代）有著決定性的不同」「並不害怕裁員或減薪」。[66]然而，隨著在那之後裁員潮的正式出現，如今已經可以明晰地看到這個世代的多數人做出了何種反應，因此有必要再次檢證這樣的發言。

另外，在運動的具體局面上，經濟高度成長也對他們帶來了良好的作用。以日大全共鬥為代表的街壘，不僅依靠捐款，還憑著守在裡頭的成員們輪流出去打工維持了鬥爭，這點已於本書中提及。使這樣的情況成為可能的，如第二章中三田誠廣所言，是由於當時人手不足，打工的薪資很高所致。

又在第十七章也引用過的，一九七〇年四月成立的女性解放團體「思想集團S・E・X」的「成立集會總結」裡，如此描述了她們參加的多摩美大全共鬥運動：「口腹被滿足、性慾被滿足、有空閒打發時間，舒服愉快地生活在和平中的我們，我們的鬥爭不是應該持續否定這樣的我們嗎？」[67]在此，雖然提及了對那樣的自己的「否定」，但還是明顯可見鬥爭是以因經濟高度成長而出現的充分就業狀態與豐饒作為前提。

筆者曾在近年某場不穩定無產階級的集會上，向窮忙族的年輕人介紹過上述全共鬥運動時期傳單上的文案。那時得到的反應是，「所以所謂的全共鬥世代，就是在景氣好的時候能亂搞就亂搞，然後再若無其事順利地找到工作，景氣不好的時候就拿著年金逃跑嗎？還真是好命啊。」

負責撰寫前述「思想集團S・E・X」成立集會總結文章的森節子，不僅跟當時的大四畢業女性一樣沒找到好的工作，畢業以後也持續在女性解放運動新宿中心等組織活動，中心閉館後，她開了自己的印刷公司。因此，對森個人來說，「在景氣好的時候能亂搞就亂搞，然後再若無其事順利地找到工作」這樣的說法並不適用。然而，符合這種批判的例子相當多，這似乎也是事實。

如津村喬所言，全共鬥運動是「最早出現的對於經濟高度成長的根本性批判」，這符合事實。然而，如果考慮到他們的反叛，是在當時的經濟成長將會一直持續下去這個前提之下進行的，鬥爭的參與動機及作法也都倚賴著高度成長，那麼這種反叛無法成為真正改變社會的運動，無法超越「提出異議」與「批判」之表現行為的領域，也可以說是必然的。

適合經濟高度成長的運動形態

接著，我要討論經濟高度成長與「那個時代」的運動形態特徵之間的關係。

當時運動形態的新穎之處而為人稱道的是，志願者之間採取了鬆散的結合，並未形成固定上下關係的金字塔型組織。明確地提出這個原理的是一九六五年四月成立的越平聯。如前述，上野宏志在一九七二年提到，照他的理解，「全共鬥並不是組織而是運動體，就像是越平聯的學生版，初期的反戰青年委員會也是越平聯的青年版。」

筆者也同意這種「運動體」的原理，在社會運動的世界中是新穎的。但是，從社會整體來看的話呢？從結論來說，這種志願者參加的計畫團隊（project team）型的形態，可以說具有提前採用了適應於因經濟高度成長而出現的高度資本主義的組織形態的一面。

刊載了多篇關於安田講堂攻防戰記事的雜誌《中央公論》一九六九年三月號的一角，也刊載了經濟評論家內田元亨的論文〈高度工業社會的構造〉。[68]文章的內容大致如下。

這篇論文首先以「所有的日本人都開始感覺到冷漠，感覺到一切的事物似乎都不能再繼續這樣下去的不安」的語句開頭。這裡顯示出，雖然與當時反叛的年輕人的形態不同，經濟界也認識到他們正面臨著過往的邏輯已不再適用的社會。

根據這篇論文，「第二次大戰後，日本在大約二十年間，從國民所得每人一百美元的後進國變成了每人一千美元的工業國。」「這段期間，我與產業界密切合作，驚訝地發現工業現代化的速度不但超出了一般人的期待，也超越了相關專家的預測。」然而，「同時我也留意到在經營者、從業員、需求者等等之間發生的意識變化。」由此可知，隨著急劇的社會結構變化出現的意識變化，不僅僅發生在年輕人身上。

然而內田提到，「由於工業的發展過於急劇，人們為了追趕上這些現象，並沒有餘裕思考這個發展的本質。」接著，他概括了截至一九六九年之前工業化的情況，並對今後「高度工業社會」中企業組織的變化做出預測，這成為了本篇論文的核心。

據內田所言，過去在日本發達起來的工業，是以「單一製品多段加工」為特徵的「過程工業」。這是相應於「不管做出什麼樣的產品都會賣」的經濟高度成長前的日本市場的形態，是在某個階段對原料進行加工並大量生產出單一商品。

其究極形態，是「自動化」工廠。這將原本各自獨立的加工過程一體化，在同一個地方進行生產。其特徵是「生產工程整體為了一個目的而統一化，一旦設定了目標，整個工程就會相應串連起來，以達到最理想的效果。」

「如果把自動化裝置看成一個系統……可以將裝置整體視為一個機器。」而「越趨近完全自動化，生產技術就越趨於單純化。」加工的各個階段藉由聚集在同一個地方而成為一個裝置，因此得以依據中央的指令與設計加以細分、單純化。

為了運作如此巨大的設施，必須有鉅額的投資。「僅僅十年前，在我國一個製鐵基地的投資規模被認為最低需要五百億，如今則變成了最低兩千億。」就這樣，勞動的細分化與單純化，以及資本的壟斷化漸次發展。

如此一來，巨大化的「過程工業」，「就像軍隊組織一樣」在最上層有中央司令部，「各個加工的需求，都以某種形式與頂部連結」。分包工廠分散各地的情況基本上也一樣，「以母企業為頂點形成了金字塔型的構造。」

六〇年代的年輕人們厭惡這種以巨大「輸送帶」為象徵的「管理社會」。他們反抗的「管理社會」，是內田所言的「過程工業」型社會，可以說拒絕自己被納入其中的抵抗感成為了反叛的能量。

如前述，「過程工業」的組織形態，在中央司令部下設有下級組織，成為與「軍隊組織」相似的「金字塔型構造」。這不但與年輕人厭惡的「管理社會」重合，也同時和共產黨及黨派等政治組織形態相似。

可以說，具有上情下達金字塔型構造的共產黨與黨派等組織的形態，也是相應於工業化階段之一的「過程工業」社會的組織構造。換句話說，由中央本部與各個工廠等下級組織構成的黨派組織，可以說正好適合於具有相似形態的，各個工廠穩固存在的「過程工業」社會。

「那個時代」反叛的年輕人們，在厭惡這種「管理社會」的同時，也討厭上情下達型的共產黨與民青及黨派等組織，因而產生個人以自由意志參加，並自發地行動的運動風格。最早提出這種風格的雖然是越平聯，但東大全共鬥與日大全共鬥並不是在成立時就參考了越平聯。可以說他們自然而然生長出了相應於「自我世代」的運動形態。

然而，這裡有一個問題。對立於「金字塔型構造」的越平聯與全共鬥的運動原理，雖然可以作為對共產黨與「過程工業」型「管理社會」的反對，但是否能夠成為更高層次的，對於資本主義社會的反對呢？

內田指出，上述那種「過程工業」的自動化與巨大化現今已經達到極限，「企業裡發生了一些值得注意的分解現象」。這是由以下這般必然性所造成。

「過程工業」是以前述那種「單一製品多段加工」為前提的系統。然而，這種系統在雙重意義上正在接近其極限。

首先，一旦自動化工廠巨大化，「集中在中央集權式金字塔頂端的資訊量將暴增到單一企業所無法處理的程度，從而產生混亂。」據內田所言，一九五〇年代作為日本工業輸出製品主力的縫紉機與電晶體收音機的零件數約為一百個。但從六〇年代前後開始急速增加的電視，其零件卻有數百個，六〇年代後半逐漸成為日本工業主力的汽車零件數，甚至達到了一萬五千個。

隨著零件數量越來越多，加工過程也增加，在各個加工過程中產生的資訊量也飛躍性地增加，單一個中央司令部開始難以應付。而「當製品的零件數變多時，這個金字塔型的組織也開始自我崩壞。」

即便如此，中央司令部還是堅持維持金字塔型的構造，「一旦強化中央的管控，必然會付出代價。」中央司令部的指令開始變得與加工過程現場的實際情況不相符，並妨礙加工過程順利運作。

而比汽車更加複雜的飛機，零件數量高達二十萬個，宇宙火箭則為兩百萬個。在美國，這些工業製品已經無法由單一的金字塔型巨型企業來生產。內田提到，「從當代技術的傾向來看，汽車工業或許將成為裝配工業最後的巨型企業。」

金字塔構造型的「過程工業」，在別的因素上也面臨著極限。「過程工業」以「單一製品多段加工」作為前提。因此，巨型企業製造出來的單一製品，必須藉由規模效應帶來的低成本與廣告力吸引消費者。

然而，和不管製造出什麼都會賣的經濟高度成長前期不同，在大眾消費品已經一定程度普及的一九六九年日本社會，「今後將被期待能提供更為符合個人偏好的多種類製品，巨型企業對市場的控制將會變得更為困難。」而「印刷技術與通訊技術的發達，逐漸使中小規模的交流，也就是中型傳播與小型傳播成為可能」，換言之，今後以「過程工業」為前提的「單一製品多段加工」將不再成立。

如此一來，就必須多階段加工多品項的製品。結果就是，隨著各製品零件數的增加，資訊量也飛躍性地增加，以單一個中央司令部為頂點的金字塔型構造將無法應對。

內田提到，「金字塔構造」型的組織，將因為無法處理膨大的資訊量而自我崩壞。這個邏輯，如果拿來與共產黨發展的歷史過程比較的話也相當有趣。在社會的大部分都是具有同性質產業構造的農村，以及出現一部分都市地區大工廠的時代，共產黨中央本部能夠處理從各地支部而來的訊息並作出指令。然而，由於經濟高度成長，社會變得複雜化，中央開始無法處理各個現場發生的多樣化事態與需求。如果仍然還要維持金字塔構造型的組織，就會發出與現場事態不相符的指令並失去支持，或因為加強內部管控而開除不服從中央的運動者，從而「付出代價」。

那麼，內田論文標題提到的「高度工業社會」，需要什麼樣的組織形態來取代這種「金字塔構造」型的組織呢？

據內田指出，在美國的工業界，為了應對訊息量的增加，已經開始採用新的組織原理。那是各個加工過程作為一個個「生產單位」自立，「各個生產單位不僅製造提供特定上部構造的特定製品，必要時也依據自己開發出來的資訊，尋找製品合適的買家。」而各個單位彼此交換資訊，中央與各工程之間的關係也正從「上下關係」轉型為「依存關係」。

內田將這種「小集團相互之間以對等關係連結」的形態對比於「金字塔構造」，稱為「矩陣構造」。在其中，各個小單位在各自獨立的情況下相互關聯，「亦即形成了網絡（network）。」因為是網絡，「矩陣構造與金字塔構造不同，不存在所謂的中心。」

另外，組織形態的變化也帶來了人際關係的變化。在「過程工業」社會的金字塔型組織中，發號施令的上位者與接受指令的下位者之間的關係固定。而各加工過程因為與單一中央司令部連結，人們對於各中央司令部的所屬意識也相當濃厚。

然而，高度工業社會的矩陣結構中，由於中央對於資訊的掌握並不一定有優勢，所以不會形成固定的「上下關係」。而各個小單位因為與眾多小單位形成網絡，「特定的個人得以所屬於多個組織」，「所謂的所屬，只意味著自己的一部分能力屬於某個特定組織而已。」

這種鬆散的網絡關係，與上下關係被固定化的金字塔構造不同，無法「長期維持」。因此，「今後預期的組織，似乎將會是為了極為限定的目標，只在限定的期間內存在的組織。」為了必要的目的，志願者們組成計畫團隊，一旦達成目標便解散。在此，因為每個人都被期待是現場的資訊生產者，「所有的個人都被強烈要求成為創造性的角色」。

和已經轉型成高度資本主義社會的美國不同，「我國成為大眾消費社會的時間並不長」，「鋼鐵、電力、造船、重機電」等巨型企業仍為主流。然而，日本今後也必須思考朝向高度資本主義社會的組織形態轉型。

這個組織原理，與越平聯及全共鬥的「運動體」原理令人驚訝地相似。而在這些運動的基礎上，於七〇年代以降提倡的「新社會運動」的組織論及網絡論等等，也與此有高度的相似性。

如果極為冷酷地說，如同下層結構決定上層結構一樣，在由於經濟高度成長而快速成為先進國型社會的日本，不管是企業還是運動，可以說當局者們即使在無意識中，都必須形成相似的組織形態才能適應高度資本主義化。然而，似乎可以說，越平聯和全共鬥比起企業更早先一步展開了這種變化。

志願者參加的計畫團隊形態，也與「自我世代」的風氣一致。作為研究生參與東大全共鬥的船橋邦子，採取了無黨派的立場而對黨派感到厭惡，特別是民青。她在一九九六年記述其理由為，「組織的想法優先於每個人的主體性行動，這是我最討厭的氛圍。」[69]

過去的金字塔型組織，不論是對經濟高度成長的社會現實，還是對生長於高度成長下的「自我世代」的感覺，都已經無法應對了。在這種情況下，必然會產生全共鬥和越平聯這種運動形態。這雖然是他們創意的產物，但也可以說是在時代風潮與社會結構中自然形成的。

就像在越平聯和亞洲婦人會議裡看到的，以個人自由意志形成的運動體，最終分散為各個具有各自運動目標的計畫小組，無法維持大型結構。社會運動整體也於一九七〇年以後分散成具有各自運動目標的小團體，運動的主角轉移到黑頭盔或女性解放等十幾人的小團體上。

在這之後，日本的社會運動也一直維持著由十幾名中心成員組成的市民運動團體各自專注於各自的目標，難以組成聯合的形態。這種分散化與個別化，在社會結構轉型成高度資本主義的時代，也可以說是不可避免的結果。

朝向大眾消費社會的「兩階段轉向」

如果這種運動體的運動是「對於經濟高度成長的根本性批判」，也同時是適合經濟高度成長的運動，那麼這個運動留下了什麼呢？

如序章所述，關於「那個時代」的反叛留下了什麼的問題，過去尚未有定論。既有全共鬥運動什麼都沒留下，只是一時性的社會風潮而消逝的評價，也有認為越平聯遺留下的各地市民運動，成為了往後社會運動之芽的評價。但是筆者認為，「那個時代」年輕人們的反叛留下來的最大成果，是對於經濟高度成長、以及作為其結果而出現的大眾消費社會的適應。

「那個時代」的反叛，具有表現出對於經濟高度成長與大眾消費社會的反彈與不適應的一面。但是當時的年輕人們，在反對大眾消費社會的同時，也感受到它強烈的魅力。

如第二章所述，民青的大窪一志在一九六六年左右回憶並說道，在「當時的工作獎金、百貨銷售額紛紛創下歷史新高，大眾消費潮不斷湧現」的「昭和元祿」時代，「我們一方面感受到那樣的氛圍，一方面覺得若不做些什麼抵抗這種狀況，就會感覺全身僵硬。」他們一邊面對著日本現代史上從未有過的世界，一邊同時對於自己的存在感到不安，在恐懼與魅惑的夾縫中渾身僵硬。

一九五〇年出生的運動者高橋源一郎表示，「比我們高差不多兩個年級的人，差不多都是無可救藥的率直左翼，低一個年級則大概有一半的學生已經變成消費社會化的左翼了。」「身體有一半是非政治性的。越是參與政治運動，剩下的一半就越抗拒。白天如果去了遊行，晚上不聽爵士樂的話就無法平靜。整個人就這樣被撕裂開來。」這在第十七章已經提過。他們正是在對經濟高度成長與大眾消費社會果實的反彈與魅惑的夾縫中被撕裂開來。

這樣的他們為了要適應大眾消費社會，必須排除自己內部某種抵抗這種社會的感性。這個過程似乎經歷了兩個階段。

他們對於經濟高度成長與大眾消費社會的反彈，一方面是因為在高度成長以前的社會狀態中完成了童年時期的人格養成，另一方面也是源自於所謂「眾人一步，勝過一人百步」、「不要變成自私自利的人」等戰後民主教育的價值觀。因此，他們為了要適應大眾消費社會，必須排除掉在戰後教育中被教導的理念，也就是「戰後民主主義」與「和平與民主主義」的倫理。

如前述，在日本仍處於發展中國家時期形成的戰後教育理念，對於在高度成長期中渡過青少年時期的他們來說，是沒有具體感受的東西。因此，如果能證明主張「和平與民主主義」的共產黨及「進步的文化人」是欺瞞的存在，並且批判「戰後民主主義」的話，應該就能夠排除掉存在於他們內部的戰後教育理念才是。

全共鬥運動，在某個意義上如前述，也具有戰後教育理念復興的一面。然而，無論是作為貫徹戰後教育理念的方法，還是作為提倡超越「戰後民主主義」的先鋒性革命路線的方法，只要能揭露出革新政黨與「進步的文化人」的「欺瞞」，就能排除存在於他們內部的戰後教育理念。

但只是這樣並不能使他們適應大眾消費社會。因為，無論是貫徹戰後教育理念的方向，或是更為先鋒的革命路線的方向，全共鬥運動都伴隨著「那麼，你會怎麼做！」的這種嚴格主義。這反而一度表現成反對大眾消費社會的禁慾主義。

為了擺脫這種嚴格主義與禁慾主義所必須的，就是聯合赤軍事件。聯合赤軍事件的實際情況是，擔心據點被發現與擔心遭到逮捕的二十人左右的非法集團幹部們，因為害怕下級成員的逃亡與反叛，而將他們緊縛起來致死的小事件。儘管如此，這個事件之所以成了訴說戰後日本歷史時不可缺漏的事件，是因為反叛的年輕人們對於這起小事件進行了過度的意義詮釋。

其意義詮釋，如同第十七章在田中美津的論調中看到的那樣，是如果澈底執行全共鬥與新左翼的嚴格主義與禁慾主義，最後的下場將會是聯合赤軍事件。他們採取了在聯合赤軍事件遭受到創傷的姿態，排除了自我內部的嚴格主義與禁慾主義，並成功地忠實於「私我」的欲望。

就這樣，他們做好了適應大眾消費社會的心理準備。在聯合赤軍事件的私刑中，遠山美枝子的護唇膏和戒指成了私刑的藉口這一點變得尤其著名，這件事似乎得以佐證這個說法。

如第十六章所述，因為這種「消費社會的」、「資產階級的」種種理由遭受私刑的人，在事件的十二名死者中有三到四人。而筆者認為，對於遠山的批判發生在革命左派與赤軍派爭奪主導權的過程下，這與後來的「總結」是不同的事情。

儘管如此，護唇膏和戒指變成了為人所知的「總結」的理由，這似乎暗地裡訴說了當時的年輕人們想要如何解釋這起事件，以及他們的欲望所在何方。換言之，他們將事件解釋為，如果抵抗大眾消費社會的欲望，終點就會是「殺害同志」的聯合赤軍事件，以藉此允許自己忠實於「私我」的欲望。

如此解釋聯合赤軍事件，對於他們來說，是為了適應經濟高度成長與大眾消費社會現實的必要行為。正因如此，事件本身不大的聯合赤軍事件，成為了戰後日本的轉折點。

這一世代的人，為了脫離因戰後教育而內化的「眾人一步，勝過一人百步」這樣的倫理，可以說進行了兩階段的轉向。他們首先藉由全共鬥運動的嚴格主義展開「戰後民主主義」批判，將戰後教育的理念排除。接著透過對於聯合赤軍事件進行他們自己的詮釋，脫離了全共鬥運動的嚴格主義。藉由這種兩階段轉向，他們得以順應於經濟高度成長與大眾消費社會。

過去，從所謂汙染這種物質的層面討論了高度成長帶來的扭曲。但是對於精神面的壓力，以及如何適應轉型後的新社會幾乎沒有討論。全共鬥運動與聯合赤軍事件成為了嬰兒潮世代的巨大創傷一事，顯示出一個社會在從發展中國家晉升為先進國的過程中，必須付出多少精神上的糾葛與代價。

一如第十七章所述，從就此成功順應了大眾消費社會的「全共鬥世代」中，出現了八〇年代消費社會文化的活躍創造者。他們在六〇年代是文化的接受者，但他們的世代成為文化創造者的時代來臨了。他們創造出的文化，可以說與作為「自我世代」的他們十分相稱。

換言之，「那個時代」的反叛，既是對經濟高度成長的集體摩擦反應，也可以這麼說：它是日本從發展中國家轉變為先進國家、從「近代」蛻變到「現代」的過程中必經的儀式，是邁向高度資本主義社會的適應過程。

「一九七〇年典範轉移」的極限

然而，在八〇年代成為大眾消費社會文化與「新學院派」旗手的人們，未必對自己扮演促進這種變化的觸媒角色感到心滿意足。

例如上野千鶴子在本章開頭提到的文章中，一邊寫道「這是歷史上首次利己主義者的男性與利己主義者的女性對等地對峙。一切都從這裡開始」，一邊也這麼寫著：[70]

「但另一方面，當我看到一群緊抓著既得權益不放的女性群體，在充分肯定自己的欲望的同時，卻不願意承擔欲望的後果，不禁想問：女性主義支持的是這樣的女性們嗎？歷史的諷刺使我不禁停下了腳步。被稱為Obatarian[iii]與Hanako族[iv]的女性們是女性主義的產物，這當然是個糟糕的笑話，但目睹了『改變了的日本女性』，我的心中又再次閃過苦澀的感慨。」

這樣子的感慨並不僅限於嬰兒潮世代。被視為「新學院派」旗手的淺田彰，在一九八四年這麼說：[71]「被圍在矮小的延緩空間內的『軟弱小男孩』們，由於出現了將自己的me-ism正當化的理論，因此產生了喜歡我的書的現象。讓我覺得這是在開什麼玩笑？」

像這樣，八〇年代大眾消費社會文化的創造者們，未必會歡迎日本社會的變化。他們屢屢向世間

iii 譯註：「オバタリアン」，原為堀田katsuhiko（堀田かつひこ）自一九八八年開始連載的四格漫畫作品名稱，後來引申指稱臉皮很厚的中年女性。

iv 譯註：「Hanako」，指一九八八年創刊的以二十七歲女性為對象出版的雜誌「Hanako」。其熱門的程度在隔年以同名「Hanako」一詞得到日本流行語大賞。

的不正義與扭曲發起抗議。

這種抗議，往往是本書第十四章描寫的「一九七〇年典範」的延伸。對於少數群體歧視與戰爭責任的關注、對於經濟擴張亞洲的批判、對於天皇制的問題化、對於汙染與障礙者問題的關注、對於「管理社會」的抵抗、女性解放與其延長線上的女性主義等等，扣除九〇年代出現的同志運動，現在被認知為所謂「左派」乃至「左翼」的主張，可以說比起敗戰初期誕生的「戰後民主主義」，更接近於在一九七〇年七月到十月這段期間樹立起原型的「一九七〇年典範」。

在此，如同「從軍慰安婦」問題等對於亞洲的戰爭責任論，經常與日本企業對於亞洲的經濟擴張一同被提出討論一樣，一系列的問題往往被歸結為「現代」製造出來的問題。如果硬要簡化地說，或許可以說「一九七〇年典範」，是「現代化及管理社會化的經濟大國日本，與因此享受著豐饒經濟果實的『日本人』（多數群體），歧視並剝削著貧困的亞洲與少數群體，壓迫著被排除在管理社會之外的人們（拒絕上學的小孩及障礙者等）。」

近年在日本，隨著經濟的停滯，「格差社會」[v]、「青年雇用」的問題被提出討論，討論「社會問題」的風潮又再次興起。然而另一方面，筆者認為「一九七〇年典範」正在逐漸失去說服力。這主要有兩個原因。

第一，這個典範是以經濟成長作為前提。如第十四章所述，在華青鬥的「七・七告發」不久後出現的論述中提及，「如果從純經濟論的角度針對當前的日本提出問題的話，在日本工人階級中，除了『部落』、『沖繩出身者』與在日朝鮮人、中國人之外，不屬於『上層』的只有極少數人。」

然而，以經濟成長與完全雇用狀態為前提的這個論調，隨著一九九二年以降日本經濟的停滯，喪失了具有說服力的前提。現在，被置於不穩定雇用狀態中的不穩定無產階級的年輕人們，對於「經濟大國日本」的多數群體剝削著貧困弱勢的少數群體與亞洲的論調，是否還能感受到說服力呢？

第二，這個典範與批判「管理社會」密不可分。當時流行的「管理社會」一詞所指為何相當模糊，但將一九六八年十月在新宿的學生所說的，「大學畢業後進入某公司就職的那一刻，連退休金的金額就都已經被計算好了的這種非人道的制度」解釋為「管理社會」可能是適當的。

因此，在七〇年代，出版了一系列「不就業生活」的企劃書籍，討論了「上班族」以外的人生的可能性，如夢想在進口唱片店、二手書店工作。一直到了持續經濟成長的一九九一年左右，這種風氣都還殘留著，這一點也可以從「自由工作者」一詞中看出。眾所皆知，這個詞就是出現於八〇年代末，打工徵人廣告雜誌用來指稱那些不像「上班族」那樣被束縛在公司，而是一面獲得適宜的收入，一面自由地活著的人們的肯定性用語。

然而在九〇年代後期以後，這種情況有了變化。「自由工作者」不再是指稱自由的人們的肯定性詞語，而是變成指稱不穩定雇用者的負面用詞。「大學畢業後進入某公司就職的那一刻，連退休金的金額就都已經被計算好了」的「管理社會」，甚至並未持續到嬰兒潮世代迎來退休的那一天。對於當代的不穩定雇用者來說，「管理社會」的人生道路與其說是批判的對象，倒不如說更像是值得稱羨的特權處境。

「輸送帶」形式的大工廠，作為「管理社會」的形象而經常被論及，也與前述「過程工業」的形

v　譯註：「格差社會」，指貧富差距巨大的社會。

態相符。實際上，日本社會雖然通過經濟高度成長成為先進國家，但一直到九〇年代前半都還殘留著發展中國家的特徵。在日本，製造業人口在一九六五年超過了農林水產業，但服務業的就業人口直到一九九四年才超越了製造業。[72]

換言之，一直到一九九三年日本都還是以製造業為中心的國家，雖說是先進國，但尚未達到去工業化社會。日本是從一九九〇年代後半起，才正式開始面對西歐以及美國自一九七三年石油危機以來所經歷的經濟成長的停滯、失業的增加、青年雇用的問題化等問題。可以說，日本雖然藉由經濟高度成長急劇地先進國化，但在七〇到八〇年代尚未達到飽和的去工業化社會，而這正是日本得以在歐美先進諸國經濟停滯的情況下，獲得了得以繼續著被稱為「Japan as Number One」的經濟成長之緩衝期的原因。

換言之，這意味著在七〇年代到八〇年代的日本，由汽車工業所象徵的「過程工業」仍是核心，正因如此，將其視為劃一的「管理社會」進行批判的「一九七〇年典範」也還有效。企業的組成成員固定，對所屬企業抱有忠誠的「過程工業」型社會，與終身雇用制度密不可分，在這個情況還成立的期間，「會社人間」、「社畜」等從「管理社會」論發起的批判也就還有效。

但在二〇〇〇年代，派遣勞動與短期雇用大幅增加，隨時編成與解散的計畫團隊型雇用也增加。可以說「一九七〇年典範」，因為一九九二年的經濟停滯與一九九四年的去工業社會化失去了其前提。

「一九七〇年典範」與二〇〇〇年代以後情況脫節的案例，我們可以看看一九九六年新聞記者以「討厭正社員」為題所寫的短文。內容如下：[73]

……最近，遇到「討厭正社員」的女性的機會越來越多。一位工會的幹部對前來商談勞動問題的女性派遣社員提議「試著提出成為正社員的要求」，得到的答案只有一句「我才不想變成那種墮落的東西。」我剛好有機會採訪了那名女性。當我問道「妳不想成為正社員嗎？」她笑著說「正社員的穩定性和較高的薪水確實很吸引人。」但她討厭的是……緊緊抱著公司死命工作的男性正社員的工作方式。社員旅行或宴會等等，連原本應該屬於自己的娛樂都像是出賣給了公司一樣卑微的生活方式，也讓人感到不舒服。

對於過去想要工作的女性而言，成為正社員持續和男性平等地工作，我想大致算是正面的形象。……但是，最近就算高舉起「成為正社員」的拳頭，不知為什麼也使不太上力。因為由男性們創造出來的「正社員」工作方式，實在讓人難以感到興趣。

這位記者在文中也提到，日經聯已經開始提倡「雇用的流動化」、非正式社員正被迫面臨著更為嚴峻的勞動條件。然而，他同時也寫道，「這是不管做什麼都會有飯吃的時代」，「難道只能成為必須誇耀自己是公司人的『正社員』嗎？所謂的『女性的勞工運動』，是為了這樣的事情而揮舞著旗幟的嗎？」當然，這是繼承了排斥搭乘「輸送帶」邁向「上班族」人生道路的全共鬥心態，以及拒絕女性被以「和男性一樣」的方式同化進資本主義社會中的女性解放運動「一九七〇年典範」的邏輯構造。

然而，從二〇〇九年的現在來看這篇文章，不能否認有種恍若隔世的感覺。為了不造成誤解，我想要先說明清楚，筆者並不是要嘲笑這位記者的文章。忍受著長時間勞動，為公司盡忠直到過勞死，這樣的工作方式幸福嗎？這個從「一九七〇年典範」延伸提出的問題，現在仍有部分有效。但是，我想指出的是，當作為這個典範之前提的經濟安定已然消失時，只憑藉這個典範並不能處理現實的各種問題，而這個典範本身也容易顯得已喪失了說服力。

拒絕上學的問題，是「一九七〇年典範」無法處理當代日本的情況的另一個例子。設立自由學校，來提供日本的拒絕上學兒童「居所」的運動，據稱開始於一九八八年《朝日新聞》晚報的頭版上，刊載了一篇基於醫師發言的「延長到三十多歲的拒絕上學症，如不早期治癒將成為無氣力症」的文章之後。這篇文章刊登出來的大約兩個月後，以設立於一九八四年的「思考拒絕上學之會」為核心，拒絕上學兒童的家長們召開了緊急集會，隔年的一九八九年，自由學校「東京Shure」的代表奧地圭子，出版了著作《拒絕上學不是病》。[74]

奧地在這本著作中，強調了「從『不能去』轉變成『不去』的孩子」以及「選擇不去學校的孩子的存在」，主張拒絕上學不是一種病或者偏差，而是一種選擇。對拒絕上學者成年後的情況做了調查的貴戶理惠認為，奧地等「『居所』相關人士」提出的對抗性論述，試圖透過主張「自由、自治、尊重個體」的價值觀，批判學校的「管理主義、競爭主義、劃一主義」。[75]如果硬是用非常簡略的話來說，可以說這個主張認為，個性豐富的孩子，自覺地拒絕了以「管理社會」為代表的學校。

然而，在經濟停滯與貧富差距的擴大日益顯著的二〇〇〇年前後，拒絕上學的現象也無法再用「一九七〇年典範」延長線上的「管理教育 vs 個性豐富的拒絕上學兒童」來討論。二〇〇四年，教育學者佐藤學在與記者齋藤貴男的對談中這麼說：[76]

佐藤：今年秋天我在調查的時候感到相當震驚，有不少拒絕上學的小孩在暑假只以水和零食果腹。

齋藤：咦？

佐藤：也就是說，雖然有上課的那幾天就吃學校供應的餐，但當〔不穩定雇用的雙薪〕爸媽感情不好、奶奶身體不好的時候，大人就會給他們錢，要他們去買晚餐吃。然而，從來沒看過小學生去什麼定食屋對吧。孩子們都去便利商店買零食當正餐吃。

齋藤：這真的就像是第三世界一樣。

佐藤：新自由主義的說法是，除了自己不要相信任何人。……然後自己做了決定就要自己負起責任。

佐藤更進一步在對談中這麼說：「談到兒童的問題，最為嚴重的是家庭的崩壞。這是先進國家共通的現象，父母變得不再照顧孩子。」「都內東部的老師說，班上晚餐能在家裡吃的學生不到一半，大家都在便利商店吃。這不是說母親去上班有什麼問題。〔因為父母都是不穩定雇用〕不這麼做的話就沒有飯吃。」

這樣的拒絕上學現象，現在變得越來越多。八〇年代有效運作的「管理教育vs個性豐富的拒絕上學兒童」或者「拒絕上學是一種選擇」等，由「一九七〇年典範」延伸出來的對抗性論述，已經無法處理這種情況。由於「一九七〇年典範」是以安定就業的父親為中心的「現代家庭」作為前提，一旦當這個前提有了變化，這個範式也就不再通用，這可說是必然的。

而且，將拒絕上學視為孩子的一種「選擇」的對抗性論述，蘊含著與「自我選擇」＝「自我責任」

這種新自由主義邏輯相契合的危險性。九〇年代後半以降的文部科學省，已經放棄了對所有兒童施以統一教育的方針，並在「個性化」、「多樣化」的名義下推進新自由主義式的改革，肯定了對一部分菁英層與大部分中下層做出篩選的教育模式。在此，「自我選擇」不去上學的拒絕上課者，在以「個性化」為名推進的新自由主義政策裡，可能被迫走向成為下層勞動者的道路。

貴戶理惠提到，「『居所』相關人士」從八〇年代開始主張「自由」與「尊重個體」以批判「管理主義」及「劃一主義」的學校教育，從九〇年代後半以降，失去了「將主張『尊重個性』卻仍走向崩壞的學校的當代狀況問題化的迴路。」[77]過去用以指稱逃離「管理社會」的人們，被當成希望性詞彙的「自由工作者」一詞，與新自由主義相契合，成為了不穩定雇用勞動者的代名詞。可以說這樣的情況，也發生在拒絕上學的「自我選擇」上。

當然，東京Shure也試著應對這樣的現實，像是在東京都葛飾區開設了獨立的中學校等等，進行了新的嘗試。但就算是這樣，只憑藉著「一九七〇年典範」及其延伸出來的論調，似乎可說已經逐漸不足以成為當代的對抗性論述。

在這樣的背景下，近年來對基於「一九七〇年典範」的「左派」論調的批判與違和感，正逐漸出現在年輕人當中。

其中一個例子，是二〇〇七年在部分論壇上受到注目的，三十一歲的男性不穩定雇用者赤木智弘的案例。他在這年發表了〈想要搧「丸山真男」一巴掌〉這篇論文以及著作《對年輕人見死不救的國家》。

在這些著作中，赤木舉戰前曾為特權階級的丸山真男在軍隊內遭受到私刑為例，指出在戰爭發生的混亂期中，有可能產生階級之間的翻轉。他主張，作為不穩定雇用者，在現存的社會秩序中毫無「敗部復活」希望的自己，只能期待自己光榮地戰死，並且，他也批判過去的「左派」。[78]

在赤木的著作中，有多處顯露出其知識的不足。首先，在以高科技兵器為核心的當代先進國家的軍隊中，步兵的年齡頂多只到二十歲出頭，沒有軍事特殊技能又超過三十歲的赤木，幾乎不可能被雇用為前線士兵。

而自二十世紀後半以降，並沒有先進國進行過造成國內秩序翻轉現象的戰爭。赤木想像的戰爭，是連三十幾歲的東大助教授丸山都被徵召，國內秩序因戰爭而全面重組的戰爭。那可以說是半個世紀前的第一次大戰、第二次大戰型的總體戰、特別是日本太平洋戰爭後期的戰爭形象。[79]當然，這在當代是時代錯誤的戰爭觀。

另外，赤木雖然批判了「左派」，但似乎並不熟悉「左派」的著作。舉例來說，他在《對年輕人見死不救的國家》中寫道，「『女性主義者們，似乎只專注於藉由獲得『工作＋』來達成男女平等』、『到頭來，女性主義所擔負的責任，並非達成性別差異的平等，而是收入上的平等不是嗎？女性透過『和男性同等』地工作，獲得與男性同等的收入，從而達成平等。」[80]

但如在第十七章看到的，日本的女性解放運動從一開始就批判變得「和男性同等」這件事，就算在後來的女性主義中，就筆者所知，也並不存在主張「和男性同等」地工作的論者。這件事顯示出，赤木雖然批判女性主義者，但實際上幾乎沒有讀過女性主義的著作。

然而，問題不在於赤木的無知。對於「左派」以遭受貧鈾彈影響的伊拉克兒童與歸國美軍為例，控訴戰爭悲劇的批判，赤木回應表示：「幾乎所有回應我的人們，說的都是『還有人比你這個年長的自由工作者不幸』」、「左派認為的『弱勢』存在於與我們完全不同的地方」。他還指出，「在經濟持續成長的時代」形成的穩定志向、「對於和平的執著」及「戰後民主主義」，「難道不是使我們這些弱勢遭到蔑視的原因嗎？」並主張「安定的勞動階層以及與其連結在一起的左派，極度輕視貧困勞動階層」、「左派口口聲聲說著平等，但他們的認識卻只停留在『富人與（穩定雇用的）勞動者』這個所謂的傳統對立軸上。」[81]

當然，這裡也可以很容易地指出赤木認識上的錯誤。戰後的和平志向與「戰後民主主義」，來自對於悲慘戰爭經驗的反省，確立於一九五五年經濟高度成長開始之前，與高度成長之後的「生活保守主義」是不同的東西，正如我在前著《「民主」與「愛國」》中詳述過的那樣。而且，赤木恐怕也不知道和「安定勞動階層」連結的既存左派政黨（社會黨、共產黨等）與「戰後民主主義」，在經濟成長最鼎盛的六〇年代，曾被年輕人們的反叛所批判。

然而，再重複說一次，問題不在於赤木的無知。問題在於，赤木認為依憑著「一九七〇年典範」的「左派」，一味地將亞洲、少數群體與女性等當成「弱勢」，並對於他們這些不穩定雇用的日本的多數棄而不顧。赤木譴責丟下他們這些貧困勞動者不管的「左派的傲慢」，並在宣稱「沒有右傾化意圖」的同時這麼說：[82]

「和我一樣淪落到這種境地的普通自由工作者們，很快就放棄左派而右傾化可說是理所當然的。」「在右派的思想中……例如那我這樣『三十一歲的日本人男性』，具有比在日的人們與女性……更加受到尊敬的地位。即使是自由工作者、是無力的貧困勞動者階層，只要社會右傾化，就能恢復作為人的尊嚴。」「請不要指責說這是種卑鄙的想法。對於像我這樣出社會十年以上，卻總是被單方面地瞧不起的人來說，恢復尊嚴是我的夙願。」

筆者某次在不穩定無產階級集會上與年輕人交談時，曾聽過被右翼吸引的人這麼說：「我討厭左翼那些人。他們說的弱勢，是那些從軍慰安婦、外國人勞動者或者在日，眼中根本沒有我們。那些傢伙到現在還在說什麼憲法第九條是世界之寶，就算有憲法第九條，我還是沒有工作。這些事他們也都不理解。」

筆者在第十四章曾寫道，朝向「一九七〇年典範」的轉移，雖然具有關注少數群體這個正面意義，但失去了用以打動「日本人」多數群體的話語。即使如此，在多數群體尚未出現太多問題的經濟成長期中，這個典範還是起了作用，批判了在「管理社會」中如「過勞死」等等的問題。但當代年輕人們的上述發言，似乎顯示出「一九七〇年典範」將「日本人」多數群體視作「壓迫民族」捨去的後果，現在正在浮現出來。

《朝日新聞》記者藤生京子，在二〇〇七年的論壇回顧文章中，引用了赤木說的「左派認為的『弱勢』存在於與我們完全不同的地方」，並將赤木的主張整理如下：[83]「〔赤木說〕兩者的分歧在於，左派的邏輯與弱勢的邏輯的對立，左派的邏輯認為『自由』是個人的自立與自我實現，而弱勢的邏輯則認為經濟安定是自由的基礎。」這裡很清楚地梳理出以下情況：使用「自由」、「尊重個體」等詞語，反彈與批判經濟成長期安定社會的「一九七〇年典範」，對於在「自由」已經成為「新自由主義」詞彙的經濟停滯期的年輕人來說，已然失去說服力。

再重複一次，赤木的「左派」認識稱不上正確。或許有人會提出反駁，並認為左派也有投入貧富差距與不穩定雇用的問題吧。然而，一九七〇年前後恣意地說著「市川房枝？她也活太久了吧。」或將丸山真男指責為「馬克思教授」人們，是否真有資格嘲笑赤木的無知呢？

如果在更長的時間跨度上整理這個問題，或許可以得到以下這樣的結論。

「那個時代」的年輕人們指責了「戰後民主主義」與「進步的文化人」。然而，他們似乎並不熟悉「戰後民主主義」與「進步的文化人」的著作或思想。

但是，他們在了解內容以前就先提出了指責。其根本原因似乎出在以下這個問題：面臨著經濟高度成長的先進國型的「現代的不幸」的年輕人們，對於日本尚處於發展中國家時期的「近代的不幸」所形成的戰後思想，與其說在邏輯上，倒不如說在感覺上已經不再產生共鳴。正因如此，他們在連內容都沒有深入理解的情況下，從一開始就拒絕了「戰後民主主義」與「進步的文化人」。

與此類似的事情，現在似乎也正在發生。也就是說，誕生於經濟成長與穩定雇用時代的「一九七〇年典範」和（被認為）以此為依據的「左翼」及其論調，對於生活在經濟停滯與不穩定雇用時代的當代年輕人來說，在了解內容以前就已經在感覺上無法產生共鳴。

換言之，如同一九七〇年前後「進步的文化人」的「戰後民主主義」遭到指責而迎來思想壽命的終結一樣，現在「左翼」的「一九七〇年典範」似乎也正在遭受指責，並迎來思想壽命的終結。而就像「那個時代」反叛的年輕人們嘲笑「進步的文化人」，而且不顧年長者的不悅——正因為使其不悅所以感到反抗——的情況下，受到三島由紀夫、北一輝等右翼思想家的吸引一樣，當代的年輕人也嘲笑「左翼」，並受到歷史修正主義等等的吸引。

然而，雖說是「迎來思想壽命的終結」，但並不表示其意義將會消失。就像「戰後民主主義」的和平主義至今還具有一定的正當性一樣，「一九七〇年典範」的正社員批判、戰爭責任論以及對於少數群體的關注等等，也並未喪失一定程度上的正當性。甚至可以說，少數群體的問題至今仍未受到足夠的關注。如同社民黨與共產黨維持著數%的支持率一樣，其並未完全失去人們的支持。但是，可以說它具有著說服力並能引起多數人廣泛共感的時代正在結束，現在大家期待著另一種不同的對抗性論述。

這在某種意義上也顯示出了人們的意識、思想、論述的變化，會比社會實際的變化延遲約十年出現。因為即使社會發生了改變，人們卻難以輕易地改變其想法。

形成於日本尚為發展中國家時代的戰後思想，從伴隨著「已經不再是戰後了」這種話語，乃至一九五〇年代後半起揭幕的經濟高度成長，經過了大約十年，在一九六八年左右開始遭到嘲笑與批判，從而發生了典範轉移。而「一九七〇年典範」，則在日本還是一個有經濟成長空間的中等先進國家的時代中繁盛。

接著，一九九二年經濟成長停止，一九九四年日本轉型成去工業化的先進國。從這個時間點起，經過約十年，自二〇〇〇年前後開始，「一九七〇年典範」與「左翼」成為了嘲笑及批判的對象。而在作為支配性言論的歷史修正主義與新自由主義興起的同時，與其對抗的一方卻仍未產生新的典範。

各自的「一九六八年」

關於「那個時代」的感慨因人而異。就像在筆者前著《「民主」與「愛國」》中描寫的那樣，即使是戰爭經驗，也會因為年齡、階層、所在地與其他因素而大相逕庭。對於「那個時代」可以說也是如此。

發生第一次早大鬥爭的一九六六年、全共鬥運動發生期的一九六八年、全共鬥運動成為定型化流行的一九六九年、炸彈恐怖行動與武裝內鬥相繼發生的一九七一年，在這些時間點，時代及鬥爭的氛圍、學生的風氣也都有劇烈的變化。哪一年進入了哪一間大學？是基層運動者還是幹部？那間大學是由哪個黨派所支配等等，諸多偶然因素造成的體驗也都有所不同。雖然因此難以一概而論，但是我認為大致上可以描述如下。

在全共鬥運動等等當中受傷最深的，恐怕是站在無黨派立場上成為全共鬥的領導者，之後還不得不面對與黨派之間的爭執，以及和大學校方之間的高層交涉等等，最後又遭到逮捕或長期拘留，並且還無法好好就業的人們吧。其中一例，就是曾為日大全共鬥議長的秋田明大。

秋田在一九九四年出版的《全共鬥白皮書》登載的問卷上這麼回答。首先，對於「如果重回『那個時代』，還會從事運動嗎？」這題，他回答「不會／那太愚蠢了」。「有運動造成的傷害嗎？」他回答「變得有名」。關於「現在的收入」，則是作為汽車整備工，年收入約兩百萬元。「如果小孩參加了學生運動會怎麼做？」，他回答「反對」。[84]這的確很像是一九六九年三月遭到逮捕時，身心都變得「支離破碎」的秋田會做出的回答。

相反地，對「那個時代」有著最美好回憶的，恐怕是以下這種人。如果有中核派的遊行就戴著中核派的頭盔加入隊伍，盡情地鬧事，一旦情況危急就脫下頭盔逃進人行道上的群眾裡頭。偶爾到大學的街壘裡露個臉，雖然會對人生的意義爭論一番，但最後引入機動隊的時候不會在現場。或者像是假學生一樣，出入鬥爭中的大學或越平聯的遊行，用擴音器發表煽動演說，一旦情況看似有可能遭到逮捕時就逃跑。對於這樣的人來說，應該會留下「那時候很愉快」的印象。

上述是兩種極端，基層運動者及黨派運動者中應該也有許多抱有痛苦回憶的人，特別是那些不得不參加武裝內鬥的人更是如此。可以說由於每個人都將各自不同的體驗當成「全共鬥體驗」來訴說，因此過去一直無法看到整體的全貌。

近年來，在部分人當中存在著所謂「一九六八年革命」的論調。[85]這似乎是源自於美國的知識分子華勒斯坦（Immanuel Wallerstein）曾寫下的「一九六八年是與世界體系的內容與本質相關的革命」。[86]根據他的說法，「世界革命」只發生過兩次，分別在一八四八年與一九六八年。

華勒斯坦在社會主義國家也追求利益的最大化這點上，將其視為「作為歷史體系的資本主義」的一種形態。他直言「共產主義是烏托邦，是實際上哪裡都不存在的」「當代的神話」。[87]這樣的他，之所以將一九六八年評價為「世界革命」的理由之一，或許是因為他自己個人的經驗，他在加州大學洛杉磯分校（UCLA）直接面對了校園紛爭，並深入探究這個問題，甚至寫了一本關於大學改革案的著作。順便一提，這本是華勒斯坦的著作中最早被翻成日文出版（一九六九年）的著作。[88]

華勒斯坦將一九六八年視為「對於美國霸權各式各樣的抵抗運動」，將巴黎的五月革命和捷克事件並列而論，並對於其作為有別於內化體制的「既存左翼」的「反系統運動」，產生出「新社會運動」的這一點給予高度評價（但他對於文化層面上的變革評價並不怎麼高）。[89]然而，先不論對於這個評價的見解，在此，我將從本書的脈絡出發，試著應用華勒斯坦的理論進行不同的評價。

從華勒斯坦的理論來說，對於「作為歷史體系的資本主義」而言，全部的生活都倚賴薪水收入的全薪勞動者，對於資本主義來說成本過高。因此，在從體系的「中心」推進發展全薪勞動者化的同時，資本主義也為了尋求「周邊」的非薪資勞動者以及半薪勞動者而擴張，並從其中獲取利益。原本是非洲研究者的華勒斯坦認為，如果考慮到包含第三世界在內的世界勞動人口，全薪勞動者的比例其實遠比許多先進國家的論者所想像的還要低。

接著，華勒斯坦指出，「現在的歷史體系，由於過去其邏輯僅有得到部分的貫徹，所以才得以繁榮至今。如果它的邏輯完全開花結果的話，就將會加速系統的崩壞。」[90]也就是說，如果資本主義持續發展，全世界的勞動人口都成為全薪勞動者的話，那麼「作為歷史體系的資本主義」將會迎來終結。

從這樣的觀點來看，日本的「一九六八年」可以說是一場「勝利」。這是因為它排除了構成經濟高度成長之阻礙的戰後思想邏輯，通過「兩階段轉向」促進了朝向大眾消費社會的轉型，又再加上同時並行的農業和自營業的衰退，大幅增加了日本社會的全薪勞動者。

全共鬥運動和新左翼運動反抗資本主義和經濟高度成長，結果卻實現了推動日本資本主義發展的任務，並藉由實現這個任務，帶來了華勒斯坦所說的「加速系統崩壞」的效果。從這個意義上來說，日本的「一九六八年革命」可以說是一場「勝利」。然而，在法國、美國、西德等各國是否也可以同樣地這麼說？這還是需要對各個國家的具體研究。

但是，本書並非是對「一九六八年」的評價提出絕對性的回答，而僅僅只是提供一個觀點而已。筆者不但不否定有不贊同本書的讀者，也歡迎來自別的觀點的檢證。

作為參考，以筆者所見為限，在此列舉出八〇年前後以降關於「那個時代」所被論及的各種定位。對於通讀本書的讀者來說，應該可以感受到這些評價分別從各自不同的角度說中了「那個時代」

的其中一個層面。（職稱皆為「那個時代」以及發言當時的職稱）

雖然它什麼都沒留下來，就這麼一下子消散了，但那不僅可以說是冷戰崩壞的序曲，可能也與現在的孩子們開始不想讀理科有關係，拒絕上學也是一樣。在那個時代應該發生了某種文明史上的轉變才是。[91]（最首悟，前東大助教共鬥，東大助教，一九九五年）

拒絕上學是對壓迫孩子的教育的抵抗，可以說是一種「罷工」。就像全共鬥一樣，絕對不會成為條件式的鬥爭，當父母或老師權威性地催促他們去上學時，孩子們會在房間或廁所裡建立「街壘」展開抵抗。如果強行「解除封鎖」，往往最後會引發家庭暴力。我深切地認為，兩者之間共通的是，站在弱勢立場向巨大權威和權力提出異議的這種模式。[92]（內田良子，前東大教育心理學研究室勤務，拒絕上學諮商師，一九九五年）

那個時候，我認為在年輕人中有真正想讓日本變得更好的人。他們至少不是利己的。從事那樣愚蠢的事情一定會對就業不利。即使是這樣，他們還是參與了反對戰爭等等的行動，這一定是有著為了超越自身利益的事物而行動的意欲。……如果不去搞那些愚蠢的事情，而是進行體制內的改革該有多好。投擲汽油彈也無濟於事。因為沒有培養後繼的人，在八〇年代之後，大家都變成利己主義者了。[93]（佐佐淳行，前警視廳警備第一課長，文字工作者，一九九五年）

現在撇開黨派的主張而冷靜地思考的話，校園鬥爭並非革命運動，只是在一個封閉的校園內部，沒有道理可以構築出革命的狀態。除了在鬥爭激化中一時之間的無權力狀態以外，校園鬥爭能獲得的是在法律規範內的最大限度改良＝民主化的澈底實現。然而……（相對於教授會自治，主張學生自治的全共鬥也）直到最後一刻都並未考慮過作為另一個支柱的職員自治。[94]（神津陽，前中大社學同，文字工作者，二〇〇七年）

由於全共鬥有著不具現實基礎的特徵，因此在這個意義上注定只會失敗。……沒有未來的展望。我現在才意識到我們搞的只不過是這樣的運動，這讓我十分愕然。[95]（橋爪大三郎，前東大全共鬥，東工大教授，二〇〇〇年）

雖然大學被稱為權力的一方而遭受攻擊，但大學並不具有什麼權力。因為無法直接對抗國家權力，因此才將其附屬組織中勢力最弱的大學當作目標。在這點上，我認為學生似乎有點怯懦。讓人不禁想說，如果有什麼不滿的話，那就直接去跟政府說啊。[96]（加藤一郎，前東大代理校長，東大名譽教授，成城學園長，一九九一年）

結果上來說，他們的目標並未實現，所以也許有很多人會認為當初的運動只是徒勞，但我並不這麼認為。我認為，正是因為有了那樣的行動，（福利制度和汙染對策等在一定程度上得到了整備的）今天這樣的社會才得以形成。基於反省那些行動，才制定出了非得這麼做不可的措施，

並且國民也接受了這些措施。[97]（後藤田正晴，前警察廳長官，自民黨國會議員，一九九五年）

我的感覺是，當時的學生運動，雖然或許一半是在無意識中，但似乎還是預測到了某種現今社會的變動。現今的社會雖然被稱為富裕社會，但還是有著許多令人擔憂的現象。不好聽地說，這是一個金錢至上的社會。我認為，他們雖然或許一半是在無意識中，但對這樣的社會即將到來而感到不安。……如果說得漂亮一點，可以說這讓人感覺是一種沒落的古老理想主義的最後掙扎。在那之後，日本社會已然成為現實主義的社會了。我感覺好像也可以這麼說，他們雖然未能很好地表達出來，但他們在無意識中害怕的事物確實出現了。[98]（上柳克郎，前京大法學部長・學生部長，京大名譽教授，一九九一年）

「從今天的角度來看，一九六八年不是『革命的前階段』，而是戰後社會的轉型期，世界性地來說，很顯然是世界資本主義的轉型期。打個比喻來說，當世界資本主義進入新的階段時，由於板塊的扭曲帶來的小地震，就是世界性的一九六八年運動。這麼說相當簡潔清楚。」

「所謂的全共鬥只是一種風格。至於為何採取了這種風格？只能說那是因為當時認為這麼做是不辯自明的。也就是從某種意義上來說，沒有人知道自己正在做的事情意義為何。」[99]（小阪修平，前東大全共鬥，評論家，二〇〇六年與二〇〇〇年）

所謂的「全共鬥」，我認為是後知後覺的人們對於在六〇年代幾乎已經完成的高度技術社會，所表達出來的本能性拒絕意志。在產業界老早就察覺到並推進這個發展的過程中，年輕人在其最終階段發起了反叛（這也是如同旅鼠的集體自殺一樣的生物學行為）。因為其整體是無體制的，因此就算找了也無法發現。對此，看出其可能性的馬克思主義各黨試圖從外部施加影響，但最終並未成功。[100]（匿名，前關西大學全共鬥，公司職員，一九九四年）

黨派的邏輯和我們模糊感受到的不滿雖然有些差距，可是只要事情發生過，之後一旦有什麼風吹草動又會再次發生……（東大全共鬥的崛起）真的很突然。雖然早有耳聞醫學部不當處分的問題，但當引入機動隊時，之前與黨派毫無瓜葛的大家突然一下子加入了黨派，之後又很快地退出了。黨派的人們應該不知道當時大家為何會如此追隨他們，而後卻又都離開了吧。最後，簡單來說就是孤軍奮戰。黨派的人們只能變得更加激進地鬥爭。[101]（館昭，前東大教養學部全共鬥派學生，放送教育開發中心助教授，一九九一年）

那個時代的全共鬥運動，就算是「〇〇主義學生同盟」，我也不認為他們信奉著社會主義。他們一定在某個地方說過「我才不懂什麼馬克思呢——」。[102]（波岡晴彥，前中央大學學生，公司職員，一九九四年）

日本不同於（一樣在六〇年代發生過學生反叛的美國及法國等）成熟民主主義的國家，存在著「古老革命理論的詛咒與束縛」。剝削、串連、揚棄、上層結構、鐵鎖、唯物、壓迫、掠奪、異化、實存、自我否定——這些特殊的馬克思主義誤譯術語，是將歐語翻譯成奇怪漢字慣用語的左翼官僚用語，是應當在高度發達的資本主義國家中不具有內在實質的，「已然死滅的言語」。

然而，我們當時無意識地使用了這樣的言語。即使如此，在進行包含東大鬥爭這種大眾也加入其中的抗爭時，也並未招致破綻。然而，在一般學生從鬥爭離開後的後退戰中，當新左翼各派的「虛張聲勢」愈演愈烈時，過去使用了被詛咒與束縛的言語而產生的破綻就開始顯現出來。

……

我們必須使那場六〇年代的鬥爭軟著陸，以連結下一場對於權力提出異議的鬥爭。不應該讓赤軍派之類的極左幻想踐踏六〇年代為了深化民主主義而進行的鬥爭的成果。[103]（三上治，前共產同運動者，評論家，二〇〇三年）

現在可以確信地說的是，當時的全共鬥運動實際上是「思想表達運動」和「Performance」。就連新左翼也都喊著「殲滅！」或「殺掉！」等口號，然而他們並未學習過軍事知識、接受過格鬥技訓練，也沒有製作或獲取真正的武器。當然也沒有任何訓練。那些只是喊話和氣勢，純粹是精神論。如果是在內部活動的人，很快就能明白這一點。結果，全共鬥運動既未攻擊軍事勢力或警察勢力的實體，也令人哀傷地未能看清楚真正的敵人，最後只以自我表現和自我滿足告終。存在於這之中的，只有在最後關頭戰場上的嬌慣天真而已。[104]（中野正夫，前赤軍派成員，出版社退休員工，二〇〇八年）

為什麼那時候學生們如此騷動，現在卻變得彷彿被馴服了一樣呢？……學生從當事者意識變成了顧客意識。我認為昭和四〇年代的紛爭，可能是學生們最後一次還擁有當事者意識、生產者意識的紛爭。那之後，學生完全變成了顧客，由於不是當事者，因此逐漸失去了自己承擔起責任並參與其中的態度，變成了只想用最小的努力獲取好成績的消費者。[105]（喜多村和之，前早大生，放送教育開發中心教授，一九九一年）

當我看著〔東大鬥爭結束後從駒場的教養學部升級進入本鄉的學生〕，心想：「啊，東大完全變了。」變得像孩子了。過去全都是些大叔。

……在研究室的會議上，小小聲地談論著搖滾樂的時候，坐在對面的女生說：「我也可以加入這個話題嗎？」在東大談論搖滾樂，這在以前是不會有的。[106]（橋本治，前東京大學非政治性學生，作家，一九八八年）

普通的學生明明沒有想要好好唸書的意思，但卻突然意識到大學的存在方式有問題。他們批評教授們是靠著學費安逸過活的當權者，是只懂自身專業領域的專業笨蛋，應該要更認真地講課才對。然而，由於說著這些話的學生們也在尚未了解學習方法的情況下，就沉迷進了初級革命講座那樣的事情中，所以這個世代並沒有培育出稱得上專業笨蛋的高級學者或學生，而只是出現了相當少數的單純的專家，與大量沒有自己想法的魯莽之人。他們蔑視通過努力獲得知識，而以臨機應變的方式生活，加速了大學教育的大眾化趨勢。[107]（小野民樹，前早大文學部學生，出版社

主管，二〇〇四年）

今天，被稱為大學生的人數已超過兩百萬，若以為其中大多數人喜歡唸書、或者認為他們在唸書這件事上特別有能力等等的想法是詭異的，相反地，他們當中的大多數人對唸書既無興趣也沒有能力，更適合從事休閒產業，這麼想比較安全，或至少，比較親切吧。……學生們即將步入的社會，與過去大量失業的時代不同，已經迎來了完全雇用、甚至是超完全雇用的時代。這時代只要有個人樣，再加上一張畢業證書，就一定可以進入某間公司就職。這是「會社全入」的時代。才剛變成這樣，學生間的氛圍就忽然改變了。當時，我是學習院的教師，所以對氛圍的變化感受很深。我注意到氛圍起變化，大部分的學生變成了閒暇階級，大學裡開始飄散著像是柏青哥店一樣的氣氛。我才不是柏青哥店的店員呢！我〔在六九年〕匆忙地辭去學習院的工作，有一半就是因為這個小小的自負。[108]（清水幾太郎，前學習院大學教授，文字工作者，一九七七年）

也有比山本義隆還要低調的全共鬥領導者，在鬥爭之後若無其事地轉向，現在悠閒地過活的人。然而，也有一直無法從中抽離出來的人，要我說的話，我認為他們到現在還在做著沒有意義的蠢事。有人自殺，也有人為了完全隱藏過去而改名換姓。這些沉重的事情，至今仍然還沒有被談論清楚。[109]（內藤國夫，前《每日新聞》記者，一九八八年）

我身邊也有參加學生運動的人，像在阿佐谷也是如此，那些被稱為士兵的基層參與者，運動過後一直很迷茫，無法找到固定的正職工作，但那些高層們卻全都變了樣，進到了好的地方工作。現在想起來，不禁讓人覺得這到底是怎麼一回事呢？那些最純粹的士兵們遭受到了極大的傷害，而他們留下的傷痕也殘留在女孩們之間。也就是說，在那種緊迫的情況下，他們像是想把對方藏起來似地談著戀愛，但在那之後，有的人逃跑、有的人突然就消失了。[110]（永島慎二，漫畫家，一九九五年）

我觀察了一下身邊的人們，我感覺那個〔吉本隆明的「對幻想」論〕也不過只是交了女朋友以後，想要退出運動時的藉口而已。什麼叫做「對幻想」？什麼叫做「顛倒」[vi]？想要退出的話，坦白說不就好了？還說出什麼要「鑽研」，那是在邏輯操作之前的事情。打了一炮並不會了解什麼世界的啊。[111]（橫山哲也，在新潟高中參加過街壘封鎖，練馬區役所員，一九九二年）

所謂的全共鬥沒有代表，每個人都只代表自己……它並非未來永遠持續的黨那樣的東西，出入都是自由的，也不可能有什麼全共鬥徽章之類的東西，想來就來……如果想退出，可以自行離開，我們認為的全共鬥就是這樣子的運動體。……從六八年到六九年，情況對全共鬥越來越不利。我的一位朋友說……如果還是要用現在的方式繼續鬥爭下去，那就只剩兩條路可走。意即，如果持續現在這樣（一九六九年一月底）的鬥爭，要麼成為恐怖主義的中心，採用游擊戰式的恐怖主義，要麼創建一個名為全共鬥的政黨，只有這兩種選擇。創建全共鬥黨，這在組織上與我們的想法相悖。……於是我提出了駒場班級罷課委員會的解散宣言，我一個人印製了一百份「戰線脫離宣言」在駒場的正門發放，接著某一天，我們大家一起去山中湖玩了一趟後就退出了運動。[112]（船曳建夫，前東大全共鬥，東大教授，一九九八年）

〔全共鬥運動〕最終無影無蹤地消失了，這是否意味著無法進行評價呢？雖然存在各種黨派，但基本上是自然產生—自然消亡的，沒有組織化的先鋒或指揮部。可能一開始就是和這些東西合不來的人們為核心成立的吧，但現在回想起來，這完全是不負責任的做法。[113]（早川行雄，高中生時曾參與越平聯和三里塚鬥爭，工會常任書記，一九九四年）

在四分之一世紀前，譴責丸山〔真男〕為「現代主義者」，並嘲諷他為「進步的知識分子」的激進主義世代中，幾乎沒有論者還維持著過去任何一絲絲的志向與節操。……他〔丸山〕因為戰爭遭受了深刻的創傷，對引發戰爭的原因抱持著憤怒展開省思。這種創傷的深刻，是全共鬥世代在觀念上自以為的那種傷痛根本無法相比的。……全共鬥世代始終如一，這樣的看法其實也成立。不過是在他們只順從自己的直覺，始終「嬌慣」的心態這個層面上。……我們這個世代並未出現過任何一位得以與他〔丸山〕匹敵的社會科學家。將來恐怕也不會出現。[114]（佐佐木力，前東大理學部反戰行動委員會，東大教授，一九九七年）

vi 譯註：吉本隆明《共同幻想論》中的理論用語，吉本認為，自我幻想與共同幻想必然呈現「顛倒」的關係。

日本的嬰兒潮世代，儘管人數眾多，但在政界和財界都未能產生與其人數相符的頂尖領導者。與培養出柯林頓總統的美國和創造出「綠黨」等政治運動的歐洲形成鮮明對比。……由於人數眾多，他們很快就聚集成了群體。群體隨波逐流，加入了多數派。遺憾的是，這個團塊以身為選民和年金領取人發揮著影響力。即便當非正式勞動的年輕人增加，社會變成將人用過即丟的社會，他們還是只想要在受惠的條件下獨自逃脫。[115]（金子勝，前東大教養學部自治會委員長，慶應大學教授，二〇〇六年）

六〇年代末，我在當時的座標中被稱為「右翼秩序派」，身為一般學生對抗著全共鬥，並致力於大學變革。全共鬥運動在沉醉於批判父輩一代與否定體制之後就終結了，我實在無法原諒他們的不成熟。……現在，團塊世代的這一代人正面臨退休，但我打從心裡想要對他們說，「請好好面對社會的問題吧」。[116]（寺島實郎，前早大生，布魯金斯研究院〔Brookings Institution〕戰略研究所所長兼早大教授，二〇〇六年）

全共鬥式的「反叛」，同時由革命意識以及「即使稍微破壞一些些，社會也不至於完全崩潰」的感覺所支撐著。這是一種以先進國家體系的堅固當成默認的前提，並由其豐饒程度所支撐的反叛。大部分人後來都不得不進入企業等既有的職業場所，因為社會體系的情況就是如此。而一旦進入了企業之後，就會拚命相互競爭，這也是團塊世代的特點。……歐美的團塊世代，給人即使變成大人以後，還是會在現實社會中持續追求理想的印象。他們在進入既存體系的同時也並未放棄理想，持續追求人權、和平和生態保護。讓人感覺到某種成熟。在這一點上，日本的團塊世代、全共鬥世代，則給人一種經歷挫折之後拋棄理想，變成大人以後澈底投身商業的強烈印象。[117]（見田宗介，前東大助教，共立女子大教授，二〇〇四年）

「女性主義」變成流行語、「女性學」誕生、「女性的時代」被大肆宣揚的情況下，我感覺到有些焦躁。我們當初追求的是這樣的東西嗎？對於一樣以生產力主義和能力主義作為前提，所提倡的「男女平等」，我投以根本性的質疑。不是要成為與男性（社會）同化而捨棄了「女性」的抽象的、一般的「人」，而是想要作為一個活生生的女性充滿生命力地活著，並通過這樣的方式與亞洲人民建立連結——這種亞洲婦人會議的精神是否多多少少實現了呢？[118]（浦島悦子，前亞洲婦人會議成員，一九九六年）

我敬愛的上野千鶴子女士。她說「女性解放運動確實地由我們女性主義者所繼承著」。真的是這樣嗎？繼承下來的似乎只有表面上的理論。我總覺得，以不羈為命的我的女性解放運動，似乎被那些穿著緊身洋裝、透明衣、畫著黑臉辣妹妝的年輕女孩們以她們的激進微妙地繼承了下來。她們那種從來不尋求男性認可的力量，對世人的眼光視若無睹的不羈，讓我在她們身上看到了我們過去的身影，有點讓人懷念。[119]（田中美津，前「Group・戰鬥的女人」成員，針灸師，二〇〇一年）

應該還有很多當時的人們想要表達的不同主張才是。如前述，依據入學年份、就讀的大學的情況、在全共鬥中的位置、當事者的人格特質與其他因素等等的差異，存在著「各自的一九六八年」。本書並非否定「各自的一九六八年」，而僅僅只不過是提供一個盡可能包含這一切的觀點。

從他們的「失敗」中學習的東西

那麼，「那個時代」的反叛應該要如何展開才比較理想呢？

如果純粹「政治性」地思考，以新左翼黨派與全共鬥的實力來說，社會整體的革命是不可能的。新左翼黨派由於是以革命為目標的政治黨派，所以暫且不論，就全共鬥來說，他們能做到的極限是進行一定程度的校內改革。

再重複一次，直到一九六八年初的中大鬥爭以前，或者就算包含初期日大鬥爭與東大鬥爭在內，學生方的訴求都只停留在校內改革。大家共享著「即使在大學內展開鬥爭也不會引起革命」的某種不辯自明的前提。這種情況，在東大鬥爭後期研究生們開始主張「自我否定」，以及新左翼黨派開始讓校園鬥爭「泥沼化」，試圖將其變成革命基地以後發生了變化。

這種情況的出現，是基於研究生主導了東大全共鬥、重視東大的各黨派投入了支援部隊等等在東大情況下的特殊條件。儘管如此，這成為了「全共鬥運動」風行的典範。如果不是以一九六九年一月的安田講堂攻防戰，而是以一九六八年二月的中大鬥爭作為典範風行的話，或許不少大學鬥爭將得以成功地改革不符經濟高度成長後社會的大學制度，從而取得「勝利」。

如此一來，後來日本的社會運動的形象或許也會有所改變。雖說如此，累積在當時年輕人們身上對於「現代的不幸」的不滿，或許並不會滿足於這種「明智」的方式，最後還是會不得不以那樣的方式爆發。

安田講堂攻防戰後，全共鬥運動的「流行」，許多是對東大鬥爭的模仿，是將原為鬥爭副產品的街壘所帶來的祭典式興奮感自我目的化的舉動。又或者是新左翼黨派為了確保「〇・〇決戰」的據點，而強行要求各大學支部進行的行動。這些行動當然無法獲得輿論與一般學生的支持，最終自我瓦解。

一九七〇年以後，失去大學與高中基地的新左翼黨派和小型團體走向了武裝鬥爭，這是個魯莽的掙扎。那些大部分都只是在嘴上說說，就算是付諸實行的也都相當拙劣。而無意義的武裝內鬥的升級，更逐漸失去了輿論與一般學生的支持，使他們後來對社會運動整體留下了糟糕的印象。

現在看來，從一九六五年的慶大鬥爭到一九七二年的聯合赤軍事件，日本的「一九六八年」有幾個轉捩點。一九六七年十月的第一次羽田鬥爭是其中之一，這應該不管是誰都同意的。但從筆者的觀點來看，還有兩個轉捩點。一個是東大全共鬥拒絕了大學校方在實際上同意了七項訴求的一九六八年十二月，另一個是形成「一九七〇年典範」的一九七〇年七月到十月。

以一九六八年末的轉捩點來說，可以說從那個時間點開始，日本的大學鬥爭就不再是「政治運動」，而改以「表現行為」、「確立主體性的運動」以及「存在式的自我確認運動」（先不論是好是壞）作為主要的特徵。如果將這類型的「運動」稱為全共鬥運動的話，筆者認為訴求目標明確的日大鬥爭等，似乎就不能算在狹義的「全共鬥運動」之內。如果沒有佐藤首相的介入，日大鬥爭應該就會在九月三十日團體交涉的勝利之下，以類似一九六八年二月中大鬥爭的方式結束。

關於「一九七〇年典範」的形成，在關注過去被忽視的少數群體及戰爭責任問題這一點上應該予以肯定。然而其反面是，這個典範以經濟高度成長為前提，並且失去了用以打動多數群體的「日本人」的話語。而當時的反歧視鬥爭，加強了過去以來在運動中的嚴格主義，這成為了運動在聯合赤軍事件的衝擊下瓦解的背景。

一名參與了當時的女性解放運動和障礙者歧視運動的運動者，在一九九六年如此回憶：[120]「不從每個人的內部改變的話，就無法實現社會結構的變革。在當時的運動裡，似乎將重點放在其『內部』上。宛如自己就是鬥爭的場所。」「我自己強烈到甚至可以說是自虐地面向著內在。」

如前述，當時的運動比起法律等制度性的改變，有著更為重視自我「主體」的傾向。伴隨著這般「自虐」性嚴格主義的「一九七〇年典範」，在九〇年代後半日本社會進入不景氣時期後，失去了成立的前提，並被蔑稱為「自虐史觀」。「一九七〇年典範」也可以說帶有這樣的弱點。

更進一步來說，「一九七〇年典範」將視線從原本應為他們發起反叛的動機，也是他們自身問題的「現代的不幸」上移開，並發現了作為無產階級替代品的少數群體，從而回歸到舊有模式上。這麼說似乎也不能說是錯的。

六〇年代後半以降變成保守派知識分子的清水幾太郎，在一九七七年的演講中說道，在經濟高度成長幾乎解決了貧困問題，過去的無產階級消失以後，左派知識分子們「必須從某處找出無產階級的替代品。他們四面八方地尋找，終於找到的是底層的人們、到海外打工的女性、阿伊奴、環境汙染受害者、以色列難民[vii]……等等。」[121]這個評價或許有些過於簡單，但如同在第十四章所見，瀧田修確實提過在尋找「無產階級」的「替代」。

因此，像是第十四章引用的船曳建夫那樣，抱持著「這真的是自己的鬥爭嗎？」的疑問而離開運動的人並不少。在一九七〇年以降的反歧視鬥爭中，以最為充實的形態被繼承下來的，是既是反歧視鬥爭同時也是「自我的鬥爭」的女性解放運動與女性主義，這也可說是必然的。

從當代的角度來看，失去所謂安保這個共同目標的一九七〇年六月，是一個機會。那時，他們或許本來可以暫時脫離舊有的政治性言語框架，投入於自己正在面對的「現代的不幸」與「找不到話語」的問題，並努力將其言語化。他們面對的「現代的不幸」，即使在經濟停滯期的今日依然日益嚴重。如果他們當時能致力於這樣的問題，並留下成果或試錯過程的話，或許就不會被當代的年輕人們（雖然不是所有人）嘲笑了吧。

然而在「那個時代」，他們並沒有充分做出這樣的努力。結果，過去的思想構造就這樣原封不動地找到了「無產階級（乃至越南人民）的替代品」，停滯在某種意義上最為簡單的展開方式上。這樣的評價是否會太過苛刻呢？

那麼，為了應對當代日本、乃至當代先進社會共通問題的「現代的不幸」，需要什麼樣的典範呢？筆者並沒有能夠充分回答這個問題的能力與準備。而就筆者所知，目前還沒有論者能夠充分地回答這個問題。

vii 編註：清水幾太郎原文。可能意指以色列地區的巴勒斯坦難民。

在這個意義上，我們不能單純地對「那個時代」的年輕人們的失敗一笑置之。他們雖然模糊地察覺了問題，但卻沒有能力將之言語化。為了取代言語化而進行的街壘封鎖或街頭鬥爭、武裝鬥爭等等，大多也都十分稚拙。如果將其視為為達成某種目標的「政治行動」來看，除了前全共鬥時期的幾場鬥爭，以及有「政治運動」自覺的「大人」們領導的越平聯之外，幾乎沒有什麼值得學習的遺產。最終，多數人通過「兩階段轉向」順應了大眾消費社會，並支撐起隨後的經濟成長。

然而，他們嘗試過了。不管多麼稚拙，至少他們試著掙扎過了。那些沒有準備好想出更明智的方法的人，沒有嘲笑他們的資格。

相反地，我們應該從他們的失敗中學習。首先應該學到的是，在還未充分了解過去的思想與經驗之前就急著埋葬它，是徒勞無益的。在「那個時代」的反叛中，年輕人們並未理解「戰後民主主義」的內容就埋葬了它。儘管戰後的思想與運動中，有許多值得學習的失敗、教訓及遺產，他們卻未曾學習就將其視為過去的事物。

而「一九七〇年典範」逐漸失去效力的現在，我們被要求構築出得以取代它的東西。這時候，了解在日本首次集體性地面對了「現代的不幸」的年輕人們，做出了什麼反應、試圖表現了什麼、如何展開摸索與行動，並且又是怎麼失敗的，這件事相當重要。而我們有必要理解「一九七〇年典範」是從何種狀況中生成、具有什麼樣的侷限性，並進而把握應該繼承或修正的部分。

「那個時代」的年輕人們，在「戰後民主主義的欺瞞」這句話之下，拋棄了許多遺產。然而，第一次是悲劇，第二次是鬧劇。就算是為了不再重複同樣的失敗，理解「那個時代」反叛的特徵，並且從其中掌握我們當前的位置至關重要，這並非只是出於對回顧的興趣，而是檢證「那個時代」的反叛的當代意義，可以說就在於此。

有一部公開上映於一九七五年的美國電影，叫做《飛越杜鵑窩》（*One Flew Over the Cuckoo's Nest*）。這部電影描寫了封閉精神病院中的壓迫狀態。在對於行使著絕對權力的醫師與護士而顯得畏縮的患者們面前，主角麥克墨菲（Randle McMurphy）試圖拔起固定在水泥地板上的抽水馬桶[viii]。他這麼做是為了用馬桶砸破窗戶，以打開得以逃跑的洞口。當然光憑一個人的力量，馬桶一動也不動。面對看似幻滅而笑的患者們，放棄舉起馬桶的麥克墨菲說，「我辦到了」。

和試圖以人力舉起馬桶一樣，在大學構築街壘，對著機動隊揮舞武鬥棒、投擲石塊是稚拙的行為。即使如此，他們至少有說出「我辦到了」的資格。

《飛越杜鵑窩》的結尾，屢屢反抗的麥克墨菲被施以腦白質切除術而成為廢人。他的朋友——一名北美原住民巨漢的患者——看到麥克墨菲變成了這般模樣，於是在夜晚獨自嘗試拔起馬桶。接著就像奇蹟一般，馬桶被拔離了地板，原住民患者用馬桶在窗戶上砸出了一個洞，成功從那個洞口逃脫了。電影就在他奔向荒野的畫面中結束。

然而，對於永無止境地為「現代的不幸」所困的我們來說，並沒有被安排好這個奇蹟似的最後一幕。「那個時代」的年輕人們夢想的「革命」，最終成為了幻想。我們只能從包圍著自己的現況中，一個個地將線索尋找出來。

於是，本書依照序章的約定，重新回到一開始的那句話。「可是我內心一片空虛，什麼都沒有。」

viii 譯註：此為作者原文，但實際在電影中麥克墨菲試圖拔起的是水療控制台（hydrotherapy consoles）。

這樣我就不能參與鬥爭了嗎？」四十多年前的一位少女說出了這句話，我們被要求從那裡再次重新出發。

後記

本書綜合性地檢證了由「一九六八年」所象徵的「那個時代」的日本年輕人反叛。具體上，是從擔負這場反叛的嬰兒潮世代的心理背景與時代背景的檢證切入，從回顧作為前史的六〇年安保鬥爭期開始，整理了包含全共鬥運動期直至一九七二年聯合赤軍事件與女性解放運動的過程。

「那個時代」的年輕人們的反叛是什麼？為什麼發生？又為後世遺留下了什麼？在此之前，並沒有對於這些問題進行過充分檢證的研究。其中一個原因，是由於「那個時代」的反叛作為政治運動並不成熟，其不成熟的程度幾乎與當事者們的真摯度不成比例。因此，「那個時代」的反叛，在當事者的回憶錄中被講述成略帶感傷的青春回顧，而從非當事者來看，則很容易被視為一時性的社會風潮。

老實說，筆者自己在一開始閱讀資料時也曾不禁感到過失望。如同在前著《「民主」與「愛國」》中言及的那樣，與面對過戰爭與貧困的敗戰後十年左右的「第一個戰後」的言論相比，經濟高度成長期以降的「第二個戰後」，即「那個時代」的年輕人們留下的言論，大多都是馬克思主義的教條式定型句或誇大妄想的革命論，整體上只讓人覺得是稚拙無知的青少年的言論。

然而在閱讀資料的過程中，我的觀點產生了轉變。如果以政治運動來看，「那個時代」的反叛確實稚拙而不成熟。但我開始思考，如果不將其視為政治運動，而是視為一種借用了政治運動形式的表現行為，乃至摸索行為來看的話呢？

當時，戰爭、飢餓、貧困等發展中國家型的「近代的不幸」在日本正逐漸獲得解決。可是「那個時代」的年輕人們所面對的，卻是自我認同的不安、現實感的稀薄化、活著的實感的喪失這種先進國家型的「現代的不幸」。我以為，那場反叛正是在日本初次集體面對這種「現代的不幸」的世代，挪用著政治運動的型態及馬克思主義的詞語，試圖表現、突破無法言喻的不安與閉塞感的行為。

為筆者帶來這個視角轉換的契機，是遇見了本書開頭與結尾所引用的，「可是我內心一片空虛，什麼都沒有。這樣我就不能參與鬥爭了嗎？」這句由當時的女學生所說出口的話語。在這句從自己也無法表現的空虛感出發，半帶羞怯卻又同時試著朝向「鬥爭」邁進的話語中，我感覺彷彿看到了存在於「那個時代」的反叛根底的某種東西。轉換視角後再重新檢視，我發現了視為政治行動無論怎麼看都顯得稚拙的行為，若當成表現與摸索的行為，其實可以被視為是他們的真摯掙扎。在考察的過程中也逐漸發現，原來拒絕上學、自殘行為、飲食障礙等一九八〇年代以降受到注目的問題，亦是從「那個時代」就開始萌生的現象。

「那個時代」，是日本藉著高度經濟成長，從發展中國家變身成先進國家的轉捩點，也是形成於「第一個戰後」的政治、教育、思想框架正變得不再適用的時代。擔負起那場反叛的世代，童年時以光頭、河童頭的模樣長大，到了青年時期則搖身變成牛仔褲及長髮的模樣。而都市與農村的風景也急速變化，所謂大學的存在，也逐漸從「探究真理的學府」變成「人才培訓工廠」。如此激烈的落差，在年輕人身上引發了猶如強烈的過敏反應，從而必須以某些表現行為加以回應。

在這個過程中，年輕人們將政治效果擺在次要位置，在機動隊的盾牌面前填補空虛感、為了確認自己的「存在」揮舞武鬥棒、為了追求得以體會到活著的實感的解放區而築起街壘。這些都是從一開始就注定會失敗的稚拙行為。然而，那場反叛成了「近代」到「現代」的轉捩點上，首次集體面對「現代的不幸」的年輕人們如何反應、如何行動、如何失敗的先例。

當時尚未有「割腕」、「飲食障礙」或「現實感的稀薄化」這些詞彙。如同本書多次提到的，他們最後並未能創造出用以表現自己所面對的「現代的不幸」的「話語」。取而代之，他們帶來的是批判「戰後民主主義」、關注少數群體，以及提出戰爭責任問題的「一九七〇年典範」。而本書也指出了這個「一九七〇年典範」出現的背景、具有的極限，又於當代這個冷戰與經濟成長結束的「第三個戰後」中所處的狀態，並嘗試重新思考當代的我們的定位。

本書在二〇〇〇年代的現在，將「那個時代」提出來討論的意義就在於此。如果將「那個時代」的反叛當成懷舊的英雄事蹟描繪，並不具有當代的意義。當時的年輕人們首次集體面對了——當代的我們所面對的——現代的不幸，我們需從其反叛與失敗之中學習應該學習的東西。同時，了解他們的反叛仍遺留至今的影響，映照出當代的我們的位置。本書的目的盡在於此。

雖然我試圖如此展開研究，但因為要等到《「民主」與「愛國」》出版後才能開始著手，加上《「民主」與「愛國」》的後續計畫等等的出版佔用掉了時間，所以延遲了正式展開本書研究的時程。而本書超乎預想地變成了一部大作，雖然已經將當初的草稿壓縮到了六成左右，但還是變成了一本將近約六千張四百字稿紙的巨著。

身為作者，為了讀者的閱讀方便，也為了考慮販售價格，我本希望盡可能減少本書的份量。然而，為了從政治、經濟、心理等多重角度檢證「那個時代」，描寫棲身在運動細節中的「無法言喻之物」，又因為當時年輕人們的語言往往相當笨拙，很多只能藉由細微的處理手感才得以捕捉其本質，所以不得不引用大量資料來描寫細節。據前日大全共鬥的橋本克彥所言，「如果想要完整寫下關於全共鬥的一切，我估計會需要八本，每本四百頁的書」，而本書的份量相當於十幾本普通的單行本。

拿起本書的人的興趣應該大相逕庭。因為本書的篇幅變得過於龐大，對於從頭到尾讀完感到困難的讀者，為了幫助他們能按照自己的興趣來閱讀，在序章附有我的導讀建議。當然，對各章節中討論的事件感興趣的人，因為各章都還算是可以獨立閱讀，所以可以從感興趣的章節開始閱讀沒關係。

本書盡可能試著綜合性地描寫了「那個時代」的反叛。然而，正如人們所說的「有多少試著自我解放的女性，就存在著多少種女性解放運動」、「有多少位黨員，就存在著多少種版本的第二次共產同史」等等，一定會有人不同意本書的描寫或定位才是。和筆者過去進行過的研究一樣，我盡可能地努力理解當時人們包含其極限在內的心理狀態，避免從當代的視角進行單方面的定奪，即使如此，對於「那個時代」的反叛抱有深刻情感的人來說，或許還是會感到不滿。此外，我在結論中指出了「一九七〇年典範」的侷限，也論述了朝著大眾消費社會的「兩階段轉向」等，對此應該也會有人持不同意見。

為了避免誤解，我想先說明清楚，筆者在《「日本人」的界限》等著作中，以及去年發行的《在日一世的記憶》中的訪談計畫等等之中——雖然是從研究者的立場出發——持續關心著少數群體的問題。然而，另一方面，從九〇年代後半所謂的「自由主義史觀」獲得年輕人的歡迎之後，我就一直感覺到「一九七〇年典範」的侷限。而自八〇年代以降，前全共鬥運動參與者成為了學者、廣告文案撰稿人、音樂家等大眾消費社會文化的旗手，從那時候開始，筆者就一直抱持著疑問。因此，結論中提到的主題並不是最近才想到的。

對於事實關係上明顯的錯誤，如果提供確實的根據加以指正，我將會非常感激。關於「那個時代」的反叛，不是沒有留下正式的文書資料，就是只有片面的黨派資料或不完全的報導或回憶錄，為了確認事實關係的細節，必須在多個資料中進行比對。這不僅耗費了大量的勞力，也是本書篇幅增大的原因之一。

另外，隨著近年來當時的小誌的復刊、回憶錄的出版、當事者訪談的公開，為了跟上並反映出這些資料，也讓人費盡心力。我期待本書能作為基底，促進更加豐碩的事實解明與研究。

若不是想指出事實關係的錯誤，而是無法接受本書做出的定位或解釋的讀者，當然也可以提出議論與批判。但是，如果要進行批判，雖然這是理所當然的前提，我希望不要只是閱讀自己想批評的章節，而是通讀整本書，並在理解整體主題設定中該章節的定位後再進行批判。

但筆者個人也希望，可以提倡所謂「越平聯三原則」的第二項：「不要對別人做的事說三道四（如果有這種空閒的話，請自己去做些什麼）」。簡言之，如果無法接受本書做出的定位或解釋，比起批判本書，不如請你自己寫出取代本書的東西來，這樣應該更具有建設性才是。我最期待的是本書成為一個開端，引發關於「那個時代」反叛的性質、日本現代史的轉捩點、「一九七〇年典範」的當代意義、對於當代來說必要的典範是什麼等等多樣的討論。

另外，筆者認為本書所描繪的，由快速經濟成長引發的集體摩擦反應的現象，可能是一個普遍的問題。在正文中，雖然只對發生過學生反叛的西方各國進行了國際比較，但我認為例如目前正在邁向高速成長的中國或印度等等，也有可能發生類似的現象。在中島岳志的《印度教國族主義》等書中，描寫了近年來印度的印度教右翼運動在一部分年輕人中獲得了支持的情況，我認為這些印度青年們的意識與六〇年代後期的日本青年們有部分相似之處。這種集體摩擦現象，在日本以左派運動的形式出現，但依據不同國家或地區的特性，也有可能以右派運動或宗教運動的形式出現。因此，即便這是不僅限於日本的現象，我也希望本書能成為引發討論的契機。

在撰寫本書的過程中，我得到了許多人的指教與支持。我在此就不寫出他們的名字，但我要深深地表達我的感謝。

二〇〇九年六月　小熊英二

相關年表

年	「年輕人們」的運動	日本・世界事件
1948	9月 全學聯成立	
1950		(-1953) 韓戰
1951		1月 共產黨和工人黨情報局批判日本共產黨
1953		3/5 史達林逝世
1955		7月 共產黨於六全協中放棄武裝鬥爭／-1973 高度經濟成長
1956		(-1957) 砂川鬥爭
1958	5月 全學聯第十一屆大會，分裂／11月 共產主義者同盟(共產同)成立	勤務評定反對鬥爭
1959	11月 全學聯主流派，因反對安保修訂衝入國會	
1960	1-6月 阻止安保修訂鬥爭／5/19 安保強行表決通過／6/15 樺美智子死亡／6/19 安保自動生效／9月 共產同分裂	1-3月 三井三池煤礦罷工敗北／6/23 岸首相下台／10/12 社會黨委員長淺沼遭刺殺／12月 池田首相提出「所得倍增計畫」
1961		10/26 全國統一學力測驗

年	「年輕人們」的運動	日本・世界事件
1962	10月 大管法（大學管理法）鬥爭	
1963	4月 革共同全國委分裂（成為中核派、革馬派）	8/5 原水禁運動分裂／美國總統甘迺迪（John F. Kennedy）遭暗殺
1964		10/1 東海道新幹線開通／10/10東京奧運／11/12 美國核子潛艦海龍號進入佐世保港
1965	1-2月 慶大鬥爭／4月 高崎經濟大學罷課／4/24 越平聯，首次示威遊行，9月起定期遊行／8-12月 阻止日韓條約批准鬥爭／12月 中大學館鬥爭	2月 越南戰爭・轟炸北越開始／6/22《日韓基本條約》簽訂／11月 中國文化大革命開始
1966	1/6- 橫濱國大鬥爭／1/21 早大全校罷課／4月「警鐘」成立／9月 第二次共產同成立／12/17 三派全學聯成立／12月 明大鬥爭（-1967年2月）	5月 中國紅衛兵運動開始／5/30 美國核子潛艦首次進入橫須賀港／6/29 披頭四訪日
1967	6月 第一次水俁病訴訟開始／10/8 第一次羽田鬥爭（山崎博昭死亡）／10/10 三里塚打樁／11/11 由比忠之進自焚／11/12 第二次羽田鬥爭／11/13 越平聯，公開援助逃兵活動	迷你裙大流行

年	「年輕人們」的運動	日本・世界事件
1968	1/6- 中大學費調漲鬥爭／1/17-21 佐世保鬥爭／1/29 東大醫學部罷課，東大鬥爭開始（-1969年1月）／2-4月 王子野戰醫院鬥爭／5/27 日大全共鬥成立，日大鬥爭開始（-1969）／6/8 阻止ASPAC鬥爭／6/15 安田講堂街壘封鎖，6/17 引入機動隊／7/2 安田講堂再次封鎖，7/5 東大全共鬥成立／7月 三派全學聯分裂／10/21 新宿事件／11/4 加藤一郎成為東大代理校長／11/22 東大、日大鬥爭勝利全國總誓師大會	4/4 金恩（Martin Luther King, Jr.）牧師遭暗殺／5月 法國五月革命／8/20 蘇聯入侵捷克／12/29 東大決定終止隔年入學考試
1969	1月18-19日 東大安田講堂攻防戰→神田拉丁區鬥爭／1/29 日大街壘撤除／2月 京大鬥爭／4月 革命左派（京濱安保共鬥）成立／2-7月 越平聯，新宿西口民謠游擊集會／4/28 沖繩日／9月 赤軍派成立集會／9/5 全國全共鬥成立，山本義隆被捕／10/21 國際反戰日／11/5 赤軍派大菩薩嶺事件／11/16阻止佐藤訪美鬥爭	7/20 美國阿波羅11號成功登陸月球／12/27 國會大選，自民黨勝利，社會黨慘敗，共產黨席次大增

年	「年輕人們」的運動	日本・世界事件
1970	3/31 赤軍派劫機淀號／6/15 安保自動延長／7/7 華青鬥的新左翼批判（七・七告發）／8/4 首次因武裝內鬥「殺人」／8/7-10 越平聯舉辦「為了反戰的萬博」（反萬博）／10/21 Woman・Lib首次示威遊行／12/18 革命左派襲擊上赤塚派出所／12/20 胡差市暴動	3/14-9/13 大阪萬國博覽會／5/26 東名高速道路開通／11/25 三島由紀夫自盡
1971	2月 成田第一次代執行／2/17 革命左派發動真岡市獵槍搶奪事件／6月 全國全共鬥分裂／8月 聯合赤軍成立／8/21 赤衛軍事件／9月 成田第二次代執行／9/16 東峰十字路事件，警察官三人死亡／12月 聯合赤軍私刑死亡事件（-1972年2月）	6/17 沖繩返還協定簽訂
1972	2/16 森恒夫、永田洋子被捕／2/19-28 聯合赤軍，淺間山莊槍擊戰／9月 女性解放新宿中心開設	2/2 横井庄一歸國／6/14 中Pi連（反對禁止墮胎法，要求避孕藥解禁女性解放聯合）成立
1973	4月 京都越平聯解散	1/27 越南和平協定（於巴黎簽訂）／10月 石油危機，衛生紙騷動
1974	1月 東京越平聯解散／8/30 東亞反日武裝戰線，炸毀三菱重工本社大樓	

註釋

第十六章　聯合赤軍

1 鹽見孝也《赤軍派始末記》（彩流社、二〇〇三年）六八頁。關於聯合赤軍事件的研究有：パトリシア・スタインホフ前掲（第十章）《死へのイデオロギー》、福島章《甘えと反抗の心理》（日本経済新聞社、一九七六年）第十章、中谷瑾子編《女性犯罪》（立花書房、一九八七年）第五節、池田祥子〈全共闘・新左翼とウーマン・リブ〉（渡辺・塩川・大藪編前掲（第十三章）《新左翼運動四十年の光と影》所収）、大塚英志《「彼女たち」の連合赤軍》（初版文藝春秋、一九九六年。文庫版角川書店、二〇〇一年）、北田暁大《嗤う日本の「ナショナリズム」》（ＮＨＫブックス、二〇〇五年）第一章以及北田暁大〈問題としての女性革命兵士〉（岩崎・上野・北田・小森・成田編前掲（第四章）《戦後日本スタディーズ2・年代》所収）等。關於「總結」的原因，斯坦霍夫認為是日本式的集體主義與找尋代罪羔羊造成，池田認為是永田對「女性性質」的排除，大塚認為是與「消費社會」式感性的對立造成，福島則從小團體領導者的心理學出發，中谷編著同時參照國際比較，北田則採自我論與性別論的取徑。然而，誠如本章後半所述，這些論述並未正確掌握事件的實際狀況，其中一個原因是，他們忽略了事件發生之前，赤軍派與革命左派的軌跡，因此沒辦法正確了解他們當時的心理狀態。其他著作如大西永昭《高橋源一郎と連合赤軍事件》（《近代文学試論》第四六号、二〇〇八年），但這並不是討論事件本身的研究。

　另一方面，提及聯合赤軍事件的文章數量非常多，近年有雜誌《情況》二〇〇八年六月號的聯合赤軍特輯，從這一本特輯中收錄的文章也可以明顯發現對實際狀況缺乏共通的認識、每個人只是寫下自己主張的論調，例如鹽見孝也提到：「永田和植垣的《十六的墓碑》（十六の墓標）、《士兵們的聯合赤軍》（兵士たちの連合赤軍）是為了保護自身而修正自己態度的內容組成，有許多為了替自己辯護的謊言。坂口弘的《一九七二年》則是沒有謊言、真誠的文獻。（鹽見〈書評を通じての映画評と映画に感ずる幾つかの諸点について〉一四四頁，但雪野健作則主張：「坂口弘無法相對化自己的見解，對自己稍有不同意見或批判的東西，便將之視為全面否定自己的立場，經常對這些『詆毀』自己的論述過度反應。」（雪野〈永田指導部の形成過程〉一五五頁），府川充男則主張：「鹽見孝也的訪談《赤軍派始末記》中，包括人名、組織名稱在內的固有名詞，有許多謬誤以及根本性地誤解事實，而這從很久以前就為共產主義者同盟的成員們所知。」（府川前掲（第八章）〈覚書＝『歴史的対象』としての第二次ブントと赤軍派〉一四九頁。如此一來，關於誰的回憶錄值得信賴，府川說：「可以肯定的是，有多少位黨員，就存在著多少種版本的第二次共產同史。」（府川同上論文一四八頁），即使只看赤軍成立的經過，每個人的主張也都不盡相同。那麼以當時警方發布的資訊為底所寫的報導值得信賴嗎？考慮到在本章節所述的警方操作輿論的行為，也很難判斷。折衷的處理方式，是以最具系統性的資料椎野礼仁編《連合赤軍事件を読む年表》（彩流社、二〇〇二年）以及原本是資料集的查證編集委員会編《新編「赤軍」ドキュメント》（資料連合赤軍問題II、新泉社、二〇〇三年），加上以警方發表與報社的調查為基礎的読売新聞大阪本社社会部《連合赤軍》（潮出版社、一九七二年）盡可能以複數研究、資料、回憶錄、報導等資料中一致的部分視為史實並記述下來。不過，仍不可能有完美無缺的敘述。

此外，關於與聯合赤軍事件相關的人物的人名，除了自己在回憶錄等公開的人、因私刑事件的死者、行蹤不明的人（梅內恒夫等），為了保護遭逮捕後出獄者的隱私，近年常以假名記述。然而，也有全部都以真名記載的書，假名也因書而有所出入。本書盡可能採用假名，關於使用假名的人物，引用自回憶錄和訪談的文章，同一人物則使用相同假名。

2 鹽見前掲《赤軍派始末記》一九、二〇、二三、二七、二八頁。鹽見的《赤軍派始末記》也有如同前述的錯誤，但由於沒有其他足以當成主軸的赤軍派通史性的回憶錄，本文以《赤軍派始末記》為主軸，綜合其他資料記述赤軍派的經過。

3 同上書二三、二四、三七頁。

4 同上書五七頁。

5 同上書六三頁。

6 同上書六九頁。據鹽見的回想，為了迎擊馬克思主義戰線派襲擊，事前組成暴力鬥爭部隊並設置街壘。馬克思主義戰線派方面的證詞，參照成島前掲（第三章）〈激動の六〇年代とマル戦派〉一四一－一四二頁。據成島所述，關西共產同的運動者說，一九六六年九月第二次共產主義者同盟成立，只是為了取得全學聯委員長位置的湊合。（一三二頁）

7 坂口前掲（第八章）《あさま山荘一九七二》上巻一七九頁。

8 鹽見前掲《赤軍派始末記》六七、六六頁。

9 以下十月二十一日鬥爭的狀況同上書七六、七七頁。

10 同上書七八頁。椎野編前掲《連合赤軍事件を読む年表》二五頁。

11 連合赤軍事件の全体像を残す会編・発行《証言 連合赤軍1 大菩薩峠への道》（二〇〇四年）五頁。儘管若松孝二導演的電影《実録・連合赤軍》（二〇〇八年）含有虛構成分，但描繪了一九六九年一月仏等人命令社學同從安田講堂撤退，以及鹽見於三月時在政治局會議上批判此事，導致赤軍派形成的經過。鹽見寫在電影小冊子（朝日新聞社、二〇〇八年）中的文章〈迷妄の霧が晴れるとき〉二十三頁中提到，自己的意見「幾乎百分之九十五」都反映在電影裡，而荒岱介也在前掲（第三章）《新左翼とは何だったのか》一〇二頁中提到從安田講堂撤離的命令，「成為赤軍派分派的基底」。與荒一起反對撤離的高木廣之，後來成為赤軍派幹部，從這件事來看，也可以推測安田講堂攻防戰的交鋒，成為赤軍派分裂的「基底」。然而，荒在前掲《情況》二〇〇八六月號的投稿〈「鉄砲から国家権力が生まれる」という発想の出所〉一二四頁中提到，一九六九年三月時，鹽見被逐出黨中央，應該無法出席「政治局會議」。此外，從「鹽見與東大的事件沒有任何關聯」這一點來推論，電影中「那一幕應該是虛構的。」總的來說，從安田講堂撤離，雖然成為赤軍派分派的「基底」，但應該不是主因。

12 鹽見前掲《赤軍派始末記》七九－八〇頁、「赤軍」以及「赤軍派通知」收於査証編集委員会編《新編「赤軍」ドキュメント》二九－三四頁。

13 不過鹽見於《赤軍派始末記》八〇頁中指出，在內部通知自稱「赤軍派」因此後來名稱就成為赤軍派的「定論」，「是不正確的。」共產主義者同盟的其他派系先稱呼他們為「赤軍派」，大約在一九六九年六月以後，他們才開始自稱「赤軍派」。因此是這樣才發出六月十二日的「赤軍派通知」，還是通知先發出，則不明確。

14 鈴木正文〈世界は変わりつつあるものだという実感があった〉（荒ほか前掲〔第三章〕《全共闘三〇年》所収）五九頁。

15 読売新聞大阪本社社会部前掲《連合赤軍》一二四頁。這本書將與赤軍派對立的派別命名為「關東派」，但是府川充男在前掲〈「歴史的対象」としての第二次ブントと赤軍派〉一四九頁中指出，「在我的認識中（除了一般全國性報紙的揣測文章之外），『關東派』這東西並不存在。」此外，根據連合赤軍事件の全体像を残す会編前掲《証言 連合赤軍 1 大菩薩への道》五－六頁，儘管仏是共產主義者同盟的議長，但仏派只不過是「非常少數的團體」，「荒（岱介）控制著學對（學生對策部）」、「中大派（三上治等）控制著三多摩與中大」、「仏沒辦法控制全體」，因此實質上處於四分五裂的狀態。因此，與赤軍派（關西團體）處於對立的關東圈共產主義者同盟不能視為鐵板一塊，但如此一來本文的記述會變得太過繁瑣，為求方便，本文將與赤軍派處於對抗關係的仏派以外的共產主義者同盟諸派，總稱為「主流派」。

16 中野前掲（第四章）《ゲバルト時代》一八四頁。

17 此私刑事件的經過，記載於読売新聞大阪本社社会部前掲《連合赤軍》一二四－一二五頁，六月二十八日藤本和森前往在明大舉辦「反對郵局導入自動讀取機鬥爭」的共產主義者同盟總誓師集會途中，遭「關東派」綁架，集會所接到一通電話說「藤本被丟在上野」，赤軍派前往救援，發現渾身是傷的藤本。然而在椎名前掲《連合赤軍事件を読む年表》二八頁則記載道，「六月二十七日前後」有總誓師集會，森是主持人之一，但共產主義者同盟中出現論爭，對赤軍派不利，森在集會「途中失蹤」，並未提及綁架。另一方面鹽見在前掲《赤軍派始末記》一〇七頁提到，藤本於「一九六九年六月左右」已經來到東京，但「捲入武裝內鬥、被帶去中大遭到私刑。此時，森恒夫也受到私刑。這件事是後來從警察情報那邊得知。」此外，從以前在關西就和森是知己的西浦隆男在〈森恒夫について改めて思うこと〉（收錄於《情況》二〇〇八年六月号）二〇五頁寫道：「據最近聽到的消息，七／六（後述由赤軍派發動、對主流派的武裝內鬥事件）之前，他（森）在共產主義者同盟的東京集會之後，被反對他的赤軍派的團體綁架，正好是全學聯委員長的藤本敏夫被私刑的同一期間。」綜合這四者，森以主持人出席總誓師集會後遭到綁架，鹽見說他事後從警察情報得知，從這點來看，集會所接到電話，赤軍派出發救助藤本的事就不存在。因此，《読売新聞》的文章記載集會途中遭綁架、並有人聯絡赤軍派的說法，很可能是錯誤的，根據鹽見的回想，以及《読売新聞》採訪中大學生課長的回應來看，藤本與森同時被綁架到中大，應為妥當的看法，本文採取此敘述。

18 読売新聞大阪本社社会部前掲《連合赤軍》一二五頁。

19 同上書八二、一一六頁。

20 西浦前掲〈森恒夫について改めて思うこと〉二〇三頁。高橋檀《語られざる連合赤軍》（彩流社、二〇〇二年）一五二頁。

21 筑紫編前掲（第四章）《若者たちの神々I》一九八—一九九頁。

22 読売新聞大阪本社社会部前掲《連合赤軍》一二七頁。此時襲擊明大的赤軍派人數，在椎名前掲《連合赤軍事件を読む年表》二九頁的記載約一百人，読売新聞大阪本社社会部前掲《連合赤軍》一二七頁的記載約一百三十人，鹽見前掲《赤軍派始末記》八四頁則記載「約一百五十人到兩百人左右」。闖入明大的時間，《読売新聞》寫「拂曉」，鹽見則說：「我想是深夜。」兩者皆無法判斷真偽。

23 鹽見前掲《赤軍派始末記》八四—八五頁。據鹽見的回憶，因為當時「仏派」的運動者們在墓地，正打算將仏託付給他們的時候，機動隊抵達，「仏派」則逃走，仏遭到逮捕，「我們打算把人交給仏派，結果變成我們丟下他」（八五頁）。另外，在西浦前掲〈森恒夫について改めて思うこと〉二〇六頁中寫道，從扛著受傷的仏的人取得的證詞表示，「為了避免被官方抓走，幾個人打算扛著他逃，但在途中耗盡力氣，不得不留下仏議長逃走（據說仏自己要求大家留下他先逃走）」。這些都是親近赤軍派的證言，從「主流派」看來，那就是丟下仏讓他被逮捕。

24 鹽見前掲《赤軍派始末記》八五—八六頁以及読売新聞大阪本社社会部前掲《連合赤軍》一二九頁。成為俘虜的赤軍派人數是依據《讀賣新聞》的記載（鹽見回想約「二、三十人」）。這個時候攻擊赤軍派的人，在鹽見的回憶中是「叛旗派」，但叛旗派正式成立是在這次事件之後，他應該是將中大的共產主義者同盟稱為「叛旗派」。《讀賣新聞》指出這個時候由中大三百人、明大一百人、東京醫科齒科大學約五十人發動攻擊。如前所述，在此為求方便，將這些團體總稱為「主流派」。田宮因逃進派出所而沒有成為俘虜一事，兩者敘述一致。

25 鹽見前掲《赤軍派始末記》八六頁。

26 大泉前掲（第八章）《あさま山荘銃撃戦の深層》二二九頁。大泉是革命左派吉野雅邦與金子美千代的朋友，著有《氷の城——連合赤軍事件・吉野雅邦ノート》（新潮社、一九九八年），《あさま山荘銃撃戦の深層》帶有前者增補版的性質。大泉的著作中，並陳赤軍派、革命左派、聯合赤軍關係者的證言，引用吉野審判為主的審判紀錄與判決書、提交給法院的報告書等，由於法院限制這些資料公開，筆者無法直接取得這些原始資料。雖然聯合赤軍事件相關的審判紀錄等，也曾經被在二手書店中販賣，但大泉是透過什麼途徑取得這些資料則不得而知。總而言之，本書引用大泉的著作，活用這些證言和審判紀錄。

27 スタインホフ前掲《死へのイデオロギー》八四頁。

28 鹽見前掲《赤軍派始末記》八七—八九頁以及読売新聞大阪本社社会部前掲《連合赤軍》一二九—一三三頁。兩者的記述多少有些出入，鹽見被監禁在四樓的法學部長室，並從該處逃出，但在《讀賣新聞》的記載，他被監禁在三樓的經濟學部長室，同一層的法學部長室有消防用水管，利用這些水管從法學部長室逃走。姑且不論赤軍派的內部狀況，關於校舍內的配置，《讀賣新聞》的記載應該是正確的。

此外，根據読売新聞大阪本社社会部前掲《連合赤軍》，「關東派」對在關東學院大學集結赤軍派約一百二十人的田宮高磨喊話，如果解除武裝，就是釋放鹽見等人，鹽見等人也希望可以接受這個要求，但田宮拒絕，因此於七月二十三日將鹽見等人帶到上野的旅館，與田宮和重信房子會談，但最後沒有達成協議，隔天二十四日，鹽見等人便試圖逃走。然而，在鹽見與其他赤軍派關係者的回憶錄中，並沒有這段記述。另外，中大共產主義者同盟的神津陽主張：「關了二十天後，監視需要人力、餐費也花錢，判斷維持街壘比較重要，因此告訴鹽見隔天清晨就會釋放他們，但鹽見等人怕沒面子，那天晚上就從四樓的窗戶用綁起來的窗簾逃走。」（神津〈かくも無惨な青春！〉《情況》二〇〇八年八月号、一三二頁）。但是，在鹽見認為反映了「幾近百分之九十五」自己的意見、若松的電影《実録・連合赤軍》中，主流派擔心長期監禁會導致警察介入，對於如何處置鹽見等人感到困擾，因而默許他們逃走。然而，鹽見前揭《赤軍派始末記》中並沒有這樣的記述。此外，關於望月墜樓的原因，鹽見、《讀賣新聞》、神津等人的見解都不相同，列舉太過細節的差異也沒完沒了，在本文中採用最大公約數式的記述。

29 小嵐前揭（第十一章）《蜂起には至らず》七八頁。武裝內鬥的件數與受傷人數，引自読売新聞大阪本社社会部前掲《連合赤軍》一三五頁。

30 読売新聞大阪本社社会部前掲《連合赤軍》一三九頁。據鹽見前揭《赤軍派始末記》八九頁，「七月下旬或八月上旬」，召開中央委員會，但山田提出武裝內鬥的自我批判書遭到拒收。

31 鹽見前揭《赤軍派始末記》九〇頁。但是荒岱介在前揭〈「鉄砲から国家権力が生まれる」という発想の出所〉一二四頁中，指出「七・六（赤軍派對仏的襲擊）是關西學生團體在第二次共產主義者同盟中意圖奪權的政變」，「所以鹽見在七・六之後自我批判，意圖回到共產主義者同盟。但是鹽見與同樣是京大出身的佐佐木和雄書記長都被拒絕。赤軍派分裂是那之後的事。」鹽見也在一九九〇年的採訪中表示，有一段時間「自我批判，直到藉此重回到共產主義者同盟的議論，一直在自我批判。」「甚至考慮要不要解散後回去。」（連合赤軍事件の全体像を残す会編・発行《証言 連合赤軍3 獄中の指導者》、二〇〇四年、二九頁）。藉此推測，鹽見是自我批判書遭拒收的關係，不得不分裂為赤軍派，可能並不打算成立新黨，但事實為何則不得而知。

32 大泉前揭《あさま山荘銃撃戦の深層》一三二頁。

33 小阪前揭（第一章）《思想としての全共闘世代》一一二、一一三頁。

34 斯坦霍夫前揭《死へのイデオロギー》七八頁。然而，青砥幹夫說赤軍派成立於一九六九年八月二十八日（青砥〈三六年を経て連赤事件を思う〉《情況》二〇〇八年六月号、一八六頁）。關於赤軍派的成立時間，確定分裂的一九六九年七月、赤軍派體制建立後的八月、舉辦成立集會的九月等，依書籍和論者不同。

35 鈴木前揭〈世界は変わりつつあるものだという実感があった〉五九頁。

36 荒前掲《新左翼とは何だったのか》一六四—一六五頁。

37 藤本敏夫〈全学連は何を考えていたか〉（荒ほか前掲《全共闘三〇年》所収）四〇頁。

38 読売新聞社会部大阪本社社会部前掲《連合赤軍》一四一頁。鹽見前掲『赤軍派始末記』八〇、九一頁。

39 以下植垣的回想來自植垣前掲（第二章）《兵士たちの連合赤軍》七七頁。

40 若宮加入赤軍派的經過參考高幣真公《釜ヶ崎赤軍兵士 若宮正則物語》（彩流社、二〇〇一年）二〇—二二頁。引用は二二頁。

41 以下、「この赤軍派女子学生とその母の10月21日」（《女性セブン》一九六九年一一月五日号）三五、三六頁。

42 共產主義者同盟對其他派系動用私刑、要求加入的文章是〈私は赤軍兵士にこうしてなった〉（《週刊現代》 九七二年四月六日号）。引用自〈〝現代の影丸〟？ 赤軍派の不気味な正体〉（《週刊言論》一九六九年一〇月二九日号）九九頁。

43 田中前掲（第二章）《いのちの女たちへ》一三九、一四〇頁。

44 坂東国男《永田洋子さんへの手紙》（彩流社、一九八四年）二九頁。

45 同上書三五頁。

46 同上書三三、三六頁。

47 読売新聞大阪本社社会部前掲《連合赤軍》一四二頁。

48 田中前掲《いのちの女たちへ》二四〇頁。

49 鹽見前掲《赤軍派始末記》九二頁。

50 読売新聞大阪本社社会部前掲《連合赤軍》一六五頁。此外，根據參加這場武裝內鬥的中野正夫前掲《ゲバルト時代》一九九頁，這個時候進行內鬥的是「公開部隊」，「最強的非公開部隊已經以潛入地下為前提進行活動。」赤軍派的方針是，從做募款和情報宣傳活動的合法組織「革命戰線」中，將有望成員選進「軍」裡，因此可以推測這個「軍」應該是被中野等基層成員認為是「最強的非公開部隊」。然而，考慮到之後進行的「大阪戰爭」與「東京戰爭」的失誤，以及執行部隊人數不足、因而從各地大學的全共鬥召集參加者的經過，很難想像「軍」在九月五日時已經達到「最強非公開部隊」的水準。從赤軍派中堅幹部的「吹牛」案例來看，號稱另外有「最強非公開部隊」的存在，很可能是指導中野的中堅運動者的誇大。鹽見前掲《赤軍派始末記》中，也沒有這個時期另外有非公開部隊存在的證言。

51 読売新聞大阪本社社会部前掲《連合赤軍》一六四頁。以下「大阪戦争」「東京戦争」的報導同上書一六五—一八一頁。

52 坂東前掲『永田洋子さんへの手紙』三一頁。

53 見前掲《赤軍派始末記》九三—九七頁、読売新聞大阪本社社会部前掲《連合赤軍》二〇四—二一〇、二一九—二二〇頁、スタインホフ前掲《死へのデオロギー》九〇、九二頁。《讀賣新聞》的記述，應該是以警方發布的資訊為基礎寫成，其報導與鹽見的回想有相當大的差異。首先在鹽見的回想中，十月二十一日之前就有「中央軍」，但在《讀賣新聞》的記述中，「中央軍」成立與訓練，是在十月二十一日失敗後，在十月二十四日召開的幹部會議中提出，於十月二十七日的幹部會議上發表襲擊首相官邸一事。另外在高幣前掲《釜ヶ崎赤軍兵士若宮正則物語》二三頁如此記載：「（六九年）八月，赤軍派……編成『中央軍』。」關於幹部會議只記載十月二十七日那場（四一頁）。說赤軍派成立集會前的八月就有「中央軍」，感覺稍微太早，但可能當時就有與中央軍同等的組織存在。總之在此綜合三者說法：雖然中央軍在十月二十一日之前就存在，但其訓練的必要性，是在「那之後」的幹部會才決定。

而關於襲擊首相官邸的日期、人數、計畫，鹽見沒有詳細記載。《讀賣新聞》則記載，最初將襲擊預定在六日，但十一月二日幹部會的時候，全國全共鬥的遊行預定於六日經過首相官邸附近，由此預測警備將會變得更為森嚴，因此延期到七日。關於在各新左翼黨派的「十一月決戰」之前確定日期這點，《讀賣新聞》與斯坦霍夫的記述一致。至於襲擊計畫，（應該是基於警方發布的）《讀賣新聞》最為詳細，記載著預定約三十人組成八個中隊（約兩百四十人），使用約兩百發鐵管炸彈進行攻擊。預計製造兩百發鐵管炸彈，也可見於鹽見前揭《赤軍派始末記》九四頁（但描述中說這是預計在十月二十一日使用）。

54 鹽見前揭《赤軍派始末記》九三、九四、九六頁。斯坦霍夫可能是讀了《讀賣新聞》的書，只記載著「當初的計畫預計有兩百人參加」。本文以這些說法的最大公約數記述。

55 荒前揭〈《鉄砲から国家権力が生まれる》という発想の出所〉一二四頁。

56 連合赤軍事件の全体像を残す会編前揭《証言 連合赤軍 1 大菩薩への道》四一、四三頁。鹽見前揭《赤軍派始末記》九八頁。在第十、十一章提及的東工大全共鬥、都市工學科研究生的運動者川島宏在一九六九年加入赤軍派，他於二〇〇五年時回想：「佔領首相官邸後要做什麼，這個問題誰都沒有想，我們也沒有想，只有鹽見在想，把佐藤抓起來後，進行〔全共鬥運動型的〕團體交涉。」（連合赤軍事件の全体像を残す会編前揭（第十章）《証言 連合赤軍 6 東大闘争を突き抜けた先に》八二頁）。無論如何，實際狀況是當時確實沒有明確的具體構想。

57 青砥前揭〈三六年を経て連赤事件を思う〉一八七―一八八頁。引用時省略採訪者的發言與斷行。

58 小野田襄二・青砥幹夫・大下敦史〈完全復刻版《遠くまで行くんだ》〉（《情況》二〇〇八年八月号）一五六頁。

59 スタインホフ前揭《死へのイデオロギー》八五頁。

60 大泉前揭《あさま山荘銃撃戦の深層》二七三頁。花園說這個時候只有他一人反對，但八川則說：「反對的有牧野、若宮、花園，我則說：還有一些技術性問題沒有解決不是嗎？」（連合赤軍事件の全体像を残す会編前揭《証言 連合赤軍 1 大菩薩への道》四一頁）。然而在高幣前揭《釜ヶ崎赤軍兵士 若宮正則物語》四二―四三頁中，雖然記載著會議的情況，但沒有關於若宮反對的記載，哪一個才是事實仍不得而知。

61 在大菩薩嶺準備武器，參照市川宗明〈「首相官邸襲擊計画」の全貌〉（《流動》一九七二年五月号）七八頁。在高幣前揭《釜ヶ崎赤軍兵士 若宮正則物語》四六頁中也有幾乎相同的記載指出，儘管另外準備了五罐火焰瓶，但在訓練中用掉了。另外，根據読売新聞大阪本社社会部前揭《連合赤軍》二一八頁，起初在大菩薩嶺聚集了五十四人，被告知計畫的隔天清晨，發現赤軍派神奈川地區的隊長逃走，之後便以兩人交替的方式，建立全天監控的監視體制，避免再有人逃走，但除了這本書以外沒有其他地方有相同記述，因此事實不得而知。

62 スタインホフ前掲《死へのイデオロギー》九三—九四頁。

63 以下大菩薩嶺的原委，參見読売新聞大阪本社社会部前掲《連合赤軍》二二一—二二六頁、〈赤軍派を〝壊滅〟させた暁の急襲〉（《週刊読売》一九六九年一一月二一日号）一二四—一二六頁。鹽見的回想來自鹽見前掲《赤軍派始末記》九九頁。

64 渡邉充春〈新左翼の総破産と総括〉（前掲〔第四章〕《全共闘白書》所収）三一頁。

65 スタインホフ前掲《死へのイデオロギー》九四頁。

66 神津前掲（第四章）《極私的全共闘史 中大1965-68》二一八頁。

67 鹽見前掲《赤軍派始末記》一〇一—一〇二頁。

68 同上書一〇三頁。連合赤軍事件の全体像を残す会編前掲《証言 連合赤軍6 東大闘争を突き抜けた先に》八三頁。

69 鹽見前掲《赤軍派始末記》一〇五—一〇六頁。

70 同上書一〇四—一〇五頁。

71 關於赤軍派國際部長去古巴一事，參照連合赤軍事件の全体像を残す会編前掲《証言 連合赤軍6 東大闘争を突き抜けた先に》八二頁。根據読売新聞大阪本社社会部前掲《連合赤軍》二四四—二四六頁，此國際部長在美國也與武裝組織地下氣象員會談，但對方反應不佳，在古巴不只不被政府當一回事，還因為居留期間過長，遭到罰款後遣返。鹽見的回想參照鹽見前掲《赤軍派始末記》一〇四頁。

72 重信前掲（第一章）《十年目の眼差から》一九—二〇頁。

73 鹽見前掲《赤軍派始末記》一〇九、一一〇頁。

74 同上書一一五頁。

75 以下劫機經過參照高沢前掲（第一章）《宿命》二四、二七、二八—八〇頁。另外根據読売新聞大阪本社社会部前掲《連合赤軍》二七五—二七八頁，被選為執行劫機的成員當中，有兩名反對去北韓而退出，但並未在其他資料中找到相同記載。

76 田宮高麿〈出発宣言〉（初出《赤軍》特別号、前掲〔第一章〕《連合赤軍〝狼〟たちの時代》九二頁。

77 前掲〈〝現代の影丸〟？赤軍派の不気味な正体〉九八頁。

78 鹽見前掲《赤軍派始末記》五七頁。前掲〈〝現代の影丸〟？赤軍派の不気味な正体〉九八頁。

79 高沢前掲《宿命》參照。

80 〈《よど号》がえぐり出した安保体質〉（《朝日ジャーナル》一九七〇年四月一九日号）一〇頁。

81 鹽見前掲《赤軍派始末記》一一三頁。スタインホフ前掲《死へのイデオロギー》九二頁。

82 松田政男〈「党」という悪霊を超えて〉（前掲（第一章）《赤軍一九六九→二〇〇一》所収）一七二頁。橋本克彦是以採訪者的身分發言。

83 鹽見前掲《赤軍派始末記》一一三頁。

84 福岡前掲〈赤軍派インタビュー 世界革命への飛翔〉。

85 重信前掲《十年目の眼差から》一九頁。

86 坂東前掲《永田洋子さんへの手紙》五二頁。

87 同上書五二—五三、三八、三九頁。

88 スタインホフ前掲《死へのイデオロギー》九六、一〇四頁。

89 大泉前掲《あさま山荘銃撃戦の深層》三〇七頁。

90 椎野編前掲《連合赤軍事件を読む年表》三五頁。

91 読売新聞大阪本社社会部前掲《連合赤軍》二九七—二九九頁。
92 重信的生平來自重信房子《わが愛わが革命》（講談社、一九七四年）第Ⅱ部および「過激派学生の秘身上調書」（《サンデー毎日》一九七一年四月四日）一六一、一六二頁。
93 読売新聞大阪本社社会部前掲《連合赤軍》二五一頁。〈アラブゲリラと合同作戦！ 赤軍派・重信房子の華麗な闘争〉（《週刊サンケイ》一九七一年四月五日号）三八頁。
94 〈反戦〝女闘士〞爆薬教範《薔薇の花》〉（《週刊文春》一九七一年五月一〇日号）五三頁。
95 重信前掲《十年目の眼差から》二一頁。
96 重信前掲《十年目の眼差から》三六—三七頁、前掲〈過激派学生の秘身上調書〉一六二頁。
97 読売新聞大阪本社社会部前掲《連合赤軍》二五〇頁。
98 同上書二五〇頁。
99 同上書二五〇頁。
100 前掲〈アラブゲリラと合同作戦！ 赤軍派・重信房子の華麗な闘争〉三八頁。重信前掲《十年目の目差から》一九頁。
101 松田前掲〈『党』という悪霊を超えて〉一七四、一六四、一七五頁。
102 坂東前掲《永田洋子さんへの手紙》一二〇頁。
103 同上書一二一—一二二頁。
104 重信前掲《十年目の眼差より》二五—二七頁。
105 松田前掲〈『党』という悪霊を超えて〉一七八頁。
106 アラブ赤軍〈戦争を知らない革命家たちへのメッセージ〉（查証編集委員会編前掲《新編「赤軍」ドキュメント》所収）三〇六頁。
107 椎名編前掲《連合赤軍事件を読む年表》三四—三五頁。
108 読売新聞大阪本社社会部前掲《連合赤軍》二八八、二九五、二九六頁。
109 大泉前掲《あさま山荘銃撃戦の深層》三〇九頁。
110 重信前掲《十年目の眼差から》二一頁。
111 読売新聞大阪本社社会部前掲《連合赤軍》二九八頁。這個時期赤軍派的內部動向，因許多幹部在監獄中、監獄外的幹部也接連遭到逮捕，回憶錄資料並不明確。儘管可能與事實相左，但此處不得不採用《讀賣新聞》的記述。
112 同上書二九八頁。植垣前掲《兵士たちの連合赤軍》一一一頁。
113 読売新聞大阪本社社会部前掲《連合赤軍》二九八—二九九頁。
114 大泉前掲《あさま山荘銃撃戦の深層》三一二—三一三頁。
115 坂東前掲《永田洋子さんへの手紙》四九、五四頁および椎名編前掲《連合赤軍事件を読む年表》三七頁。
116 大泉前掲《あさま山荘銃撃戦の深層》三〇九頁。
117 此團體於當時的媒體上經常以「京濱安保共鬥」的名稱介紹，實際上是包括革命左派非法部門的黨，京濱安保共鬥是公開部門的京濱地區組織名稱，也有中京安保共鬥等團體存在。在當時革命左派成員們的回憶錄中，他們都稱呼自己的組織為「革命左派」，而非「京濱安保共鬥」。順帶一提，赤軍派狀況是，黨派是赤軍派，公開部門的「革命戰線」則遍布各地。
118 以下關於「警鐘」的成立、與日共左派合流、革命左派的分裂等，參照坂口前掲《あさま山荘一九七二》上卷第五章。
119 同上書八九頁。

120 同上書九二、九三、九六頁。
121 同上書一三七、九五、一三八頁。
122 同上書一五二頁。
123 〈『屠殺の指令者』森恒夫と永田洋子の徹底解剖〉（《週刊サンケイ》一九七二年三月三一日号）二二頁。
124 永田前掲（第一章）《十六の墓標》上巻三二頁。
125 〈京浜安保共闘・女隊長 永田洋子の男遍歴〉（《週刊現代》一九七一年三月二五日号）一四一、一四三頁。
126 永田前掲《十六の墓標》上巻三四頁。
127 「死の司祭 永田洋子と森恒夫における〝非人間〟の研究」（『週刊文春』一九七二年三月二七日号）三〇頁。
128 〈《私は心のやさしい女》 連合赤軍永田洋子が衝撃の告白！〉（『週刊明星』一九七二年四月二日号）五〇頁。
129 永田前掲《十六の墓標》上巻五〇—五一頁、高橋前掲《語られざる連合赤軍》三一頁。
130 高橋前掲《語られざる連合赤軍》二八—二九頁。在大泉前掲《あさま山荘銃撃戦の深層》二〇八—二一〇頁中也有引用相同的信件，兩者都使用筆名。
131 雪野健作〈断章〉（大槻節子《優しさをください》彩流社、初版一九八六年、新裝版一九九八年、收錄於新裝版）二〇二頁。以下、本書引用自新裝版。
132 坂口前掲《あさま山荘一九七二》上巻一三九—一四〇頁。
133 同上書一四一頁。
134 同上書一四一頁。
135 坂口前掲《あさま山荘一九七二》以下ＭＬ派內門的模樣，參照坂口前掲〈あさま山荘一九七二〉上巻一四一—一四九頁、永田前掲《十六の墓標》上巻四七—四九、六一—六二頁。另外在坂口的回憶錄中，柴野春彥是橫濱國立大學經濟學部的自治會委員，曾在學藝學部的自治會室遭私刑，如同第七章所述，當時學藝學部應該已經改名為教育學部，本文略而不記。
136 坂口前掲《あさま山荘一九七二》上巻一五二頁。
137 同上書一五三頁。
138 同上書一五六頁。永田前掲《十六の墓標》上巻五五頁亦有相同記述。
139 坂口前掲《あさま山荘一九七二》上巻一五四頁。
140 同上書一五五頁。
141 永田前掲《十六の墓標》上巻五六頁。
142 読売新聞大阪本社社会部前掲《連合赤軍》一四八—一五〇頁。
143 大泉前掲《あさま山荘銃撃戦の深層》二一五頁。
144 關於這次與河北的秘密談判，在坂口前掲《あさま山荘一九七二》上巻一六三—一六四頁中如此記載：「與數名ＭＬ派幹部秘密接觸，企圖與他們共同發行名為《曙光》的機關報。得知此事的川島十分憤怒，下了不惜與河北決裂的覺悟、與河北對決。他在南部地區負責人石井的公寓裡，召集前『警鐘』的全部成員，與河北對峙。川島當時大聲地批判河北。」「那是完全不給對手辯解餘地的痛罵。河北一句話也沒辦法辯解，被迫自我批判。因為這件事，河北失去權威，川島則取而代之、此後以些許超前的立場領導河北。」另一方面，在永田前掲《十六の墓標》上巻四八頁中寫道：「河北在這場內門的時候，以個人立場和ＭＬ派幹部Ｓ氏碰面，企圖解決問題，此事被批判是個人主義、小資產階級思想，六八年十二月被逐出指揮部，成為工廠勞工，並被要求要克服這一切。」以上兩者的回想有些許差異，無論如何，在本文只記述河北因私下進行秘密談判而遭到批判。

145 坂口前掲《あさま山荘一九七二》上卷一六三頁。
146 読売新聞大阪本社社会部前掲《連合赤軍》一五一頁。
147 坂東前掲《永田洋子さんへの手紙》七〇頁。
148 坂口前掲《あさま山荘一九七二》上卷一六五頁。
149 同上書一六七—一六九頁。
150 永田前掲《十六の墓標》上卷六三頁。
151 以下關於永田的強姦事件以及她對事件的想法，同上書六五、六九、七〇頁。
152 同上書二三三頁。
153 坂口前掲《あさま山荘一九七二》上卷一六頁。
154 同上書一七—一八頁。
155 永田前掲《十六の墓標》上卷七三頁。
156 坂口前掲《あさま山荘一九七二》上卷一九頁。
157 同上書二〇頁。以下關於吉野的經歷，參照大泉前掲《あさま山荘銃撃戦の深層》一七六—一八二、一九七、二一四、二三四頁。
158 以下關於金子的行動及發言，參照大泉前掲《あさま山荘銃撃戦の深層》一八〇、一八一、一八五、二一一—二一三、二一四、二三三、二三五頁。
159 坂口前掲《あさま山荘一九七二》上卷二一三頁。
160 以下內田的故事，同上書二二、二三頁。
161 同上書二三、二九、三〇頁。
162 同上書二五—二八頁。
163 同上書三四—四〇頁。
164 同上書四一頁。
165 〈赤軍派よりラジカル！ 京浜安保共闘〉（《平凡パンチ》一九七一年一一月九日号）一二一頁。
166 永田前掲《十六の墓標》上卷五七、七四頁。
167 坂口前掲《あさま山荘一九七二》上卷五九頁。
168 雪野前掲〈断章〉二〇二、二〇一頁。大泉前掲《あさま山荘銃撃戦の深層》二四六頁。植垣前掲《兵士たちの連合赤軍》二五三頁。
169 大槻前掲《優しさをください》三二、三五頁。
170 雪野前掲〈断章〉二〇八、二〇四頁。永田前掲《十六の墓標》上卷七八頁。
171 永田前掲《十六の墓標》上卷八〇頁。
172 同上書八一頁。
173 大泉前掲《あさま山荘銃撃戦の深層》二三五、二八〇頁。
174 永田前掲《十六の墓標》上卷八一、八二頁。
175 大泉前掲《あさま山荘銃撃戦の深層》二三六頁。
176 大槻前掲《優しさをください》七二、七四頁。
177 雪野前掲〈断章」二〇五頁。大槻前掲《優しさをください》六九頁。
178 永田前掲《十六の墓標》上卷八四頁。
179 同上書九〇頁。
180 同上書一〇〇頁。

181 同上書一〇一—一〇四頁。坂口前掲《あさま山荘一九七二》上卷一八五頁。
182 永田前掲《十六の墓標》上卷八八頁。
183 前掲〈赤軍派よりラジカル！ 京浜安保共闘〉一二三頁。
184 永田前掲《十六の墓標》上卷八八頁。
185 坂口前掲《あさま山荘一九七二》上卷二〇七頁。
186 同上書五九、一八二—一八三頁。
187 同上書二四九頁。
188 永田前掲《十六の墓標》上卷一一一頁。
189 同上書一一一頁、坂口前掲《あさま山荘一九七二》上卷二四四頁。
190 坂口前掲《あさま山荘一九七二》上卷二一五—二一六頁、永田前掲《十六の墓標》上卷一二五頁。
191 大泉前掲《あさま山荘銃撃戦の深層》二七九、二八〇頁。
192 同上書三二九—三三〇頁。
193 同上書三三〇頁。
194 同上書二八〇—二八一頁。
195 以下對大槻的處理參見永田前掲《十六の墓標》上卷一〇七、一二六頁。大槻的引用來自大槻前掲《優しさをください》一四一、一一三、一一五、一一四、一四六、一五一頁。
196 坂口前掲《あさま山荘一九七二》上卷二五九頁。
197 同上書二五九—二六〇頁。
198 同上書二三〇—二三一頁。
199 同上書二三一、二三二頁。
200 同上書二五九頁。
201 永田前掲《十六の墓標》上卷一四四頁。
202 以下、坂口前掲《あさま山荘一九七二》上卷二六〇、二六一、二三三頁。
203 永田前掲《十六の墓標》上卷一四四頁。坂口前掲《あさま山荘一九七二』》上卷二六一頁。
204 以下關於永田的墮胎，參見永田前掲《十六の墓標》上卷一六二、一六〇、一六一頁。
205 〈四月蜂起は放棄した？ 赤軍派M作戦メンバーが語る極秘情報〉（《週刊朝日》一九七一年四月一六日号）二二頁。
206 以下對這位幹部的訪談摘自中島誠〈潜行赤軍派幹部がはじめてあかした地下生活〉（《現代》一九七一年八月号）一九二、一九三頁。
207 前掲〈四月蜂起は放棄した？ 赤軍派M作戦メンバーが語る極秘情報〉二四頁。
208 読売新聞大阪本社社会部前掲《連合赤軍》三二一頁。
209 中島前掲〈潜行赤軍派幹部がはじめてあかした地下生活〉一八九頁、前掲〈四月蜂起は放棄した？ 赤軍派M作戦メンバーが語る極秘情報〉二三頁。
210 読売新聞大阪本社社会部前掲《連合赤軍》三〇九頁。
211 同上書三一〇頁。
212 同上書三三九頁。
213 植垣前掲《兵士たちの連合赤軍》一三二頁。
214 大泉前掲《あさま山荘銃撃戦の深層》三〇八頁。
215 植垣前掲《兵士たちの連合赤軍》一二四頁。
216 同上書一二五頁。

217 大泉前掲《あさま山荘銃撃戦の深層》三一四－三一六頁。
218 永田前掲《十六の墓標》上巻一四七頁。
219 大泉前掲《あさま山荘銃撃戦の深層》二八一－二八二頁。
220 〈テロ時代の始まりか 京浜安保共闘の交番襲撃〉（《週刊文春》一九七一年一月四日号）一八二頁。
221 同上記事一八四、一八五頁。大泉前掲《あさま山荘銃撃戦の深層》二八五頁。
222 前掲〈テロ時代の始まりか 京浜安保共闘の交番襲撃〉一八六頁。
223 坂口前掲《あさま山荘一九七二》上巻二七六頁。永田前掲《十六の墓標》上巻一五八頁。
224 大泉前掲《あさま山荘銃撃戦の深層》二八七頁。
225 同上書二九〇頁。
226 大槻前掲《優しさをください》一六三－一六四頁。
227 坂口前掲《あさま山荘一九七二》上巻二七六頁。大泉前掲《あさま山荘銃撃戦の深層》二八九頁。
228 坂口前掲《あさま山荘一九七二》上巻二七五頁。
229 大泉前掲《あさま山荘銃撃戦の深層》二九二－二九三頁。
230 永田前掲《十六の墓標》上巻一五八－一五九頁。大泉前掲《あさま山荘銃撃戦の深層》三四五頁。坂口前掲《あさま山荘一九七二》上巻二八〇頁。
231 大泉前掲《あさま山荘銃撃戦の深層》二九三頁。永田前掲《十六の墓標》上巻一五九頁。
232 以下坂口對這事件的回憶参照坂口前掲《あさま山荘一九七二》上巻二七七－二七九頁。
233 同上書二七九頁。永田前掲《十六の墓標》上巻一五六頁。
234 以下與赤軍派的接觸参照永田前掲《十六の墓標》上巻一六三、一六五、一六七、一六八頁。坂口前掲《あさま山荘一九七二》上巻二九二頁。
235 大泉前掲《あさま山荘銃撃戦の深層》一一八頁。
236 〈京浜安保がこの次にねらうもの〉（《週刊読売》一九七一年三月五日号）二〇頁。
237 以下關於笠原的從業經過與撤回解僱鬥爭，参照永田前掲《十六の墓標》上巻一七二頁及前掲〈テロ時代の始まりか京浜安保共闘の交番襲撃〉一八四頁。
238 大泉前掲《あさま山荘銃撃戦の深層》二九三－二九四頁。
239 永田前掲《十六の墓標》上巻一七二－一七三頁。
240 坂口前掲《あさま山荘一九七二》上巻二八一－二八三頁。
241 永田前掲《十六の墓標》上巻一七四頁。
242 坂口前掲《あさま山荘一九七二》上巻二八六－二九〇頁。大泉前掲『あさま山荘銃撃戦の深層』二九四－二九五頁。
243 永田前掲《十六の墓標》上巻一七三頁。大槻前掲《優しさをください》一六四頁。
244 大泉前掲《あさま山荘銃撃戦の深層》二九四頁。
245 同上書二八四頁。向山平治〈遺稿について〉（大槻前掲《優しさをください》所收）一九七頁。
246 大泉前掲《あさま山荘銃撃戦の深層》二九五頁。
247 向山前掲〈遺稿について〉一九八頁。
248 大泉前掲《あさま山荘銃撃戦の深層》二四六頁。
249 坂口前掲《あさま山荘一九七二》上巻二九五頁。

250 同上書二九五、二九七頁。
251 大泉前掲《あさま山荘銃撃戦の深層》二九八頁。
252 前掲〈京浜安保共闘がこの次にねらうもの〉一七頁。
253 永田前掲《十六の墓標》上巻一七六頁。
254 前掲〈京浜安保共闘がこの次にねらうもの〉一八頁。
255 〈銃砲店襲った新左翼の背景〉（《財界》一九七一年三月一五日号）二二頁。〈京浜安保共闘のナゾ〉（《朝日ジャーナル》一九七一年三月五日号）二〇、二一頁。
256 〈ついに銃砲店襲撃！　京浜安保共闘の武　ほう起計画はこれだ！〉（《週刊サンケイ》一九七一年三月八日号）三三頁。秋田前掲（第章）〈夕焼け、海、そしてぼく〉二〇頁。
257 前掲〈銃砲店襲った新左翼の背景〉二二頁。〈京浜安保　ゲリラ人民軍革命戦争〉（《週刊読売》一九七一年三月五日号）二四頁。
258 前掲〈京浜安保共闘・女隊長永田洋子の男遍歴〉一四〇頁。
259 坂東前掲《永田洋子さんへの手紙》七三頁。坂口前掲《あさま山荘一九七二》上巻二九七—二九八頁。
260 永田前掲《十六の墓標》上巻一七七頁。
261 同上書一九二頁。
262 同上書一八七頁。
263 坂口前掲《あさま山荘一九七二》上巻二九八—二九九頁。
264 永田前掲《十六の墓標》上巻一八九頁。
265 以下公寓生活的回憶，同上書一九〇—一九一頁。
266 坂口前掲《あさま山荘一九七二》上巻三〇一頁。永田前掲《十六の墓標》上巻一九三頁。
267 永田前掲《十六の墓標》上巻二三九、二〇一頁。
268 坂口前掲《あさま山荘一九七二》上巻三〇〇頁。
269 同上書三〇〇頁。
270 同上書三〇〇頁。
271 同上書三〇二頁。
272 永田前掲《十六の墓標》上巻一九八、一九九、二二三頁。
273 同上書二〇〇頁。坂口前掲《あさま山荘一九七二》上巻三〇八頁。
274 永田前掲《十六の墓標》上巻二〇五、二〇八頁。
275 同上書二一〇頁。
276 同上書二一〇—二一一頁。坂口前掲《あさま山荘一九七二》上巻三〇四頁。
277 永田前掲《十六の墓標》上巻二一一頁。坂口前掲《あさま山荘一九七二》上巻三〇五頁。
278 永田前掲《十六の墓標》上巻二一六頁。
279 坂口前掲《あさま山荘一九七二》上巻三〇五—三〇六頁。
280 青砥前掲〈三六年を経て連赤事件を思う〉一九〇頁。
281 永田前掲《十六の墓標》上巻二一九頁。
282 同上書上巻二一九頁。
283 同上書二一九頁。
284 大泉前掲《あさま山荘銃撃戦の深層》三一四頁。
285 植垣前掲《兵士たちの連合赤軍》一八三、一九八頁。
286 神津前掲《極私的全共闘史 中大1965-68》二三〇頁。
287 大泉前掲《あさま山荘銃撃戦の深層》三五一頁。
288 同上書三五四頁。

289 隸屬於革命左派京濱安保共鬥的京谷明子在二〇〇八年的證言〈京浜安保共闘の女性たち〉《情況》二〇〇八年六月号）一七六頁中推測，赤軍派殘存的成員不只這九人。據京谷所述，赤軍派成員中「第二次共產主義者同盟的關係者或東大鬥爭〔中被逮捕後出獄〕的成員，在M作戰中全滅。經歷過這種政治組織的人，因為知道敗北，所以不會去〔山岳基地〕。森體制成立後便相當疏遠。」而「坂東隊是從全共鬥去參加黨派〔政治組織外行人〕的人們組成的集團〔坂大是京大全共鬥、植垣是弘前大全共鬥、山崎是早大全共鬥出身〕。植垣在壽町組織〔進藤加入赤軍派〕，只有這些人去〔山岳基地〕。」然而，「但其實赤軍派還有更多人在喔，雖然是革命戰線，但還有更多成員」，「經歷過的人就不會去喔。有去的只有山田孝和遠山美枝子。」京谷是京濱安保共鬥的人，了解多少赤軍派的狀況頗令人懷疑，而且如果說知曉黨派政治的人都「在M作戰全滅」的話，與「還有更多人」的說法也多少自相矛盾，但仍是可以參考的推測。特別是如後所述，山田與遠山、坂東以外的人似乎不曉得森以前的弱點，京谷的見解也可以作為這一點的佐證。

290 以下寺岡、吉野、天野等人的討論經過，參照坂口前掲《あさま山荘一九七二》上巻三〇七－三一〇頁。

291 天野と永田の論争は永田前掲《十六の墓標》上巻二三五頁。

292 大泉前掲《あさま山荘銃撃戦の深層》三一九頁。

293 同上書三三〇頁。

294 同上書三一八頁。

295 同上書三一七－三一八頁。

296 雪野前掲〈断章〉二〇九頁。

297 永田前掲《十六の墓標》上巻二三六、二四四頁。

298 坂口前掲《あさま山荘一九七二》上巻三一二－三一三頁。

299 同上書三一一頁。

300 同上書三一一頁。

301 同上書三一二頁。

302 同上書三一四頁。永田前掲《十六の墓標》上巻二四二－二四四頁。

303 坂口前掲《あさま山荘一九七二》上巻三一五頁。永田前掲《十六の墓標》上巻二四五頁。

304 坂口前掲《あさま山荘一九七二》上巻三一四、三一五、三一七、三一八頁。永田前掲《十六の墓標》上巻二五二頁。

305 大泉前掲《あさま山荘銃撃戦の深層》三三九－三四〇頁。

306 坂口前掲《あさま山荘一九七二》上巻三一六頁。

307 永田前掲《十六の墓標》上巻二二九、二四七頁。

308 同上書二五七頁。坂口前掲《あさま山荘一九七二》上巻三二五頁。

309 青砥幹夫〈暗きなかを歩みて己が往くところを知らず〉（荒岱介編《破天荒な人々》彩流社、二〇〇五年）七六頁。永田前掲《十六の墓標》上巻二六七頁。

310 永田前掲《十六の墓標》上巻二五九頁。

311 〈統一赤軍〉（査証編集委員会編前掲《新編「赤軍」ドキュメント》所収）一九六、一九八頁。〈連合赤軍の軍事論〉（《流動》一九七七年八月号）一三三頁も同文。

312 坂口前掲《あさま山荘一九七二》上巻三三二頁。

313 スタインホフ前掲《死へのイデオロギ》一五三頁。坂口前掲

《あさま山荘一九七二》上卷三三二頁。
314 植垣前揭《兵士たちの連合赤軍》二一四頁。
315 永田前揭《十六の墓標》上卷二七五、二七八頁。坂口前揭《あさま山荘一九七二》上卷三三三、三三七頁。
316 植垣前揭《兵士たちの連合赤軍》一八三頁。
317 同上書二一七、二一九頁。
318 大泉前揭《あさま山荘銃撃戦の深層》三四九頁。
319 坂東前揭《永田洋子さんへの手紙》一〇三頁。
320 坂口前揭《あさま山荘一九七二》上卷三四八頁。
321 大泉前揭《あさま山荘銃撃戦の深層》三四八頁。
322 同上書三五〇頁。
323 永田前揭《十六の墓標》上卷二六九頁。
324 坂口前揭《あさま山荘一九七二》上卷三三八頁。
325 永田前揭《十六の墓標》上卷二七六頁。
326 坂口前揭《あさま山荘一九七二》上卷三三四頁。
327 同上書三三五頁。
328 同上書三三八頁。
329 大泉前揭《あさま山荘銃撃戦の深層》三四一、三三〇頁。坂口前揭《あさま山荘一九七二》上卷三三九頁。
330 大泉前揭《あさま山荘銃撃戦の深層》三三三—三三三頁。
331 坂口前揭《あさま山荘一九七二》上卷三四三頁。
332 同上書三四四、三四五頁。
333 大泉前揭《あさま山荘銃撃戦の深層》三三四頁。
334 坂口前揭《あさま山荘一九七二》上卷三四七頁。
335 同上書三四七頁。
336 永田前揭《十六の墓標》上卷二九一頁。
337 大泉前揭《あさま山荘銃撃戦の深層》三三七頁。
338 同上書三四一頁。
339 永田前揭《十六の墓標》上卷二四〇頁。同下卷（彩流社、一九八三年）二八頁。
340 永田前揭《十六の墓標》上卷二二八頁。
341 永田前揭《十六の墓標》下卷三五頁。
342 椎名編前揭《連合赤軍事件を読む年表》五六—五七頁。
343 永田前揭《十六の墓標》上卷二三三頁。同下卷三四—三五、一三三頁。
344 加藤前揭（第一章）《連合赤軍 少年A》一〇九頁。加藤還舉了另一名「準指揮部」成員，但這名成員於聯合赤軍事件期間並沒有上山，此處引用省略該名成員。
345 同上書一〇〇頁。
346 大泉前揭《あさま山荘銃撃戦の深層》四四八頁。原文中「瀨戶」以第一個字母記載。
347 同上書三二六頁。
348 以下大概到東京時的對話，引自雪野前揭〈斷章〉二〇九—二一〇頁。
349 永田前揭《十六の墓標》下卷五一頁。
350 〈戦慄の〝人民裁判〟と地獄のリンチ〉（《週刊サンケイ》一九七二年三月三一日号）一八頁。大泉康雄《「あさま山荘」籠城》（祥伝社文庫、二〇〇二年）二三九頁。後者是大泉前揭《氷の城》的增補文庫版。居住空間引自《週刊サンケイ》的文章，小屋的格局是依據大泉的記述。據大泉的記述中小屋的大

小，居住空間略感狹小，但因為大泉並沒有提到居住空間的面積，因此採用如本文的記載。

351 加藤前掲《連合赤軍 少年A》一三二頁。

352 〈連合赤軍総括 殺された側の行動と論理〉（《週刊言論》一九七二年三月三一日号）一二頁。茶本繁正〈実録・永田洋子、森恒夫の正体を〝総括〟する〉（《現代》一九七二年五月号）一一一頁。植垣前掲《兵士たちの連合赤軍》二九三頁。

353 〈27マイナス12〝処刑の森〟の日間〉（《週刊文春》一九七二年三月二七日号）一四〇頁。此外在大泉前掲《「あさま山荘」籠城》二三九頁寫著：「廁所是從小屋往下走約五公尺處的水窪，警察找到的時候，河上漂著大量的排泄物與生理用品。」比起事件之後很可能不正確的新聞報導，大泉的記述應該比較正確，但因為沒有太大差異，所以本文採用前述報導的記述。

354 植垣的回想引自植垣康博〈解説に代えて〉（椎名編前掲《連合赤軍事件を読む年表》所収）一五一頁。關於永田骯髒的記述引自〈爆弾を抱いた〝恋人たち〟の日常生活〉（《週刊文春》一九七二年三月六日号）一三八頁。但是，永田遭逮捕前和森在東京，那段期間可能有洗澡，故這段描寫多少有點可疑，在此引用作為象徵性的案例。

355 同上記事一三八頁。

356 大泉前掲《あさま山荘銃撃戦の深層》二七頁。

357 同上書三六七頁。

358 同上書三九三頁。

359 永田前掲《十六の墓標》下卷二三六頁。

360 加藤前掲《連合赤軍 少年A》一五〇頁。

361 坂口弘《続あさま山荘一九七二》（彩流社、一九九五年）四六頁。植垣前掲《兵士たちの連合赤軍》二八九頁。

362 聯合赤軍事件之後，被逮捕的成員分為以組織進行審判鬥爭的統一公審組，以及與組織斷絕關係、個別進行審判的分離公審組。加藤和吉野是分離公審組，提出對永田不利的證言。而坂口、永田、植垣則是統一公審組，在回憶錄出版前後，坂口與永田、植垣的對立變得更激烈，因此，永田與加藤的描述完全不同、坂口的描述則對永田嚴厲、植垣的描述對永田手下留情，不能否認背後有這些因素存在的可能性。

363 永田前掲《十六の墓標》下卷四四頁。

364 同上書七八―八一頁。

365 大泉前掲《あさま山荘銃撃戦の深層》三六六頁。

366 永田前掲《十六の墓標》下卷八一頁。

367 大泉前掲《あさま山荘銃撃戦の深層》三六七頁。

368 永田前掲《十六の墓標》下卷八七―八八頁。

369 同上書八九頁。植垣前掲《兵士たちの連合赤軍》二五八頁。

370 大泉前掲《あさま山荘銃撃戦の深層》三六八―三六九頁。

371 永田前掲《十六の墓標》下卷九二―九三頁。

372 植垣前掲《兵士たちの連合赤軍》二五九頁。

373 同上書二五八頁。

374 高橋前掲《語られざる連合赤軍》八一頁。植垣前掲《兵士たちの連合赤軍》二五九頁。田原総一郎《連合赤軍とオウム》（集英社、二〇〇四年）三〇三頁。

375 大泉前掲《あさま山荘銃撃戦の深層》三七〇、三六三頁。

376 青砥前掲〈暗きなかを歩みて己が往くところを知らず〉八六

頁。荒以採訪者的立場發言。

377 永田前掲《十六の墓標》下巻九二頁。

378 植垣前掲《兵士たちの連合赤軍》二九七頁。

379 大泉前掲《あさま山荘銃撃戦の深層》三六八頁。

380 永田前掲《十六の墓標》下巻九五頁。

381 大泉前掲《あさま山荘銃撃戦の深層》三八六頁。

382 植垣前掲《兵士たちの連合赤軍》二七〇頁。

383 読売新聞大阪本社社会部前掲《連合赤軍》一〇九、七八頁。

384 植垣前掲《兵士たちの連合赤軍》二五九、二六二頁。

385 永田前掲《十六の墓標》下巻九五—九六、九七頁。

386 大泉前掲《あさま山荘銃撃戦の深層》三八一頁。

387 斯坦霍夫前掲《死へのイデオロギー》二二二頁。但是斯坦霍夫並沒有將這些列為主要的理由，而是將「日本式的集體主義」與尋找代罪羔羊視為主因，筆者認為這不適切因此排除在外。

388 永田前掲《十六の墓標》下巻一二五、一二六、一四三、一四四頁。

389 永田前掲《十六の墓標》下巻一八一頁。

390 青砥前掲〈暗きなかを歩みて己が往くところを知らず〉八四頁。

391 読売新聞大阪本社社会部前掲《連合赤軍》四二頁。

392 植垣前掲《兵士たちの連合赤軍》二二九—二三〇頁。

393 永田前掲《十六の墓標》下巻一七三頁。

394 大泉前掲《あさま山荘銃撃戦の深層》四七〇頁。

395 轉引自永田洋子《続十六の墓標》（彩流社、一九九〇年）一三七頁。但是鹽見對聯合赤軍事件的主要看法，如後所述，是因為湊合兩個路線不同的黨、造成肅清反對派的結果。

396 永田前掲《十六の墓標》下巻一二八、一二九頁。

397 以下の加藤の回想は、加藤前掲《連合赤軍 少年A》一二九—一三〇、一三五—一三九頁。

398 永田前掲《十六の墓標》下巻一三五—一三六、一六三頁。

399 大泉前掲《あさま山荘銃撃戦の深層》五三一、五三二頁。

400 同上書四二二—四二三頁。

401 同上書五三二頁。

402 京谷前掲〈京浜安保共闘の女性たち〉一七二—一七四頁。

403 永田前掲《十六の墓標》下巻二五七頁。

404 坂東前掲《永田洋子さんへの手紙》二〇七頁。

405 青砥前掲〈暗きなかを歩みて己が往くところを知らず〉八七頁。

406 永田前掲《十六の墓標》下巻三一五頁。

407 同上書三一五頁。

408 高沢皓司編《銃撃戦と粛清——森恒夫自己批判書全文》（資料連合赤軍問題I、新泉社、一九八四年）三八頁。

409 查証編集委員会編前掲《新編「赤軍」ドキュメント》二三九頁。

410 大泉前掲《あさま山荘銃撃戦の深層》五三六頁。

411 同上書四一八頁。

412 永田前掲《十六の墓標》下巻六六、七二、七三頁。

413 加藤前掲《連合赤軍 少年A》一五八頁。

414 大泉前掲《あさま山荘銃撃戦の深層》五三一頁。

415 坂口前掲《続あさま山荘一九七二》一〇一頁。永田前掲《十六の墓標》下巻二九〇頁もほぼ同じ。
416 スタインホフ前掲《死へのイデオロギー》二一七—二一八頁。
417 青砥前掲〈三六年を経て連赤事件を思う〉二〇〇頁。
418 捆綁小嶋的理由，參照永田前掲《十六の墓標》下巻一八五頁。尾崎亦同上書一八八、一八九頁。
419 以下關於小嶋與尾崎的私刑，同上書一九一—一九三、一九七、二〇一—二〇二頁。關於「敗北死」發想則同上書二〇五頁。
420 スタインホフ前掲《死へのイデオロギー》二六三頁。
421 同上書一七九頁。
422 加藤前掲《連合赤軍 少年A》一四五頁。坂口弘『あさま山荘一九七二》下巻（彩流社、一九九三年）二八七頁。
423 永田前掲《十六の墓標》下巻二一四頁。
424 同上書二一三、二一二頁。
425 同上書二二〇頁。坂口前掲《続あさま山荘一九七二》下巻二五頁也幾乎相同。
426 連合赤軍事件の全体像を残す会編・発行《証言 連合赤軍 2 彼らはいかに生きたか》（二〇〇四年）三五頁。
427 永田前掲《十六の墓標》下巻二二七頁。
428 植垣前掲《兵士たちの連合赤軍》二八六頁。
429 同上書二八七頁。坂東前掲《永田洋子さんへの手紙》二〇七頁。
430 坂口前掲《あさま山荘一九七二》下巻四一—四二頁。植垣前掲《兵士たちの連合赤軍》二八七頁。關於這個場面的描寫，坂口與植垣的回憶幾乎相同。
431 永田前掲《十六の墓標》下巻二三四頁。
432 同上書二三四—二三七頁。坂口前掲《続あさま山荘一九七二》四四—四七頁。
433 植垣前掲《兵士たちの連合赤軍》二九〇頁。坂口前掲《続あさま山荘一九七二》四八頁。
434 坂口前掲《続あさま山荘一九七二》三一、三四頁。
435 永田前掲《十六の墓標》下巻二四九頁
436 植垣前掲《兵士たちの連合赤軍》二九七頁。永田前掲《十六の墓標》下巻二四八—二五二頁。坂口前掲《続あさま山荘一九七二》五二—五六頁。除了永田的發言以外，三人的回想幾乎一致。
437 以下坂口的回想，坂口前掲《続あさま山荘一九七二》五七—五九頁。
438 大泉前掲《あさま山荘銃撃戦の深層》三八九頁。
439 青砥前掲〈暗きなかを歩みて己が往くところを知らず〉八〇、八一、八九頁。
440 加藤前掲《連合赤軍 少年A》一四一、一五三頁。
441 永田前掲《十六の墓標》下巻二六〇—二六一頁。
442 坂口前掲《続あさま山荘一九七二》一五五頁。
443 永田前掲《十六の墓標》下巻一七八頁。
444 同上書一九三頁。
445 同上書一九六、一九七頁。
446 大泉前掲《あさま山荘銃撃戦の深層》五二九、五三〇頁。
447 永田前掲《十六の墓標》下巻二三一、二七〇頁。坂口前掲《続あさま山荘一九七二》七四—七六頁。在永田的回想中，吉野聲討寺岡，並提到她聽到寺岡的發言：「靠近革命左派是因為那是小組織，覺得很快就能成為幹部。」（二七三頁），因為在坂口的回憶錄中沒有記載這段插曲，故本文略過。

448 永田前掲《十六の墓標》下巻二七四—二七五頁。坂口前掲《続あさま山荘一九七二》八一—八六頁。坂東前掲《永田洋子さんへの手紙》一九〇頁。

449 永田前掲《十六の墓標》下巻二七六—二七七頁。坂口前掲《続あさま山荘一九七二》八六—八七頁。植垣前掲《兵士たちの連合赤軍》三〇八—三〇九頁。除了各成員發言的細節以外，包括大槻的發言，三人的回想幾乎一致。

450 永田前掲《十六の墓標》下巻二八一—二八二頁。坂口前掲《続あさま山荘一九七二》九〇—九三頁。植垣前掲《兵士たちの連合赤軍》三一二—三一三頁。本文記述三者的回想幾乎一致的部分。在永田的回想中提到，被森追究的寺岡回答自己曾經幻想過和大槻與金子睡，大槻和金子毆打寺岡（二七九頁），坂口和植垣的回憶中則沒有提到這個場面。杉村的發言引自高橋前掲《語られざる連合赤軍》一一五頁。

451 坂口前掲《続あさま山荘一九七二》九四頁。

452 永田前掲《十六の墓標》下巻二八二頁。坂口前掲『続あさま山一九七二』九六頁。

453 永田前掲《十六の墓標》下巻二八五頁。坂口前掲《続あさま山一九七二》九七頁。植垣前掲《兵士たちの連合赤軍》三一四頁。三人的回想細節略有出入，但旨趣幾乎相同，本文的記述以坂口回想為主。

454 加藤前掲《連合赤軍 少年A》一五五頁。

455 永田前掲《十六の墓標》下巻二八九頁。

456 同上書三〇三頁。植垣前掲《兵士たちの連合赤軍》三二一頁。

457 永田前掲《十六の墓標》下巻三〇四—三〇五頁。

458 大泉前掲《あさま山荘銃撃戦の深層》四二〇頁。

459 永田前掲《十六の墓標》下巻三一二—三一五頁。此外，永田在三〇五頁寫到當森批判金子時，自己擁護金子的發言：「我也不覺得〔金子〕有反抗。」

460 同上書三一九頁。

461 坂口前掲《続あさま山荘一九七二》一二二頁。

462 同上書一一七頁。

463 以下金子私刑的情形同上書一六三—一六七頁。但是金子「你幹嘛！」的發言，在永田前掲《十六の墓標》下巻三二五頁的記述中，是在一月二十八日的榛名基地毆打時，而植垣前掲《兵士たちの連合赤軍》三四四頁則是在被移往迦葉基地、被施加暴行時所說，此處以永田的回憶為主。

464 坂口前掲《続あさま山荘一九七二》一五〇—一五二頁。植垣前掲《兵士たちの連合赤軍》三三七頁。永田的發言也寫在永田前掲《十六の墓標》下巻三三七頁。

465 大泉前掲《あさま山荘銃撃戦の深層》四二四頁。

466 高橋前掲《語られざる連合赤軍》一二七頁。

467 〈金子みちよにとって革命とは何だったのか〉（《女性自身》一九七二年四月一日号）四九頁。當時有許多中傷聯合赤軍相關人士的文章，而這篇文章對金子表現出同情，算十分少見。

468 大泉前掲《あさま山荘銃撃戦の深層》五三七—五三八頁。

469 吉野雅邦〈獄中からの手紙〉（「実録・連合赤軍」編集委員会・

掛川正幸編《実録・連合赤軍』朝日新聞社、二〇〇八年所収）九頁。

470 大泉前掲《あさま山荘銃撃戦の深層》五三七頁。

471 同上書五四一頁。

472 以下關於杉田私刑，永田前掲《十六の墓標》下巻三四四—三五七頁。坂口前掲《続あさま山荘一九七二》一七八—二〇一頁。坂東前掲《永田洋子さんへの手紙》一九九—二〇三頁。植垣前掲《兵士たちの連合赤軍》三四二—三五九頁。所有的描述都幾乎一致。

473 高橋前掲《語られざる連合赤軍》二四八頁。

474 以下記述引自坂口前掲《続あさま山荘一九七二》一九〇—一九九頁。

475 高橋前掲《語られざる連合赤軍》一二八—一二九頁。

476 以下引自坂口前掲《続あさま山荘一九七二》二〇四—二〇六頁。

477 大泉前掲《あさま山荘銃撃戦の深層》四三〇頁。

478 加藤前掲《連合赤軍 少年A》一六七頁。

479 以下經過引自坂口前掲《あさま山荘一九七二》下巻一七—一八頁。

480 同上書一九—二〇頁。

481 以下經過引自永田前掲《十六の墓標》下巻三七八—三八二頁。

482 スタインホフ前掲《死へのイデオロギー》二二八頁。大泉前掲『あさま山荘銃撃戦の深層』五四一頁。

483 坂口前掲《あさま山荘一九七二》下巻二四頁。加藤前掲『連合赤軍 少年A』一六九頁。

484 坂口前掲《あさま山荘一九七二》下巻二四—二五頁。大泉前掲《あさま山荘銃撃戦の深層》一八頁。

485 大泉前掲《あさま山荘銃撃戦の深層》二六頁。

486 スタインホフ前掲《死へのイデオロギー》三一七頁。有關該別墅區的概況參見久能靖《浅間山荘事件の真実》（河出書房新社、二〇〇〇年。河出文庫版二〇〇二年）文庫版四〇頁。

487 大泉前掲《あさま山荘銃撃戦の深層》二六頁。

488 大泉前掲《あさま山荘銃撃戦の深層》二八頁。坂口前掲『あさま山荘一九七二』下巻四六、一三三頁。

489 加藤前掲《連合赤軍 少年A》一七七頁。

490 坂口前掲《あさま山荘一九七二》下巻七六頁。大泉前掲『あさま山荘銃撃戦の深層』二九頁。

491 坂口前掲《あさま山荘一九七二》下巻七七、七八頁。

492 同上書七七—七八頁。

493 同上書七八頁。

494 上書七八—七九頁。大泉前掲《あさま山荘銃撃戦の深層》五三頁。

495 大泉前掲《あさま山荘銃撃戦の深層》四一頁。加藤前掲『連合赤軍 少年A』一七九、一八〇頁。

496 坂口前掲《あさま山荘一九七二》下巻八〇、八一頁。

497 同上書八八、八九頁。

498 同上書九〇頁。

499 加藤前掲《連合赤軍 少年A》一八四頁。

500 坂口前掲《あさま山荘一九七二》下巻九二頁。

501 同上書九三頁。但是吉野雅邦在一九九九年的書簡中反駁坂口這裡的回憶，稱坂口其實是膽小的男人，「在皐月山莊被警察發現之前的方針，是把槍等武器埋在山莊的地板底下，裝扮成來滑雪的客人，朝東京的藏身處出發，這幾乎都是坂口獨斷的決定並打算實行。」（這個提案在坂口前掲《あさま山荘一九七二》下巻四六頁也有記載）吉野主張：「考慮到現實狀況，我想坂口心底應該是想迴避與警察直接對決，也就是迴避戰鬥。」（大泉前掲《あさま山荘銃撃戦の深層》九二、九六頁）無法判斷誰的主張比較接近事實，但吉野的主張是基於情況的猜測，而且從他向來對坂口心懷不滿來推測，很可能有批判坂口的傾向，因此本文姑且以坂口自身的回想來記述。另一方面，坂口對於自己和坂東的戰鬥慾望高亢表示：「逮捕後才知道，吉野因為失去戀人金子，逃出妙義山的時候，已經幾乎喪失戰鬥意志。」（坂口前掲《あさま山荘一九七二》下巻一三三頁）吉野批判坂口和坂東「膽小」的同時，如同在本文的記述，他主張因為自己讓金子死掉，當時是帶著赴死的心情戰鬥，但這一點是否為事實也不得而知。

502 同上書一一一頁。大泉前掲《あさま山荘銃撃戦の深層》一〇一頁。

503 大泉前掲《あさま山荘銃撃戦の深層》六三頁。

504 同上書七一頁。坂口前掲《あさま山荘一九七二》下巻八三頁。以下引自文庫版。

505 大泉前掲《あさま山荘銃撃戦の深層》九六頁。

506 佐々淳行《連合赤軍「あさま山荘」事件》（文藝春秋、一九九六年。文春文庫版一九九九年）文庫版三二頁。以下引自文庫版。

507 同上書三〇〇、三〇一、三〇四頁。

508 久能前掲《浅間山荘事件の真実》二九四頁。

509 同上書二九四－二九五頁。

510 スタインホフ前掲《死へのイデオロギー》二四六頁。

511 以下由警方揭露私刑殺人經過的內容，引自久能前掲《浅間山荘事件の真実》三四七－三五二頁。

512 大泉前掲《あさま山荘銃撃戦の深層》四三頁。

513 同上書四四頁。

514 〈人間失格　連合赤軍のショック〉（《週刊新潮》一九七二年三月二五日号）一二八頁。

515 不破的發言引自《週刊現代》三月二一日号，手塚的發言引自《朝日新聞》二月二九日。兩方皆轉引自久能前掲《浅間山荘事件の真実》三一二、三一四頁。

516 〈いまにして解けた『あさま山荘』籠城戦のナゾ〉（《週刊サンケイ》一九七二年三月三一日号）三四頁。

517 前掲〈連合赤軍総括 殺された側の行動と論理〉一二頁。前掲〈人間失格　連合赤軍のショック〉一二四頁。〈連合赤軍大量虐殺の酸鼻をこと細かに再現する！〉（《週刊ポスト》一九七二年三月二四日号）二〇頁。

518 〈凄惨！大量虐殺生んだ連合赤軍男女相愛図〉（《アサヒ芸能》一九七二年三月二三日号）一二頁。前掲〈人間失格　連合赤軍のショック〉一三二頁。〈連合赤軍　大量リンチ殺人の鬼気迫る全貌〉（《週刊明星》一九七二年三月二六日号）三九頁。〈最高司令官　永田洋子の戸籍調査〉（《週刊大衆》一九七二年三月三〇日号）二四頁。順帶一提，最後的發言是曾為法務總合

研究所第二部長樋口幸吉的發言。樋口在其著作《犯罪の心理》（大日本図書，一九七二年）也有討論聯合赤軍事件。

519 前掲〈凄惨！大量虐殺生んだ連合赤軍男女相愛図〉一三、一五頁。前掲〈大量リンチ殺人事件の鬼気迫る全貌〉四〇頁。但是森自己在逮捕後，於一九七二年十二月給坂口弘的書簡寫道：「我已經做好死刑的覺悟。」查証編集委員会編・発行《遺稿森恒夫》（一九七三年）四一頁。

520 〈赤軍兵士五人はこうして殺された〉（《週刊新潮》一九七二年四月八日号）二八頁。

521 前掲〈凄惨！大量虐殺生んだ連合赤軍男女相愛図〉一二頁。前掲〈連合赤軍大量虐殺の酸鼻をこと細かに再現する！〉二九、二八頁。〈大量リンチ殺人首謀者 森恒夫の正体〉（《週刊現代》一九七二年三月二三日号）二二頁。

522 前掲〈最高司令官 永田洋子の戸籍調査〉二六、二三、二七頁。「命ぎりぎりで展開した革命幻想人の相姦図」（《週刊サンケイ》一九七二年三月三一日号）二六頁。

523 〈連合赤軍〝人民裁判〟の全貌！〉（《週刊大衆》一九七二年三月二三日号）二八頁。

524 〈衝撃の総括『連合赤軍』事件〉（《週刊朝日》一九七二年三月二四日号）一八頁。前掲〈連合赤軍総括 殺された側の行動と論理〉一二頁。

525 〈衝撃の事件に動 する教育ママたち〉（《週刊言論》一九七二年四月七日号）一二二頁。

526 同上記事一二三、一二五頁。

527 池田清〈赤軍派を育てた『民主』教育〉（《文藝春秋》一九七二年五月号）一〇六頁。〈告発 ペンとマイクの先導者たちの優雅な生活〉（《週刊新潮》一九七二年四月八日号）。

528 前掲〈最高司令官 永田洋子の戸籍調査〉二二頁など。

529 前掲〈連合赤軍〝人民裁判〟の全貌！〉二六頁。

530 〈連合赤軍事件報道で光った『毎日』〉（《現代》一九七二年五月号）二九八頁。

531 〈銃撃戦を断固支持した赤色救援会はいま……〉（《週刊読売》一九七二年四月一日号）二〇頁。〈〝同志〟からも愛想をつかされた連合赤軍〉（《週刊文春》一九七二年四月一〇日号）三三頁。

532 前掲〈銃撃戦を断固支持した赤色救援会はいま……〉一九、二〇頁。

533 前掲〈銃撃戦を断固支持した赤色救援会はいま……〉一八、一九頁。阪井次郎〈新左翼各派はどう反応したか〉（《流動》一九七二年五月号）八八頁。

534 前掲〈銃撃戦を断固支持した赤色救援会はいま……〉一九頁。原嶋清一〈過激派集団4・一斉蜂起の極秘情報を洗う〉（《現代》一九七二年五月号）一一七頁。

535 阪井前掲〈新左翼各派はどう反応したか〉八四、八五頁。

536 同上論文八五頁。松本一美〈連合赤軍の闘いの軌跡に学ぶ〉（《現代の眼》一九七二年五月号）一〇九、一一五、一一〇頁。

537 前掲〈銃撃戦を断固支持した赤色救援会はいま……〉一八頁。

538 茶本前掲〈実録・永田洋子、森恒夫の正体を〝総括〟する〉八八—八九頁。

539 前掲〈〝同志〟からも愛想をつかされた連合赤軍〉三二頁。

540 大泉前掲《あさま山荘銃撃戦の深層》五〇三—五〇四頁。

541 同上書五〇五頁。革命左派對聯合赤軍事件的總結所出版的、日本共產黨（革命左派）神奈川縣常任編集委員會編《銃撃戦と〝粛清〟と》（序章社、一九七三年）中的定位，其主旨也是：川島主張的「反美愛國」路線與武裝鬥爭路線沒有錯，而意圖打造「統一赤軍」的永田等人，輕視群眾鬥爭、誤解武裝鬥爭的本質，川島在這本書中批評包括赤軍派在內的共產主義者同盟諸派的馬克思主義認識。川島後來出版與鹽見孝也的對談書籍《いま語っておくべきこと——革命的左翼運動の総括》（新泉社、一九九〇年），但是書中的聯合赤軍總結也完全以抽象的馬克思主義解釋與黨建設論出發的批判，並且認為「當時拋棄了群眾鬥爭」（一五六頁）。

542 阪井前掲〈新左翼各派はどう反応したか〉八五頁。

543 同上論文八五頁。前掲〈銃撃戦を断固支持した赤色救援会はいま……〉一九頁。植垣康博・鹽見孝也・平野悠「TALK BATTLE」（〈実録・連合赤軍〉編集委員会・掛川正幸編前掲《実録・連合赤軍》所収）一七一頁。

544 前掲（第四章）《全共闘白書》四一三頁。

545 茜・柴田編前掲（第一章）《全共闘》一二七頁。

546 山本美和子〈海外放浪して変わった〉（前掲《全共闘白書》所収）四九頁。

547 田中前掲《いのちの女たちへ》七〇、七一頁。

548 道浦前掲（第四章）《無援の抒情》一二二頁。

549 小阪前掲（第一章）《思想としての全共闘世代》一二八頁。

550 吉川勇一〈連合赤軍事件と市民運動〉（初出《市民》第八号、前掲〔第十三章〕《資料・「ベ平連」運動》下巻所収）一七七頁。

551 吉川前掲（第四章）〈国境をこえた『個人原理』〉二七五頁。

552 田中前掲《いのちの女たちへ》一三七頁。

553 NHK取材班前掲（第一章）〈東大全共闘〉三六二頁。

554 立松和平〈既に奪われた生命と流された血を〉（大槻前掲《優しさをください》所収）三頁。

555 鶴見・上野・小熊前掲（第三章）《戦争が遺したもの》三五三、三五四頁。

556 田中・上野前掲（第二章）《美津と千鶴子のこんとんとんからり》五六頁。

557 小中前掲（第一章）《私のなかのベトナム戦争》一七四—一七五頁。

558 船曳前掲（第一章）〈『東大闘争』とは何であったのか〉四五頁。

559 小阪前掲《思想としての全共闘世代》一二五頁。

560 大塚前掲《「彼女たち」の連合赤軍》。

561 池田前掲〈全共闘・新左翼とウーマン・リブ〉。

562 世話人 カズ（M・M）〈連合赤軍の現実はリブに何をつきつけているか〉（初出《5月リブ大会に向けて》ニュースNo3、一九七二年四月付、溝口・佐伯・三木編前掲（第十三章）《資料日本ウーマン・リブ史I》所収）三四四、三四五頁。

563 鈴木邦男〈ぼくにとってこの本はまさに教科書だった〉（植垣前掲《兵士たちの連合赤軍》所収）三九一頁。

564 鶴見・上野・小熊前掲《戦争が遺したもの》三五四頁。

565 永田前掲《続十六の墓標》一〇七頁。

566 同上書一〇六頁。

567 上野・加納前掲（第一章）〈フェミニズムと暴力〉六頁。但筆者認為，上野聲稱聯合赤軍事件「對於大部分與我同世代的人來說是個創傷」稍嫌誇大。如同第一章所述，這個世代中有「全共鬥經驗」的人，最多也不過百分之五。就算沒有參加運動的人也覺得這是個「創傷」，也沒辦法說「大部分同世代的人」都與上野有同樣的「創傷」經驗。

568 青砥前掲〈暗きなかを歩みて己が往くところを知らず〉八八頁。

第十七章　女性解放運動與「私我」

1 女性解放運動與當代的女性主義在人脈和系譜上有著連續性，因此在這個時期的運動中，是相對具有較多資料集及研究的領域。基礎資料除了有溝口、佐伯、三木編前掲〔第十三章〕《資料　日本ウーマン・リブ史》I－III卷（松香堂書店，一九九二、九四、九五年）之外，還有井上輝子、上野千鶴子、江原由美子編《日本のフェミニズム》第一卷（岩波書店，一九九四年）可當作女性解放運動的原始資料（該書在二〇〇九年發行了一系列的增補新版），另外，截至二〇〇六年的資料涵蓋全面的則是井上輝子、長尾洋子、船橋邦子的〈ウーマンリブの思想と運動——関連資料の基礎的研究〉（《東西南北》二〇〇六年版，和光大学総合文化研究所）。二〇〇八年發行了女性解放新宿中心資料保存會編《リブ新宿センター資料集成》（《リブニュースこの道ひとすじ》篇、手冊篇、傳單篇等共三卷，インパクト出版会，二〇〇八年）。當事人的回憶錄（也收錄資料）方面則有，探問女性們的現在(いま)會（女たちの現在(いま)を問う会）編前掲（第一章）《全共闘からリブへ》，及秋山洋子編著《リブ私史ノート》（インパクト出版会，一九九三年）。在研究方面，雖然還在剛起步的階段，但以加納實紀代《リブという〈革命〉》（インパクト出版会，二〇〇三年）作為契機，還有著鹿野政直《現代日本女性史——フェミニズムを軸として》（有斐閣，二〇〇四年）的思想史研究，以及西村光子《女たちの共同体(コレクティブ)》（社会評論社，二〇〇六年）關於女性解放運動（特別對於共生集團運動）的研究，相當充實。論文方面則有，從運動史出發的伊田廣之〈関西でのウーマン・リブとフェミニズムの思想と動向——七〇年-八五年〉（《大阪経大論集》第四十八卷四號，一九九七年），以及生瀬克己〈一九七〇年代初期における〈優生保護法改悪阻止〉をめぐるウーマン・リブと障害者問題に関する覚書〉（《桃山学院大学キリスト教論》第三十三號，一九九七年）等，從思想史觀點出發的岩本美砂子〈日本におけるフェミニズムと『政治』〉（《立命館大学人文科学研究所紀要》第七十八號，二〇〇一年）、以傳播媒體論研究取徑展開的齊藤正美〈『ウーマンリブとメディア』『リブと女性学』の断絶を再考する一九七〇年秋『朝日新聞』都内版のリブ報道を起点として〉（《女性学年報》二四號，二〇〇三年。本號為〈再考・女の戦後〉特集號），另有日本女性學會的《女性学》第十二號（二〇〇四年）刊登特集〈ウーマンリブが拓いた地平〉。除此之外，也有上野千鶴子〈戦後女性運動の地政学〉（收錄於西川祐子編《戦後という地政学》東京大学出版会，二〇〇八年）。談論到田中美津的文章則有金井淑子〈田中美津とフェミニズム——からだとエロスとエクリチュール・フェミニン〉（《理想》第六五九號，一九九七年。〈フェミニズムと哲学〉特集號）以及千田有紀〈《運動の思想》を読む十三　田中美津著『いのちの女たちへ』〉（《ピープルズ・プラン》第二十七號，二〇〇四年）。然而如同本書中提到的，本章節的重點並非全方位描繪當時的女性解放運動與田中美津的形象，而僅僅只是沿著本書的主題而論，因此本章與上述研究的研究取徑並不相同。

2 這是二〇〇八年時，筆者參加了某場有多位前女性解放運動者們出席的研討會的經驗。當筆者問及過去對田中的武裝鬥爭論有何看法時，在場的前女性解放運動者們卻回答，完全不知道田中的武裝鬥爭論，又或是沒什麼印象。藉由這件事可以看出，田中的文本作品，也是當時的女性們依據自己喜好而選擇性地接受，田中的武裝鬥爭論完全不被喜愛，從而沒有任何影響力。因此，本章的研究取徑——討論田中在武裝鬥爭論之後的「轉換」，對當時的女性解放運動者而言，或許會被認為是捨棄了被同時代人認為是田中魅力的內容。根本上來說，本書並無意圖想要描繪田中整體形象、影響力、魅力，更沒有打算定位她的思想。本書選擇討論田中的轉換，僅是為了將其作為論述本書主題的題材。

3 上野千鶴子〈どう生きたか、その評価を他人に委ねてはいけない〉（《婦人公論》二〇〇七年十一月七日號）頁二四。

4 秋山洋子、池田幸子、井上輝子〈東大闘争からリブ、そして女性学、フェミニズム〉（收錄於前揭《全共闘からリブへ》）頁四二。

5 酒井和子〈女というマイノリティを見つけて〉（收錄於前揭《全共闘からリブへ》）頁一〇〇。

6 船橋前揭（第二章）〈全共闘運動とジェンダー〉頁九六。

7 〈ママは昔『ゲバルト・ローザ』という凄い女でした〉（《ヤングレディ》一九七一年七月五日號）頁四八。

8 〈〝全学連〟女子学生の先輩後輩〉（《週刊新潮》一九六六年六月一八日號）頁一二二。

9 前揭（第二章）〈〝革命家のセックスも愛情の結果よ〟〉頁六一。

10 前揭〈〝全学連〟女子学生の先輩後輩〉頁一二三。

11 前揭（第一章）〈全学連女性闘士二十五人の愛情報告〉頁一一八。

12 以下大原筆記的引用內容，出自大原前揭（第二章）《時計台は高かった》頁六二、八四—八五。

13 前揭（第四章）〈起訴された反日共系女子学生の〝私の遍歴〟〉頁一一八。

14 前揭〈〝全学連〟女子学生の先輩後輩〉頁一二二。

15 前揭（第二章）〈暁の手入れと八人の女子学生〉頁三九。

16 渡邊前揭（第十三章）〈学生運動からウーマン・リブへ〉頁一三一。

17 前揭（第一章）〈全学連女性闘士の思想と行動力〉頁二二一。

18 前揭〈暁の手入れと八人の女子学生〉頁四〇。

19 以下關於上野回憶內容的引用出自上野、加納前揭（第一章）〈フェミニズムと暴力〉頁一四、一五。

20 稲邑恭子〈流れ流れて〉（收錄於前揭《全共闘からリブへ》）頁一〇四。

21 前掲〈全学連女性闘士二十五人の愛情報告〉頁一一九。
22 米津前掲（第十三章）〈バリケードをくぐって〉頁一二二。番場前掲（第四章）〈全共闘運動の突破口としての『性差研』創設〉頁一一六。
23 森前掲（第二章）〈『男並み女』からリブへ〉頁一六五、一六六。
24 大原前掲《時計台は高かった》頁二二、一四四、一四五。
25 〈〝闘う中核〟をゆさぶるウーマン・リブ造反〉（《週刊文春》一九七一年八月十六日號）頁三九。
26 生田前掲（第十四章）〈内ゲバ――その構造的暴力と女性・子ども〉頁一二八。
27 前掲（第十三章）〈女子留置場　四・二八逮捕女子大生の告白〉頁三二。
28 上野、加納前掲〈フェミニズムと暴力〉頁一四。
29 秋山、池田、井上前掲〈東大闘争からリブ、そして女性学、フェミニズム〉頁四一。
30 稲垣真美〈全共闘女性リーダーの愛と苦しみ〉（《週刊読売》一九七〇年四月一七日號）頁四八。
31 渡邊前掲〈学生運動からウーマン・リブへ〉頁一三一―一三二。
32 生田前掲〈内ゲバ――その構造的暴力と女性・子ども〉頁一二九。
33 前掲〈全学連女性闘士二十五人の愛情報告〉頁一一九。
34 同上記事頁一一九。
35 町野前掲（第二章）〈性解放の名のもとに〉頁一二四。
36 稲垣前掲〈全共闘女性リーダーの愛と苦しみ〉頁五二。
37 上野前掲〈どう生きたか、その評価を他人に委ねてはいけない〉頁二四。
38 上野千鶴子《ミッドナイト・コール》（朝日新聞社，一九九〇年）頁二〇。
39 町野前掲〈性解放の名のもとに〉頁一二五。
40 山口前掲（第一章）《団塊ひとりぼっち》頁一六〇―一六一。
41 町野前掲〈性解放の名のもとに〉頁一二四。
42 駒尺喜美〈フェミニズムは私の生き方そのもの〉（《思想の科学》一九九三年五月號）頁一五六。
43 佐伯洋子〈キャンパスから（学生リブ）〉（收錄於前掲《資料日本ウーマン・リブ史I》）頁一〇一。
44 山口前掲《団塊ひとりぼっち》頁一五〇。
45 所美都子《わが愛と叛逆》（神無書房，一九六九年）頁二一四。
46 同上書頁一七五、一七六。
47 以下關於北村的引用內容出自北村雪美〈女の『言葉』と『革命』〉（《現代の眼》一九六九年七月號）。
48 前掲〈〝革命家のセックスも愛情の結果よ〟〉頁六三。
49 鶴見、上野、小熊前掲（第三章）《戦争が遺したもの》頁三二一。
50 上野前掲〈どう生きたか、その評価を他人に委ねてはいけない〉頁二四。
51 以下日本婦人會議的聲明之引用內容，以及不參加日本母親大會的來龍去脈，引用自日本婦人會議〈私たちはなぜ、第十五回日本母親大会に不参加を決定したのか〉（收錄於前掲《資料日本ウーマン・リブ史I》）頁二二以及註腳。

52 上述日本婦人會議參加反安保鬥爭的經過，引用自前掲《資料　日本ウーマン・リブ史I》頁二三的MEMO欄。

53 井筒起美子〈終りごろ参加した者として〉頁一九八。飯島的經歷可參考飯島愛子〈なぜ『侵略＝差別と闘うアジア婦人会議』だったのか〉。同樣收錄在前掲《全共闘からリブへ》。另外，飯島愛子《〈侵略＝差別〉の彼方へ》（インパクト出版会，二〇〇六年）雖能當作飯島的自傳，但關於亞洲婦人會議活動開始後的情況，由於她本人的離世而沒有記錄其中。

並且，依照井筒前掲〈終りごろ参加した者として〉頁一九八所描述：「飯島小姐的外表與她在運動中的嚴肅發言的形象相去甚遠，是個真正意義上實踐了性解放的人」，在文中記述著，飯島「彷彿騷擾似的」說起「往事」，她提到，「每個晚上，太田龍先生都在房門外『喵喵』叫地跑來求歡，在初潮還沒來之前我就先有了初體驗，也有了性高潮」。飯島的記錄裡，自己有位採取打入主義而加入了社會黨的托洛斯基主義者前夫，雖然飯島沒有明言這位前夫是太田龍（在自傳裡以「K・T」代稱），但從「K・T」的經歷來看，幾乎可以確定這個推測。

54 以下的引用內容出自飯島愛子〈どのように闘うことが必要とされているのか〉（一九六九年十月四日）頁二六、二七、二八，以及飯島愛子〈母親大会にかんする問題についての私の考え〉（一九六九年十月七日）頁二九。兩者皆收錄於前掲《資料　日本ウーマン・リブ史I》。

55 飯島愛子〈日本婦人会議＝一九六九年反安保の闘い〉（一九六九年十二月，收錄於前掲《資料　日本ウーマン・リブ史I》）頁三二。

56 參加品川地區救援會黨員志願者一同　飯島愛子等〈救援活動に参加し、あるいは、それを支持している全都の婦人党員および日本婦人会議会員の皆さんへ〉（一九七〇年三月，收錄於前掲《資料 日本ウーマン・リブ史I》）頁三三—三四。

57 飯島前掲〈なぜ『侵略＝差別と闘うアジア婦人会議』だったのか〉頁一八五。

58 以下的引用內容出自侵略＝差別と闘うアジア婦人会議〈〝侵略＝差別と斗うアジア婦人会議〟に参加しよう〉（一九七〇年二月二十五日，收錄於前掲《資料 日本ウーマン・リブ史I》）頁三三。

59 飯島前掲〈なぜ『侵略＝差別と闘うアジア婦人会議』だったのか〉頁一八八。

60 松岡洋子〈〝七〇年大会基調報告[八月二十二日]『侵略＝差別と斗うアジア婦人会議』〉（一九七〇年一〇月二十五日，收錄於前掲《資料　日本ウーマン・リブ史I》）頁四四。

61 前掲〈全共闘女性リーダーの愛と苦しみ〉頁五一。

62 與侵略＝差別戰鬥的亞洲婦人會議速報〈さらに輪をひろげよう〉（一九七〇年三月二十七日，收錄於前掲《資料　日本ウーマン・リブ史I》）頁三四。

63 飯島愛子〈問題提起　婦人運動と〝差別〟について〉（初出《侵略＝差別と斗うアジア婦人会議討議資料第一集》，一九七〇年五月二十日，收錄於前掲《資料　日本ウーマン・リブ史I》）頁三七。

64 松岡前掲〈〝七〇年大会基調報告[八月二十二日]『侵略＝差別

と斗うアジア婦人会議』〉頁四六。

65 高良真木〈在日アジア人への差別と私たち〉（初出《侵略＝差別と斗うアジア婦人会議討議資料第一集》，一九七〇年八月八日，收錄於前揭《資料 日本ウーマン・リブ史Ⅰ》）頁三九。

66 〈第一回『侵略＝差別と斗うアジア婦人会議』一日目全体会〉（收錄於前揭《全共闘からリブへ》）頁一八七。

67 飯島前揭〈なぜ『侵略＝差別と闘うアジア婦人会議』だったのか〉頁一八八、一八六。

68 〈侵略＝差別と斗うアジア婦人会議〉（收錄於前揭《資料 日本ウーマン・リブ史Ⅰ》的解說文）頁一九。在此解說文中，就連與亞洲婦人會議有關聯的加納實紀代也提出異議。參考加納實紀代《まだ「フェミニズム」がなかったころ》（インパクト出版会，一九九四年）頁三〇〇。加納推測，或許松岡洋子等人的退出，以及亞洲婦人會議的事務所從松岡事務所搬到一間小獨棟，是讓「與侵略和歧視戰鬥的亞洲婦人會議」被當成「自然消滅」的其中一個原因。

69 飯島前揭〈なぜ『侵略＝差別と闘うアジア婦人会議』だったのか〉頁一九三。

70 同上論文頁一九二—一九三。

71 以下的引用內容出自東大C　四五SI二一　志願者〈〈女性解放〉とは何をどうするなのか…〉（初出一九七〇年十月，收錄於前揭《資料　日本ウーマン・リブ史Ⅰ》）頁一〇三。

72 のいたしろこ〈似非インテリ女から脱出せよ！〉（初出一九七〇年十月，收錄於前揭《資料　日本ウーマン・リブ史Ⅰ》）頁一〇五、一〇四。

73 松岡前揭〈七〇年大会基調報告[八月二十二日]『侵略＝差別と斗うアジア婦人会議』〉頁四六。

74 座談會〈労働と性〉（初出《侵略＝差別と斗うアジア婦人会議討議資料第三集》一九七〇年十月四日，收錄於前揭《資料 日本ウーマン・リブ史Ⅰ》）頁四一。

75 同上座談會頁四一。然而，影山並非完全是當時的女性解放運動一面倒的批判對象。出生於一九三二年的影山，在進入東京大學後，直接向學部長訴請興建女子學生宿舍，並提出了「無能、怠惰教授排名表」的想法。之後，「為了開拓新天地」而考取公務員上級測驗且順利合格，然而卻被告知各機關（省）規定除了「清潔女工」以外不會雇用女性員，不得已只能從自己所屬的經濟學部收到的五百間企業職缺裡，詢問沒有明文規定「女性除外」的二十間企業，其中有十七間回覆「沒有想到會有女性來應徵」，最終她在剩下的三間公司都獲得錄取後，選擇進入了電電公社。之後，為了對抗經濟高度成長期時歌頌的「男性力量（Man Power）」而提出了「女性力量（Woman Power）」，在邀請了土光敏夫的「活用女性力量大會」上，從各家企業招來一百位女性員工帶著面具進行演出，並且開放討論「女性員工是這麼想的」、「這種主管還是快寫辭呈吧」等主題。因此在女性解放運動中，一方面批判著「和男人同等」地活躍於資本主義社會中的影山，另一方面也對她展現出一定程度上的共感。一九七二年四月三十日的「五月女性解放運動第一屆大會」的前日夜祭中，影山與「亞洲婦人會議負責人飯島愛子小姐」、「浦和市議會議員小澤遼子小姐」（關於曾是埼玉越平聯核心人物的小澤遼子當選的過程，請參考第十五章）並列，以「創造出女性力量一詞的影山裕子小姐」的身分受邀出席。以上的經過參考影山的自傳《わが道を行く——職場の女性の地位向上をめざして》（学陽書房，二〇〇一年）以及鹿野前掲《現代日本女性史》頁六三—六四。影山的《女性的能力與開發》在一九六八年由日本經營出版會發行。

76 來自與性別歧視戰鬥的全學聯女性（性の差別と闘う全学連の女より）〈八・四革共同政治集会に集結したすべての人たちに〉（收錄於前掲《資料　日本ウーマン・リブ史I》）頁一二五、一二六。

77 〈今秋の闘いのためにこそ女性を革命主体として今、組織しぬく方向を提起する〉（收錄於前掲《資料　日本ウーマン・リブ史I》）頁一二八、一二七。

78 女戰線〈自らの女を奪還する闘いを！〉（初出一九七〇年十月，收錄於前掲《資料　日本ウーマン・リブ史I》）頁一〇八。

79 〈あでぃしょん〉（初出一九七〇年十月，收錄於前掲《資料　日本ウーマン・リブ史I》）頁一〇八。

80 東大C　四五SI二一　志願者前掲〈〈女性解放〉とは何をどうすることなのか…〉頁一〇二。

81 飯島愛子〈女にとって差別とは何か〉（一九七〇年十一月六日，收錄於前掲《資料　日本ウーマン・リブ史I》）頁四七、五二。

82 〈自らのSEXを目的意識的に引き受ける中から七〇年代を勃起させせよ！！〉（一九七〇年五月十二日，收錄於前掲《資料　日本ウーマン・リブ史I》）頁一七一。

83 メトロパリチェン〈斗！　おんな　創刊について〉（初出《斗！　おんな》創刊號，一九七一年春，收錄於前掲《資料　日本ウーマン・リブ史I》）頁一五一。

84 飯島前掲〈女にとって差別とは何か〉頁五二。

85 Noita（のいた）前掲〈似非インテリ女から脱出せよ！〉頁一〇四。

86 森節子（Morisetsuko）〈四・二六思想集団エス・イー・エックス　結成集会総括〉（收錄於一九七〇年五月，收錄於前掲《資料　日本ウーマン・リブ史I》）頁一七一。

87 〈全学連第三十回定期全国大会での性の差別=排外主義と戦う決意表明〉（一九七一年七月十六日，收錄於前掲《資料　日本ウマン・リブ史I》）頁一二四。這份資料集標註的日期為一九七一年七月十五日，不過如同後文所述，這場演說是在大會第二天的七月十六日舉行。

88 女性解放運動準備會〈女性解放運動準備会アッピール！〉（一九七〇年十月，收錄於前掲《資料　日本ウーマン・リブ史I》）頁一八八。

89 戰鬥女性同盟（斗う女性同盟）前掲（第十四章）〈春も盛りだというのにまだ穴から出てこないあなたへ〉（一九七一年五月，收錄於前掲《資料　日本ウーマン・リブ史I》）頁一一五。

90 小林前掲（第十四章）〈入管闘争から女性問題へ〉頁一四九。而上野在一九九四年開始發行的全八卷資料集《日本のフェミニズム》的第一卷《ブとフェミニズム》的解說文〈日本的女性解放運動〉（日本のリブ，收錄於井上、上野、江原編前掲

《日本のフェミニズム》第一卷）頁八－九以及頁二六－二七裡，提出以下主張。

女性解放很容易被誤解為高舉「被害者正義」的運動。然而，如前揭〈全学連第三〇回定期全国大会での性の差別＝排外主義と戦う決意表明〉頁一二三中提到的「日本陸軍慰安婦有九十%是朝鮮女性」、「身為壓迫民族的日本人的悲慘」可見，當時的女性解放運動家對於自己作為「加害者」的身分有所自覺。因此，批評家小濱逸郎所說的「女性主義式教條的一種展現，是將性別歧視與其他例如民族歧視、障礙者歧視等同一而論，『因為我們都是被虐待的人、是弱勢、是少數群體，所以相互串連吧』的這種串連意識的操作方法已然根深蒂固」、「這個想法基本上就是錯的」等論述，是對於女性主義及女性解放運動的「無知」與「曲解」，是一種「稻草人謬誤」。

然而，當時的女性解放運動強調與民族歧視及障礙者歧視的相似處，也的確是事實。其理由之一為，如同S・O〈全学連三十回大会を革命の名の下に踏みにじった中核派諸君への訣別と、裏切りを許容した私への自己批判〉（一九七一年十二月，收錄於前揭《資料　日本ウーマン・リブ史Ⅰ》）頁一三二所提到的，當時的中核派女性幹部以這樣的論述方式批判了女性解放運動：「首先，我們是日本人，是一般民眾，是本土的人，是健全的人。因為我們身為歧視者、壓迫者所以要站出來鬥爭，而因為作為女性所以受到了壓迫，從而挺身鬥爭的這件事，得排在那之後。」以這種說詞批判女性解放運動的並不限於中核派，也非少數人。

也就是說，當時的女性解放運動存在於矛盾的脈絡之中：在具有身為「壓迫民族」與「加害者」自覺的同時，也為了對抗包括來自於「與男性同等的女性幹部」的批判，從而必須尋求被歧視者之間的共同性。上野對小濱的反論，認為當時的女性解放運動並不單是依循「被害者意識」的這種說法並沒有錯，但有著上述的層面也是事實。

91 ノンノン〈もう『支援』には行かない！〉（一九七一年三月，收錄於前揭《資料　日本ウーマン・リブ史Ⅰ》）頁一一九。

92 思想集團S・E・X〈学生リブへ向けて〉（一九七一年十一月）頁一八一。P〈競争社会の不安で硬直した心身をわずかづつでも開いてゆけ〉（一九七二年一月，收錄於前揭《資料　日本ウーマン・リブ史Ⅰ》）頁一八三－一八四。

93 前揭〈全学連第三十回定期全国大会での性の差別＝排外主義と戦う決意表明〉頁一二四。

94 飯島前揭〈女にとって差別とは何か〉頁五二。

95 〈おんなの闘いの組織化へ向けて〉（初出《斗！　おんな》四號，一九七一年四月，收錄於前揭《資料　日本ウーマン・リブ史Ⅰ》）頁一五八。

96 女戰線前揭〈自らの女を奪還する闘いを！〉（收錄於前揭《資料　日本ウーマン・リブ史Ⅰ》）頁一〇八。

97 〈第三の性〉（初出《ラディカル・リブグループ通信》No.一，一九七〇年十一月二十九日，收錄於前揭《資料　日本ウーマン・リブ史Ⅰ》）頁一一一。

98 S・O前揭〈全学連三十回大会を革命の名の下に踏みにじった中核派諸君への訣別と、裏切りを許容した私への自己批判〉頁一三五。

99 飯島前掲〈女にとって差別とは何か〉頁五一。

100 同上論文頁五一。

101 S・O前掲〈全学連三十回大会を革命の名の下に踏みにじった中核派諸君への訣別と、裏切りを許容した私への自己批判〉頁一三五。

102 小林前掲〈入管闘争から女性問題へ〉頁一四三。

103 激進・女性解放團體（ラディカル・リブグループ）前掲〈第三の性〉頁一一一、一一二。

104 女戰線〈女戰線学習会レジュメ〉（一九七〇年十一月八日，收錄於前掲《資料　日本ウーマン・リブ史I》）頁一〇九。

105 以下這位女性運動者的發言，出自前掲〈全学連第三十回定期全国大会での性の差別=排外主義と戦う決意表明〉頁一二二、一二一。

106 田中等人前掲座談會（第二章）〈だめ連は二十一世紀のあたりまえ〉頁二六〇。

107 上野千鶴子《ナショナリズムとジェンダー》（青土社，一九九八年）頁九五、九六。

108 上野前掲《ミッドナイト・コール》頁一三三。

109 田中、上野前掲（第二章）《美津と千鶴子のこんとんとんからり》頁九—一〇。

110 井上輝子、上野千鶴子、江原由美子、天野正子〈編集にあたって〉（收錄於前掲《リブとフェミニズム》）頁i。

111 上野前掲〈どう生きたか、その評価を他人に委ねてはいけない〉頁二四。

112 來自與性別歧視戰鬥的全學聯女性前掲〈八・四革共同政治集会に集結したすべての人たちに〉頁一二五。〈女鬪士が〝大反乱〟中核派全学連大会・議事録〉（《週刊プレイボーイ》一九七一年八月二四日號）頁三八。

113 前掲〈全学連第三十回定期全国大会での性の差別=排外主義と戦う決意表明〉頁一二〇、一二一、一二三、一二四。

114 以下的自我批判以及其對應，出自前掲〈〝闘う中核〟をゆさぶるウーマン・リブ造反〉頁三七、三八。前掲〈女鬪士が〝大反乱〟中核派全学連大会・議事録〉頁三八。前掲（第十四章）〈全学連各派〝沖縄国会〟に照準〉頁七六。各自的文章在發言表現的細節上多少有異同，因主旨相同而適當採用。

115 前掲〈女鬪士が〝大反乱〟中核派全学連大会・議事録〉頁三九。

116 上述的引用為女戰線前掲〈自らの女を奪還する闘いを！〉頁一〇八—一〇九。noita前掲〈似非インテリ女から脱出せよ！〉頁一〇六、一〇四。激進・女性解放團體前掲〈第三の性〉頁一一二。Metropoliten〈おんなであることから出発したおんなの闘争を！〉（一九七〇年十月二十一日，收錄於前掲《資料　日本ウーマン・リブ史I》）頁一五〇。

117 上野前掲《ミッドナイト・コール》頁一三四。

118 米津知子〈思想集団エス・イー・エックス〉（收錄於前掲《資料　日本ウーマン・リブ史I》）頁一八七。

119 菊水會　EMI〈二十才にむけての闘争宣言〉（一九七二年一月十五日，收錄於前掲《資料　日本ウーマン・リブ史I》）。

120 遠藤美咲、織田道子、北山黎子、武田美由紀、生原玲子、町野美和、森節子、米津知子、若林苗子〈リブセンをたぐり寄せてみる〉（收錄於前揭《全共闘からリブへ》）頁二〇六。然而，加納實紀代（譯註：小熊原文誤植為「美紀代」）、田中美津〈真面目はマジョルカの薔薇で、不真面目はシシリーの花〉（初出《インパクション》第八十九號，一九九四年十一月，收錄於田中美津《かけがえのない、大したことのない私》インパクト出版会，二〇〇五年）頁四五中提到，田中表示對於是否在亞洲婦人會議的大會上發放傳單「已經記不得了」、「因為這位町野小姐，是個常常記錯事情的人」。同樣出席這次大會的加納也回應「我並不記得有什麼〔穿著白色迷你裙發傳單的〕嬌小女性」。綜觀上述，雖然事實尚不明瞭，在這裡先採納町野的證詞。

121 田中前揭（第二章）《いのちの女たちへ》頁一一九、一二二、一一八。加納、田中前揭〈真面目はマジョルカの薔薇で、不真面目はシシリーの花〉頁四三。田中美津〈未来を摑んだ女たち〉（收錄於岩崎、上野、北田、小森、成田編前揭〔第三章〕《戰後日本スタディーズ二　六〇・七〇年代》）頁二八一—二八二。

122 田中前揭〈未来を摑んだ女たち〉頁二八五。田中前揭《いのちの女たちへ》頁一二六、一二七、一三七。

123 田中前揭《いのちの女たちへ》頁一三五。

124 同上書頁一四一。

125 田中前揭〈未来を摑んだ女たち〉頁二八一、二八五、二八四、二八九。

126 同上訪談，頁二九〇、二九三—二九四、二九一。

127 田中前揭《いのちの女たちへ》頁一一五。

128 田中美津〈世界は『野蛮』を待っている〉（收錄於前揭《全共闘からリブへ》）頁二五四。田中美津〈〈リブという革命〉がひらいたもの〉（二〇〇四年三月的演講，收錄於田中前揭《かけがえのない、大したことのない私》）頁二七四。前者的文章中，田中說道，「正確地被傳頌的『過去』，不管在誰的口袋中找都是找不到的」、「即使如此，還是只能用井然有序的話語表現自我的貧乏，熱愛學習的『女性主義者』們請快點察覺到這點吧。」另外，田中、上野前揭《美津と千鶴子のこんとんとんからり》頁二一五中提到，她「不想讓他人詮釋自己」，甚至不想被「類別化」、「被概括而論就會覺得火大」。想必田中對於自己的著作被當作「研究對象」應該會感到十分不愉快。然而，田中在前揭〈世界は『野蛮』を待っている〉中寫到「這世界上一切的問題，都需要同時具有從宏觀角度與從微觀角度來看的這兩種人」（頁二五四）。也因此，本章中對於田中著作的定位，也不妨可以看作是「從宏觀角度來看的人」的行為。

129 田中美津〈便所からの解放〉（一九七〇年八月，收錄於前揭《資料　日本ウーマン・リブ史Ⅰ》）頁二〇五。

130 同上傳單頁二〇二、二〇三、二〇六。田中美津〈エロス解放宣言〉（收錄於一九七〇年八月，前揭《資料　日本ウーマン・リブ史Ⅰ》）頁一九五。

131 田中美津〈女性解放への個人的視点〉（一九七〇年八月付，收錄於前揭《資料　日本ウーマン・リブ史Ⅰ》）頁一九七、一九八。田中前揭〈便所からの解放〉頁二〇七。

132 田中美津〈反論を待つために！〉（一九七〇年八月，收錄於前揭《資料　日本ウーマン・リブ史Ⅰ》）頁一九三。田中前揭

〈女性解放への個人的視点〉頁一九八、二〇一。

133 首藤久美子〈優生保護法改悪阻止運動と『中ピ連』〉（收錄於前掲《全共闘からリブへ》）頁二六一。

134 有馬真喜子〈ぐるーぷ・闘うおんな〉（《現代の眼》一九七一年二月號）頁二三八—二三九。

135 前掲座談會〈リブセンをたぐり寄せてみる〉頁二〇五。宮岡前掲（第四章）〈二十一世紀の女たちへ〉頁一五八。

136 田中前掲〈女性解放への個人的視点〉頁一九六、二〇〇。順帶一提，田中似乎也不是為了想抓住他人目光，才策略性地穿上「帥氣」的服裝。田中美津〈不埒がいのち〉（前掲新裝版《いのちの女たちへ》後記）頁三八一提到，對於七〇年代前半的自己踩著高跟鞋，站立在示威遊行的最前端的照片，田中如此說道：「參與女性解放運動的女人與高跟鞋……看起來很怪對吧」、「穿什麼是看當天的心情，或許剛好那天我想做如此過激（？）的打扮吧。會這麼做也是因為，如果總是穿T-shirt和牛仔褲，那就如同世間對我的印象『拒絕女性氣質的女性解放運動的女人』，作為不羈的女人的我在想，『怎麼可以接受自己變成那麼簡單好懂的女人呢』」。如同後續描述，田中相信「比起在其他人的眼中是什麼樣子，問題其實一向都是自己是誰」，比起穿著「帥氣的」服裝吸引他人目光，她更接近於一個重視自我內在的人。

137 石井紀子、小川篤子、小泉美代、加納實紀代（司儀）〈三里塚に生きて〉（收錄於前掲《全共闘からリブへ》）頁四〇二。

138 前掲座談會〈リブセンをたぐり寄せてみる〉頁一〇七。

139 田中前掲〈〈リブという革命〉がひらいたもの〉頁二七九、二七六。

140 前掲座談會〈リブセンをたぐり寄せてみる〉頁二〇七。

141 田中等人前掲座談會〈だめ連は二十一世紀のあたりまえ〉頁二五二。

142 田中前掲〈世界は『野蛮』を待っている〉頁二五四。

143 田中前掲《いのちの女たちへ》頁一九、一〇二、一一九。

144 田中美津〈混沌を引き受けて生きたい〉（初出《くらしと教育をつなぐWe》一九九五年二・三月號，收錄於田中前掲《かけがえのない、大したことのない私》）頁六一。田中前掲〈〈リブという革命〉がひらいたもの〉頁二七七、二七九。

145 田中前掲〈〈リブという革命〉がひらいたもの〉頁二七三。

146 田中前掲《いのちの女たちへ》頁一一七—一一八。

147 田中前掲〈〈リブという革命〉がひらいたもの〉頁二七八。

148 田中前掲《いのちの女たちへ》頁一一六。

149 田中美津〈自縛のフェミニズムから抜け出して〉（二〇〇四年六月的日本女性學會上發表的演講，收錄於田中前掲《かけがえのない大したことのない私》）頁一〇五。

150 田中前掲《いのちの女たちへ》頁三八二、一四四（前者出自新裝版的後記〈不埒がいのち〉）。

151 同上書頁一一六、一一七。

152 同上書頁一二四。

153 同上書頁九三—九四、一二〇。

154 同上書頁一二六、一三九。

155 同上書頁一二七、二三五。

156 同上書頁二七三。

157 同上書頁二三五。

158 同上書頁二三三。

159 同上書頁三五、二一。

160 同上書頁三一。

161 同上書頁一〇、一六八。

162 田中前掲〈世界は『野蛮』を待っている〉頁二五六、二五三。

163 田中等人前掲座談會〈だめ連は二十一世紀のあたりまえ〉頁二五八。

164 田中前掲〈不埒がいのち〉頁三八二。

165 加納、田中前掲〈真面目はマジョルカの薔薇で、不真面目はシシリーの花〉頁五三。

166 〈やりますわよ〝おんな解放〟〉（《朝日新聞》一九七〇年十月二十二日）。

167 斎藤美奈子〈解題〉（收錄於前掲《いのちの女たちへ》）頁三六九。

168 齊藤前掲〈『ウーマンリブとメディア』『リブと女性学』の断絶を再考する〉。

169 秋山洋子〈和製英語『ウーマン・リブ』の誕生〉（收錄於秋山編著前掲《リブ私史ノート》）。

170 上野千鶴子〈リブの声〉（收錄於前掲《リブとフェミニズム》）頁三八。田中美津在一九七〇年八月的一系列傳單上，使用「Lib」一詞代指美國的女性解放運動，並且在「像日本爭取女權鬥爭的美國版一樣」、「Lib運動讓人感覺就像是在創造一個滿溢著歇斯底里的男性排外主義的女權國家」（田中前掲〈便所からの解放〉頁二〇五）等語句上否定性的使用該詞。因此，上野寫道，「在日本的女性主體性地選擇使用『Lib』這個名字的過程中，充滿著曲折迂迴。」（上野前掲〈日本的女性解放運動〉頁二七—二八）。此處可以感受到上野想要表達「日本的女性解放運動」並不是一種「舶來品」的意志。確實如上野指出的，田中在早期的傳單上對美國的Lib帶著批判之意（雖然其中混雜了許多誤解），當時的人們在「選擇使用『Lib』」的「過程中，充滿著曲折迂迴」的確也是事實。

然而另一方面，在中山潔子〈『性差別への告発』を読んだら私も言いたくなって〉（出自《れ・ふぁむ》第六號，一九七一年七月四日，收錄於前掲《資料　日本ウーマン・リブ史I》）頁六九也有這樣的文字，「一九七〇年八月二十七日夜晚，我雀躍不已地盯著電視播放的新聞。二十六日在美國舉行了一場只有女性的一日罷工活動」、「女性解放運動這樣美妙的話語，雖然已經被新聞記者的男性們隨意用髒手玷汙了，但對我來說現在它依然沒有失去其應有的光芒」。即使一九七〇年八月時的田中對美國的「Lib」持批判的態度，但不是所有的女性都這麼想。又例如本章提過的「激進・女性解放組織」，也有從一九七〇年開始就自稱為女性解放的團體。借用本文中所引述的首藤久美子的話來說，就是「有多少試著自我解放的女性，就存在著多少種女性解放運動」，這個問題很難一概而論。雖然「Lib」這個名稱的確在一九七〇年時被運動當事者們廣泛地使用，但真正積極地反對使用這一詞的案例，也僅限於特定時期的田中，到了一九七一年就自然發展成了固定用詞，因此本文對於一九七〇年的資料也一併使用「Lib」這個稱呼。

171 匿名〈闘う女性同盟のなり立ちについて〉（收錄於前掲《資料

日本ウーマン・リブ史Ⅰ》）頁二一六。

172 田中美津〈一歳年をごまかして……、それが私の原点なのよ〉（二〇〇〇年十二月的演講，收錄於田中前揭《かけがえのない大したことのない私》）頁八五。

173 有馬前揭〈ぐるーぷ・闘うおんな〉頁二三八。

174 田中前揭《いのちの女たちへ》頁五七、四五、二四一、二〇六、一〇六。

175 同上書頁二〇七。

176 同上書頁二〇八、二一〇、一六〇、六六。

177 田中前揭〈便所からの解放〉頁二〇六。

178 田中前揭《いのちの女たちへ》頁一六七、一八六。

179 同上書頁二八八、七一。

180 同上書頁六九、二五五。

181 同上書頁七一。

182 Group・戰鬥的女人〈女性は生殖器を持つ労働商品か〉一九七〇年十一月，收錄於前揭《資料　日本ウーマン・リブ史Ⅰ》）頁二一七、二一八。

183 Group・戰鬥的女人〈闘うおんなから三里塚の農民へ〉（一九七〇年十一月，收錄於前揭《資料　日本ウーマン・リブ史Ⅰ》）頁二二〇。

184 Group・戰鬥的女人〈リブが今年を切り拓く！〉（一九七〇年十二月，收錄於前揭《資料　日本ウーマン・リブ史Ⅰ》）頁二二六、二二七。

185 Group・戰鬥的女人〈リブを闘うおんな討論集会へ向けて〉（一九七〇年十二月十二日，收錄於前揭《資料　日本ウーマン・リブ史Ⅰ》）頁二二九。

186 Group・戰鬥的女人〈ごまめの歯ぎしりを女兵士に止揚せよ！〉（一九七〇年十二月十八日，收錄於前揭《資料　日本ウーマン・リブ史Ⅰ》）頁二二九、二三〇。

187 Group・戰鬥的女人　青鱂魚共生集團〈コレクティブが現情況を切り拓く〉（一九七一年一月，收錄於前揭《資料　日本ウーマン・リブ史Ⅰ》）頁二三三。

188 Group・戰鬥的女人　鯨魚共生集團（くじらcollective）〈おしゃべりからの飛躍〉（一九七一年三月頁二三五。Group・戰鬥的女人　青鱂魚共生集團〈女は自らを革命する！〉（一九七一年四月）頁二四〇。兩者皆收錄於前揭《資料　日本ウーマン・リブ史Ⅰ》。

189 〈七〇ぐるーぷ闘うおんな総括集会のお知らせ（ビラから）〉（一九七〇年十二月）頁二二七。Group・戰鬥的女人〈小さな花火も広野を焼き尽す！〉（一九七一年一月二十八日）頁二三二。兩者皆收錄於前揭《資料　日本ウーマン・リブ史Ⅰ》。

190 前揭〈リブを闘うおんな討論集会へ向けて〉頁二二八。

191 前揭〈ごまめの歯ぎしりを女兵士に止揚せよ！〉頁二三一。

192 同上傳單頁二三一。

193 前揭〈コレクティブが現情況を切り拓く〉頁二三三。

194 前揭〈七〇ぐるーぷ闘うおんな総括集会のお知らせ（ビラから）〉頁二二七。

195 田中前揭《いのちの女たちへ》頁二四三。

196 前揭〈小さな火花も広野を焼き尽す！〉頁二三一、二三二。

197 田中前揭《いのちの女たちへ》頁三〇二、二五〇。

198 同上書頁一二六、一三七。
199 同上書頁一二七。
200 Group・戰鬥的女人〈何故リブは入管を闘うか!〉(收錄於前揭《資料 日本ウーマン・リブ史I》)頁二三八。重引田中前揭《いのちの女たちへ》頁二三三—二三四。這篇〈何故リブは入管を闘うか!〉在前揭《リブ新宿センター資料集成 ビラ篇》中標註日期是四月二十一日。這個時期後,收錄在這份資料集中卻沒有編入前揭《資料 日本ウーマン・リブ史I》的提倡武裝鬥爭的傳單,有四月份的〈女は革命に飛翔する!〉(同上資料集成頁一八〇—一八一),而其他在頁二一六、二一九、二三九、二四五可以看到的資料,都是過去傳單的再版。
201 田中前揭《いのちの女たちへ》頁二五一。
202 Group・戰鬥的女人〈おんな解放二・二〇 大連絡会議〉(收錄於前揭《資料 日本ウーマン・リブ史I》)頁二三四。前揭〈おしゃべりからの飛躍〉頁二三五。
203 松岡前揭〈七〇年大会基調報告[八月二十二日]『侵略=差別と斗うアジア婦人会議』〉頁四五。
204 女性解放連絡會議準備會(田中美津)〈女性解放闘争とはなにか?〉(一九七〇年八月,收錄於前揭《資料 日本ウーマン・リブ史I》)頁二〇一。
205 田中前揭《いのちの女たちへ》頁一八六、二〇六、一九三。這次邀請桐島來講課的討論會,根據前揭《資料 日本ウーマン・リブ史I》頁三三二的年表是辦在一九七二年三月二十一日。雖然在本文的此處加入這場討論會內容在時間序列上前後顛倒,但為了顯示出運動的停滯,所以才特意加入這個例子。
206 〈『連合赤軍の女性被告救援を通じてコトの本質にいくらかでも迫る会』って何だろう〉(《週刊文春》一九七三年三月五日號)頁一四三。
207 田中前揭〈未来を摑んだ女たち〉頁二八四、二九四。
208 女性解放合宿實行委員會〈リブ合宿 日程決る!〉(初出《ひとつでたホイのよさホイのホイリブ合宿ニュース》第一號,一九七一年七月三日,收錄於前揭《資料 日本ウーマン・リブ史I》)頁三一七。
209 〈私にとってリブ合宿とは何だったか〉(一九七一年九月,收錄於前揭《資料 日本ウーマン・リブ史I》)頁二四九、二五〇。
210 Group・戰鬥的女人〈一〇・二一 おんなの集会 一〇・二一〉(一九七一年十月二十一日,收錄於前揭《資料 日本ウーマン・リブ史I》)頁二五〇。
211 木村久子〈女性解放運動の方向性についてI〉(一九七一年二月,收錄於前揭《資料 日本ウーマン・リブ史I》)頁二五三。
212 石井、小川、小泉、加納前揭〈三里塚に生きて〉頁四〇六、四〇五。
213 田中前揭《いのちの女たちへ》頁二九二。
214 田中前揭〈反論を待つために!〉頁一九二。
215 加納、田中前揭〈真面目はマジョルカの薔薇で、不真面目はシシリーの花〉頁四三。
216 同上對談頁四四。
217 以下,「Group・戰鬥的女人」成員們的發言,以及有馬的感想

出自前揭〈ぐるーぷ・闘うおんな〉頁二三六。

218 田中前揭《いのちの女たちへ》頁二四四。

219 女性解放合宿實行委員會〈ふたつでたホイのよさホイのホイ リブ合宿ニュース〉No.二（初出《リブ合宿ニュース》第二號，收錄於前揭《資料　日本ウーマン・リブ史Ｉ》）頁三二〇。然而，如果如後述一樣，她在女性解放合宿之前就已經為赤軍派提供了藏身處，並對赤軍派的真實樣貌感到幻滅的話，那麼即使在《女性解放合宿新聞》中提倡「追求武裝與共產主義」，那時候也早已確立了向武裝鬥爭論與新左翼訣別的意志，這樣的看法也是可能的。因為田中雖然沒有加入過任何黨派，但與赤軍派接觸確實可能讓她對新左翼感到幻滅。但是，最終使她更加確定要放棄武裝鬥爭論的關鍵，應該是後文所述的訪問革命左派丹澤基地。

220 以下，與赤軍派接觸的經過以及內容引用，出自田中前揭〈未来を摑んだ女たち〉頁二九二－三〇二。對革命左派的期待出自頁二九七。青砥的回憶出自青砥前揭（第十六章）〈三六年を経て連合赤軍事件を思う〉頁一九三－一九四。然而，田中並未明確說明提供赤軍派根據地的時期是從何時開始。在這份訪談中說，是在白天幫忙家業的「二十六歲」時期（頁二九五），因此可能是在參加女性解放運動之前的事。如果是這樣，那麼田中或許是在受到赤軍派的影響卻也同時對其抱有反感的情況下，一度主張了赤軍派沒有的「女士兵養成」觀點並寫下武裝鬥爭論，但最終因為更加深入了解了赤軍派的真實樣貌而幻滅，並在一九七一年中開始逐漸脫離武裝鬥爭論也說不定。又或者是，「二十六歲」的時間點是田中記錯，有可能其實是從一九七一年五月左右開始提供了根據地，然而立即對赤軍派的真實樣貌感到失望，於是遠離了武裝鬥爭論也說不定。上述二〇〇九年的訪談中，她本人並沒有提及曾經主張過武裝鬥爭，只有提到從六〇年代參加街頭鬥爭的時期開始「如果問我是否想和武裝有所關聯，那我可從來沒有過這種想法」（頁二九一），所以恐怕田中自己的記憶也已變得模糊。

221 以下關於永田回憶中她與田中的相遇，出自永田前揭（第十四章）《十六の墓標》下卷頁四八以下的內容。

222 田中前揭〈〈リブという革命〉がひらいたもの〉頁二七九、二八一。

223 同上演講頁二八一、二七九。

224 加納、田中前揭〈真面目はマジョルカの薔薇で、不真面目はシシリーの花〉頁四六。

225 田中前揭《いのちの女たちへ》頁八九、一九〇、一九二、八二。

226 同上書頁三四。田中前揭〈〈リブという革命〉がひらいたもの〉頁二七六。

227 同上演講頁二八〇。並且田中也在這次演講的頁二七九談到了「因為那時候的我已經不再贊成武裝鬥爭了」，「為了想要革命而搶奪獵槍的人們究竟是怎樣的一群人呢？出於對這群至今仍被困在幻想中的人們的好奇心，我就直接順著邀請」而走訪了丹澤基地。然後，為了不被誤會成「革命的人」，她說自己刻意穿著迷你裙前往了丹澤。然而，儘管因為和赤軍派的接觸使她開始懷疑武裝鬥爭這件事是事實，但如果只是為了想看看「至今仍被困在幻想中的人」，不需要跑到丹澤，在身旁也可以見到不少赤軍派的成員們才對，因此這個證言似乎多少有些誇張。或許更貼近事實的是，如二〇〇九年的田中前掲〈未来を摑んだ女たち〉頁二九七、三〇一所述，對於有別於赤軍派，正在培養「女士兵」的革命左派抱有所謂「女革命家是什麼樣的人呢」的某種期待，但實際去看過了之後卻感到幻滅，使得她更加確定要放棄武裝鬥爭論。

228 同上演講頁二八一、二八二。而在二〇〇九年的〈未来を摑んだ女たち〉頁二九七中提到，田中抱著想見到「女性革命家」的期待前往丹澤，卻因為革命左派實際上「陰沉老土又極度認真」而感到失望。

229 田中前掲〈混沌を引き受けて生きたい〉頁六二、六三。

230 同上訪談頁六三。

231 田中美津〈文庫版へのあとがき〉（收錄於田中前掲《いのちの女たちへ》新裝版）頁三五五。加納、田中前掲〈真面目はマジョルカの薔薇で、不真面目はシシリーの花〉頁二六。

232 田中、上野前掲《美津と千鶴子のこんとんとんからり》頁六九、七〇。

233 加納、田中前掲〈真面目はマジョルカの薔薇で、不真面目はシシリーの花〉頁四四、二六。

234 田中前掲〈〈リブという革命〉がひらいたもの〉頁二八〇。

235 同上演講頁二八〇、二八四。

236 田中前掲《いのちの女たちへ》頁二七一、二三二、二七二。

237 上述經過出自溝口明代〈五月リブ大会にむけて〉（收錄於前掲《資料　日本ウーマン・リブ史Ｉ》）頁三三二。

238 田中前掲《いのちの女たちへ》頁二二七。

239 五月女性解放大會負責人一同〈五月リブ大会への呼びかけ」〉（收錄於前掲《資料　日本ウーマン・リブ史Ｉ》）頁三三四。依據田中前掲〈未来を摑んだ女たち〉頁三〇七指出，一九七二年五月的第一屆女性解放運動大會是「一心為了募款所舉辦的，幾乎等同於捏造的大會」。當時的田中因為提供藏身處給赤軍派而被公安盯上。因此，為了就算萬一自己被逮捕也不至於使運動崩潰，她用女性解放大會的入場費及捐款，以及撰寫《いのちの女たちへ》的稿費湊出了在一九七二年九月成立女性解放新宿中心的資金。

240 田中前掲《いのちの女たちへ》頁二二一。

241 同上書頁二三四、二六一。

242 同上書頁二二一、五六。

243 同上書頁二二四—二二六。

244 同上書頁二一九、二四三。

245 同上書頁五七、二三〇、五四、二四七。

246 同上書頁二一九—二三一。

247 同上書頁二二一、二三二。

248 同上書頁二三二。

249 同上書頁二三二、二三〇。

250 同上書頁五二、二〇三。

251 同上書頁二一〇、七三、二四一。

252 同上書頁二七三。

253 同上書頁二五八。

254 同上書頁二六八。

255 同上書頁五五。

因為稍微偏離正題，所以寫在註釋裡。在上野千鶴子那裡，「女性士兵」一詞被用以象徵在形式上的「男女平等」走到極致時，女性「和男人同等」地被包裹進入現行體制的狀態。普遍認為她從參加全共鬥運動開始，就痛切感受到女性只能是「二流士兵」，然而「女性士兵」在她的著作中化為問題意識而被搬上檯面的現象，應該是從波斯灣戰爭不久後與花崎皋平的對談〈マイノリティの思想としてのフェミニズム〉（《情況》一九九二年十、十一月合併號）開始的。在對談中，上野強烈批判美國的女性團體NOW主張，美軍內的女性士兵參加戰鬥的權利為一種「男女平等」的表現（頁一五－一七），她主張「我認為女性主義是不死的思想。〔為了名為〕女性主義〔的大義〕，〔「私我」得〕去死，是相當大的自我矛盾」（頁四六）。

上野把這個問題當作「性別戰略悖論」的象徵性問題，在一九九八年的前揭《ナショナリズムとジェンダー》中也再次提出來討論（頁七四－七八）。二〇〇四年，受到「九・一一恐攻」的衝擊，在《現代思想》五月號上發表了論文〈名為女性革命士兵的問題〉〈女性革命兵士という問題系〉，文中提出了「女性可以成為革命士兵嗎？」的發問（頁四九），並談論了關於蘇聯軍隊及阿拉伯游擊隊中的女性士兵，甚至是聯合赤軍的「女性士兵」。在這篇論文中，上野提到自己終於閱讀了過去一直作為心理創傷而「不想看到、不想聽到」的，作為聯合赤軍相關書籍的永田洋子回憶錄，並沿用永田回憶錄中的主張，以「實際指導總結的領導者是革左〔革命左派〕的森恒夫，而永田是他的追隨者，這件事被煽情的新聞記者掩蓋了」擁護永田（頁五七。然而森恒夫其實是赤軍派的領導者，並非革命左派的領導者），並且引用了田中美津所說的「如果試著比男人更積極地奉行男人的革命理論，所有的女人都會是永田洋子」（五七頁）。在這個基礎上，上野說道，「我並不認為『有比生命更重要的價值』。女性主義應該是『為了活下去的思想』，對這樣的女性主義來說，英雄主義只是負面的，並不會成為助益」、「逃吧，活下去吧。我腦海中的想法是，選擇成為難民」（頁五三、六七）。

〈名為女性革命士兵的問題〉這篇論文，對上野而言應該是一篇表現了自全共鬥運動與聯合赤軍事件以來思考過的種種問題的力作，對於理解了本章所敘述的，從田中美津到上野一脈相承而來的女性解放思想（中的一個流派）的讀者來說，應該能理解上野主張的箇中意涵。然而，對於不是那麼熟悉上野的著作，也尚未掌握「女性士兵」這個「上野語」之中含義的讀者而言，這恐怕是篇無法理解的論文。「女性主義是『為了活下去的思想』」這樣的話語，寫得也稍嫌唐突，對於尚未掌握上野在田中美津那裡接受到的思想影響的讀者來說，這種女性主義的定義，除了無法理解，大概不會留下任何印象。因此，這篇論文並未引發上野所期待的迴響。

另外，上野之所以使用用以象徵被包裹進「和男人同等」中的女性的「女性士兵」一詞，是承接了在《致生命中的女性們》裡放棄武裝鬥爭論之後的田中的「女士兵」概念。七〇年代前半時人在京都的上野，談到自己在讀了一九七二年出版的《致生命中的女性們》後，才第一次知道到在東京搞運動的田中（田中、上野前揭《美津と千鶴子のこんとんとんからり》頁八），因此，上野應該沒有接觸過田中讚揚武裝鬥爭及「女士兵」的文章。所以，與其認為上野是田中的忠實繼承者，不如將上野視為以自己的詮釋承接了轉換後的田中，這樣的看法或許比較正確。

257 田中前揭《いのちの女たちへ》頁三五〇。
258 田中前揭〈不埒がいのち〉頁三八四。
259 田中前揭《いのちの女たちへ》頁二四八—二四九。
260 同上書頁二二九、二三〇。
261 同上書頁二四九。
262 同上書頁二四七。
263 同上書頁二五一、五〇。
264 同上書頁二五一。
265 同上書頁二五二、二五三。
266 同上書頁二四六。
267 同上書頁二五七。
268 田中前揭〈未来を摑んだ女たち〉頁三一一。
269 田中前揭〈混沌を引き受けて生きたい〉頁六二、六三。
270 田中前揭《いのちの女たちへ》頁二二七。
271 同上書頁二四三、二四一、二五九。
272 同上書頁二七三。
273 田中美津〈永田洋子はあたしだ〉（初出《日本読書新聞》一九七二年六月一日號，收錄於田中美津《何処にいようと、りぶりあん》社会評論社，一九八三年）頁五四、五七。
274 田中前揭《いのちの女たちへ》頁二七三。
275 同上書頁二七三。
276 同上書頁二七六，田中前揭〈永田洋子はあたしだ〉頁六〇。
277 田中前揭《いのちの女たちへ》頁二七五。
278 田中前揭〈永田洋子はあたしだ〉頁六〇。
279 田中前揭《いのちの女たちへ》頁二七二。
280 田中前揭〈混沌を引き受けて生きたい〉頁五八、五九。
281 加納、田中前揭〈真面目はマジョルカの薔薇で、不真面目はシシリーの花〉頁二六、三六。
282 田中美津〈永田洋子と私の出会い〉（《週刊プレイボーイ》一九七三年三月六日號）頁三五。
283 同上論文頁三七。
284 田中前揭〈未来を摑んだ女たち〉頁三〇八。
285 田中前揭《いのちの女たちへ》頁一二二、二四六、一八二。
286 加納、田中前揭〈真面目はマジョルカの薔薇で、不真面目はシシリーの花〉頁四〇。
287 田中前揭《いのちの女たちへ》頁二五〇。
288 田中、上野前揭《美津と千鶴子のこんとんとんからり》頁一五八。
289 西村前揭《女たちの共同体（コレクティブ）》頁七八、九二。
290 田中前揭〈混沌を引き受けて生きたい〉頁五六。
291 前揭座談會〈リブセンをたぐり寄せてみる〉頁二三八、二三六、二四〇、二四一。此外，為了從本書的脈絡檢證田中，而引用了敬愛著田中並聚集於女性解放新宿中心的成員們的證言，這或許並非當事人的本意，但懇請各位見諒。
292 同上座談會頁二三六。
293 同上座談會頁二二三、二三一。
294 同上座談會頁二四〇。

295 西村前揭《女たちの共同体》頁七八。
296 田中前揭〈混沌を引き受けて生きたい〉頁五六。田中前揭〈未来を摑んだ女たち〉頁三一一。
297 田中前揭〈混沌を引き受けて生きたい〉頁五六。
298 同上訪談頁五九。
299 田中前揭《いのちの女たちへ》頁二七八。
300 同上書頁二七九。
301 同上書頁二六二。
302 前揭〈〈リブという革命〉がひらいたもの〉頁二七六。
303 同上演講頁二八四。
304 田中前揭《いのちの女たちへ》頁二八四。
305 同上書頁二六七。
306 同上書頁二六一。
307 高橋源一郎、渋谷陽一〈今、論じることは〉（《朝日新聞》二〇〇八年一月十三日）。
308 上野、加納前揭〈フェミニズムと暴力〉頁八。
309 中野前揭（第四章）《ゲバルト時代》頁一九六。
310 以下關於民意調查的分析出自日高六郎《戦後思想を考える》（岩波新書，一九八〇年）頁七九－八〇。
311 田中前揭《いのちの女たちへ》頁三五一、二八一。
312 女性解放新宿中心成員一同〈リブ新宿センター休館のごあいさつ〉（初出一九七七年五月二十日，收錄於溝口、佐伯、三木編前揭〔第十七章〕《資料　日本ウーマン・リブ史III》）頁三八、三九。
313 西村前揭《女たちの共同体》頁四一。
314 前揭座談會〈リブセンをたぐり寄せてみる〉頁二二二。
315 田中前揭《何処にいようと、りぶりあん》頁二八一、二八二。

結論

1 這次的交流過程及上野的相關記述，出自前揭（第十七章）《ミッドナイト・コール》頁八四－八五。
2 田中、上野前揭（第二章）《美津と千鶴子のこんとんとんからり》頁一五、一六。
3 橋爪大三郎〈生活感に基づく一票〉（《朝日新聞》二〇〇〇年六月三日）。
4 吉川前揭（第四章）〈国境をこえた『個人原理』〉頁二五四－二五五。
5 三浦前揭（第一章）《団塊世代を総括する》頁五二、五四。
6 關於道德經濟論，參考近藤和彥〈モラル・エコノミーとシャリバリ〉（收錄於《民衆文化》、《シリーズ世界史への問い六》岩波書店，一九九〇年）。
7 同上論文頁二九、三〇。
8 津村前揭（第四章）〈全共闘経験における『身体性の政治』〉頁五八。
9 飯田（Iida）、菊池、高橋、永井、萩原前揭（第二章）〈〝学生の反逆〟と現代社会の構造変動〉頁五三。
10 北野前揭（第十章）《プレイバック「東大紛争」》頁一二三。在原本，當事者林健太郎本人，似乎對這樣的事並沒有自覺。在北野的訪談中，林這麼回答：「學生運動中存在著兩股潮流。一個是後進國家現代化初期階段出現的類似國族主義的風氣。

另一個是在先進國家中出現的，反抗管理式社會，一方面又因欲望被解放，需求在觀念上逐漸擴大而形成『毫無理由的反抗』。在日本，這兩種要素相互混雜交錯。」接著，他認為「學生們批判的內容，例如『反對產學合作』之類，盡是一些遠離文學部實態的事」，為了伸張這件事才陪著學生整晚進行團體交涉（同上書頁一三〇、一三一）。

11 小野田前揭（第三章）〈全共闘世代への違和と共感〉頁一八四。

12 橋爪大三郎《「心」はあるのか》（ちくま新書，二〇〇三年）頁一八六。

13 同上書頁一八七。

14 鈴木邦男〈マルクスはステータスだった〉（收錄於今村仁司編《思想読本二　マルクス》作品社，二〇〇一年）頁一五四。

15 以下的引用內容出自三田誠広《僕って何》（初版河出書房新社，一九七七年。文庫版角川書店，一九八八年）文庫版三，頁一六－一七。

16 以下關於小野田的引用出自小野田前揭（第三章）《革命的左翼という擬制》頁一四四、一四五。

17 三上前揭（序章）《一九六〇年代論II》頁四四。

18 安東、上野前揭（第十一章）〈学生運動五年の軌跡〉頁二一六、二一八－二一九、二二五。引用處減少換行。

19 同上對談頁二二四－二二五。

20 同上對談頁二二五。

21 《世界》編集部前揭（第一章）〈東大闘争と学生の意識〉頁七一。

22 吉川前揭〈国境をこえた『個人原理』〉頁二五六。

23 鶴見、上野、小熊前揭（第三章）《戦争が遺したもの》頁三一三。

24 田中、上野前揭《美津と千鶴子のこんとんとんからり》頁四七、四八。

25 田中前揭（第二章）《いのちの女たちへ》頁二一五。

26 引用自米津知子〈なぜ男ばかり？──ウーマンリブ〉（People's Plan研究所社會運動研究會主辦〈『私』と戦後日本の社会運動〉第四回，二〇〇八年一月一二日）中的座談後問答。感謝米津小姐授權准許本書使用發言內容的要旨。

27 麻川まり子〈座談会『リブセンをたぐり寄せてみる』にむけて〉（收錄於前揭（第一章）《全共闘からリブへ》）頁二五七。

28 米津知子〈変わったことと変わらないこと〉（收錄於前揭《全共闘からリブへ》）頁二六〇。

29 加藤三郎〈もう一つの次元への戸口に立って〉（收錄於《意見書》，《思想の科学》一九八八年四月號）。

30 林信吾、葛岡智恭《昔、革命的だったお父さんたちへ》（平凡社新書，二〇〇五年）頁七八。

31 一瀬、尾形、神澤、篠崎、西村、村松前揭（第一章）〈学園の紛争と大学の自治〉頁二六九。

32 吉野、藤田前揭（第十一章）〈戦後民主主義の原理を考える〉頁一五。

33 同上對談頁一二、一三、二〇。

34 同上對談頁一〇。

35 杉山美智子〈マイクの追った〝激動する十日間〟〉（《思想の科学》一九六〇年七月號）頁四一。

36 大野力〈『自衛隊に入ろう』について〉（《思想の科学　会報》第六三號，一九六九年八月）頁一八－一九。

37 這篇文章是重引自小野田前揭〈全共鬪世代への違和と共感〉。根據小野田表示，這似乎是引用重尾隆四投稿到《去到遠方》（遠くまで行くんだ）第三號中的論文內容，不過重尾投稿到同本刊物裡的〈更往廢墟裡去！！〉（更に　墟へ！！）中並沒有看到與上述相同的內容。

38 小野田前揭〈全共鬪世代への違和と共感〉頁一七六、一八三、一八四。然而，小野田指出自己雖然與全共鬥世代不同，是個禁慾主義者，但卻是像埴谷雄高以及吉本隆明那樣，在與政治運動無緣的位置上專注於自我的「自我至上主義者」，他形容這是「我身為一個政治領導者的致命弱點」。在脫離中核派後，他發起否定包含新左翼黨派在內的既存政治黨派之運動的《去到遠方》，受到全共鬥的無黨派運動者們的好評，然而小野田卻這麼描述當時的理由與反省：「暴露出黨的擬制性，這在當時三派全學聯崩壞、對新左翼各黨派的質疑高漲的時代情況中很容易受到讚揚。創建黨不能過於輕率，但如果是暴露出其擬制性的話，輕率則相對被允許。這時，人們會把自己交給內心中的輕率本能。即便是對這件事有所自覺並一直保持規戒的我，最終依然採取了這樣的行動，這份責任相當重大。」「我必須得徹底地否定政治思想、政治理論這類的事物不可。當時的我，內心對於政治實踐一點方向都沒有，只是想要全力想清楚而已。這樣的我，將虛有其表的政治應然使命寫在〔《去到遠方》的〕文章裡。」「久違地回顧〔我寫於《去到遠方》裡的煽動文〕後，我十分錯愕。」「我自己，對於實際上要做什麼一點想法都沒有，只是將我對於時代的認識、對於政治的認識直接套用到政治性煽動中而已。」「當時，有一些離開中核派並對我有所關注的人，看穿了我在宣言中〔《去到遠方》的創刊宣言〕寫出的政治應然使命僅僅只是虛有其表。而當時有一些隸屬中核派、同時也在關注著我的一舉一動的人，看破了我虛有其表的政治應然使命，對我的不負責任感到憤怒。」「當時的自己為何要與二十歲左右的學生們一起創辦《去到遠方》，並對現實中的〔全共鬥〕運動表示興趣呢？我無論如何都無法回避這個問題。」「我不想失去與現實的連結，當我失去這種連結時，最後，我不就只會變成一人政治思想家而已嗎？於是，我只能向現實低頭。」（小野田前揭〈全共鬪世代への違和と共感〉頁一七九、一七三、一七一、一六九、一七二、一七四）。以小野田為首，包括埴谷雄高和吉本隆明，實際上是「自我至上主義者」，以批評現有黨派的「擬制性」的形式，發表類似於政治煽動言論的知識分子，在全共鬥運動中博得了好評。或許可以推測這其中的一個原因是，正如小野田所分析的那樣，某種看起來具有適度政治性，但實際上卻無需擔負建立政治組織等責任，並「輕率」地肯定自我至上主義的思想，正是全共鬥運動中被期盼的思想。

39 小野田前揭《革命的左翼という擬制》頁一〇四－一〇五。

40 川上徹〈六九年秋-七二年四月——思考の軌跡〉（收錄於川上、大窪前揭〔第二章〕《素描・一九六〇年代》）頁二五九－二六〇。在這篇文章中，川上用筆記詳細記述了，前揭的吉野源三郎及藤田省三對談中的吉野的發言，公開刊行時他表示「應該是非常感同身受地讀完了」（頁二五九）。

41 川上前揭〈第十章〉〈東大鬪争前後〉頁二四四—二四五。
42 讀賣新聞大阪本社社會部前揭（第十六章）《連合赤軍》頁四五。
43 中島前揭（第二章）〈新しい科学・技術者運動の胎動〉頁三六。
44 以下關於金城的引用出自金城前揭（第十四章）《沖　処分》頁二四四。
45 吉川前揭〈国境をこえた『個人原理』〉頁二五八。
46 瀧田修〈暴力と叛乱への序説〉（初出《逆光の思想》三號，一九七一年四月。瀧田修《昔の名前で出ています》新泉社、一九八二年收錄於）頁四九、五六。
47 吉野、藤田前揭〈戦後民主主義の原理を考える〉頁二〇。
48 丸山眞男〈戦争責任論の盲点〉（初出《思想》一九五六年三月號，收錄於丸山《戦中と戦後の間》みすず書房，一九七六年）頁六〇二。
49 安東、上野前揭〈学生運動五年の軌跡〉頁二二二、二二三。
50 四方田前揭（第一章）《ハイスクール一九六八》頁八〇。
51 以下各國學生反叛的狀況由每日新聞社編前揭（第四章）《スチューデント・パワー》，以及高橋徹編《叛逆するスチューデント・パワー——世界の学生革命》（講談社，一九六八年）等概括整理。參考畑山敏夫〈フランス一九六八年五月〉（收錄於岡本編前揭〔第十五章〕《「一九六八年」　時代転換の起点》）。
52 一九六八年的法國，當時大學生的人數從一九五八年的十七萬人遽增至六十萬人，與此相比，卻只有二十三間大學，教室設備等資源不足的狀態極度惡化。而法國業士文憑（大學入學資格檢定考試）制度規定，只要通過考試就可以在任何一間大學中上課，因此有十六萬人集中在巴黎大學、三萬人於索邦大學，加速了對於設施不足的不滿。並且，大學組織的營運更被形容成「沿用拿破崙時代那套」的舊式營運方式，課程的選擇範圍狹隘，再加上大學生人數的增加，使得文科大學生即使畢業了，也難以期待能找到像以前一樣菁英待遇的就業機會。這在當時就已經被指出是「五月革命」的背景（每日新聞社編前揭《スチューデント・パワー》頁一三一）。
53 一九六八年當時，英國的大學設置基準相當嚴格，一九六八年前的十五年裡，法國的學生數量增加倍率為三・五倍、西德是二・八倍、美國是二・二倍，相較之下英國為一・六倍。一九六八年時的法國，教師一人平均需要負責二十七個學生，而英國則是十一人（每日新聞社前揭《スチューデント・パワー》頁一七八—一七九）。
54 座談會〈激動路線をさぐる〉（收錄於每日新聞社編前揭《スチューデント・パワー》）頁一二〇。
55 每日新聞社編前揭《スチューデント・パワー》頁五七、五八。
56 上述「五月革命」的經過出自每日新聞社編前揭《スチューデント・パワー》頁一三四—一三六。
57 同上書頁五九。
58 例如井關正九《ドイツを変えた六十八年運動》（白水社，二〇〇五年）等等。
59 真繼前揭（第十三章）〈全共闘運動私論〉頁一八二。
60 重引廣岡守穗〈全共闘——モラトリアムとしてのバリケード〉（《現代の理論》一九八三年七月號）頁三四—三五。出處沒有記載因此難以確認，但同樣的內容在本文的下一個註釋，津村〈全共闘経験における《身体性の政治》〉中也有相同的描述，因此內容的主旨應該沒有錯誤。

61 津村前揭〈全共闘経験における『身体性の政治』〉頁七四、九二。

62 真繼伸彥〈大学革命論序説〉（《文藝》一九六九年六月號）頁一九二—一九三。

63 立花前揭（第一章）〈一流企業に反戦女性が急　している〉頁一一二—一一三。

64 〈『口先だけ』を排す〉（〈若さの論理（一）〉《朝日新聞》一九六九年十月二十日）。

65 神津前揭（第四章）《極私的全共闘史　中大一九六五—六八》頁一七。

66 三井一征、高橋公、横谷優一、味岡修、花野忠念〈今こそ語りはじめよう『全共闘世代』〉（收錄於前揭〔第四章〕《全共闘白書》）頁一七。

67 森（Mori）前揭（第十七章）〈四・二六思想集団エス・イー・エックス結成集会総括〉頁一七一。

68 以下關於內田的引用出自內田元亨〈高度工業社会の構造〉（《中央公論》一九六九年三月號）頁二〇九、二一〇、二一五、二一七、二一八、二一九、二二一、二二二、二二三、二二四、二二〇。

69 船橋前揭（第二章）〈全共闘運動とジェンダー〉頁九七。

70 此部分的引用出自上野前揭《ミッドナイト・コール》頁八五、八六。

71 筑紫編前揭（第四章）《若者たちの神々I》頁一一—一二。

72 中村前揭（第一章）〈一九五〇—六〇年代の日本〉頁四〇。

73 竹信三恵子〈正社員嫌い〉（《季刊　女子教育もんだい》第六十八號，一九九六年七月）頁七三—七四、七五。引用處減少換行。

74 關於上述的事件經過，以及九〇年代前半為止東京Shure的活動參考朝倉景樹《登校拒否のエスノグラフィー》（彩流社，一九九五年）。

75 奥地圭子《登校拒否は病気じゃない》（教育史料出版会，一九八九年）頁一一三。貴戸理恵《不登校は終わらない》（新曜社，二〇〇四年）頁六一。

76 以下對談的引用內容出自佐藤學・斎藤貴男〈教育はサーヴィスか〉（《現代思想》二〇〇二年四月號）頁八六、八五。

77 貴戸前揭《不登校は終わらない》頁六一。

78 赤木智弘〈『丸山真男』をひっぱたきたい〉（《論座》二〇〇七年一月號），以及赤木智弘《若者を見殺しにする国》（双風舎，二〇〇七年）。

79 這件事，大概與日本的戰爭相關教育及論述，總是在太平洋戰爭的形象下進行一事脫不了關係。赤木或許只不過是忠於在日本的教育和言說場合中漫天飛舞的戰爭形象（恐怕是在無意識之中），但對於當代的戰爭一無所知而已。另外，批評赤木在《論座》二〇〇七年四月號上發表的文章〈想要搧「丸山真男」一巴掌〉的多數論者們，和赤木一樣，都是以相同的戰爭觀為前提來批判他。這似乎說明了，在日本有許多人受到這種時代錯誤的戰爭印象所束縛。

80 赤木前揭《若者を見殺しにする国》頁一〇五、一一二。

81 赤木智弘〈続『丸山真男』をひっぱたきたい〉（《論座》二

〇〇七年六月號）頁一一六、一一九、一一八、一一七。

82 同上論文頁一二〇、一一九。

83 藤生京子〈論壇　二〇〇七回顧〉（《朝日新聞》二〇〇七年十二月六日）。

84 秋田明大〈損害は有名になったこと〉（收錄於前揭《全共闘白書》）頁二四八—二四九。

85 絓前揭（第十四章）《一九六八年》，以及絓秀実《革命的な、あまりに革命的な》（作品社，二〇〇三年）等等。

86 Immanuel Wallerstein《ポスト・アメリカ》（丸山勝譯，藤原書店，一九九一年）頁一一四。

87 Immanuel Wallerstein《新版　史的システムとしての資本主義》（川北稔譯，岩波書店，一九九七年）頁一五三。

88 Immanuel Wallerstein《大学闘争の戦略と戦術》（公文俊平譯，日本評論社，一九六九年）。

89 Wallerstein前揭《ポスト・アメリカ》頁一一四—一四三。引用為頁一一八。

90 Wallerstein前揭《新版　史的システムとしての資本主義》頁一五三。

91 ＮＨＫ取材班前揭（第一章）〈東大全共闘〉頁三七三。

92 同上論文頁三七三—三七四。

93 同上論文頁三八八—三八九。

94 神津前揭《極私的全共闘史　中大一九六五—六八》頁一五九—一六〇。

95 前揭（第十四章）《三島由紀夫VS東大全共闘——一九六九—二〇〇〇》頁二〇一—二〇二。省略了座談會中有穿插對話的部分。

96 加藤一郎〈東京大学の紛争〉（收錄於大崎編著前揭〔第二章〕《「大学紛争」を語る》）頁一三五。

97 ＮＨＫ取材班前揭〈東大全共闘〉頁三八七。

98 奥田、岡本、上柳前揭（第二章）〈京都大学の紛争〉頁二二〇、二二五。

99 小阪前揭（第一章）《思想としての全共闘世代》頁八八。前揭《三島由紀夫VS東大全共闘——一九六九—二〇〇〇》頁一九五。

100 匿名〈亜インテリ大衆の反乱〉（收錄於前揭《全共闘白書》）頁四九。

101 齊藤正〈政府・文部省の対応〉（收錄於大崎編著前揭《「大学紛争」を語る》）頁一六三—一六四。

102 波岡晴彦（筆名）〈機動隊をブッ飛ばした感覚〉（收錄於前揭《全共闘白書》）頁一一八。

103 大泉前揭（第八章）《あさま山荘銃撃戦の深層》頁二五〇—二五一。

104 中野前揭（第四章）《ゲバルト時代》頁一四九。

105 清水司、藤田幸男〈早稲田大学の紛争〉（收錄於大崎編著前揭《「大学紛争」を語る》）頁六二。

106 北野前揭《プレイバック「東大紛争」》頁一九一—一九二。

107 小野前揭（第十四章）《六〇年代が僕たちをつくった》頁一二五—一二六。

108 清水幾太郎〈安保後の知識人〉（初出《諸君！》一九七七年六月號，收錄於《清水幾太郎著作集》講談社，一九九二—九三年，第十七卷）頁三三七—三三八。
109 北野前揭《プレイバック「東大紛争」》頁二七一。
110 永島慎二〈ひのき舞台で稽古をするような仕事をする〉（收錄於前揭〔第一章〕《連合赤軍〝狼〟たちの時代》）頁二八四。
111 横山前揭（第四章）〈ほんとはその程度に働けたら、みんないちばんいいわけでしょ〉頁二一七—二一八。
112 船曳前揭（第一章）〈《東大闘争》とは何であったのか〉頁四四—四五。
113 早川行雄〈社共＋市民派で一つの極を〉（收錄於前揭《全共闘白書》）頁一〇九。
114 佐々木力〈民主主義の永久革命者〉（《大航海》第十八號，一九九七年）頁九二—九三。
115 金子勝〈自分だけ恵まれた条件で逃げるな〉（《朝日新聞》二〇〇六年二月二十日）。
116 寺島實郎〈高齢化社会の重要な転換点〉（《朝日新聞》二〇〇六年二月二十日）。
117 見田宗介〈『成熟した理想』追う好機〉（《朝日新聞》二〇〇四年八月二十日）。
118 浦島悦子〈手つかずで残された問い〉（收錄於前揭《全共闘からリブへ》）頁一〇九。
119 田中前揭（第十七章）〈不埒がいのち〉頁三八二。
120 米津前揭〈変わったことと変わらないこと〉頁二六〇。
121 清水前揭〈安保後の知識人〉頁三三六。

國家圖書館出版品預行編目(CIP)資料

1968 : 日本現代史的轉捩點,席捲日本的革命浪潮. 第四冊/小熊英二著 ; 黃耀進, 馮啓斌, 羅皓名譯. -- 初版. -- 新北市 : 黑體文化出版 : 遠足文化事業股份有限公司發行, 2024.12
面； 公分. -- (黑盒子 ; 32)
譯自 : 1968. 下 : 叛乱の終焉とその遺産
ISBN 978-626-7512-33-3 (平裝)

1.CST: 學運 2.CST: 現代史 3.CST: 日本史

731.2793 113017907

黑體文化 讀者回函

黑盒子32

1968：日本現代史的轉捩點，席捲日本的革命浪潮 第四冊
1968〈下〉叛乱の終焉とその遺産

作者・小熊英二｜譯者・羅皓名、馮啓斌｜責任編輯・張智琦｜封面設計・林宜賢｜出版・黑體文化／遠足文化事業股份有限公司｜總編輯・龍傑娣｜發行・遠足文化事業股份有限公司（讀書共和國出版集團）｜電話：02-2218-1417｜傳真・02-2218-8057｜客服專線・0800-221-029｜讀書共和國客服信箱service@bookrep.com.tw｜官方網站・http://www.bookrep.com.tw｜法律顧問・華洋法律事務所・蘇文生律師｜印刷・中原造像股份有限公司｜排版・菩薩蠻數位文化有限公司｜初版・2024年12月｜ISBN・9786267512333｜EISBN・9786267512265（PDF）・9786267512289（EPUB）｜書號・2WBB0032｜套書ISBN・9786267512340｜套書EISBN・9786267512302（PDF）・9786267512296（EPUB）｜套書不分售・定價3600元